Russian *made clear*

Vera Adian and Frank Althaus

RUSSIAN MADE CLEAR

The essential course for beginners

Text and illustrations © 2020
The Russian Language Centre

Authors: Vera Adian, Frank Althaus
Illustrations: Maria Freydina
Design: Studio Chehade
Editorial assistance: Elena Smetannikova

ISBN: 978-1-906257-35-4

First published in 2020 in association with Fontanka
www.fontanka.co.uk

The Russian Language Centre
5A Bloomsbury Square
London WC1A 2TA
www.russiancentre.co.uk

Russian | Центр
Language | русского
Centre | языка
25 лет
(RLC)

This textbook is intended for beginners. It has been written and revised over many years, during which time it has been extensively tested on individual and group students at the Russian Language Centre in London. The book was originally written with adult learners in mind; however, although the language might be said to be broadly adult in content – located in the workplace rather than the classroom – the book works equally well with older school and university students.

This is the first book in a series of two. The time taken to complete *Russian made clear Book 1* will obviously depend on factors such as student aptitude and attitude, frequency of study, amount of self-study and so on. Generally, however, it is expected to take around 150 full (i.e. 60-minute) hours of tuition; this means that it will take students comfortably beyond CEFR Level A1 (TRKI Elementary Level).

Book 2 of *Russian made clear* covers an additional 200+ hours of tuition, and takes students beyond CEFR Level A2 (TRKI Basic Level).

Commentaries and explanations are given in English, and the book contains translation exercises from English into Russian. Although a knowledge of English is necessary to make best use of the book, it is not aimed specifically at native English speakers; indeed, more than half of the Russian Language Centre's students are not native speakers of English.

STRUCTURE

The book comprises an introduction to the Russian alphabet, fifteen lessons, a verb appendix, a grammar supplement and a full Russian-English and English-Russian vocabulary. Audio recordings of all the dialogues and texts from the book are available to download from the Russian Language Centre's website, along with a large number of additional interactive exercises.

Each of the fifteen lessons contains the same basic elements, although the structure within each lesson is loose, and there is plenty of variety depending on the language being studied: some lessons have more exercises, others more dialogues and so on. The basic elements of each lesson and their uses are described below.

DIALOGUES

These are the core illustrative element of each lesson. All new grammar is introduced through simple dialogues without explanation or translation; this encourages learners to take an active part in analysing and understanding new language, rather than simply being passive recipients of information. Learners also meet new elements of the language through the spoken word, reflecting one of the principles of the book, that grammar should be treated as a means towards accurate and effective communication, not as a theoretical discipline. Finally, the use of dialogues ensures that students are presented with easily remembered models before moving on to explanation and analysis in the commentaries (see below).

In addition to introductory dialogues, more complex dialogues are used to illustrate colloquial usage, idiom and additional vocabulary, particularly in later lessons. Since many readers will be using the book outside the language environment (i.e. not in Russia), these dialogues are an important means of exposing learners to some of the less controlled, more colloquial language they will meet in Russian-speaking countries.

COMMENTARIES

Shown against a green background, the commentaries follow introductory dialogues, and provide explanations and further examples of new elements of grammar. Commentaries are deliberately kept as concise as possible: rules are generally given in their simplest form, and only the most common and useful exceptions are discussed. Additional exceptions and variations are given in the grammar supplement at the end of the book.

EXERCISES

There is a wide range of exercises in the book. Generally the exercises that immediately follow dialogues and commentaries provide strictly controlled drilling of the new material. These are aimed at consolidation and activisation. Further exercises are more 'provocative': their aim is to encourage use of the language being studied by provoking discussion, inviting learners to express an opinion or respond to visual stimuli.

Every lesson concludes with a 'complete the dialogues' exercise, where the learner is given a response and must provide a possible prompt. These exercises continue to drill the core material of the lesson, but also invite a more creative response, since there are any number of possible correct answers. They also help to overcome one of the weaknesses of traditional language teaching, particularly in individual lessons, where the student can become a passive user of the language, responding only to prompts from the teacher.

The final exercise in each lesson is a translation exercise from English into Russian. Alongside straightforward translations, which provide an essential means of control over material learnt, these exercises are designed to show learners how much they are able to say at the end of each lesson, by challenging them to think about how their relatively basic Russian can be used to convey apparently more complex structures in English.

MINI-TEXTS

Most lessons contain short texts, in addition to the dialogues and story at the end of every lesson. These short texts are usually targeted at a particular element of language, but may also serve to introduce more detailed cultural information; they also provide a stimulus for wider cultural discussion.

RUNNING STORY OF PETER AND MARINA

Every lesson concludes with a chapter from a story that runs throughout the book (and subsequent books in the series). In structural terms the story serves two purposes: to provide a light-hearted and stimulating 'reward' for completing the lesson; and to encourage further study by providing an exciting storyline that makes the reader want to find out what happens next. In terms of language, the story offers a summary of the material studied in the lesson along with some new vocabulary; it also introduces some elements of the language to be studied in the subsequent lesson.

Like the mini-texts, the Peter and Marina story also offers the opportunity for some cross-cultural study, as practical elements of life in Russia are introduced (e.g. the use of the metro); at the same time national stereotypes are parodied to encourage discussion of cultural issues.

There are a number of ways that the story can be used in class: e.g. simply as reading practice, as stimulus to free discussion, as the basis for written homework (retelling or expanding the story line); teachers may also wish to devise their own exercises to drill the material.

VOCABULARY

Each lesson ends with a vocabulary of words introduced in that lesson. Words shown in faint type are considered to be of secondary importance; words shown in normal type should be memorised.

SUMMARY

All of the material in the book is carefully ordered to ensure a smooth and logical transition from one language element to the next: basic models from one lesson may anticipate more detailed explanations in a later lesson; simple drills lead to more demanding exercises; vocabulary from exercises is repeated in texts and vice-versa; idioms from longer dialogues recur in the Peter and Marina story, and so on. It is therefore strongly recommended that teachers and learners follow the order of the book, rather than jumping within or between lessons. Although individual exercises, texts and commentaries may work well in isolation, the book as a whole is much more effective if the order is followed throughout.

ACKNOWLEDGMENTS

This book is the result of many years of collaboration, discussion, amendment and improvement. The authors wish to thank the numerous colleagues who have contributed to the making of this book over the last twenty-five years. In particular we would like to mention Konstantin Komaristy and Irina Nelyubova, who first developed the characters of Peter and Marina.

We would also like to thank the many hundreds of students who have served as guinea pigs for the book at its various stages of development, and have made comments and criticisms that have helped to improve the contents.

АЛФАВИ́Т   THE ALPHABET

Many people are put off learning Russian because it uses the Cyrillic alphabet, which is different to the alphabet used by most European languages. Russian certainly does have its difficulties, but the alphabet really isn't one of them. In fact the Cyrillic alphabet may be easier to use than the alphabet in your own language. This is because Russian is highly phonetic, meaning that letters are generally pronounced the same way whenever they appear, and words are pronounced the way they are written.

In practice this means that once you have learnt the sound conveyed by each letter, you will be able to read the vast majority of Russian words correctly. (You might want to compare this with the difficulty of knowing how to pronounce the English 'cough', 'through', 'tough' and 'though', for example.)

These pages contain a number of exercises to help you learn the alphabet, along with notes on some points of pronunciation. The extent to which any language learner seeks to have the 'perfect' accent is largely a matter of personal choice: many people speak a foreign language fluently and comprehensibly without necessarily having the accent of a native speaker. Whatever your own attitude to accent, bear in mind that diagrams, theoretical explanations or comparisons with other languages are hardly ever as useful as listening and imitating.

At the beginning, the most important thing is to learn to <u>recognise the letters</u> and the <u>sounds they represent</u>. (This is not the same as the *name* of the letter – e.g. in English 'double-u' for 'w' – which you should not worry about at this stage.)

First, here are the 33 letters of the Russian alphabet in order, capital and lower case (a common variation is shown for the letter 'l'). Remember that although they may look different, these are just letters, like letters in other languages you know. They combine in the way that you would expect; so the word там, for example, meaning 'there', is pronounced 'tam'. Listen to the sounds and make your own notes to help you remember how to pronounce them.

А а	К к	Х х
Б б	Л л (Λ, λ)	Ц ц
В в	М м	Ч ч
Г г	Н н	Ш ш
Д д	О о	Щ щ
Е е	П п	Ъ ъ
Ё ё	Р р	Ы ы
Ж ж	С с	Ь ь
З з	Т т	Э э
И и	У у	Ю ю
Й й	Ф ф	Я я

The words on these three pages are arranged in a particular order, so that each word introduces one letter that you have not seen in any of the previous words. (The first word, the Russian for 'yes', introduces two new letters, since you haven't met any so far.)

The new letter in each word is given in bold to the left of the word. Bear in mind that the new letter in each word is not necessarily the first letter of that word. For example, the letter 'м' appears for the first time in the word 'дáма', but is not the first letter of 'дáма'.

Try to avoid writing down phonetic 'translations' next to the words themselves. If you come across a letter you don't recognise, but it is not the new letter for that word, then you will definitely have seen it before: look back until you find the word in which it first appeared.

One letter does not have its own word. This is ъ, the hard sign. You will meet very few words that contain a hard sign (there are four in this whole textbook), so at this stage you can ignore it.

The accent above a vowel in some words is to show you which syllable of the word you should emphasise (if a word has only one syllable, there is no need to show this, because the emphasis must fall on that syllable). You will read more about emphasis (or stress) on page 17.

NEW LETTER

Д д, А а	да	✓
М м	дáма	
О о	дом	
К к	док	
В в	вóдка	
С с	Москвá	
Т т	востóк	
П п	стоп	

Л л	ла́мпа
Р р	парк
Б б	бар
Н н	банк
Й й	трамва́й
У у	суп
Ы ы	буты́лка
Щ щ	борщ
Ш ш	ша́пка
И и	спу́тник
Г г	Гага́рин
Э э	эконо́мика
Ж ж	Жива́го

Е е   нет

З з   газе́та

Х х   са́хар

Ч ч   чай

Ё ё   матрёшка

Ф ф   телефо́н

Я я   Та́ня

Ю ю   костю́м

Ь ь   рубль

Ц ц   царь

Ъ ъ   [hard sign]

STRESS (ALSO REFERRED TO AS 'EMPHASIS')

Russian is a heavily stressed language. This means that one syllable, or part, of each word is pronounced more strongly than the rest.

If you are not sure what is meant by 'stressing' (or 'emphasising') a syllable, you may find the following helpful. Take a word in your own language and try to pronounce it by humming it with your mouth shut, saying 'mmm' for each syllable. You will find that one of the 'mmms' is clearly pronounced more strongly; this is the stressed syllable. So if in English you pronounce the word 'potato' by humming it, you should produce something that sounds like 'mmm-MMM-mmm'. This is because the second syllable – 'ta' – is stressed, or emphasised.

Only one syllable in any word is stressed, but there is no regular system in Russian, so in this book (as in almost all teaching materials) you will be shown which syllable to stress by an accent over the relevant vowel. You've already seen this in the words on the last two pages. There is no need to mark an accent on words with only one syllable, because that syllable must be stressed.

Stress is only shown in this way in textbooks and dictionaries: for example, as you'll see on the signposts on pages 22–3, there are no stresses marked.

When you learn a new word in Russian it is very important to learn to stress it correctly. This is because, however accurately you pronounce individual Russian letters, if you stress a word incorrectly you will give it the wrong rhythm, and native speakers will often misunderstand you.

VOWEL REDUCTION

Correct stress is also important because of something called 'vowel reduction'. This is a natural process whereby the human voice shortens the sounds of certain vowels if they are not stressed. In English you can hear this effect in the different ways you pronounce the 'or' sound at the end of the words 'befóre' (stressed) and 'dóctor' (unstressed).

In most cases you don't need to worry about this, because if you stress the word correctly, the vowel reduction will happen naturally. Three vowels, however, need special attention.

First, when the vowel o is not stressed, it is pronounced much more like a. Compare:

дом	house, home	pronounced 'DOm'
дóма	at home	pronounced 'DOma'
домá	houses	pronounced 'daMA'

In the last word the o is unstressed, and is pronounced much more like an unstressed a. Now try pronouncing these other words with unstressed 'o's in them:

| онá | Москвá | молокó |
| she | Moscow | milk |

(In fact you may hear some variation in молокó: an unstressed 'o' is pronounced most like an 'a' when it immediately precedes the stressed syllable; in other places it is a more neutral sound. At this stage, however, just remember to think of an unstressed 'o' as an unstressed 'a'.)

Similar to the above, an unstressed 'e' is pronounced like an 'и'. So телефóн is pronounced [тилифóн], меню – [миню], and ресторáн – [ристарáн] (where both 'e' and 'o' are unstressed).

Finally, look out for я (although you will come across it less frequently than the other two). Like 'e' above, an unstressed я is pronounced like an 'и': so дéвять, 'nine', is pronounced [дéвить].

In summary:

o — stressed → [o] / unstressed → [a]   e — stressed → [e] / unstressed → [и]   я — stressed → [я] / unstressed → [и]

The list below gives the Russian letters in alphabetical order, with three sample words for each letter. The first word is the same as the one shown alongside the pictures on pages 14–16. Look out for the vowel reduction (e.g. unstressed **o** pronounced as unstressed **a**) discussed on the previous page.

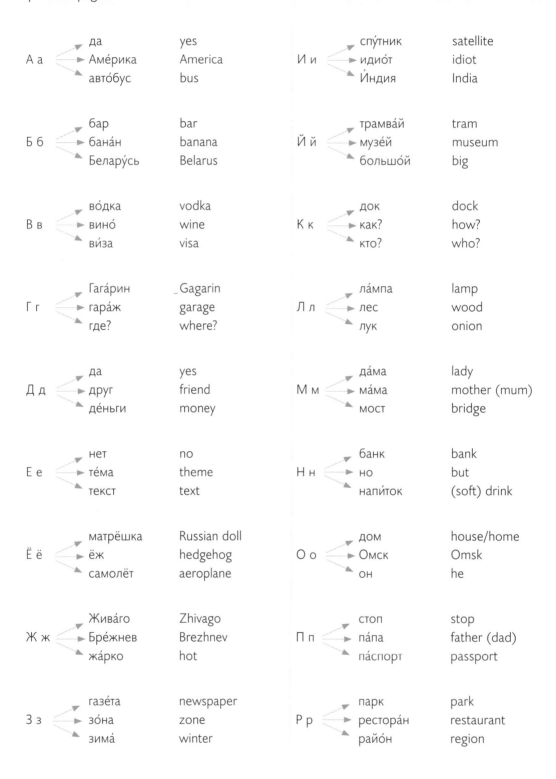

А а	да	yes	И и	спу́тник	satellite
	Аме́рика	America		идио́т	idiot
	авто́бус	bus		И́ндия	India
Б б	бар	bar	Й й	трамва́й	tram
	бана́н	banana		музе́й	museum
	Белару́сь	Belarus		большо́й	big
В в	во́дка	vodka	К к	док	dock
	вино́	wine		как?	how?
	ви́за	visa		кто?	who?
Г г	Гага́рин	Gagarin	Л л	ла́мпа	lamp
	гара́ж	garage		лес	wood
	где?	where?		лук	onion
Д д	да	yes	М м	да́ма	lady
	друг	friend		ма́ма	mother (mum)
	де́ньги	money		мост	bridge
Е е	нет	no	Н н	банк	bank
	те́ма	theme		но	but
	текст	text		напи́ток	(soft) drink
Ё ё	матрёшка	Russian doll	О о	дом	house/home
	ёж	hedgehog		Омск	Omsk
	самолёт	aeroplane		он	he
Ж ж	Жива́го	Zhivago	П п	стоп	stop
	Бре́жнев	Brezhnev		па́па	father (dad)
	жа́рко	hot		па́спорт	passport
З з	газе́та	newspaper	Р р	парк	park
	зо́на	zone		рестора́н	restaurant
	зима́	winter		райо́н	region

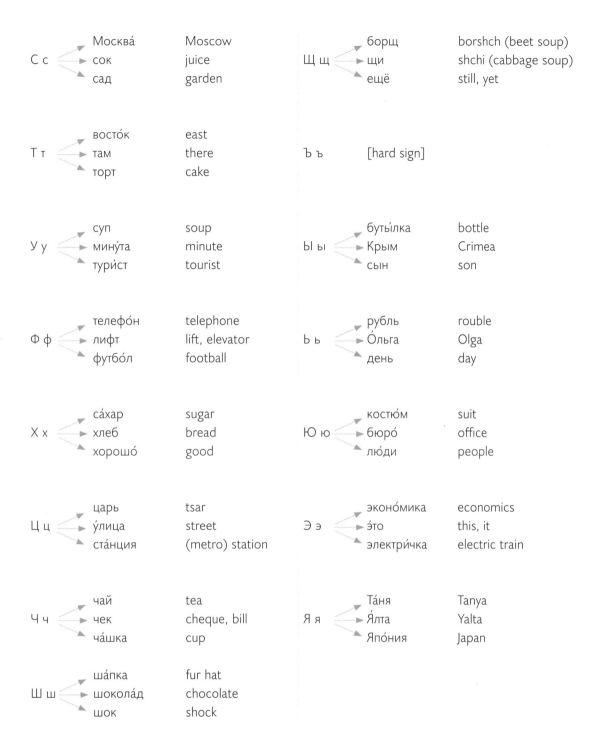

С с	Москва́	Moscow
	сок	juice
	сад	garden

Щ щ	борщ	borshch (beet soup)
	щи	shchi (cabbage soup)
	ещё	still, yet

Т т	восто́к	east
	там	there
	торт	cake

| Ъ ъ | | [hard sign] |

У у	суп	soup
	мину́та	minute
	тури́ст	tourist

Ы ы	буты́лка	bottle
	Крым	Crimea
	сын	son

Ф ф	телефо́н	telephone
	лифт	lift, elevator
	футбо́л	football

Ь ь	рубль	rouble
	О́льга	Olga
	день	day

Х х	са́хар	sugar
	хлеб	bread
	хорошо́	good

Ю ю	костю́м	suit
	бюро́	office
	лю́ди	people

Ц ц	царь	tsar
	у́лица	street
	ста́нция	(metro) station

Э э	эконо́мика	economics
	э́то	this, it
	электри́чка	electric train

Ч ч	чай	tea
	чек	cheque, bill
	ча́шка	cup

Я я	Та́ня	Tanya
	Ялта	Yalta
	Япо́ния	Japan

Ш ш	ша́пка	fur hat
	шокола́д	chocolate
	шок	shock

VOWELS

Russian has ten vowels. When you listen to them, you will hear that the first eight come in clearly identifiable pairs, where the vowels on the left are 'pure' sounds (e.g. **a** – 'a'), and the vowels on the right begin with an English 'y' sound (e.g. **я** – 'ya'). The last pair (**ы** and **и**) have a slightly different relationship, because there is no English 'y' sound at the beginning of **и**.

a	я
э	e
o	ё
y	ю
ы	и

Now listen to the vowel sounds at the beginning of a word. (The letter **ы** never comes at the beginning of a word.) Translations are given on the right.

А́нна	Я́лта	Anna	Yalta
э́то	е́сли	this	if
Омск	ёлка	Omsk (city)	Christmas tree
у́тро	Ю́ра	morning	Yura (short for Yuri)
(ы)	И́ра		Ira, short for Irina

HARD AND SOFT CONSONANTS

Most consonants in Russian can be both 'hard' and 'soft'. This means that they can be pronounced in two slightly different ways:

A hard consonant could be said to be the basic consonant sound, for example the **т** and **м** in the word **там**.

A soft consonant is pronounced by squeezing your tongue slightly against the roof of your mouth as you pronounce the letter.

The letter **т** is probably the easiest to practise this distinction with. A hard **т** is pronounced with the tip of your tongue flicking against the back, or just above the back, of your teeth. The soft **т** is pronounced with the tongue squashed against the roof of the mouth.

Don't worry if initially you find this distinction subtle: you will find the most effective way to learn the difference between pronouncing hard and soft consonants is to listen to native speakers. Listen to these consonants, first pronounced hard, then soft. The soft consonants are shown followed by a soft sign.

hard	soft		hard	soft
б	бь		н	нь
в	вь		п	пь
д	дь		р	рь
з	зь		с	сь
к	кь		т	ть
л	ль		ф	фь
м	мь		х	хь

The consonants **ж**, **ш** and **ц** are always hard, while **ч**, **щ** and **й** are always soft, so there is only one way of pronouncing these letters.

You can tell a consonant is hard if it is followed by the vowels а, э, о, у, ы, or comes at the end of a word.

You can tell a consonant is soft if it is followed by the vowels я, е, ё, ю, и, or a soft sign (ь).

Compare these four pairs of words, paying particular attention to the final consonant. In the words on the left the consonant comes at the end of the word and is therefore hard. The words on the right end with a soft sign, which indicates that the preceding consonant is soft. Listen and try to reproduce the different sounds.

hard	soft		
брат	брать	brother	to take
там	семь	there	seven
у́жин	о́чень	dinner	very
футбо́л	рубль	football	rouble

Now listen to these five pairs of words. In the words on the left the consonants are hard, followed by the vowel ы. In the words on the right the same consonants are soft, followed by the vowel и.

hard	soft		
мы	мир	we	peace, world
дым	Ди́ма	smoke	Dima (short for Dmitri)
ты	ти́хо	you (singular)	quietly
вы	вино́	you (plural)	wine
сын	си́ний	son	blue

To summarise: a consonant before ы is hard; a consonant before и is soft. Now look back at the pairs of vowels at the top of page 20 opposite. The vowels in the same column as ы – а, э, о, у – indicate that the preceding consonant is hard; the vowels in the same column as и – я, е, ё, ю – indicate that the preceding consonant is soft.

Here are those eight vowels in pairs after м. The м before the vowels on the left is hard (like там and мы above). The м before the vowels on the right is soft (like семь and мир above).

hard	soft
ма	мя
мэ	ме
мо	мё
му	мю

Now listen to these pairs of words. Again, the consonants on the left are hard, those on the right soft. Meanings are given on the right.

hard	soft		
ма́ма	мяч	mother	ball
тот	тётя	that	aunt
да	дя́дя	yes	uncle
лук	люкс	onion	deluxe
был	биле́т	was	ticket

On these two pages you will see photographs of street signs taken in Russia. Try deciphering the words; many of them will be easy to understand when you pronounce them correctly. Overleaf you will find all the words with stresses marked and translations.

РУССКОЕ БИСТРО

ОБМЕН ВАЛЮТЫ

БРИТАНСКИЙ ДОМ

ОВОЩИ ФРУКТЫ

СУПЕРМАРКЕТ

ДЖИНСЫ

БИЗНЕС ЦЕНТР
2-3 этаж

КАССЫ

Театральная
площадь
1

МУЗЕЙ
ШОКОЛАДА

КОФЕ ХАУЗ

Бургеры
Гамбургер
Чизбургер
Чикенбургер

площадь
Революции 2

ПОЧТА РОССИИ

КРАСНАЯ
площадь

ТВЕРСКАЯ
улица 15

Here are the words shown in the photographs on the previous two pages. They are listed roughly left to right from top to bottom.

PAGE 22

банк	bank
информа́ция	information
бар	bar
кино́	cinema
таба́к	tobacco
апте́ка	chemist, pharmacy
туале́т	toilet
буфе́т	buffet, cafe
кни́ги	books
телефо́ны	telephones
ноутбу́ки	notebook computers
фо́то	photo
ви́део	video
телеви́зоры	televisions
Макдо́налдс	Mcdonalds
ксе́рокс	xerox, photocopy
телегра́ф	telegraph
проду́кты	(food) products
медпу́нкт	first-aid post
перехо́д	underpass, crossing
вы́ход	exit

PAGE 23

Ру́сское бистро́	Russian bistro (restaurant chain)
обме́н валю́ты	currency exchange
Брита́нский дом	British house (formerly a shop in Moscow)
о́вощи	vegetables
фру́кты	fruit
суперма́ркет	supermarket
джи́нсы	jeans
би́знес-центр	business centre
эта́ж	storey, floor
ка́ссы	ticket offices, cash desks
Музе́й шокола́да	Museum of chocolate
Театра́льная пло́щадь	Theatre Square (square in front of the Bolshoi Theatre)
Ко́фе ха́уз	Coffee House (coffee shop chain)
бу́ргеры	burgers
га́мбургер	hamburger
чи́збургер	cheeseburger
чи́кенбургер	chicken burger
пло́щадь Револю́ции	Revolution Square (Moscow square)
по́чта Росси́и	post office of Russia
Кра́сная пло́щадь	Red Square
Тверска́я у́лица	Tverskaya Street (central street in Moscow)

There is one other concept that will help you pronounce Russian correctly: the difference between voiced and unvoiced consonants. A voiced consonant is one where you make a noise with your <u>voice</u> while pronouncing it. An unvoiced consonant is one where you create a noise with your lips, teeth or tongue, but <u>not</u> with your <u>voice</u>.

Try saying an extended (English) 'zzzzz' sound and then switch to an extended 'sssss'. The 'z' is voiced: you will hear a noise and feel your tongue and lips vibrating; the 's' is unvoiced: you will hear only a hiss and air.

Russian contains pairs of voiced and unvoiced consonants. In each case the way you articulate the sound (the position of your lips, teeth and tongue) is the same, but with the voiced consonant your voice makes a noise (i.e. like 'z' above), with the unvoiced it doesn't (i.e. like 's'):

voiced	б	в	г	д	з	ж
unvoiced	п	ф	к	т	с	ш

There are two rules relating to the pronunciation of voiced and unvoiced consonants. Don't worry about these too much, because they explain what your voice will naturally do anyway.

First, a <u>voiced consonant</u> is pronounced as its <u>unvoiced equivalent</u> at the <u>end of a word</u>. For example, клуб is pronounced [клуп], with the voiced б pronounced as an unvoiced п at the end of the word.

Compare these pairs of words, paying attention to how the consonant in bold is pronounced. Translations are given on the right:

voiced	unvoiced		
ту́ба	клуб	tube, tuba	club
сле́ва	лев	on the left	lion
подру́га	друг	girlfriend	friend
глаза́	глаз	eyes	eye
мо́да	сад	fashion	garden
у́жин	муж	dinner	husband

The second rule concerns what happens when a voiced and unvoiced consonant come together. It is naturally easier for the voice to pronounce two voiced consonants or two unvoiced consonants, so if you get a voiced and an unvoiced consonant together, they will be pronounced either as two voiced consonants or two unvoiced consonants. It is the <u>second</u> consonant of the combination that will define which:

voiced + unvoiced	pronounced as	unvoiced + unvoiced
unvoiced + voiced	pronounced as	voiced + voiced

Look at these examples. In the first two, the second consonant is voiced, so they are both pronounced voiced. In the second two examples, the second consonant is unvoiced, so both are pronounced unvoiced.

футбо́л	pronounced	[фудбо́л]	football
вокза́л	pronounced	[вогза́л]	train station
во́дка	pronounced	[во́тка]	vodka
вто́рник	pronounced	[фто́рник]	Tuesday

Remember that the rules governing voiced and unvoiced consonants essentially explain what your voice does naturally, so if you relax you should find you make many of the adjustments automatically.

101 Russian words

Below you will find 101 Russian words. If you read them correctly, you may be able to guess what they mean. Watch out, though, for one or two 'false friends' – words that sound as though they may mean one thing, but actually mean something else. **Стул**, for example, means 'chair' rather than stool. You do not need to learn these words (although many of them are useful): they should be used primarily as reading practice. You can find translations of all the words in the vocabulary at the back of the book.

а́вгуст	квалифика́ция	река́
авто́бус	кио́ск	рестора́н
администра́ция	ключ	ро́за
апре́ль	контро́ль	секрета́рь
а́рмия	коридо́р	сентя́брь
аэропо́рт	ко́смос	сестра́
бага́ж	ко́фе	ситуа́ция
банк	лифт	ста́нция
биле́т	луна́	страте́гия
большо́й	магази́н	студе́нт
брат	май	стул
буфе́т	ма́ма	такси́
вино́	март	теа́тр
вокза́л	ма́фия	телеви́зор
газе́та	ме́неджер	телефо́н
глобализа́ция	метро́	туале́т
дека́брь	музе́й	университе́т
декора́ция	наи́вный	фа́брика
делега́ция	не́рвный	фами́лия
дире́ктор	ноя́брь	февра́ль
диссерта́ция	октя́брь	футбо́л
друг	организа́ция	центр
Евро́па	орке́стр	ха́ос
жаке́т	оте́ль	хара́ктер
жарго́н	па́па	хокке́й
жето́н	парк	чек
журна́л	па́спорт	чемпио́н
иммигра́ция	платфо́рма	шко́ла
информа́ция	по́чта	шпио́н
ию́ль	пра́вда	эскала́тор
ию́нь	проспе́кт	эта́ж
капитали́зм	профе́ссор	янва́рь
каранда́ш	рабо́та	я́хта
ка́рта	ра́дио	

One way of testing how well you have learnt the alphabet is by seeing whether you can write out familiar Russian names using Russian letters. Try writing these words out in Russian, but pay attention to the notes on 'e' and 'ia' at the bottom. At this stage use printed script, don't worry about Russian handwriting.

Boris	Nikita
Anya	Maria
Vladivostok	Oleg
Natasha	Vera
Yulia	Konstantin
Sergei	Omsk
Alexandra	Baikal
Vladimir	Masha
Veronika	Andrei
Anna	Lenin
Mikhail	Irkutsk
Viktoria	Stalin
Azerbaidzhan	Lena
Oksana	Sevastopol

All the words above containing the letter e in English should be written in Russian with **e** (i.e. the vowel that follows a soft consonant), not э.

Note also that many female names in Russian end in -ia (Maria etc.); this is written -ия.

Below and on the next page you will see the alphabet one more time. Columns 1 and 2 give the capital and lower case of each letter twice, in two different fonts, to show some of the variations (note particularly the letters д and л).

Column 3 gives an approximation of how the letters are hand-written. You may want to learn Russian handwriting at some stage, but for now you should concentrate on memorising the printed script. You can also print the letters when writing words yourself.

Column 4 gives the name of the letter – that is, the way you would say it if you were spelling a word out. (For example, to spell out the word 'boy' in English you would say something like 'bee-oh-why'). Remember <u>this is not how the letters sound in a word</u>.

Column 5 has an approximate English equivalent for each letter (apart from the hard and soft signs). This should be used for reference only, and treated with caution: you cannot create Russian sounds accurately using English letters.

Printed (2 different fonts)		Handwriting-style font	Letter name	Approximate equivalent in English
А а	А а	_А а_	а	**a**, but longer than the English 'a'; closer to the 'u' in '**u**p'
Б б	Б б	_Б б_	бэ	**b** in **b**ut
В в	В в	_В в_	вэ	**v** in **v**oice
Г г	Г г	_Г г_	гэ	**g** in **g**et
Д д	Д д	_Д д_	дэ	**d** in **d**ay
Е е	Е е	_Е е_	е	**ye** in **ye**t
Ё ё	Ё ё	_Ё ё_	ё	**yo** in **yo**nder
Ж ж	Ж ж	_Ж ж_	жэ	**s** in plea**s**ure
З з	З з	_З з_	зэ	**z** in **z**one
И и	И и	_И и_	и	**ea** in **ea**sy
Й й	Й й	_Й й_	и кра́ткое (short 'и')	**y** in bo**y**
К к	К к	_К к_	ка	**k** in **k**eg

Printed (2 different fonts)		Handwriting-style font	Letter name	Approximate equivalent in English
Л л	Л л	*Л л*	эл	l in look
М м	М м	*М м*	эм	m in may
Н н	Н н	*Н н*	эн	n in not
О о	О о	*О о*	о	o in often
П п	П п	*П п*	пэ	p in peg
Р р	Р р	*Р р*	эр	r in rock
С с	С с	*С с*	эс	s in sock
Т т	Т т	*Т т*	тэ	t in tie
У у	У у	*У у*	у	oo in moo
Ф ф	Ф ф	*Ф ф*	эф	f in foot
Х х	Х х	*Х х*	ха	ch in loch
Ц ц	Ц ц	*Ц ц*	цэ	ts in boots
Ч ч	Ч ч	*Ч ч*	чэ	ch in chair
Ш ш	Ш ш	*Ш ш*	ша	sh in shell
Щ щ	Щ щ	*Щ щ*	ща	shsh in English sheep (pronounced together)
ъ	ъ	*ъ*	твёрдый знак ('hard sign')	
Ы ы	Ы ы	*Ы ы*	ы	i in kick
ь	ь	*ь*	мя́гкий знак ('soft sign')	
Э э	Э э	*Э э*	э	e in every
Ю ю	Ю ю	*Ю ю*	ю	you in youth
Я я	Я я	*Я я*	я	ya in yak

УРÓК ОДЍН
Lesson 1

The first lesson covers basic introductory conversations: greetings, giving and asking names, asking how someone is. You'll also learn to give your occupation and ask what someone else does.

As well as introductions, you'll learn to ask what something is and who someone is, along with a couple of essential phrases: 'I don't understand' and 'I don't know'.

The lesson contains a large number of useful new words – everyday objects, professions, greetings and so on. There are around 80 in all, but you should find most of them reasonably easy to remember.

BASIC INTRODUCTIONS

DIALOGUES 1.1

1
 – Здра́вствуйте!
 – Здра́вствуйте! Как вас зову́т?
 – Меня́ зову́т Ве́ра. А как вас зову́т?
 – Меня́ зову́т Джон.
 – О́чень прия́тно, Джон.
 – О́чень прия́тно, Ве́ра.

Здра́вствуйте is the normal polite way to greet someone. It can be used on first meeting, or as a polite greeting to someone you have met before. Don't worry if you find **здра́вствуйте** difficult to pronounce; almost everyone does.

Меня́ зову́т literally means 'me [they] call' (with 'they' omitted); use it to give your name.

Как вас зову́т literally means 'how you [they] call' (with 'they' omitted); use it to ask someone's name.

О́чень прия́тно literally means 'very pleasant', but is a simple way to convey 'pleased to meet you'.

2
 – Здра́вствуйте, Джон!
 – До́брый день, Ве́ра!
 – Как дела́?
 – Хорошо́, спаси́бо. А у вас?
 – Норма́льно.

До́брый день means 'good day'; you can use it as a polite greeting at any time of day.

Как дела́ means 'how are things?'. It is quite informal – use it only with people you know. **А у вас** means 'and [with] you?'

3
 – Приве́т, Джон!
 – Приве́т, Ве́ра!
 – Как дела́?
 – Спаси́бо, отли́чно. А у тебя́?
 – То́же хорошо́.

Приве́т corresponds to 'hi!' in English. Only use it in informal situations, and never on first meeting.

То́же means 'also'.

А у тебя́ is the familiar version of 'а у вас'. **Тебя́** is from **ты**, the informal word for 'you' singular (i.e. use it to one person you know well). **Вас** is from **вы**, the word for 'you' in polite situations or when talking to more than one person (compare 'tu' and 'vous' in French).

КАК ДЕЛА́?
HOW ARE THINGS?

There are numerous ways to ask how someone is in Russian, but **как дела́** is probably the easiest to learn. Remember that it is informal, and <u>shouldn't be used on a first meeting</u>.

Look at the range of responses to **как дела́**:

| отли́чно | хорошо́ | норма́льно | непло́хо | ничего́ | пло́хо |

EXERCISE 1.1
Match the response in the right-hand column to the prompt in the left.

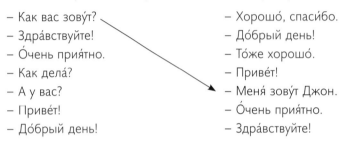

– Как вас зову́т?   – Хорошо́, спаси́бо.

– Здра́вствуйте!   – До́брый день!

– О́чень прия́тно.   – То́же хорошо́.

– Как дела́?   – Приве́т!

– А у вас?   – Меня́ зову́т Джон.

– Приве́т!   – О́чень прия́тно.

– До́брый день!   – Здра́вствуйте!

EXERCISE 1.2
Fill in the gaps with an appropriate prompt or response. You may need more than one word per gap.

1   – Здра́вствуйте!

      – _____ .

      – Меня́ зову́т Ве́ра. _____ ?

      – Меня́ зову́т _____ .

      – О́чень _____ , Джон.

      – _____ , Ве́ра.

2   – _____ , Джон!

      – До́брый день, Ве́ра!

      – Как _____ ?

      – Хорошо́, спаси́бо. А у вас?

      – _____ .

3   – Приве́т, Джон!

      – _____ , Ве́ра!

      – _____ дела́?

      – Спаси́бо, _____ . А _____ ?

      – _____ хорошо́.

DIALOGUE 1.2

– До свида́ния, Ю́ля.

– Пока́, Све́та!

До свида́ния is the most common word for 'goodbye', and can be both formal and conversational. **Пока́** ('bye!') is informal.

DIALOGUES 1.3

1
– Что э́то?
– Э́то о́фис.
– Спаси́бо.
– Пожа́луйста.

2
– Э́то ка́рта?
– Да, э́то ка́рта.
– А э́то то́же ка́рта?
– Нет, э́то не ка́рта. Э́то газе́та.

Что means 'what'.

Э́то means 'this' or 'it'.

Russian does not use a verb for 'to be' in the present tense, so что э́то? means 'what is this (it)?'

You may find it helpful to think of э́то as 'this is' or 'it is': since there is no verb 'to be', you can just put э́то with a noun to say 'this (it) is a...':

Э́то биле́т.   This is a/the ticket.

Russian also has no articles ('a/an' or 'the'), so э́то биле́т can mean 'this is a ticket' or 'this is the ticket', depending on context.

EXERCISE 1.3
Look at the objects below. Ask each other what they are, using the question что э́то?

журна́л	стол	телефо́н	каранда́ш	чай	биле́т
ча́шка	ру́чка	ключ	де́ньги	меню́	су́мка
стака́н	газе́та	кни́га	стул	ко́фе	дверь
туале́т	карти́на	ко́мната	окно́	буты́лка	ка́рта

Read the following short dialogues. New words and phrases are underlined and given beneath.

1
– <u>Извини́те</u>, э́то рестора́н?
– Нет, э́то не рестора́н. Э́то бар.
– А что э́то?
– Э́то туале́т.
– <u>Спаси́бо</u>.
– <u>Пожа́луйста</u>.

2
– Э́то карта?
– Извини́те, <u>я не зна́ю</u>.

3
– Что э́то?
– Извини́те, я не зна́ю, что э́то.

4
– Э́то чай?
– Нет, э́то не чай, э́то ко́фе.
– Спаси́бо.
– Пожа́луйста.

извини́те	excuse me/I'm sorry
спаси́бо	thank you
пожа́луйста	'please'; or 'you're welcome' in response to спаси́бо
я не зна́ю	I don't know

EXERCISE 1.4
Answer the questions according to the models, saying 'yes' or 'no' as appropriate.

Э́то биле́т? → Да, э́то биле́т.
Э́то стол? → Нет, э́то не стол, э́то стул.

1 Э́то газе́та?   6 Э́то де́ньги?

2 Э́то каранда́ш?   7 Э́то ко́фе?

3 Э́то су́мка?   8 Э́то ключ?

4 Э́то буты́лка?   9 Э́то карти́на?

5 Э́то ча́шка?   10 Э́то дверь?

34 УРО́К ОДИ́Н LESSON 1

DIALOGUES 1.5

1 – Кто э́то?
  – Э́то Алексе́й.
  – Спаси́бо.
  – Пожа́луйста.

2 – Э́то Мари́на?
  – Нет, э́то не Мари́на.
  – А кто э́то?
  – Извини́те, я не зна́ю.

Кто is the Russian for 'who'.

You can combine it with **э́то** to ask 'who is this?'

Бори́с	Ма́ша	Ви́ктор	Мари́на

Серге́й	Та́ня	Влади́мир	Ни́на

EXERCISE 1.5
Provide suitable lines to complete the following dialogues.

1 – _____ ?
  – Э́то Никола́й.

2 – _____ ?
  – Нет, э́то не стол, э́то стул.

3 – _____ ?
  – Меня́ зову́т Ири́на.

4 – _____ ?
  – Э́то ча́шка.

5 – _____ ?
  – Нет, э́то не Мари́на, э́то Ири́на.

6 – _____ ?
  – Хорошо́, спаси́бо.

7 – _____ .
  – До свида́ния.

8 – _____ ?
  – Извини́те, я не зна́ю.

9 – _____ .
  – Пока́, Ле́на.

10 – Как дела́?
  – _____ . _____ ?
  – То́же хорошо́.

PRONOUNS

Russian has two words for 'you'.

Ты is only used in informal situations.

Вы is used for more than one person, and as a polite form to one person.

If in doubt, stick to **вы**.

The table below lists all the pronouns, including the three you haven't yet met.

Он means 'he', **она́** means 'she'; both can mean 'it' if they refer to a masculine or feminine noun that is not a person (see p. 43 for more on this).

The neuter pronoun **оно́** will always mean 'it', since neuter nouns are always things.

я	I
ты	you (sing.)
он	he, it
она́	she, it
оно́	it
мы	we
вы	you (pl.)
они́	they

ASKING FOR AND STATING PROFESSIONS

DIALOGUES 1.6

1
– Кто э́то?
– Э́то Бори́с Панко́в.
– Кто он?
– Он дире́ктор.

2
– Кто э́то?
– Э́то Ни́на.
– Кто она́?
– Она́ студе́нтка.

3
– Э́то Та́ня?
– Да, э́то Та́ня.
– Она́ перево́дчик?
– Извини́те, я не понима́ю.

4
– Кто э́то?
– Э́то Ви́ктор.
– Он перево́дчик?
– Нет, Ви́ктор не перево́дчик, он води́тель.

5 – Как вас зову́т?

– Меня́ зову́т Альбе́рт.

– Кто вы?

– Я юри́ст.

– О́чень прия́тно, Альбе́рт. Меня́ зову́т Фили́пп. Я то́же юри́ст.

я не понима́ю   I don't understand

You can use the pronouns with **кто** to ask about someone's profession. So **кто он**?, literally 'who he?', can be used to ask what someone's job is, and **кто вы**?, literally 'who you?', is the simplest way to ask 'what do you do?'

EXERCISE 1.6
Read the characters and professions below. Then answer the questions beneath the pictures.

Бори́с — дире́ктор

Ма́ша — секрета́рь

Ви́ктор — води́тель

Мари́на — учи́тель

Серге́й — журнали́ст

Та́ня — перево́дчик

Влади́мир — юри́ст

Ни́на — администра́тор

1 Кто э́то? Кто она́?

2 Э́то Бори́с? Он секрета́рь?

3 Э́то Алексе́й? Он администра́тор?

4 Кто э́то? Она́ секрета́рь?

5 Кто э́то? Кто он?

6 Э́то Мари́на? Она́ перево́дчик?

DIALOGUES 1.7

1 – Как её зову́т?
   – Извини́те, я не зна́ю, как её зову́т.
   – Она́ студе́нтка?
   – Нет, она́ не студе́нтка. Она́ учи́тель.

2 – Как его́ зову́т?
   – Его́ зову́т Серге́й.
   – Спаси́бо.
   – Пожа́луйста.

3 – Как её зову́т?
   – Её зову́т Та́ня.
   – Спаси́бо.
   – Пожа́луйста.

4 – Как его́ зову́т?
   – Его́ зову́т Дми́трий Медве́дев.
   – Он президе́нт?
   – Нет, он не президе́нт. Он премье́р-мини́стр.

Его́ зову́т literally means 'him [they] call' (with 'they' omitted); Note that **его́** is pronounced 'yevo'.

Её зову́т is how you say 'her name is' (literally 'her [they] call').

Он means 'he', **она́** means 'she'; because Russian omits 'is', 'am' and 'are', you can use them with a job title to give someone's profession.

The table below summarises the two forms of 'I', 'you', 'he' and 'she' that you have met so far. The 'I' form is called the nominative (nom.); the 'me' form is called the accusative (acc.). You will learn more about these forms in later lessons.

nom.	acc.	example
я	меня́	Я тури́ст. Меня́ зову́т Андре́й.
он	его́	Он студе́нт. Его́ зову́т Ми́ша.
она́	её	Она́ студе́нтка. Её зову́т И́нна.
вы	вас	Кто вы? Как вас зову́т?

EXERCISE 1.7
Now construct your own short conversations based on the characters on the previous page and their professions.

EXERCISE 1.8

1 Write two different questions with как. **2** Write three different questions with кто. **3** Write a question and an answer containing егó. **4** Write two different sentences containing вас. **5** Write a question with тебя́. **6** Write three professions. **7** Write two sentences with a negative verb. **8** Write two questions beginning with э́то.

EXERCISE 1.9
Translate the following into Russian.

1 – Hello. My name is Boris. What's your name?
  – My name is Marina. Pleased to meet you, Boris.
  – What do you do, Marina?
  – I am a student. Are you a student, too?
  – No, I'm the teacher.
  – I'm sorry.

2 – Excuse me, are you Marina?
  – No, I'm Katya.
  – I'm sorry. Is that Marina?
  – I don't know.

3 – Hi Sveta!
  – Hi Sasha!
  – How are things?
  – Fine, thanks. And you?
  – Fine, too.

4 – Are you an interpreter?
  – I'm sorry, I don't understand.

5 – Who's that?
  – That's Dmitrii Medvedev.
  – Who's he? Is he the president?
  – No, he's not the president, he's the prime minister.

6 – Goodbye Ivan.
  – See you Viktor.

7 – What is this?
  – It's a table.
  – And who is that?
  – It's the director.
  – What's his name?
  – His name is Vladimir.

8 – This is the key and the money.
  – Thank you.
  – You're welcome.

Read the first chapter of the story about Peter and Marina. Any new words that appear for the first time in the story will be given in the vocabulary at the end of the lesson.

Глава́ I
Бо́стон, Аме́рика

Бо́стон, Аме́рика. Это музе́й. А кто э́то? Это Пи́тер Манро́. Пи́тер – экспе́рт по ико́нам. Это его́ ко́мната – стол, стул, компью́тер и кни́ги. На столе́ журна́л, ключ и ча́шка. А э́то биле́т, па́спорт и ру́сская ви́за.

Это Третьяко́вская галере́я, Москва́. Это дире́ктор музе́я. Её зову́т Еле́на Ви́кторовна Кало́шина. А э́то Мари́на Гру́здева. Она́ перево́дчик.

– Вот визи́тка, Мари́на, – говори́т Еле́на. – Это ваш клие́нт. Его́ зову́т Пи́тер Манро́. Он америка́нец, экспе́рт по ико́нам.

– Хорошо́, Еле́на Ви́кторовна, спаси́бо.

Вот большо́й о́фис. А кто э́то? Это бизнесме́н. Его́ зову́т Влади́мир Влади́мирович. Он большо́й бизнесме́н. А э́то его́ ассисте́нт, Ми́ша. Ми́ша – секрета́рь, перево́дчик и води́тель.

– Ми́ша, вот фотогра́фия, – говори́т Влади́мир Влади́мирович.

– Кто э́то?

– Это Пи́тер Манро́.

– Кто он?

– Он америка́нец, экспе́рт по ико́нам.

– О́чень интере́сно, – говори́т Ми́ша.

– Да, о́чень интере́сно, – говори́т Влади́мир Влади́мирович.

The vocabulary at the end of every lesson contains all the words that have appeared for the first time in that lesson. Words shown in normal type are the core words of the course; words shown in faint type are supplementary, and should only be learnt when the core words have been memorised.

а	and, but	не	not
администра́тор	administrator	неплóхо	(it is) not bad
Амéрика	America	нет	no
америка́нец	(an) American	ничегó	so-so (lit. 'nothing')
ассистéнт	assistant	норма́льно	(it is) fine, ok
бар	bar	оди́н	one
бизнесмéн	businessman	окнó	window
билéт	ticket	он, егó	he, him
большóй	big	она́, её	she, her
буты́лка	bottle	они́	they
ваш	your	онó	it
ви́за	visa	отли́чно	(it is) excellent
визи́тка	business card	óфис	office
води́тель	driver	óчень	very
вот	here is	па́спорт	passport
вы, вас	you (plural; or polite to one person)	переводчик	translator
		плóхо	(it is) bad
как вас зову́т?	what is your name?	пожа́луйста	please; you're welcome
газéта	newspaper		
галерéя	gallery	пока́	see you, 'bye
глава́	chapter	понима́ть	to understand
говори́ть	to speak, say	я (не) понима́ю	I (don't) understand
он, она́ говори́т	he, she speaks, says	президéнт	president
да	yes	премьéр-мини́стр	prime minister
дверь	door	привéт	hi
дéло	matter, thing	прия́тно	pleasant
как дела́?	how are things?	óчень прия́тно	pleased to meet you
день	day	рестора́н	restaurant
дóбрый день	good day, afternoon	ру́сский, ру́сская	Russian
дéньги pl.	money	по-ру́сски	(in) Russian (after 'to speak')
дирéктор	director		
до свида́ния	goodbye	ру́чка	pen
журна́л	magazine	секрета́рь	secretary
журнали́ст	journalist	спаси́бо	thank you
здра́вствуйте	hello	стака́н	glass
знать	to know	стол	table
я (не) зна́ю	I (don't) know	студéнт	student (male)
зову́т	(they) call	студéнтка	student (female)
и	and	стул	chair
извини́те	excuse me	су́мка	bag
икóна	icon	телефóн	telephone
интерéсно	(it is) interesting	тóже	also
как	how	туалéт	toilet
как дела́?	how are things?	тури́ст	tourist
каранда́ш	pencil	ты, тебя́	you (singular)
ка́рта	map	у	by, at
карти́на	picture	урóк	lesson
клиéнт	client	учи́тель	teacher
ключ	key	фотогра́фия	photograph
кни́га	book	хорошó	good, well
кóмната	room	чай	tea
компью́тер	computer	ча́шка	cup
кóфе	coffee	что	what, that
кто	who	экспéрт	expert
меню́	menu	экспéрт по икóнам	icon expert
Москва́	Moscow	э́то	this, it
музéй	museum	юри́ст	lawyer
мы	we	я, меня́	I, me
на	on	меня́ зову́т	my name is

УРÓК ДВА
Lesson 2

Lesson 2 is all about finding your way around. You'll learn the words for buildings and places around town, directions, how to ask where things are, and what things are called. You'll also learn some essential survival phrases and some dialogues for use at the airport.

Lesson 2 introduces the concept of genders (masculine, feminine and neuter). You'll learn the words for 'my' and 'your', along with a few basic adjectives, and will look at how they change their form depending on the gender of the word they go with.

DIALOGUES 2.1

1 – Где Ива́н?
   – Вот он.

2 – Где стака́н?
   – Вот он.

3 – Где Ната́ша?
   – Вот она́.

4 – Где ча́шка?
   – Вот она́.

5 – Где вино́?
   – Вот оно́.

Russian nouns divide up into three categories, or genders: masculine, feminine and neuter.

The gender of a noun does not necessarily reflect its meaning.

You can almost always tell the gender of a noun by its ending.

You have already met the pronouns **он** and **она́** meaning 'he' and 'she'. Note that both can mean 'it' if they refer to a masculine or feminine noun that is not a person.

The neuter pronoun **оно́** will always mean 'it', since neuter nouns are always things.

Где means 'where'.

Вот means 'here [is]'. Use it when you are pointing at something. It should be used with a noun or pronoun only (not a verb) and always precedes the noun/pronoun.

	masculine	feminine	neuter
ending	consonant, -ь	-а, -я, -ь	-о, -е
example	телефо́н чай рубль	фи́рма Росси́я тётя дверь	вино́ мо́ре зада́ние

Note that some nouns that end in a soft sign are masculine (e.g. **рубль**), and others are feminine (e.g. **дверь**). You therefore need to learn the gender of a soft sign noun when you learn the word.

There is a group of neuter words that end in **-мя**. Two of these are useful (the others you will almost certainly never meet): **и́мя**, 'first name', and **вре́мя**, 'time'.

EXERCISE 2.1

Look at the list of words below. Some are new, and some are from the first lesson. Create your own table based on the one shown. Write the words and their meanings in the appropriate gender column. Use a dictionary or the vocabulary at the end of the lesson to find the meaning of new words (words are in alphabetical order, left to right). The total number of words of each gender is given at the top of the column, so there are 10 masculine words, 11 feminine and 6 neuter.

автобус	аптека	больница	водитель	вход	выход
город	дверь	задание	имя	касса	квартира
ключ	комната	место	музей	пиво	письмо
ручка	слово	стакан	сумка	трамвай	урок
фамилия	чашка	церковь			

Masculine (10)		Feminine (11)		Neuter (6)	
Russian	English	Russian	English	Russian	English
автобус	bus				

ОН, ОНА, ОНО
HE, SHE, IT

DIALOGUES 2.2

1
– Извините, где буфет?
– Вот он!
– Спасибо.
– Пожалуйста.

2
– Извините, это почта?
– Нет, это магазин.
– А где почта?
– Вот она.
– Спасибо.
– Пожалуйста.

EXERCISE 2.2

Answer the following questions with the correct form он, она ог оно. As in the example, use the word вот.

1 Где стол?   Вот он.   7 Где письмо?
2 Где стул?   8 Где карта?
3 Где чашка?   9 Где телефон?
4 Где пиво?   10 Где водитель?
5 Где ручка?   11 Где карандаш?
6 Где дверь?   12 Где директор?

EXERCISE 2.3

Look at the map of the centre (**центр**) of Moscow below. Use the models to ask each other what the various buildings and places are, or where a particular building or place is. If you do not know the answer you may need to use the phrases on the next page!

Что э́то?	→	Э́то вокза́л.
Где вокза́л?	→	Вот он.

теа́тр	дом	пло́щадь*	проспе́кт*
по́чта	гости́ница	банк	рестора́н
магази́н	парк	река́	у́лица*
мост	аэропо́рт	вокза́л	ста́нция метро́
це́рковь	больни́ца	музе́й	

* The three starred words are not specifically marked, but you will find plenty of examples of them on the map.

SURVIVAL EXPRESSIONS

In the exercises and dialogues on the following pages you will be using a variety of practical 'survival' phrases. You should learn these off by heart.

Я не зна́ю.	I don't know.
Я не понима́ю.	I don't understand.
Вы говори́те по-англи́йски?	Do you speak English?
Я пло́хо говорю́ по-ру́сски.	I speak Russian badly.
Я то́лько немно́го говорю́ по-ру́сски.	I only speak a little Russian.
Говори́те ме́дленно, пожа́луйста.	Speak slowly please.
Повтори́те, пожа́луйста.	Repeat please.
Что тако́е...?	What is a ...?
e.g. Что тако́е «гости́ница»?	e.g. What is a 'гости́ница'?
Как по-ру́сски...?	What is the Russian for...? (literally 'how in Russian'?)
Как по-англи́йски...?	What is the English for...? (literally 'how in English'?)
e.g. Как по-англи́йски «вокза́л»?	e.g. What is the English for 'вокза́л'?

If you want to ask 'what is a...' seeking explanation for a word you don't understand, you should insert the word **тако́е** between **что** and the word. **Тако́е** is part of the word for 'such', but for the moment concentrate on memorising the phrase:

Что тако́е «гости́ница»?   What is a 'гости́ница'?

Of course, if you ask **что тако́е** you are likely to get an explanation in Russian, so if you need the word translated into English, you may be better off asking **как по-англи́йски...**:

Как по-англи́йски «гости́ница»?   What's the English for 'гости́ница'?

DIALOGUES 2.3

1
– Извини́те, вы говори́те по-ру́сски?
– Да, <u>но</u> то́лько немно́го.
– Где Кра́сная пло́щадь?
– Вот она́!
– Спаси́бо.

2
– Скажи́те, пожа́луйста, где музе́й Пу́шкина?
– Музе́й там.
– Спаси́бо.

3
– Скажи́те, пожа́луйста, э́то вы́ход?
– Нет, э́то вход.
– А где здесь вы́ход?
– Вот он.
– Спаси́бо.

4
– Скажи́те, пожа́луйста, регистра́ция здесь?
– Нет, э́то ка́сса. Регистра́ция там.

5
– Скажи́те, пожа́луйста, где гости́ница «Национа́ль»?
– Извини́те, я не понима́ю. Я то́лько немно́го говорю́ по-ру́сски. Говори́те ме́дленно, пожа́луйста.
– Где гости́ница «Национа́ль»?
– Извини́те, я не зна́ю.

6
– Скажи́те, пожа́луйста, где больни́ца?
– Извини́те, я пло́хо говорю́ по-ру́сски. Повтори́те, пожа́луйста.
– Где больни́ца? Врач?
– Извини́те, я не понима́ю. Что тако́е «больни́ца»? И что тако́е «врач»?
– Больни́ца? Э́то кли́ника. А врач – э́то до́ктор.
– Ага́! <u>Тепе́рь</u> я понима́ю. Это там. У́лица Пова́рская.
– Спаси́бо.

но	but	тепе́рь	now

Remember that **вот** is a demonstrative word, meaning 'here [is]'. Use it when you are pointing at something. It should be used with a noun only (not a verb) and precedes the noun.

Здесь means 'here'. Although similar to **вот**, it has the sense of 'in this place', and can be used with a noun ('my office is here') and a verb ('I work here').

You can use **там** as the opposite of **здесь**, to mean 'there' or 'over there'.

Скажи́те, пожа́луйста means 'tell me please', and is a polite way to preface a question.

EXERCISE 2.4

Fill in the gaps with an appropriate prompt or response. Use one word for each gap.

1 – Скажи́те, пожа́луйста, _____ _____ ?
   – Вот он!

2 – Извини́те, вы _____ по-англи́йски?
   – Да, но _____ _____ .

3 – _____, _____, где ста́нция метро́?
   – Извини́те, я не понима́ю. _____, _____ !
   – Где метро́?
   – Вот _____ .

4 – Извини́те, ка́сса _____ ?
   – Нет, ка́сса там.

5 – _____, пожа́луйста, где гости́ница?
   – Извини́те, я _____ говорю́ по-ру́сски. Что _____ «гости́ница»?
   – Гости́ница – э́то оте́ль.
   – Тепе́рь я понима́ю! Гости́ница _____ .

EXERCISE 2.5

Translate the following into Russian.

1 – Do you speak Russian? – Yes, but only a little. 2 – Where is the exit? – The exit is over there.
3 Is this the entrance? 4 What is the Russian for 'hotel'? 5 Please can you tell me where the ticket
office is? 6 I'm sorry, please can you repeat that. 7 Please speak slowly. I don't speak Russian well.
8 – Where is the church? – Here it is.

EXERCISE 2.6

Using the models in the dialogues on page 47 and as many of the survival expressions as possible, create
dialogues asking each other where various places are in the centre of Moscow.

налéво

прямо

напрáво

DIALOGUES 2.4

1
– Скажи́те, пожа́луйста, где метро́?
– Снача́ла иди́те пря́мо, пото́м нале́во, пото́м опя́ть нале́во.
– Э́то далеко́?
– Нет, недалеко́.
– Спаси́бо.
– Пожа́луйста.

2
– Скажи́те, пожа́луйста, где Эрмита́ж?
– Извини́те, я пло́хо понима́ю по-ру́сски. Повтори́те, пожа́луйста.
– Где музе́й Эрмита́ж?
– Ах, да, я зна́ю, где Эрмита́ж. Снача́ла иди́те пря́мо, а там, где по́чта, – напра́во. Пото́м опя́ть напра́во.
– Э́то далеко́?
– Нет, не о́чень далеко́.
– Спаси́бо.
– Пожа́луйста.

снача́ла	at first	опя́ть	again
иди́те	go	далеко́	far
пото́м	then	недалеко́	not far

EXERCISE 2.7
Follow the arrows below to create dialogues based on the conversations above.

– Скажи́те, пожа́луйста, где рестора́н «Пра́га»?
– Иди́те пря́мо, пото́м напра́во, пото́м опя́ть напра́во, пото́м нале́во, пото́м напра́во.

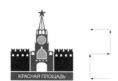

EXERCISE 2.8

Pick a starting point and ask for directions to another place in the town. Watch out for the slightly unhelpful one-way system. The places are listed beneath the map.

– Скажи́те, пожа́луйста, где библиоте́ка? (starting point: парк)
– Снача́ла иди́те пря́мо, пото́м напра́во (or: а там, где шко́ла, – напра́во), пото́м нале́во, пото́м пря́мо.

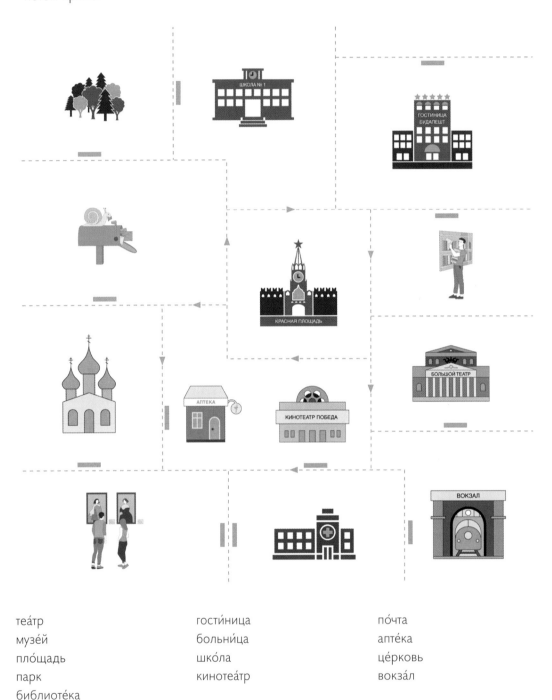

теа́тр	гости́ница	по́чта
музе́й	больни́ца	апте́ка
пло́щадь	шко́ла	це́рковь
парк	кинотеа́тр	вокза́л
библиоте́ка		

DIALOGUES 2.5

1   – Как называ́ется пло́щадь в це́нтре Москвы́?
  – Пло́щадь в це́нтре Москвы́ называ́ется Кра́сная пло́щадь.
  – Спаси́бо.
  – Пожа́луйста.

Как называ́ется is the phrase you use when you want to ask what <u>something</u> is called. Note that this is not the same as the phrase you use for <u>people's</u> names (**как вас зову́т** etc.).

EXERCISE 2.9
Try to answer the following questions about Moscow and St Petersburg. Do not worry about the forms of words used in the questions. Question 1 has two possible answers, and you will need to make up your own answer to Question 11.

– Как называ́ется рестора́н в гости́нице «Метропо́ль»?
– Рестора́н называ́ется «Теа́тро».

1	Как называ́ется моско́вский аэропо́рт?	Шереме́тьево
2	Как называ́ется река́ в Москве́?	Домоде́дово
3	Как называ́ется теа́тр в це́нтре Москвы́?	ГУМ
4	Как называ́ется парк в це́нтре Москвы́?	Не́вский проспе́кт
5	Как называ́ется музей в це́нтре Москвы́?	Кра́сная пло́щадь
6	Как называ́ется река́ в Петербу́рге?	музе́й Пу́шкина
7	Как называ́ется пло́щадь в це́нтре Москвы́?	Большо́й теа́тр
8	Как называ́ется музе́й в це́нтре Петербу́рга?	Эрмита́ж
9	Как называ́ется магази́н на Кра́сной пло́щади?	парк Го́рького
10	Как называ́ется у́лица в це́нтре Петербу́рга?	Москва́-река́
11	Как называ́ется ва́ша фи́рма?	Нева́

ЭТОТ
THIS

DIALOGUES 2.6

1
– Извини́те, э́то рестора́н?
– Нет, э́то не рестора́н, э́то бар.
– А как называ́ется э́тот бар?
– Э́тот бар называ́ется «Та́нцы».

2
– Скажи́те, пожа́луйста, э́то у́лица Че́хова?
– Нет, у́лица Че́хова там.
– А как называ́ется э́та у́лица?
– Э́та у́лица называ́ется Негли́нная.

You have already met **э́то** used to mean 'this/it is':

– Что э́то?	– What is this?
– Э́то магази́н.	– This/it is a shop.
– Э́то магази́н?	– Is this a shop?
– Нет, э́то не магази́н, э́то библиоте́ка.	– No, this/it isn't a shop, it's the library.

Remember that **э́то** doesn't change, regardless of whether the noun that follows is masculine, feminine or neuter, singular or plural.

Now see what happens if, instead of 'this is…', you want to put 'this' directly with another noun, e.g. 'this shop …', 'this book …' etc.

Э́тот магази́н называ́ется ГУМ.	This shop is called GUM.
Э́та кни́га называ́ется «А́нна Каре́нина».	This book is called Anna Karenina.

In this kind of sentence you need to make sure the form of **э́тот** matches the gender (masculine, feminine, neuter) of the noun it goes with. Unlike **э́то магази́н**, **э́тот магази́н** does not form a complete sentence.

The table below gives these forms in the singular.

masc.	fem.	neut.
э́тот па́спорт	э́та ви́за	э́то письмо́

Compare the following pairs of sentences. In the first sentence you are using **э́то** to mean 'this [is] …' followed by a noun. In the second sentence 'this' goes directly with the noun, so the form of **э́то** matches the gender of the noun.

Э́то музе́й.	This is a museum.
Э́тот музе́й называ́ется Эрмита́ж.	This museum is called the Hermitage.
Э́то гости́ница.	This is a hotel.
Э́та гости́ница называ́ется «Ритц».	This hotel is called the Ritz.

Note that if you want to put 'this' directly with a neuter noun, then the form will be **э́то** in both sentences:

Э́то вино́.	This is wine.
Э́то вино́ называ́ется «Каберне́».	This wine is called Cabernet.

EXERCISE 2.10

Follow the model to ask what things are and what they are called, combining forms of э́тот and как называ́ется.

– Что э́то?
– Э́то мост.
– Как называ́ется э́тот мост?
– Он называ́ется Дворцо́вый мост.

гости́ница, рома́н, музе́й, газе́та, пи́во, по́езд, магази́н, пло́щадь, у́лица, фильм, теа́тр

EXERCISE 2.11

Translate the following into Russian.

1 This is a restaurant. **2** This restaurant is called Pushkin. **3** What is this hotel called? **4** This is not a hotel. This is a bar. **5** What is this wine called? **6** This isn't wine, it's vodka. **7** What is this vodka called? **8** This is Red Square. **9** What is this square called? **10** Who is this journalist?

ЧЕЙ? МОЙ AND ВАШ
WHOSE? MY AND YOUR

DIALOGUES 2.7

1 – Чей э́то каранда́ш?
  – Э́то мой каранда́ш.

2 – Чья э́то ру́чка?
  – Э́то моя́ ру́чка.

3 – Чьё э́то ме́сто?
  – Э́то моё ме́сто.

4 – Чей э́то о́фис?
  – Э́то мой о́фис.

Чей means 'whose'; its form varies depending on the gender of the word it goes with.

The words for 'my' and 'your' also match the gender of the word they describe.

In questions with **чей** and **э́то**, although **чей** matches the gender of the noun, you always use the neuter form **э́то**. Note also the position of **э́то**:

– **Чей э́то ключ?**   – Whose key is this?
– **Э́то мой ключ.**   – This is my key.

masc.	fem.	neut.
чей па́спорт	чья ви́за	чьё письмо́
мой па́спорт	моя́ ви́за	моё письмо́
ваш па́спорт	ва́ша ви́за	ва́ше письмо́

EXERCISE 2.12
Ask questions about the following nouns, using **чей** in the correct form. Remember that in this type of question the form of **э́то** does not change, regardless of the gender of the noun you are asking about.

ча́шка   →   чья э́то ча́шка?

1 телефо́н
2 маши́на
3 па́спорт
4 фотогра́фия
5 о́фис
6 вино́
7 ко́мната
8 кни́га

9 ру́чка
10 каранда́ш
11 газе́та
12 письмо́
13 су́мка
14 ключ
15 кварти́ра
16 води́тель

DIALOGUES 2.8

1 Па́спортный контро́ль – Passport control
 – Ваш па́спорт, пожа́луйста.
 – Пожа́луйста, вот он.
 – А где ва́ша ви́за?
 – Вот она́.
 – Как ва́ша фами́лия?
 – Моя́ фами́лия Смит.
 – Кто вы <u>по профе́ссии</u>?
 – Я врач.

Кто вы, literally 'who [are] you?' is the simplest way to ask about someone's job. You can make the question more specific by adding по профе́ссии, 'by profession'.

2 Тамо́жня – Customs
 – Чей э́то чемода́н?
 – Извини́те, повтори́те, пожа́луйста.
 – Э́то ваш бага́ж?
 – Да, э́то мой бага́ж.
 – А где ваш па́спорт?
 – Вот он. Пожа́луйста.
 – А э́та су́мка то́же ва́ша?
 – Нет, не моя́.

3 В за́ле – In the hall
 – До́брый ве́чер. Вы ми́стер Гри́стон?
 – Да, моя́ фами́лия Гри́стон.
 – А меня́ зову́т Влади́мир. Я ваш води́тель.
 – О́чень прия́тно, Влади́мир. А где маши́на?
 – Ва́ша маши́на там.
 – Хорошо́.

4 В маши́не – In the car
 – Моя́ гости́ница называ́ется «Марри́от». Вы зна́ете, где она́?
 – Да, я зна́ю. Она́ в це́нтре, на у́лице Петро́вка. Окса́на уже́ там.
 – Окса́на? А кто э́то?
 – Э́то ваш перево́дчик.
 – Э́то о́чень хорошо́. Я то́лько немно́го говорю́ по-ру́сски.

EXERCISE 2.13
Insert the correct forms of **ваш** into the questions on the left, and forms of **мой** into the answers on the right.

1 Где _____ па́спорт?   Вот _____ па́спорт.
2 Где _____ ви́за?   Вот _____ ви́за.
3 Это _____ ме́сто?   Да, это _____ ме́сто.
4 Это _____ бага́ж?   Да, это _____ бага́ж.
5 Где _____ чемода́н?   Вот _____ чемода́н.
6 Где _____ маши́на?   _____ маши́на там.
7 Где _____ гости́ница?   _____ гости́ница в це́нтре.
8 Где _____ о́фис?   Вот _____ о́фис.
9 Это _____ води́тель?   Да, это _____ води́тель.
10 Это _____ перево́дчик?   Да, это _____ перево́дчик.

INTRODUCTION TO ADJECTIVES

Russian adjectives vary according to the gender of the word they describe (just like **мой/моя́** etc. above). You will cover adjectives in detail in Lesson 5.

The adjectives for nationalities below are used when you want to describe a noun (e.g. 'a Russian passport', 'French wine'). Russian has a different form if you want to give a person's nationality (e.g. 'I am English', 'she is American', etc.). See p. 68 for these forms.

Write down any other nationalities relevant to you.

country	masc. adjective	fem. adjective	neut. adjective
А́нглия	англи́йский	англи́йская	англи́йское
Росси́я	ру́сский	ру́сская	ру́сское
Аме́рика	америка́нский	америка́нская	америка́нское

EXERCISE 2.14
Read the following and translate into English.

1 Это мой америка́нский па́спорт.
2 Где ва́ша ру́сская ви́за?
3 Вот мой англи́йский перево́дчик.
4 Это ваш ру́сский клие́нт.
5 Где ва́ша англи́йская газе́та?
6 Это англи́йская шко́ла.

7 Это ваш ру́сский дире́ктор.
8 Это мой америка́нский партнёр.
9 Чья это кни́га?
10 Это ру́сское пи́во.
11 Это пи́во ру́сское.
12 Это моя́ америка́нская маши́на.

EXERCISE 2.15

Read these common place names, etc. Note the different forms of the adjectives and write down the gender.

1	Большо́й теа́тр	Bolshoi (Big, Grand) Theatre
2	Больша́я у́лица	Bolshaya Street (street in Moscow)
3	Не́вский проспе́кт	Nevsky Prospect (main street in St Petersburg)
4	Пи́во «Не́вское»	Nevskoe beer
5	Тверска́я у́лица	Tverskaya Street (main street in Moscow)
6	Тверско́й бульва́р	Tverskoi Boulevard (part of the 'Boulevard Ring' road in Moscow)
7	Но́вый Арба́т	Novy (New) Arbat (street in Moscow)
8	«Но́вая газе́та»	Novaya Gazeta (Russian newspaper)
9	Ки́евский вокза́л	Kiev Station
10	Ста́нция «Ки́евская»	Kiev (metro) Station
11	«Ру́сское ра́дио»	Russian Radio (radio station)
12	«Кра́сный Октя́брь»	Red October (chocolate brand)
13	Кра́сная пло́щадь	Red Square
14	Кра́сное вино́	Red wine

Learn these three greetings for 'good morning', 'good afternoon' and 'good evening'.

Note the different endings of **до́брый**.

До́брый день can be used to mean 'good afternoon' or as a general greeting in the daytime.

До́брое у́тро

До́брый день

До́брый ве́чер

EXERCISE 2.16

Create questions to which the following could be answers.

1 – ....?
  – Нет, я говорю́ то́лько по-англи́йски.

2 – ....?
  – Вот он.

3 – ....?
  – Нет, недалеко́.

4 – ....?
  – Он называ́ется «Та́нцы».

5 – ....?
  – Нет, э́то вы́ход.

6 – ....?
  – Моя́.

7 – ....?
  – Нет, не ваш.

8 – ....?
  – Train по-ру́сски «по́езд».

9 – ....?
  – Нет, она́ учи́тель.

10 – ....?
  – Она́ называ́ется «А́нна Каре́нина».

11 – ....?
  – Напра́во.

12 – ....?
  – А́нна.

13 – ....?
  – Нет, он там.

14 – ....?
  – Да, ру́сское.

EXERCISE 2.17

Translate into Russian.

1 This is not a shop. 2 What is this hotel called? 3 Excuse me, where is Tverskaya street? 4 Please repeat that. 5 Is this beer Russian? 6 Nadya is my Russian interpreter. 7 I'm sorry, I don't understand. 8 – How are you? – Very well, thank you. 9 – Where is my key? – Here it is. 10 Whose is this book? 11 I don't know whose book this is. 12 What is this film called? 13 What is your surname? 14 This is a Russian newspaper. 15 Is this your letter? 16 This newspaper is not Russian. 17 I'm sorry, I only speak a little Russian. Speak slowly please. 18 This is not the Metropol Hotel, it's the Hotel National. 19 Viktor is my driver. 20 Boris is your Russian director. 21 Do you speak English? 22 This is not your flat. 23 – Where is Red Square? – First go right, then left, then left again, then straight ahead. It's not far. 24 This is a church, not a hospital. 25 I'm sorry, I don't know what my hotel is called. 26 This is my house. 27 Where is your train? 28 Where is my luggage? 29 Here's my passport and my visa. 30 Whose ticket is this?

Глава II
Питер пе́рвый раз в Москве́

Пи́тер уже́ в Москве́. Вот гости́ница «Метропо́ль». Пи́тер в вестибю́ле.

– До́брый ве́чер! Добро́ пожа́ловать в гости́ницу «Метропо́ль». Как ва́ша фами́лия?

– Моя́ фами́лия Манро́, а и́мя – Пи́тер.

– Напиши́те здесь, пожа́луйста. Спаси́бо. До́брый ве́чер, господи́н Манро́. Вот ваш ключ. И вот письмо́ для вас. А э́то ка́рта Москвы́. Вот Кра́сная пло́щадь … Большо́й теа́тр … Театра́льная пло́щадь, а мы здесь.

– А где Третьяко́вская галере́я?

– Гости́ница «Метропо́ль» здесь. Снача́ла иди́те пря́мо, пото́м нале́во. Здесь Истори́ческий музе́й, Покро́вский собо́р, а вот Москва́-река́ и мост. Иди́те пря́мо, а там, где ста́нция «Третьяко́вская», иди́те напра́во, пото́м пря́мо, пото́м опя́ть напра́во.

– Как называ́ется э́та у́лица?

– Она́ называ́ется Лавру́шинский переу́лок.

– Это далеко́?

– Нет, не о́чень.

– Большо́е спаси́бо, – говори́т Питер.

Тепе́рь Пи́тер на у́лице. Вот молодо́й челове́к в костю́ме.

– Скажи́те, пожа́луйста, вы не зна́ете, где Кра́сная пло́щадь?

– Извини́те, я не понима́ю. Я то́лько немно́го говорю́ по-ру́сски. Говори́те ме́дленно, пожа́луйста.

– Где Кра́сная пло́щадь?

– А что тако́е «Кра́сная пло́щадь»?

– Вы не говори́те по-ру́сски?

– Я о́чень пло́хо говорю́ по-ру́сски.

– Поня́тно. А вы зна́ете ГУМ?

– Нет. Что тако́е ГУМ?

– ГУМ – большо́й магази́н на Кра́сной пло́щади.

– А! Я зна́ю, где Большо́й теа́тр! Вот он!

– Нет, не Большо́й теа́тр, а большо́й магази́н.

– Извини́те, я не понима́ю. Я пе́рвый раз в Москве́.

LESSON 2 VOCABULARY

автóбус	bus
агá!	aha!
америкáнский, -ая, -ое	American adj.
англи́йский, -ая, -ое	English adj.
по-англи́йски	English (with говори́ть)
А́нглия	England
аптéка	chemist
Арбáт	Arbat (Moscow street)
ах	ah!
аэропóрт	airport
багáж	luggage
банк	bank
библиотéка	library
больни́ца	hospital
большóй	big
бульвáр	boulevard
буфéт	buffet
ваш, вáша, вáше	your
вестибю́ль	hall, lobby
вéчер	evening
винó	wine
вокзáл	station
врач	doctor
врéмя	time
вход	entrance
вы́ход	exit
где	where
гóрод	town, city
господи́н	mister
гости́ница	hotel
ГУМ	GUM department store
далекó	far
два	two
для	for
добрó пожáловать	welcome
дóктор	doctor
дом	home, house
зал	hall
задáние	task
здесь	here
идти́	to go
иди́те imperative*	go
Извéстия	Izvestia (newspaper)
и́мя	first name
истори́ческий	historical
кáсса	cash-desk
кварти́ра	flat
кинотеáтр	cinema
кли́ника	clinic
костю́м	suit
крáсный, -ая, -ое	red
лифт	lift
магази́н	shop
маши́на	car
мéдленно	slowly
мéсто	place
метрó	metro
«Метропóль»	Metropole (hotel)
ми́стер	mister
мой, моя́, моё	my
молодóй	young
мóре	sea
Москвá-рекá	Moscow River
москóвский	Moscow adj.
мост	bridge
назывáется	(it) is called
налéво	(to the) left
напиши́те imperative*	write (it) down
напрáво	(to the) right
недалекó	not far
немнóго	a little
но	but
нóвый, -ая, -ое	new
опя́ть	again
отéль	hotel
парк	park
партнёр	partner
пáспортный контрóль	passport control
пéрвый, -ая, -ое	first
переýлок	lane
пи́во	beer
письмó	letter
плóщадь	square
повтори́те imperative*	repeat
пóезд	train
поня́тно	understood
потóм	then
пóчта	post office
проспéкт	avenue
профéссия	profession
по профéссии	by profession
пря́мо	straight ahead
рáдио	radio
раз	time (= occasion)
регистрáция	check-in
рекá	river
ромáн	novel
Росси́я	Russia
рубль	rouble
рýсский, -ая, -ое	Russian
скажи́те imperative*	tell (me)
слóво	word
сначáла	at first
собóр	cathedral
стáнция	station
стрелá	arrow
такóй	such
что такóе…	what is a …
там	there
тамóжня	customs
тáнцы	dances
теáтр	theatre
тепéрь	now
тётя	aunt
тóлько	only
трамвáй	tram
ужé	already
ýлица	street
ýтро	morning
фами́лия	surname
фильм	film
фи́рма	firm
центр	centre
цéрковь	church
чей, чья, чьё	whose
человéк	person
чемодáн	suitcase
шкóла	school
Эрмитáж	Hermitage (museum)

* An imperative is the form of the verb used to give a command – e.g. 'come here'.

УРО́К ТРИ
Lesson 3

Lesson 3 explains how to put nouns into the plural. You will learn the words for various countries and nationalities. You will also learn the remaining forms for giving people's names, as well as the words for family members. So by the end of the lesson you should be able to describe your family, where people are from and what they do. The lesson also introduces the numbers from one to twenty, and explains how Russian addresses work.

DIALOGUES 3.1

1 – Скажи́те, пожа́луйста, где газе́та?
– Вот она́.

2 – Скажи́те, пожа́луйста, где газе́ты?
– Вот они́.

3 – Скажи́те, пожа́луйста, э́то магази́н?
– Нет, э́то не магази́н, э́то о́фис.
– А где магази́н?
– Все магази́ны там.

To form the plural of a masculine or feminine noun, you need to change the ending to -ы, or sometimes -и (see below on how to decide between these two letters).

For masculine nouns, add -ы/-и to the end. For feminine nouns, replace the -а (or -я) with -ы/-и.

The ending will be -ы, <u>unless one of the following applies</u>, in which case it will be -и:

1) masculine nouns ending in -ь or -й
2) feminine nouns ending -ь or -я
3) masculine or feminine nouns if the preceding letter is one of г, ж, к, х, ч, ш, щ

In spoken Russian the difference between -ы and -и is often very slight, so you may not want to worry too much about this distinction when speaking.

	singular	plural	meaning
masc.	стол уро́к музе́й води́тель	столы́ уро́ки музе́и води́тели	tables lessons museums drivers
fem.	маши́на кни́га галере́я пло́щадь	маши́ны кни́ги галере́и пло́щади	cars books galleries squares

EXERCISE 3.1
Complete the sentences, putting the profession in the plural. Note the use of то́же, 'also', and все, 'all'.

1 Я врач. Мой брат врач. Моя́ сестра́ то́же врач. Мы все _____.
2 Ви́ктор води́тель. Вади́м то́же води́тель. Они́ _____.
3 Ты перево́дчик. Он то́же перево́дчик. Вы _____.
4 Она́ студе́нтка. Ты то́же студе́нтка. Вы _____.
5 Васи́лий юри́ст. Ваня́ юри́ст. Я то́же юри́ст. Мы все _____.
6 Он мини́стр. Она́ то́же мини́стр. Они́ _____.
7 Ты секрета́рь. Я то́же секрета́рь. Мы _____.
8 Он журнали́ст. Она́ то́же журнали́ст. Они́ все _____.

NEUTER PLURALS

Neuter nouns ending in -o change to -a in the plural.

Neuter nouns ending in -e change to -я in the plural.

Generally the stress will shift syllables (i.e. from the first syllable in the singular to the last in the plural or vice-versa).

	singular	plural	meaning
neut.	письмо́	пи́сьма	letters
	окно́	о́кна	windows
	мо́ре	моря́	seas

EXERCISE 3.2
Put the following words into the plural. Look up any unfamiliar ones.

1 страни́ца

2 де́вушка*

3 студе́нт

4 же́нщина

5 зада́ние

6 сло́во

7 ма́льчик

8 маши́на

9 мину́та

10 мужчи́на*

11 музе́й

12 уче́бник

13 уро́к

14 де́вочка*

15 пробле́ма

16 ме́сто

There are two words in Russian for 'girl', де́вушка and де́вочка. Де́вушка is for older girls (and can also mean girlfriend); use де́вочка for children.

The word мужчи́на is used for a man as opposed to a woman (же́нщина). The word челове́к means 'person'. The plural of челове́к is highly irregular (see below).

IRREGULAR PLURALS

A number of quite common nouns have irregular plurals. A full list of these is given in the Grammar Supplement at the end of the book on p. 375. Three of the most useful are:

ребёнок	child	→	де́ти	children
челове́к	person	→	лю́ди	people
друг	friend	→	друзья́	friends

EXERCISE 3.3
Translate the following into Russian.

1 He is a journalist. 2 Are you (sing.) also a journalist? 3 Where are the letters? 4 Are they friends? 5 She is a translator. 6 They are all translators. 7 He is Russian. 8 We are friends.
9 Are you (fem. sing.) Russian? 10 Where are the children? 11 What is your firm called?
12 Good morning, boys and girls.

DIALOGUES 3.2

1
– Приве́т, Са́ша. Как дела́?
– Отли́чно, спаси́бо. А у тебя́?
– То́же хорошо́. А как твои́ де́ти?
– Отли́чно. А твои́?

2
– Где ва́ши докуме́нты?
– Вот они́.
– А э́то ва́ши де́ньги?
– Да, мои́.

So far you have met the forms of **чей**, **мой** and **ваш** to go with nouns in the singular. The table below gives the possessive forms for the pronouns **ты** and **мы**. Note also the plural forms for all five pronouns:

	masc.	fem.	neut.	pl.
КТО	чей	чья	чьё	чьи
Я	мой	моя́	моё	мои́
ТЫ	твой	твоя́	твоё	твои́
МЫ	наш	на́ша	на́ше	на́ши
ВЫ	ваш	ва́ша	ва́ше	ва́ши

EXERCISE 3.4
Put the following into the plural.

мой стол　　　　　　　→　　　　мои́ столы́

1 на́ша кварти́ра
2 мой друг
3 твой ребёнок
4 чей ключ?
5 ва́ша ко́мната
6 ваш биле́т

7 мой каранда́ш
8 моя́ ча́шка
9 ва́ше сло́во
10 наш челове́к
11 твоё письмо́
12 чья карти́на?

PLURAL OF Э́ТОТ, THIS

The plural of **э́тот** follows a similar pattern:

masc.	fem.	neut.	pl.
э́тот	э́та	э́то	э́ти

EXERCISE 3.5

Replace the pronoun in brackets with the correct form of the relevant possessive pronoun. For example, replace я, 'I', with the correct form of мой, 'my'; or replace кто, 'who' with the correct form of чей, 'whose'. For some questions insert the correct form of этот.

1 (ты) де́вушка

2 (вы) де́ти

3 (я) пи́во

4 (я) друзья́

5 (мы) колле́ги

6 (кто) (э́тот) ко́мната

7 (э́тот) ребёнок

8 (вы) ме́сто

9 (мы) клие́нты

10 (э́тот) пло́щадь

11 (вы) секрета́рь

12 (ты) до́чка

13 (кто) (э́тот) де́ньги

14 (э́тот) де́вочки

15 (э́тот) мужчи́на

16 (вы) пробле́мы

17 (ты) ма́льчик

18 (мы) шко́ла

19 (э́тот) лю́ди

20 (э́тот) же́нщина

21 (мы) столи́ца

Remember that if you are using э́то on its own to mean 'this/it [is]...', the form remains э́то regardless of the whether the noun following is masculine or feminine, singular or plural:

Э́то магази́н.	This is a shop.
Э́то по́чта.	This is a post office.
Э́то рубли́.	These are roubles.

Note that if you say 'these are...' you use э́то, even though you are talking about something plural:

Э́то мои́ де́ти.	These are my children.

Similarly, in questions with чей and э́то you always use the form э́то:

Чья э́то ру́чка?	Whose pen is this?
Чьи э́то ключи́?	Whose keys are these?

EXERCISE 3.6

Fill in the gaps with a suitable noun in terms of gender, singular and plural.

1 Чьи э́то _____?

2 Где твоя́ _____?

3 Э́то мой _____.

4 Кто э́ти _____?

5 Э́то не на́ше _____.

6 Вот ва́ши _____.

7 Как называ́ется твоя́ _____?

8 Как ва́ша _____?

9 Где э́ти _____?

10 Кто наш _____?

EXERCISE 3.7

Translate into Russian.

1 Are your friends students? 2 Who is this person? 3 Who are these people? 4 Where are our letters? 5 Here are our colleagues. 6 Whose are these children? 7 This is my book. 8 These are my books. 9 Whose is this wine? 10 Where are your keys? 11 Is this your money? 12 This is our director.

DIALOGUES 3.3

1 – Это ва́ша ма́ма?
   – Нет, э́то её ма́ма.

2 – Это ва́ши де́ти?
   – Нет, э́то её де́ти.

3 – Это твоя́ де́вушка?
   – Нет, э́то его́ де́вушка.

4 – Это твой брат?
   – Нет, э́то его́ брат.

The words for 'his', 'her' and 'their' are easy in Russian, because they don't change their forms depending on the noun they go with.

Это её муж.	This is her husband.
Это её кварти́ра.	This is her flat.
Это её де́ти.	These are her children.

	masc.	fem.	neut.	pl.
КТО	чей	чья	чьё	чьи
я	мой	моя́	моё	мои́
ты	твой	твоя́	твоё	твои́
он	его́	·············	·············	·············▶
она́	её	·············	·············	·············▶
мы	наш	на́ша	на́ше	на́ши
вы	ваш	ва́ша	ва́ше	ва́ши
они́	их	·············	·············	·············▶

EXERCISE 3.8
Fill in the gaps with the correct pronoun.

1 Это Ма́ша, а э́то _____ друзья́.

2 Это И́горь, а э́то _____ кварти́ра.

3 Мы студе́нты. Это _____ уче́бники.

4 _____ э́то де́ти?

5 Меня́ зову́т Фёдор. Это _____ колле́ги, Илья́ и Бори́с.

6 Это наш дире́ктор, а э́то _____ секрета́рь.

7 Это мои́ друзья́, а э́то _____ де́ти.

8 _____ э́то ме́сто?

9 Вот Росси́я, а вот _____ столи́ца.

10 Они́ консульта́нты. Это не _____ пробле́ма.

COUNTRIES AND NATIONALITIES

In addition to adjectives for nationalities (**английский**, etc.) Russian has separate nouns for the nationals of a country (e.g. 'a Frenchman', 'a Frenchwoman'). The one exception to this rule is the word for Russian, which is the same for nationality and national.

In sentences of the type 'my wife is American' (i.e. where an adjective describes a person but comes after the noun), Russian tends to use the noun rather than the adjective:

Моя жена – америка́нка.	My wife is American. (= an American woman)
Мой друг – англича́нин.	My friend is English. (= an Englishman)

The table below has seven countries and the words for a male and female national of each, as well as the masculine adjective form. Ask your teacher or use a dictionary to look up any others that are relevant to you.

country	male national	female national	adjective
А́нглия	англича́нин	англича́нка	англи́йский
Росси́я	ру́сский	ру́сская	ру́сский
Аме́рика	америка́нец	америка́нка	америка́нский
Фра́нция	францу́з	францу́женка	францу́зский
Герма́ния	не́мец	не́мка	неме́цкий
Ита́лия	италья́нец	италья́нка	италья́нский
Испа́ния	испа́нец	испа́нка	испа́нский

EXERCISE 3.9
Match the famous person to the nationality.

Бара́к Оба́ма – америка́нец.

1 Уи́льям Шекспи́р
2 Э́лвис Пре́сли
3 Жа́нна д'Арк
4 Ива́н Гро́зный
5 Лю́двиг ван Бетхо́вен
6 Мари́я Шара́пова
7 Марле́н Ди́трих

8 Жан-По́ль Готье́
9 Екатери́на Араго́нская
10 Сальвадо́р Дали́
11 Леона́рдо да Ви́нчи
12 Фло́ренс На́йтингейл
13 Хи́лари Кли́нтон
14 Лукре́ция Бо́рджиа

EXERCISE 3.10
Complete the sentences using the famous names above.

Бара́к Оба́ма – америка́нский президе́нт.

1 _____ – францу́зская герои́ня.
2 _____ – ру́сская теннисистка.
3 _____ – неме́цкий композитор.
4 _____ – италья́нский худо́жник.
5 _____ – англи́йская медсестра́.
6 _____ – америка́нский поли́тик.
7 _____ – англи́йский писа́тель.

8 _____ – испа́нский худо́жник.
9 _____ – америка́нский певе́ц.
10 _____ – италья́нская рокова́я же́нщина.
11 _____ – испа́нская принце́сса.
12 _____ – неме́цкая актри́са.
13 _____ – ру́сский царь.
14 _____ – францу́зский диза́йнер.

КАК ВАС ЗОВУ́Т?
ACCUSATIVE CASE OF PRONOUNS

As you know, the Russian expression for giving your name translates literally as 'me [they] call'. You therefore need to use the accusative case of the pronoun – 'me'.

The accusative case is covered in detail on pp. 141–2. For the moment the important thing is to learn the forms:

nom.	я	ты	он	она́	мы	вы	они́
acc.	меня́	тебя́	его́	её	нас	вас	их

EXERCISE 3.11
Fill in the gaps with the relevant pronoun.

1 Э́то мои́ друзья́. _____ зову́т Па́ша и Ма́ша.
2 Э́то мой брат. _____ зову́т Генна́дий.
3 Э́то моя́ сестра́. _____ зову́т На́стя.
4 Вот мои́ колле́ги. _____ зову́т Ла́на и Све́та.
5 – Как _____ зову́т? – Меня́ зову́т Ви́ктор.
6 Мы инжене́ры. _____ зову́т Степа́н и Со́ня.
7 Мой сын студе́нт. _____ зову́т Ми́ша.
8 Моя́ до́чка музыка́нт. _____ зову́т О́льга.
9 Здра́вствуйте! _____ зову́т И́горь. Как _____ зову́т?
10 Э́то мои́ роди́тели. _____ зову́т Ни́на и Леони́д.

МОЯ́ СЕМЬЯ́
MY FAMILY

Ива́н Ива́нович — А́нна Петро́вна

Ната́ша — Анто́н | Ви́ктор — Натали́

Ко́ля | Ни́на | Гри́ша | Ма́ша | Па́ша

TEXT 3.1

Меня́ зову́т Ко́ля. Моя́ фами́лия Тито́в. Я студе́нт. Я ру́сский. А э́то моя́ семья́. Это мои́
роди́тели. Их зову́т Ната́ша и Анто́н. Моя́ ма́ма врач. Она́ ру́сская. Мой па́па то́же ру́сский.
Он экономи́ст. Это моя́ сестра́. Она́ студе́нтка, как я. Её зову́т Ни́на. Это мой брат. Его́ зову́т
Гри́ша. Он шко́льник. Это наш дом. Наш а́дрес: Ле́нинский проспе́кт, дом 15, ко́рпус 4,
кварти́ра 18.

Это мой дя́дя и его́ жена́, моя́ тётя. Их зову́т Ви́ктор и Натали́. Натали́ не ру́сская, она́
францу́женка: её па́па францу́з, а ма́ма англича́нка. Ви́ктор инжене́р, а его́ жена́ – музыка́нт.
Это их де́ти – сын Па́ша и до́чка Ма́ша.

Это мой ба́бушка и де́душка. Они́ пенсионе́ры. Их зову́т Ива́н Ива́нович и А́нна Петро́вна.
Их а́дрес: у́лица Паусто́вского, дом 12, ко́рпус 8, кварти́ра 1.

VOCABULARY

муж	husband	до́чка	daughter
жена́	wife	брат	brother
роди́тели	parents	сестра́	sister
ма́ма	mother	тётя	aunt
па́па	father	дя́дя	uncle
сын	son	ба́бушка	grandmother
		де́душка	grandfather

EXERCISE 3.12
Write a description of your own family.

EXERCISE 3.13

Insert the correct word from кто, что, как, где, это, чей in the questions below.

1 – _____ дела?
  – Хорошо, спасибо.

2 – _____ это?
  – Это мой паспорт.

3 – _____ ваш дом?
  – Мой дом в Лондоне.

4 – _____ вас зовут?
  – Меня зовут Лиза.

5 – _____ вы по профессии?
  – Я консультант.

6 – _____ это?
  – Это мой брат.

7 – _____ он?
  – Он врач.

8 – _____ ваш стол?
  – Да, это мой стол.

9 – _____ это паспорт?
  – Мой.

10 – _____ это письмо?
  – Наше.

11 – _____ это дети?
  – Мой.

12 – _____ ваши дети?
  – Да, мой.

13 – _____ называется этот ресторан?
  – «Пицца Экспресс».

14 – _____ театр?
  – Идите прямо, потом налево.

EXERCISE 3.14

Write questions to complete the dialogues.

1 – _____?
  – Меня зовут Борис.

2 – _____?
  – Я экономист.

3 – _____?
  – Да, это моя сестра.

4 – _____?
  – Её зовут Таня.

5 – _____?
  – Она студентка.

6 – _____?
  – Это мой брат.

7 – _____?
  – Его зовут Антон.

8 – _____?
  – Нет, он не студент. Он врач.

9 – _____?
  – Вот они!

10 – _____?
  – «Больница» по-английски 'hospital'.

11 – _____?
  – Нет, это церковь.

12 – Как вас зовут?
  – Меня зовут Антон. _____?

13 – Как дела?
  – Хорошо, спасибо. _____?

14 – Кто вы по профессии?
  – Я юрист. _____?

СКÓЛЬКО?
HOW MUCH? HOW MANY? – NUMBERS 1–20

Bear in mind that when you use numbers with a noun ('three sisters' etc.) you will need forms of the noun that you do not yet know. For full information on the forms of the noun to use after numbers, see pp. 100 and 187; for the moment learn the numbers themselves, since they are always useful.

0	ноль		
1	оди́н, одна́, одно́*	11	оди́ннадцать
2	два, две*	12	двена́дцать
3	три	13	трина́дцать
4	четы́ре	14	четы́рнадцать
5	пять	15	пятна́дцать
6	шесть	16	шестна́дцать
7	семь	17	семна́дцать
8	во́семь	18	восемна́дцать
9	де́вять	19	девятна́дцать
10	де́сять	20	два́дцать

The number one has a masculine, feminine and neuter form; the number two has one form for masculine and neuter nouns, and another for feminine nouns:

оди́н брат	(masculine)	one brother	два бра́та	(masculine/neuter)	two brothers
одна́ сестра́	(feminine)	one sister	две сестры́	(feminine)	two sisters
одно́ пи́во	(neuter)	one beer			

The other numbers in Russian have only one form for all genders.

EXERCISE 3.15
Using the examples below, write out or ask each other the sums in full. **Скóлько** means 'how much' or 'how many', and **бýдет** means 'will be'.

– Скóлько бýдет два плюс два?   – Скóлько бýдет пять ми́нус три?
– Два плюс два бýдет четы́ре.   – Пять ми́нус три бýдет два.

1	+	4	=		10	-	5	=		9	-	6	=
2	+	3	=		6	-	4	=		3	+	4	=
0	+	7	=		8	-	1	=		10	-	9	=
1	+	10	=		16	-	1	=		11	+	1	=
13	+	5	=		12	-	7	=		19	+	1	=
12	+	7	=		19	-	12	=		12	+	1	=

Use the following words to agree or disagree with the answer:

пра́вильно   correct
непра́вильно   incorrect

EXERCISE 3.16
Read the following aloud with the correct number. Translate into English.

1 Зал но́мер 6.
2 Ко́мната но́мер 3.
3 По́езд но́мер 5.
4 Страни́ца 18.
5 Кварти́ра но́мер 9.

6 Ко́рпус 2.
7 Шко́ла но́мер 4.
8 Платфо́рма но́мер 10.
9 Пала́та но́мер 6.
10 Авто́бус но́мер 15.

ADDRESSES

Russian addresses are sometimes confusing. There can be up to three elements in an address: the house (дом) number, the corpus (ко́рпус) number, and the flat (кварти́ра) number.

A single дом can be made up of several corpuses; in other words there can be several buildings that share the same main street number. For example, on the map below you can see the main building 3, and then a number of other buildings starting with 3K. These refer to дом 3, ко́рпус 2, 3, 4 etc.

When written, words in addresses are usually abbreviated to д., корп., and кв., so Больша́я Садо́вая у́лица д. 3, корп. 5, кв. 6 means 'Flat 6 in the 5th block of house (building) number 3'.

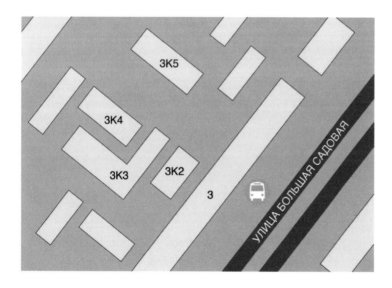

EXERCISE 3.17
Practise saying the following addresses

1 Больша́я Садо́вая у́лица, д. 3, корп. 4.
2 У́лица Га́шека, д. 12, корп. 5.
3 Триумфа́льная пло́щадь, д. 1.

4 Бре́стская у́лица, д. 20, кв. 12.
5 Тверска́я у́лица, д. 10, корп. 3, кв. 6.
6 У́лица Кра́сина, д. 16, корп. 5, кв. 15.

EXERCISE 3.18
Based on the words given, insert appropriate words or sentences into the gaps below.

1 – Кто вы по профéссии?
   – ▓▓▓▓▓ журналúст.

2 – Кто вы?
   – ▓▓▓▓▓ журналúсты.

3 – ▓▓▓▓▓ ?
   – Нет, я перевóдчик.

4 – Как ▓▓▓▓▓ зовýт? Кто онá?

5 – ▓▓▓▓▓ ?
   – Нет, я англичáнин.

6 – ▓▓▓▓▓ ?
   – Да, испáнский.

7 – ▓▓▓▓▓ ?
   – Мой.

8 – ▓▓▓▓▓ ?
   – Да, мой.

9 – ▓▓▓▓▓ ?
   – Да, но тóлько немнóго.

10 – ▓▓▓▓▓ ?
   – Нет, брат.

11 – ▓▓▓▓▓ ?
   – Моя́ сестрá студéнтка.

12 – ▓▓▓▓▓ ?
   – Да, друзья́.

13 – ▓▓▓▓▓ ?
   – Нас зовýт Анатóлий и Михаúл.

14 – ▓▓▓▓▓ ?
   – Да, наш.

15 – ▓▓▓▓▓ бýдет семь плюс тринáдцать?
   – Двáдцать.

16 – Кто вы по ▓▓▓▓▓ ?
   – Я инженéр.

EXERCISE 3.19
Translate into Russian. Write all numbers out in words.

1 Where is the French President? 2 What are their names? 3 Is she Russian? 4 My address is Tverskaya Street, house 8, corpus 5, flat 15. 5 Are they your friends? 6 They are all lawyers. 7 Whose is this money? 8 I don't know what this company is called now. 9 This is train number 17. 10 What is this film called? 11 Our names are Boris and Marina. These are our children. 12 This is my brother and these are my aunts. 13 My daughter is a student and my son is a musician. 14 This is my wife. She is German. 15 Our friend is Italian. 16 Whose uncle is this?

Лавру́шинский переу́лок, 10. Э́то Третьяко́вская галере́я. А э́то Мари́на Гру́здева. Мари́на – гид и перево́дчик. Она́ говори́т по-ру́сски, по-англи́йски и по-францу́зски. Её па́па ру́сский и ма́ма ру́сская, но ба́бушка францу́женка. Третьяко́вская галере́я – её ме́сто рабо́ты.

Сего́дня в галере́е больша́я конфере́нция. Сего́дня в галере́е не то́лько тури́сты, роди́тели и де́ти, шко́льники, студе́нты, ги́ды и перево́дчики, но и худо́жники, журнали́сты и, коне́чно, делега́ты. Вот неме́цкие делега́ты, францу́зские делега́ты, италья́нские делега́ты и, коне́чно, ру́сские делега́ты. Мари́на встреча́ет их.

– До́брое у́тро, – говори́т она́. – Добро́ пожа́ловать в наш музе́й.

– Здра́вствуйте. Меня́ зову́т Шон, я не́мец. А э́то мой колле́га. Его́ зову́т Мю́ллер. Он то́же не́мец. Где на́ше ме́сто?

– Не́мец. Хммм… – говори́т Мари́на. – Герма́ния… сейча́с… ва́ше ме́сто там. Стол но́мер 12.

Вот францу́зский делега́т.

– До́брое у́тро, – говори́т Мари́на. – Добро́ пожа́ловать в наш музе́й.

– Здра́вствуйте! Моя́ фами́лия Бельмондо́.

– Бельмондо́? Вы францу́женка?

– Да, пра́вильно.

– Фра́нция напра́во. Стол но́мер 19.

Вот Пи́тер Манро́.

– Здра́вствуйте, – говори́т он. – Я америка́нец. Меня́ зову́т Пи́тер Манро́. А как вас зову́т?

– Меня́ зову́т Мари́на. О́чень прия́тно, господи́н Манро. Я ваш перево́дчик.

– Отли́чно, – говори́т Пи́тер. – Извини́те, что я так пло́хо говорю́ по-ру́сски.

– Нет, нет, – говори́т Мари́на. – Вы хорошо́ говори́те.

– Спаси́бо, Мари́на. Скажи́те, пожа́луйста, вы хорошо́ зна́ете Кремль?

– Коне́чно! Я не то́лько перево́дчик, но и гид. Я о́чень хорошо́ зна́ю го́род.

– Отли́чно! А за́втра вы за́няты?

– Нет, не занята́.

– Отли́чно. Дава́йте пойдём в Кремль. Я пе́рвый раз в Москве́. Вот мой но́мер телефо́на. Э́то моби́льный телефо́н. Напиши́те, пожа́луйста. 8-9-1-6-4-5-3-2-9-9-4. До за́втра!

Мари́на не зна́ет, что де́лать. Где ру́чка? А где америка́нец? О́чень стра́нно!

LESSON 3 VOCABULARY

а́дрес	address
актри́са	actress
америка́нец, америка́нка	American man, woman
англича́нин, англича́нка	Englishman, woman
ба́бушка	grandmother
брат, *pl.* бра́тья	brother
быть	to be
бу́дет	(it) will be
в	in
восемна́дцать	eighteen
во́семь	eight
все	all, everyone
встреча́ть	to meet
она́ встреча́ет	she meets
Герма́ния	Germany
геройня	heroine
гид	guide
дава́йте…	let's…
дава́йте пойдём	let's go
два, две	two
два́дцать	twenty
двена́дцать	twelve
де́вочка	young girl
де́вушка	girl, girlfriend
девятна́дцать	nineteen
де́вять	nine
де́душка	grandfather
де́лать	to do
делега́т	delegate
де́сять	ten
де́ти *pl.*	children
дизайнер	designer
докуме́нт	document
до́чка	daughter
друг, *pl.* друзья́	friend
дя́дя	uncle
жена́	wife
же́нщина	woman
за́втра	tomorrow
за́нят *m.*, занята́ *f.*, за́няты *pl.*	busy
инжене́р	engineer
испа́нец, испа́нка	Spanish man, woman
Испа́ния	Spain
испа́нский, -ая, -ое, -ие	Spanish
Ита́лия	Italy
италья́нец, италья́нка	Italian man, woman
италья́нский, -ая, -ое, -ие	Italian
колле́га	colleague
композитор	composer
коне́чно	of course
консульта́нт	consultant
конфере́нция	conference
ко́рпус	corpus, block in a building
Кремль	Kremlin, fortress
лю́ди *pl.*	people
ма́льчик	boy
ма́ма	mother, mum
медсестра́	nurse
мини́стр	minister
ми́нус	minus
мину́та	minute
мобильный	mobile
муж	husband
мужчи́на	man
музыка́нт	musician
наш, на́ша, на́ше, на́ши	our
не́мец, не́мка	German man, woman
неме́цкий, -ая, -ое, -ие	German
непра́вильно	(it is) incorrect
ноль	zero
но́мер	number, hotel room
оди́н, одна́, одно́	one
оди́ннадцать	eleven
пала́та	chamber, ward
па́па	father, dad
певе́ц	singer
пенсионе́р	pensioner
писа́тель	writer
платфо́рма	platform
плюс	plus
пойдём	let's go
политик	politician
пра́вильно	(it is) correct
принце́сса	princess
проблéма	problem
пятна́дцать	fifteen
пять	five
рабо́та	work
ребёнок, *pl.* де́ти	child
роди́тели	parents
роковой	fatal
сего́дня	today
сейча́с	now, right now
семна́дцать	seventeen
семь	seven
семья́	family
сестра́, *pl.* сёстры	sister
ско́лько	how much, how many
столи́ца	capital
страни́ца	page
стра́нно	(it is) strange
сын	son
так	so
твой, твоя́, твоё, твои	your *sing.*
тенниси́стка	tennis player (*female*)
три	three
трина́дцать	thirteen
уче́бник	textbook
Фра́нция	France
францу́з, францу́женка	Frenchman, woman
францу́зский, -ая, -ое, -ие	French
по-францу́зски	(in) French (*after* говори́ть)
футболи́ст	footballer
худо́жник	artist
царь	tsar
четы́ре	four
четы́рнадцать	fourteen
шестна́дцать	sixteen
шесть	six
шко́льник	schoolboy
экономи́ст	economist
э́тот, э́та, э́то, э́ти	this, these

УРО́К ЧЕТЫ́РЕ
Lesson 4

Lesson 4 explains what happens to a noun in Russian when you want to say you are 'in', 'on' or 'at' it ('in the office', 'on the table', 'at home' and so on). You will learn the past tense of the verb 'to be', so that you can say which places and countries you have visited. You will also learn the present tense of the first type of Russian verb, which will enable you to say where you work, live and go on holiday.

в на

DIALOGUES 4.1

1 – Где ваш дом?
– Мой дом в Ло́ндоне.
– А ваш о́фис?
– Мой о́фис то́же в Ло́ндоне, в це́нтре.

2 – Где нахо́дится твоя́ кварти́ра?
– Моя́ кварти́ра в Петербу́рге.
– В це́нтре?
– Да, в це́нтре, на у́лице Чайко́вского.

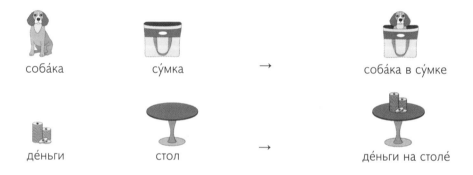

собáка   сýмка   →   собáка в сýмке

де́ньги   стол   →   де́ньги на столе́

DIALOGUE 4.2

Read the following telephone conversation. Look at what happens to nouns when they come after the words в, 'in' and на, 'on'. Note also the use of нахо́дится, 'is situated'.

– Приве́т, Cáша, э́то Ле́на.
– Приве́т, Ле́на. Как дела́? Ты где? В Ло́ндоне?
– Нет, нет. Я в Москве́.
– В Москве́? Ну отли́чно! А где? В о́фисе или в гости́нице?
– В гости́нице. Сейча́с я в но́мере.
– А как называ́ется твоя́ гости́ница?
– Она́ называ́ется «Пётр Пе́рвый».
– А где нахо́дится э́та гости́ница? Я её не зна́ю.
– На у́лице Негли́нная.
– Ах, да, зна́ю. Э́то в це́нтре.
– Коне́чно, в це́нтре.
– Ну отли́чно! Дава́й встре́тимся.
– А где?
– В ба́ре. Я зна́ю хоро́ший бар на у́лице Петро́вка. Э́то то́же в це́нтре, недалеко́.
– Как он называ́ется?
– Бар «Дру́жба». Дава́й встре́тимся в семь.
– Отли́чно. Договори́лись.
– До встре́чи!

В AND НА
IN AND ON

After the words в and на, nouns go into a different form, called the prepositional case.

For most words, this means changing the ending to **-e**.

But watch out for words that end in **-ия**.

	masc.	fem.	exception
	Ло́ндон	Москва́	Росси́я
в, на	Ло́ндоне	Москве́	Росси́и

EXERCISE 4.1

This exercise is like a **матрёшка**, or Russian doll. Starting at the top, ask where each object is, answering by saying that it is 'in' or 'on' the object in the next ring down.

Где вода́?	→	Вода́ в стака́не.
Где стака́н?	→	Стака́н на столе́.

EXERCISE 4.2

Now try and create your own **матрёшка** using different objects that can be 'in' or 'on' other objects.

EXERCISE 4.3
Say in which countries the following cities are situated. The countries are given beneath.

1 Где нахо́дится Петербу́рг?

2 Где нахо́дится Рим?

3 Где нахо́дится Мадри́д?

4 Где нахо́дится Пари́ж?

5 Где нахо́дится Вашингто́н?

6 Где нахо́дится Тегера́н?

7 Где нахо́дится Берли́н?

8 Где нахо́дится Ло́ндон?

Ира́н, Росси́я, Герма́ния, Фра́нция, Аме́рика, Испа́ния, Ита́лия, А́нглия

ДОСТОПРИМЕЧА́ТЕЛЬНОСТИ
SIGHTS OF THE CITY

EXERCISE 4.4
You may or may not want to learn the Russian word for 'sights of the city'. Say where these famous sights are, using **нахо́дится** and the prepositional case.

Э́йфелева ба́шня

Ста́туя свобо́ды

Тадж-Маха́л

Биг Бен

Покро́вский собо́р

Колизе́й

Пирами́ды

Бе́лый дом

Ло́ндон, А́гра, Рим, Пари́ж, Москва́, Вашингто́н, Нью-Йо́рк, Каи́р

WHEN TO USE НА INSTEAD OF В

The English word 'at' can sometimes be difficult to put into Russian. Use the following guidelines to help:

If you are at an <u>event</u> (e.g. work, a concert) use **на**.

Ви́ктор на рабо́те.   Viktor is at work.

If you are at a <u>place</u> (e.g. the office, the theatre) use **в**.

Же́ня в о́фисе.   Zhenya is at the office.

There are several exceptions to this rule, of which the most common are:

по́чта	post office	на по́чте	at the post office
вокза́л	station	на вокза́ле	at the station
ры́нок	market	на ры́нке	at the market

Most important of all, if you are at home, do not use **в** or **на** at all:

дом	home	до́ма	at home

Note, though, that if you use **дом** to mean 'house' then you use **в** in the normal way:

дом	house	в до́ме	in the house

VOCABULARY 4.1
Look at the following list of events. Memorise new words.

встре́ча	meeting	на встре́че	at a meeting
за́втрак	breakfast	на за́втраке	at (a) breakfast
обе́д	lunch	на обе́де	at (a) lunch
у́жин	dinner	на у́жине	at (a) dinner
уро́к	lesson	на уро́ке	at a lesson
рабо́та	work	на рабо́те	at work
конце́рт	concert	на конце́рте	at a concert

EXERCISE 4.5
Now compare the use of **в** and **на** in the following sentences.

Ни́на в о́фисе.	Она́ на рабо́те.
Фёдор в гости́нице.	Он на за́втраке.
Бори́с в теа́тре.	Он на конце́рте.
Пётр в шко́ле.	Он на уро́ке.
Лари́са в ко́мнате.	Она́ на встре́че.
Гео́ргий в рестора́не.	Он на обе́де.

«Быть и́ли не быть?
Вот в чём вопро́с».

masc.	fem.	neut.	pl. (all genders)
был	была́	бы́ло	бы́ли

The verb 'to be' is not used in the present tense. There is, however, a past tense: 'I was', 'you were' etc. This form is also used for the English 'I have been' etc.

To form the past tense of a verb, replace the -ть of the infinitive with -л, -ла, -ло or -ли.

The form of the past tense depends on the gender (masculine, feminine) and the number (singular, plural) of the subject.

DIALOGUES 4.3

1
  – Све́та, где ты была́ <u>вчера́</u>?
  – Я была́ в шко́ле. А ты?
  – Я был до́ма.

2
  – Вы бы́ли в Ирку́тске?
  – Да, была́. А вы?
  – Нет, я не был там.

вчера́   yesterday

EXERCISE 4.6
Answer the following questions, using the words in brackets.

1 Вы бы́ли в Росси́и? (да)
2 Где она́ была́ вчера́? (теа́тр)
3 Вы бы́ли в Пари́же? (нет)
4 Кто был в о́фисе вчера́? (Мари́на)
5 Они́ бы́ли в Петербу́рге? (да)

6 Где вы бы́ли вчера́? (шко́ла)
7 Где вы бы́ли на обе́де? (рестора́н)
8 Вы бы́ли в Аме́рике? (да)
9 Где они́ бы́ли вчера́? (музе́й Пу́шкина)
10 Где вы бы́ли в Росси́и? (Владивосто́к)

EXERCISE 4.7

Use the models to ask each other whether you have been to different cities and countries.

– Вы бы́ли в Пари́же?

– Да, я была́ в Пари́же.

– Где ты был в Аме́рике?

– Я был во Флори́де.

EXERCISE 4.8

Ask the question **где сейча́с Ни́на?** – Where is Nina now? – by pointing at the various pictures, and respond using **в** or **на** with the correct ending.

Где сейча́с Ни́на?   →   Ни́на сейча́с в па́рке.

магази́н	встре́ча	больни́ца	парк
вокза́л	уро́к	рабо́та	гости́ница
дом	конце́рт	кафе́	конфере́нция
шко́ла	го́род	обе́д	у́лица

EXERCISE 4.9

Repeat the exercise in the past tense, following the model.

Где была́ Ни́на вчера́?   →   Вчера́ Ни́на была́ в больни́це.

EXERCISE 4.10
Translate into Russian.

1 The tourists are at lunch in the hotel. **2** Our director is at a meeting in Moscow. **3** Our children are in a lesson at school. **4** Marina is at a conference in America. **5** I am at a concert in the Albert Hall (Альберт-холл). **6** We are in a restaurant on Petrovka street.

EXERCISE 4.11
Now repeat the exercise putting all the sentences into the past tense.

PRESENT TENSE OF VERBS (1)

DIALOGUES 4.4

1
– Где вы рабо́таете?
– Я рабо́таю в ба́нке. А вы?
– Я рабо́таю в о́фисе.

2
– Николай рабо́тает в Москве́?
– Нет, он рабо́тает не в Москве́.
– А где он рабо́тает?
– Он рабо́тает в Ми́нске.

3
– Вы хорошо́ зна́ете Ло́ндон?
– Нет, не о́чень. А вы?
– Да, я зна́ю го́род хорошо́.

4
– Где вы отдыха́ете ле́том?
– Ле́том мы отдыха́ем в Я́лте. А вы?
– Мы то́же отдыха́ем на мо́ре.

5
– Ты зна́ешь, где она́ рабо́тает?
– Нет, я не зна́ю. А ты?
– Да, я зна́ю. Она́ рабо́тает в магази́не.

6
– Где они́ отдыха́ют ле́том?
– Я ду́маю, что ле́том они́ отдыха́ют в Ита́лии.

So far you have met two forms of the present tense, **я не зна́ю** and **я не понима́ю**. The table below gives the present tense of **знать** in full, as well as two other verbs with an infinitive in -**ать**: **рабо́тать**, 'to work', and **отдыха́ть**, 'to rest', also commonly used to mean 'to be on holiday'. Note also the verb **гуля́ть**, 'to walk' (in the sense of 'to go for a walk'). This has the same endings, although with -**я**- throughout rather than -**а**-.

The present tense in Russian can be used to convey both the English 'I work' (etc.) and 'I am working'.

	знать	рабо́тать	отдыха́ть	гуля́ть
	to know	to work	to rest, holiday	to (go for a) walk
я	зна́ю	рабо́таю	отдыха́ю	гуля́ю
ты	зна́ешь	рабо́таешь	отдыха́ешь	гуля́ешь
он/она́	зна́ет	рабо́тает	отдыха́ет	гуля́ет
мы	зна́ем	рабо́таем	отдыха́ем	гуля́ем
вы	зна́ете	рабо́таете	отдыха́ете	гуля́ете
они́	зна́ют	рабо́тают	отдыха́ют	гуля́ют

The following verbs all have an infinitive ending in -**ать**. They follow the pattern of **знать** above.

де́лать	to do	обе́дать	to have lunch
ду́мать	to think	понима́ть	to understand
за́втракать	to (have) breakfast	у́жинать	to have dinner
игра́ть	to play	чита́ть	to read
изуча́ть	to study		

EXERCISE 4.12
Insert the correct pronoun for the endings shown below.

1 _____ игра́ю
2 _____ отдыха́ете
3 _____ игра́ем
4 _____ обе́даешь
5 _____ у́жинают
6 _____ де́лает

7 _____ ду́маешь
8 _____ чита́ют
9 _____ рабо́таю
10 _____ за́втракает
11 _____ понима́ете
12 _____ изуча́ем

EXERCISE 4.13
Put the verb in brackets into the correct form.

1 я _____ (чита́ть)
2 ты _____ (у́жинать)
3 он _____ (знать)
4 она́ _____ (понима́ть)
5 я _____ (гуля́ть)
6 вы _____ (ду́мать)
7 они́ _____ (отдыха́ть)
8 ты _____ (обе́дать)
9 мы _____ (изуча́ть)

10 они́ _____ (игра́ть)
11 ты _____ (знать)
12 вы _____ (гуля́ть)
13 они́ _____ (де́лать)
14 мы _____ (ду́мать)
15 вы _____ (рабо́тать)
16 мы _____ (обе́дать)
17 она́ _____ (за́втракать)
18 ты _____ (гуля́ть)

DIALOGUES 4.5

1
– Где вы живёте?
– Я живу́ в Ло́ндоне. А вы?
– Я живу́ в Москве́.

2
– Где живу́т твои́ роди́тели?
– Они́ живу́т в Кана́де. А твои́?
– Мои́ роди́тели живу́т в О́мске.

The verb **жить** is a variation on the verbs you have met above:

	ЖИТЬ
я	живу́
ты	живёшь
он/она́	живёт
мы	живём
вы	живёте
они́	живу́т

EXERCISE 4.14
Fill in the gaps with the correct form of **жить**.

1 Где ты _____?
2 Мой друг _____ в Ре́динге.
3 Вы _____ в Ло́ндоне?
4 Мои́ роди́тели _____ в Сама́ре.
5 Где _____ твоя́ сестра́?
6 Мы _____ в це́нтре.

EXERCISE 4.15
Complete the sentences with the verb in the correct form.

1 Что вы _____ сего́дня? (де́лать)
2 Почему́ она́ _____ ру́сский язы́к? (изуча́ть)
3 Я _____, что он поли́тик. (ду́мать)
4 Сего́дня мы _____ в рестора́не. (обе́дать)
5 Они́ _____ до́ма. (за́втракать)
6 Где вы _____ сего́дня? (у́жинать)
7 Ты хорошо́ _____ в футбо́л? (игра́ть)
8 Они́ _____ ру́сский журна́л. (чита́ть)
9 Где вы _____? (жить)
10 Извини́те, я не _____. (понима́ть)
11 Мы _____ в Москве́. (рабо́тать)
12 Где она́ _____ ле́том? (отдыха́ть)
13 Где _____ твои́ де́ти? (гуля́ть)
14 Что ты _____? (де́лать)

TEXT 4.1
Read the following short text and create questions to go with it.

Меня́ зову́т Анато́лий. Э́то моя́ жена́ То́ня, а э́то на́ши друзья́, Э́двард и Со́ня. Мы все бы́ли вме́сте в шко́ле и в университе́те, но тепе́рь мы живём в Гонко́нге, а на́ши друзья́ живу́т в Ду́блине. Моя́ жена́ – врач, она́ рабо́тает в больни́це, а я бизнесме́н. Э́двард и Со́ня – худо́жники, они́ рабо́тают до́ма. Я обе́даю в о́фисе, моя́ жена́ то́же обе́дает на рабо́те, а Э́двард и Со́ня <u>ча́сто</u> обе́дают в <u>па́бе</u>. Они́ чита́ют рома́ны и <u>стихи́</u>, а мы чита́ем «Файнэ́ншл таймс». <u>Когда́</u> я не рабо́таю, я игра́ю в <u>сквош</u>, а Э́двард и Со́ня гуля́ют в па́рке. Мы отдыха́ем на мо́ре – в Гре́ции, во Фра́нции и в Таила́нде. Э́двард и Со́ня то́же отдыха́ют на мо́ре, но в Ирла́ндии.

когда́	when
паб	pub
сквош	squash
стихи́	verses, poetry
ча́сто	often

EXERCISE 4.16
Complete the sentences using a possible relevant verb in the correct form in the present tense.

1 Я _____ газе́ты и журна́лы.
2 Что вы _____ сего́дня?
3 Ната́ша ча́сто _____ в рестора́не.
4 Я _____ в о́фисе, а _____ до́ма.
5 Ла́ра _____ в па́рке.
6 Анто́н и Ви́ктор хорошо́ _____ в футбо́л.
7 Вы _____, где живёт Бори́с?
8 Мы _____ в Москве́. Наш дом в це́нтре.
9 Мои́ роди́тели всегда́ _____ в Шотла́ндии.
10 Мы _____ ру́сский язы́к.
11 Вы _____ меня́?
12 Я _____, что вы хорошо́ говори́те по-ру́сски.
13 Я _____ в буфе́те в о́фисе.
14 Что ты _____?

EXERCISE 4.17
Translate the following into Russian.

1 I live in London. 2 My hotel is situated on Varvarka street. 3 Do you understand? 4 Where do you live? 5 Today I am not working, I am resting at home. 6 Do you live in a flat? 7 Where do you work? 8 I work in Petersburg. 9 I go to Spain for my summer holiday. 10 She is walking in the park. 11 Do you know where they work? 12 We live in a flat on Petrovka. 13 Who works here? 14 She holidays in Yalta. 15 Does she live in Moscow? 16 We work in Russia and Kazakhstan. 17 I don't know what he does. 18 He doesn't know where we work. 19 What is your name? 20 What do you do? 21 What are you doing? 22 What is she reading? 23 Are they walking in the park? 24 Do you think that she understands? 25 Are you reading my document? 26 Our director doesn't know the name of the street where we work.

DIALOGUES 4.6

1 – Что это?
   – Это театр.

2 – О чём ты читаешь?
   – Я читаю о театре.

3 – Кто это?
   – Это Анна.

4 – О ком ты думаешь?
   – Я думаю об Анне.

PREPOSITIONAL CASE OF KTO AND YTO

О means 'about'. Like в and на it is followed by the prepositional case.

If the following word begins with one of the vowels а, э, о, у, и, ы, use the alternative form об.

Кто (who) and что (what) also have prepositional forms. They are often used with о, and you may find it helpful to remember them as a combination, as in the table below:

nom.	кто	что
prep.	о ком	о чём

DIALOGUES 4.7

1 – О чём эта книга?
   – Эта книга о Москве.

2 – О ком они говорят?
   – Они говорят об Олеге.

3 – Что ты читаешь?
   – Я читаю журнал.
   – А о чём ты читаешь?
   – Я читаю о России, о революции.

4 – О чём ты чита́ешь?

   – Я чита́ю о Неа́поле.

   – А где нахо́дится Неа́поль?

   – В Ита́лии, коне́чно!

   – Ты был там?

   – Нет, я не был в Неа́поле.

5 – Как называ́ется э́та кни́га?

   – Она́ называ́ется «Война́ и мир».

   – О чём она́?

   – О войне́, коне́чно, и о ми́ре.

EXERCISE 4.18
Answer the following questions.

1 О ком ты ду́маешь? (Са́ша)
2 О ком чита́ют студе́нты? (Ста́лин)
3 О чём он ду́мает? (рабо́та)
4 О чём вы говори́те? (Росси́я)
5 О чём журна́л «Космопо́литан»? (мо́да)
6 О чём фильм «Броненосец Потёмкин»? (револю́ция)
7 О ком фильм «До́ктор Жива́го»? (Ю́ра и Ла́ра)
8 О чём ду́мает президе́нт Пу́тин? (я не зна́ю)
9 О ком рома́н «А́нна Каре́нина»? (А́нна)
10 О чём ду́мают англи́йские мужчи́ны? (спорт)

EXERCISE 4.19
Translate the following into Russian.

1 She works in Russia. **2** They work at home. **3** What are you (pl.) thinking about? **4** Who are you (s.) talking about? **5** We are reading about St Petersburg. **6** Why are you (pl.) talking about war? **7** We live in Moscow. **8** What is the film about? **9** What do you (s.) know about Vladimir? **10** Who lives here? **11** Where does she work? **12** Olga is at the post office. **13** The children are walking in the park. **14** Where do you (s.) study Russian? **15** What are you (pl.) reading? **16** What are you (pl.) reading about? **17** At today's lesson we are reading about Pushkin. **18** What do they know about Russia?

PREPOSITIONAL CASE OF PRONOUNS

The table below gives the prepositional case of pronouns, as well as the accusative (the form used in меня́ зову́т etc.).

You will find you use the prepositional case of pronouns most frequently after the preposition о, so you may find it helpful to learn both together, as in the table.

Note that with мне you use the special form обо, pronounced as if it is part of мне (so two unstressed 'o's).

Вы говори́те обо мне́?   Are you talking about me?

nom.	я	ты	он	она́	мы	вы	они́
acc.	меня́	тебя́	его́	её	нас	вас	их
prep.	(обо) мне	(о) тебе́	(о) нём	(о) ней	(о) нас	(о) вас	(о) них

EXERCISE 4.20
Answer these questions according to the model, using an appropriate pronoun in the prepositional case. Use мы to respond to questions about вы, and я to respond to questions about ты.

Ты ду́маешь о Влади́мире?   →   Да, я ду́маю о нём.

1 Вы зна́ете о Еле́не?
2 Ты чита́ешь о Каспа́рове?
3 Они́ ду́мают о тебе́?
4 Она́ ду́мает о Ви́кторе?
5 Вы зна́ете обо мне?

6 Они́ ду́мают о вас?
7 Он зна́ет о тебе́?
8 Ты ду́маешь о На́сте и Ва́се?
9 Она́ чита́ет об А́нне?
10 Они́ зна́ют о нас?

EXERCISE 4.21
Translate into Russian.

1 What is his name? Is he a student? What do you know about him? **2** My name is Ivan. I am a teacher. What do you know about me? **3** I am talking about you. What is your name? What do you do? **4** Their names are Dmitrii and Vladimir. She is reading about them. They are politicians. **5** Her name is Sonya. Her husband is French. I know her well. I am thinking about her. **6** Our names are Masha and Sasha. We are friends. What do you know about us? Do you understand us?

EXERCISE 4.22
Create a possible first line for these dialogues.

1 – ▓▓▓▓▓?
– Я говорю́ о встре́че.

6 – ▓▓▓▓▓?
– Да, о ней.

2 – ▓▓▓▓▓?
– Да, был.

7 – ▓▓▓▓▓?
– На уро́ке.

3 – ▓▓▓▓▓?
– Нет, я ду́маю о рабо́те.

8 – ▓▓▓▓▓?
– «Ритц-Ка́рлтон».

4 – ▓▓▓▓▓?
– Да, зна́ю. Он студе́нт.

9 – ▓▓▓▓▓?
– Она́ была́ на конфере́нции.

5 – ▓▓▓▓▓?
– Я ду́маю, что она́ живёт в Пари́же.

10 – ▓▓▓▓▓?
– Он называ́ется «Октя́брь».

EXERCISE 4.23
Translate the following into Russian. Provide your own answers.

1 What's your name? **2** Have you been to Moscow? **3** Where do you work? **4** Are you English? **5** Where do you live? **6** What do you know about Russia? **7** What are you reading about? **8** Where is your hotel situated? **9** Do you understand me? **10** Is your husband Russian? **11** Is your wife French? **12** Where does your brother live? **13** What does he do? **14** How are you? **15** What is the theatre in Moscow called? **16** Where have you been in Russia? **17** Who are you thinking about? **18** Who knows about Gagarin? **19** Do your friends live in Petersburg? **20** Where is the White House situated?

Глава́ IV
Пи́тер оди́н в но́мере

Ве́чер. Пи́тер Манро́ в гости́нице «Метропо́ль». Вчера́ он был на конфере́нции в музе́е. Конфере́нция была́ о́чень интере́сная. Там бы́ли экспе́рты, студе́нты и журнали́сты. И, коне́чно, там была́ Мари́на. А сего́дня Пи́тер и Мари́на бы́ли в це́нтре. Пи́тер ду́мает, что Мари́на – отли́чный гид. Она́ зна́ет всё. Она́ зна́ет, как называ́ется музе́й на Кра́сной пло́щади, как называ́ются собо́р и магази́н на Кра́сной пло́щади. Она́ зна́ет, чей мавзоле́й нахо́дится на Кра́сной пло́щади. Пи́тер ду́мает, что Кремль о́чень краси́вый. Он ду́мает, что Мари́на то́же о́чень краси́вая.

Пи́тер у́жинает оди́н в но́мере: бутербро́д, фру́кты, шокола́д и пи́во. Пи́тер слу́шает ра́дио и рабо́тает. За́втра он чита́ет докла́д на конфере́нции. Пи́тер не гото́в, и докла́д не гото́в.

Но Пи́тер не ду́мает о рабо́те. Он ду́мает о Мари́не. Мо́жет быть, она́ то́же ду́мает о нём. Интере́сно, где сейча́с Мари́на? Что она́ де́лает? Мо́жет быть, она́ то́же рабо́тает, и́ли мо́жет быть, она́ отдыха́ет, у́жинает в рестора́не. Пи́тер не зна́ет, что де́лает Мари́на. «О́чень жаль, – ду́мает Пи́тер. – О́чень жаль, что Мари́на не здесь, что мы не у́жинаем вме́сте». По ра́дио игра́ет му́зыка – Шеста́я симфо́ния Чайко́вского, «Патети́ческая». На столе́ – кни́га Влади́мира Ле́нина «Что де́лать?». «Э́то хоро́ший вопро́с», – ду́мает Пи́тер.

Вдруг звони́т моби́льный телефо́н.

– Я слу́шаю вас, – говори́т Пи́тер.

– Здра́вствуйте, Пи́тер, э́то Мари́на.

– До́брый ве́чер, Мари́на. Как дела́?

– О́чень хорошо́, спаси́бо. Пи́тер, что вы де́лаете сейча́с?

– Вы зна́ете, Мари́на, за́втра я чита́ю докла́д на конфере́нции. Сейча́с я рабо́таю.

– О́чень жаль, – говори́т Мари́на, – а я сейча́с в ба́ре. Э́то недалеко́.

– Ничего́, – говори́т Пи́тер, – мой докла́д гото́в.

– Ну отли́чно. Дава́йте встре́тимся. У вас есть ка́рта?

– Да, есть.

– Вы зна́ете, где нахо́дится Большо́й теа́тр? – спра́шивает Мари́на. – Э́то на у́лице Петро́вка. Иди́те пря́мо, а пото́м, на у́лице Кузне́цкий мост, поверни́те напра́во. Бар называ́ется «Дру́жба».

– Э́то далеко́?

– Нет, нет. Мо́жет быть, де́сять мину́т пешко́м.

– Отли́чно. Договори́лись.

– До встре́чи!

ба́шня	tower	краси́вый, -ая, -ое, -ые	beautiful
бе́лый, -ая, -ое, -ые	white	ле́то	summer
броненосец	battleship	ле́том	in summer
бутербро́д	sandwich	мавзолей	mausoleum
быть	to be	матрёшка	Russian doll
был, была́, бы́ло, бы́ли	was, were	мир	peace, world
вдруг	suddenly	мо́да	fashion
Великобрита́ния	Great Britain	мо́жет быть	perhaps, maybe
вме́сте	together	Москва́	Moscow
вода́	water	му́зыка	music
война́	war	на	on, at
вопро́с	question	находи́ться	to be situated
всё	everything	он(а́) нахо́дится	it is situated
всегда́	always	ну	well...
встре́тимся	we will meet	о, об, обо + *prep.*	about, concerning
дава́й(те) встре́тимся	let's meet	обе́д	lunch
встре́ча	meeting	обе́дать (обе́даю, обе́даешь)	to have lunch
до встре́чи!	see you later ('until meeting')	октя́брь *m.*	October
		отдыха́ть (отдыха́ю, отдыха́ешь)	to rest, holiday
вчера́	yesterday	отли́чный, -ая, -ое, -ые	excellent
геогра́фия	geography	паб	pub
гото́в, -а, -о, -ы	ready	пешко́м	on foot
Гре́ция	Greece	пирами́да	pyramid
гуля́ть (гуля́ю, гуля́ешь)	to go for a walk	плане́та	planet
дава́й, дава́йте	let's	поверни́те *imperative*	turn
де́лать (де́лаю, де́лаешь)	to do, make	почему́	why
договори́лись	agreed!	рабо́тать (рабо́таю, рабо́таешь)	to work
докла́д	lecture, paper, report	револю́ция	revolution
до́ма	at home	ры́нок	market
достопримеча́тельности	sights of the city	свобо́да	freedom
дру́жба	friendship	симфо́ния	symphony
ду́мать (ду́маю, ду́маешь)	to think	сквош	squash
Евро́па	Europe	слу́шать (слу́шаю, слу́шаешь)	to listen to
есть	there is	соба́ка	dog
жаль	pity	спорт	sport
о́чень жаль!	what a pity/shame!	спра́шивать (спра́шиваю, спра́шиваешь)	to ask (a question)
жить (живу́, живёшь)	to live	ста́туя	statue
за́втрак	breakfast	стихи́	verses, poetry
за́втракать (за́втракаю, за́втракаешь)	to have breakfast	Таила́нд	Thailand
звони́ть	to call (phone)	у́жин	dinner
он(а́) звони́т	(s)he calls	у́жинать (у́жинаю, у́жинаешь)	to have dinner
игра́ть (игра́ю, игра́ешь)	to play	фру́кты *m. pl.*	fruit
изуча́ть (изуча́ю, изуча́ешь)	to study	футбо́л	football
и́ли	or	хоро́ший, -ая, -ее, -ие	good
интере́сно	(I) wonder	ча́сто	often
Ира́н	Iran	чита́ть (чита́ю, чита́ешь)	to read
Ирла́ндия	Ireland	шесто́й, -а́я, -о́е, -ы́е	sixth
Кана́да	Canada	шокола́д	chocolate
кафе́	cafe	Шотла́ндия	Scotland
когда́	when	язы́к	language, tongue
конце́рт	concert		
ко́смос	space		

УРО́К ПЯТЬ
Lesson 5

Lesson 5 introduces the second group of Russian verbs, which includes 'to speak', and you will learn how to say which languages you speak. You'll also learn to tell the time, and to say at what time of day you do things (in the afternoon, evening, etc.).

You will practise the special expression for 'I have' (which in Russian isn't a verb at all), and learn how to ask questions with 'which' or 'what kind of'. Lesson 5 will also teach you how to describe things, with the introduction of twenty basic adjectives ('big', 'new' and so on).

DIALOGUES 5.1

1 – Ты ча́сто смо́тришь телеви́зор?
   – Нет, я не люблю́ смотре́ть телеви́зор. Но мои́ де́ти о́чень лю́бят.

2 – Вы ви́дите э́тот дом?
   – Да, ви́жу.
   – А вы зна́ете, кто там живёт?
   – Нет. А что?
   – Говоря́т, там живёт одна́ изве́стная актри́са.

The second main type of Russian verb follows the pattern of **говори́ть**. The most important feature of these verbs is that they have the letter и in the endings, and that the **они́** form usually ends in **-ят**. The table below gives the full present tense of four verbs of this type. Note also that **люби́ть** and **ви́деть** have a change in the stem in the **я** form:

	говори́ть	смотре́ть	люби́ть	ви́деть
	to speak	to watch, look at	to like, love	to see
я	говорю́	смотрю́	люблю́	ви́жу
ты	говори́шь	смо́тришь	лю́бишь	ви́дишь
он/она́	говори́т	смо́трит	лю́бит	ви́дит
мы	говори́м	смо́трим	лю́бим	ви́дим
вы	говори́те	смо́трите	лю́бите	ви́дите
они́	говоря́т	смо́трят	лю́бят	ви́дят

EXERCISE 5.1
Complete the sentences with the correct form of the verb.

1 Она́ _____ телеви́зор. (смотре́ть)
2 Мы _____ по-францу́зски. (говори́ть)
3 Вы _____ футбо́л? (люби́ть)
4 Они́ _____ обо мне. (говори́ть)

5 Ты _____ смотре́ть телеви́зор? (люби́ть)
6 Вы _____ э́тот дом? (ви́деть)
7 Я _____ но́вости. (смотре́ть)
8 Он не _____ меня́. (ви́деть)

EXERCISE 5.2
Complete the sentences with the correct form of the verbs.

1 Я _____, о чём вы _____. (знать, говори́ть)
2 Она́ _____, что он _____ теа́тр. (ду́мать, люби́ть)
3 Де́ти _____ телеви́зор, а роди́тели _____ газе́ты. (смотре́ть, чита́ть)
4 Они́ не _____, где мы _____. (знать, жить).
5 Я не _____, что они́ _____. (понима́ть, говори́ть)
6 Они́ _____ _____ на мо́ре. (люби́ть, отдыха́ть)
7 Почему́ ты _____, что я пло́хо _____? (говори́ть, игра́ть)
8 Когда́ я _____, я _____ газе́ты. (за́втракать, чита́ть)

SPEAKING A LANGUAGE

When you want to say you speak a language you use an adverb formed from the adjective and preceded by по-:

Я то́лько немно́го говорю́ по-ру́сски.   I only speak a little Russian.

In addition to the adverbial form used for speaking a language (**по-ру́сски** etc.) the table below also includes the plural form for the nationals. Note there are several irregular forms here.

country	masc. national	fem. national	pl. national	language
А́нглия	англича́нин	англича́нка	англича́не	по-англи́йски
Росси́я	ру́сский	ру́сская	ру́сские	по-ру́сски
Аме́рика	америка́нец	америка́нка	америка́нцы	по-америка́нски
Фра́нция	францу́з	францу́женка	францу́зы	по-францу́зски
Герма́ния	не́мец	не́мка	не́мцы	по-неме́цки
Ита́лия	италья́нец	италья́нка	италья́нцы	по-италья́нски
Испа́ния	испа́нец	испа́нка	испа́нцы	по-испа́нски

DIALOGUES 5.2

1 – Вы говори́те по-англи́йски?
– Нет, я не говорю́ по-англи́йски. А вы?
– Да, я хорошо́ говорю́ по-англи́йски. Я англича́нин.

2 – Они́ говоря́т по-неме́цки?
– Я ду́маю, что нет. А вы?
– Я то́же не говорю́ по-неме́цки.

3 – Ты говори́шь по-италья́нски?
– Да, но то́лько немно́го. А ты говори́шь?
– Нет, я не говорю́ по-италья́нски.

4 – Твоя́ подру́га говори́т по-францу́зски?
– Коне́чно, она́ францу́женка.

EXERCISE 5.3

Complete the sentences according to the model.

Я – А́нглия   →   Я живу́ в А́нглии. Я англича́нин (англича́нка). Я говорю́ по-англи́йски.

1 Он – Испа́ния
2 Она́ – Фра́нция
3 Ты – Ита́лия
4 Они́ – Росси́я
5 Мы – А́нглия

6 Она́ – Герма́ния
7 Они́ – Фра́нция
8 Я – Аме́рика
9 Они́ – А́нглия
10 Она́ – Росси́я

ИГРА́ТЬ
TO PLAY

DIALOGUES 5.3

1 – Вы игра́ете в ша́хматы?
   – Нет. Но я игра́ю в ка́рты.

2 – Та́ня, твоя́ до́чка игра́ет на скри́пке?
   – Да, она́ игра́ет о́чень хорошо́.
   – А сын то́же игра́ет?
   – Нет, он лю́бит игра́ть то́лько в футбо́л.

The verb **игра́ть** is followed by different prepositions depending on whether you are playing a game/sport or playing an instrument. For games/sports, use **в** followed by the accusative (no change for masculine nouns). For musical instruments, use **на** followed by the prepositional:

Я игра́ю в те́ннис.	I play tennis.
Я игра́ю на скри́пке.	I play the violin. (скри́пка)

Note that the word for piano, **пиани́но**, is indeclinable, so the prepositional does not change:

Она́ игра́ет на пиани́но.	She plays the piano.

EXERCISE 5.4

Create sentences with the verbs **люби́ть** and **игра́ть**.

Я – гольф   →   Я люблю́ игра́ть в гольф.

1 Ру́сские – ша́хматы
2 Англича́не – футбо́л
3 Мой брат – скри́пка
4 Моя́ ма́ма – ка́рты
5 Ру́сские де́вушки – те́ннис

6 Мы – балала́йка
7 Ты – пиани́но
8 Америка́нцы – бейсбо́л
9 Вы – гольф
10 Испа́нцы – гита́ра

КОТО́РЫЙ ЧАС?
WHAT IS THE TIME?

1
– Скажи́те, пожа́луйста, кото́рый час?
– Сейча́с три часа́.
– Спаси́бо.

2
– Вы не зна́ете, ско́лько сейча́с вре́мени?
– Сейча́с пять часо́в.
– Спаси́бо большо́е.

час
1 o'clock

два (3, 4) часа́
2 (3, 4) o'clock

пять (–20) часо́в
5 (to 20) o'clock

To say 'o'clock' use a number followed by a form of the word **час** (hour). The form of **час** will depend on whether it is 1 (**час**), 2–4 (**часа́**) or 5–20 (**часо́в**). Note that you just use **час** on its own (without a number) to say 'one o'clock'.

The form used for 1 (**час**) is the nominative; after 2–4 (**часа́**) the genitive singular; after 5–20 (**часо́в**) the genitive plural. You will cover the genitive in detail on pp. 181 and 201.

When you get to 21, you go back to **час**; 22–24 **часа́**, and so on.

There are two common expressions for asking what the time is in Russian:

Кото́рый час?
Ско́лько сейча́с вре́мени?

EXERCISE 5.5
Write out the correct time for the clock faces below.

1

2

3

4

5

6

EXERCISE 5.6

Russia has 11 different time zones (having had 12 before 2010, then 9 between 2010 and 2014). The clock faces give the time in each city when it is 1 o'clock in Moscow. Ask questions about the time using the models.

– Ско́лько сейча́с вре́мени в Магада́не?

– В Магада́не сейча́с де́вять часо́в.

– Когда́ в Ирку́тске шесть часо́в, ско́лько вре́мени в О́мске?

– Когда́ в Ирку́тске шесть часо́в, в О́мске четы́ре часа́.

ШЕСТЬ ТРИ́ДЦАТЬ
SIX THIRTY

The full way of saying 'quarter past, half past' (etc.) is quite complicated, but as in English you can say '6:30'. In this case leave out the form of **час** and simply put the two numbers together:

три пятна́дцать	three fifteen
шесть три́дцать	six thirty
де́вять со́рок пять	nine forty-five

If you are saying 'one something' then use **час** instead of one:

час пятна́дцать	one fifteen

EXERCISE 5.7

Give the correct time for the clock faces below. In Russia official times are given using the twenty-four hour clock, so give both twelve and twenty-four hour times.

1 два три́дцать

четы́рнадцать три́дцать

2

3

4

5

6

КОГДА́? ВО СКО́ЛЬКО?
WHEN? AT WHAT TIME?

DIALOGUES 5.5

1 – Скажи́те, пожа́луйста, когда́ начина́ется спекта́кль?
– Спекта́кль начина́ется в во́семь часо́в.

2 – Скажи́те, пожа́луйста, во ско́лько начина́ется фильм?
– Рекла́ма начина́ется в семь часо́в, а фильм начина́ется в семь три́дцать.

Когда́ means 'when?'

Во ско́лько means 'at what time?'

As in English, you would normally expect a more precise answer to **во ско́лько**.

In order to say at a particular time, you use **в** + the time. Look at these examples:

в час	в два часа́	в семь часо́в
at one o'clock	at two o'clock	at seven o'clock

Note the use of the word **начина́ется**, '[it] begins':

| Уро́к начина́ется в три часа́. | The lesson begins at three o'clock. |
| Конце́рт начина́ется в семь часо́в. | The concert begins at seven. |

EXERCISE 5.8
The table below gives the times for programmes on two Russian TV channels, **пе́рвый кана́л** and **Росси́я-24** (a 24-hour news channel). Use the model to ask what time programmes begin.

– Во ско́лько начина́ется програ́мма «До́брое у́тро»?
– «До́брое у́тро» начина́ется в де́вять три́дцать.

09:30	«До́брое у́тро»	Но́вости
10:10	Но́вости с субти́трами	Спорт
12:00	«Детекти́вы»	Эконо́мика
13:30	«Хочу́ знать» с Михаи́лом Ши́рвиндтом	Региона́льные ве́сти
15:30	Вече́рние но́вости с субти́трами	Репорта́ж
18:00	«Вре́мя»	Интервью́
20:00	Премье́ра. Многосери́йный фильм «Семе́йный дом»	Эта неде́ля
21:45	Культу́ра	

EXERCISE 5.9

Answer the following questions.

1 Во ско́лько начина́ется ва́ша встре́ча? (09:00)
2 Когда́ ты де́лаешь докла́д? (14:00)
3 Когда́ её по́езд? (06:00)
4 Во ско́лько мой самолёт? (11:35)

5 Когда́ начина́ется наш уро́к? (10:00)
6 Когда́ обе́д? (1:00)
7 Во ско́лько начина́ется фильм? (9:15)
8 Во ско́лько начина́ется регистра́ция? (07:00)

WHAT TIME OF DAY?

To say 'in the morning, daytime' etc. you change the ending of the relevant word (this form is the instrumental case; see p. 150 and Lesson 14). Note that you do not need a word for 'in':

у́тро	morning	у́тром	in the morning
день	day	днём	in the daytime/afternoon
ве́чер	evening	ве́чером	in the evening
ночь	night	но́чью	at night

You can combine these words with yesterday, today and tomorrow to say 'yesterday afternoon', 'this morning' and so on:

вчера́	yesterday	вчера́ ве́чером	yesterday evening
сего́дня	today	сего́дня у́тром	this morning
за́втра	tomorrow	за́втра днём	tomorrow afternoon

EXERCISE 5.10

Answer the following questions with a time of day.

1 Когда́ вы рабо́таете?
2 Когда́ вы отдыха́ете?
3 Когда́ вы у́жинаете?

4 Когда́ вы смо́трите телеви́зор?
5 Когда́ вы чита́ете газе́ты?
6 Когда́ вы говори́те по-ру́сски?

EXERCISE 5.11

Time revision exercise. Answer the following questions using the words and times in brackets in the correct form.

1 Когда́ вы смо́трите телеви́зор? (ве́чер)
2 Во ско́лько обе́д? (1:00)
3 Во ско́лько начина́ется спекта́кль? (21:00)
4 Когда́ ты игра́ешь в те́ннис? (ве́чер)
5 Когда́ была́ ва́ша встре́ча? (14:00)
6 Ско́лько сейча́с вре́мени? (3:00)
7 Когда́ вы чита́ете газе́ты? (у́тро)
8 Во ско́лько наш по́езд? (19:15)
9 Где вы у́жинаете сего́дня ве́чером? (рестора́н)
10 Когда́ в Москве́ семь часо́в, ско́лько вре́мени во Владивосто́ке? (2:00)
11 Во ско́лько начина́ется регистра́ция? (15:15)
12 Вы рабо́таете за́втра у́тром? (нет, …)
13 Что вы де́лаете за́втра ве́чером?
14 Когда́ вы бы́ли в теа́тре? (вчера́, день)

У МЕНЯ́ ЕСТЬ
I HAVE

DIALOGUES 5.6

1
 – Как вас зову́т?
 – Меня́ зову́т Пётр.
 – У вас есть брат?
 – Да, у меня́ есть брат.

2
 – У вас есть брат?
 – Да, у меня́ есть брат.
 – Как его́ зову́т?
 – Его́ зову́тНики́та.

3
 – Как его́ зову́т?
 – Его́ зову́т И́горь.
 – А у него́ есть подру́га?
 – Да, есть.

4
 – Как её зову́т?
 – Её зову́т Мари́на.
 – У неё есть сестра́?
 – Да, есть.

In conversational Russian a verb 'to have' is not normally used. Instead, use a special expression comprising the word у followed by the relevant pronoun (you etc.) followed by the word **есть**:

у меня́ есть	I have
у вас есть	you have (also, do you have?)

Literally, у means 'by' 'at' or 'belonging to', while **есть** corresponds to 'there is'. У | меня́ | есть therefore literally means 'by | me | there is'.

The form of the pronoun you use is the genitive case (see Lessons 9 and 10 for more on this). The genitive case of pronouns is exactly the same as the accusative case, which is the form you use in the expression for giving people's names:

Меня́ зову́т Ла́на.	My name is Lana.
У меня́ есть сестра́.	I have a sister.

Here are all the forms for conveying 'have' in Russian.

я	у меня́ есть	I have
ты	у тебя́ есть	you have
он	у него́ есть	he has
она́	у неё есть	she has
мы	у нас есть	we have
вы	у вас есть	you have
они́	у них есть	they have
кто	у кого́ есть	who has

Note that for 'he', 'she' and 'they' the letter н is added to the front of the pronoun. You need to add the н whenever the pronoun is preceded by a preposition (у is a preposition). Compare:

Его́ зову́т Михаи́л.	His name is Mikhail.
У него́ есть сестра́.	He has a sister.
Их зову́т Мари́на и Пётр.	Their names are Marina and Piotr.
У них есть сын.	They have a son.

If you respond to an у вас есть question with a simple confirmation you can just say 'да, есть':

| У вас есть ру́чка? | Do you have a pen? |
| Да, есть. | Yes I do. |

In order to say 'I don't have something' in Russian, the 'something' has to go into a different form (also the genitive case). The genitive is covered in detail in Lessons 9 and 10, but for the moment is better avoided!

| У вас есть брат? | Do you have a brother? |
| Нет. | No. |

EXERCISE 5.12
Read the model and construct sentences of the type 'His name is Mikhail; he has a brother'.

Он, Леони́д, маши́на → Его́ зову́т Леони́д. У него́ есть маши́на.

1　Я, Бори́с, брат
2　Она́, Окса́на, биле́т
3　Мы, Константи́н и А́нна, сын
4　Вы, Лари́са, сын
5　Он, Пётр, до́чка
6　Она́, Татья́на, кварти́ра
7　Ты, Ми́ша, слова́рь

8　Они́, Серге́й и Ви́ктор, о́фис
9　Я, Бори́с, ру́сский друг
10　Вы, Све́та, сестра́
11　Мы, Са́ша и Ма́ша, соба́ка
12　Он, Влади́мир, секрета́рь
13　Ты, На́дя, ко́шка
14　Они́, Ю́ля и Ва́ся, де́ти

У МЕНЯ́ ЕСТЬ: WHEN TO LEAVE OUT ЕСТЬ

There are many contexts when it is better to leave out есть in the expression for 'to have'.

As you have seen, у меня́ есть literally means 'by me there is'. You should therefore include есть when you are saying that you <u>have</u> something as opposed to <u>not having</u> it (in other words that 'there is' something, as opposed to 'there isn't'):

– У вас есть маши́на?	– Да, у меня́ есть маши́на.
or	– Да, есть.
	i.e. we are interested in whether or not you have a car.

However, when the emphasis is not on whether or not you have something, but on <u>what kind</u> or <u>how many</u> of something you have, you should leave есть out:

– У вас но́вая маши́на?	– Да, у меня́ но́вая маши́на.
or	– Да, но́вая.
or	– Нет, у меня́ ста́рая маши́на.
	i.e. we know you have a car, and are interested in what kind it is.

As a rule of thumb, if you use the expression у меня́... with an adjective or number (i.e. you are emphasising what kind or how many of something you have, not whether you have one or not), you will usually leave out есть.

Watch out, though: it is possible to ask whether someone does or doesn't have something with an adjective:

– У вас есть ру́сская ви́за?	– Да, есть.
	i.e. we are interested in whether or not you have a Russian visa.

EXERCISE 5.13
Read the following sentences. Explain why some have есть and some do not.

1   – У тебя́ есть сестра́? – Да, есть. Её зову́т Ната́ша.
2   – У вас есть да́ча? – Да, есть.
3   – Где у вас да́ча? – У нас да́ча в Подмоско́вье.
4   У них интере́сная рабо́та.
5   – Како́й у вас дом? – Ма́ленький.
6   Почему́ у тебя́ кра́сный нос?
7   – У тебя́ есть брат? – Да, есть. У меня́ два бра́та.
8   У меня́ есть хоро́шие друзья́ в Ита́лии.

Russian adjectives vary according to the gender of the word they describe.

The basic (nominative) masculine form ends in -о́й, -ый or -ий;

With very few exceptions, the feminine form ends in -ая;

With very few exceptions (see хоро́ший below), the neuter form ends in -ое;

The nominative plural form (one form for all 3 genders) ends in -ые, unless the preceding letter is one of the seven letters that can't be followed by ы (see p. 63), in which case the ending is -ие (see большо́й, ма́ленький, хоро́ший in the table below).

masc.	fem.	neut.	pl.	meaning
како́й	кака́я	како́е	каки́е	which, what kind of
ста́рый	ста́рая	ста́рое	ста́рые	old
молодо́й	молода́я	молодо́е	молоды́е	young
большо́й	больша́я	большо́е	больши́е	big
ма́ленький	ма́ленькая	ма́ленькое	ма́ленькие	small
хоро́ший	хоро́шая	хоро́шее	хоро́шие	good

You may find it helpful to remember that all adjectives that end in -о́й are stressed on the endings. By extension if an adjective does not end in -о́й in the masculine singular, it cannot be stressed on the endings.

VOCABULARY 5.1
Learn these common adjectives.

како́й?	which?	люби́мый	favourite
ста́рый	old	краси́вый	beautiful
молодо́й	young	до́брый	good (morning etc.); kind (of people)
но́вый	new	изве́стный	famous
хоро́ший	good	интере́сный	interesting
плохо́й	bad	са́мый	the most (+ another adjective)
отли́чный	excellent	ру́сский	Russian
дорого́й	expensive	англи́йский	English
пе́рвый	first	америка́нский	American
второ́й	second	францу́зский	French
кра́сный	red	неме́цкий	German
бе́лый	white	италья́нский	Italian
чёрный	black	испа́нский	Spanish

EXERCISE 5.14

Fill in the gaps with a suitable adjective in the correct form.

1 Како́й э́то дом? Э́то о́чень [____] дом. А э́тот дом – [____] . А э́то дом

   президе́нта Аме́рики. Он называ́ется [____] дом.

2 Сего́дня типи́чная [____] пого́да.

3 Мои́ роди́тели – [____] лю́ди. А э́то мой сын. Он [____] ма́льчик. Это моя́

   сестра́. Она́ о́чень [____] де́вушка.

4 [____] парла́мент – [____] ста́рый парла́мент в ми́ре.

5 У него́ [____] , о́чень [____] маши́на. А у меня́ о́чень [____] маши́на.

6 Как называ́ется ваш [____] фильм?

7 Я люблю́ [____] вино́.

8 Ру́сские о́чень лю́бят отдыха́ть на мо́ре. Они́ осо́бенно лю́бят [____] мо́ре.

9 – Извини́те, э́то [____] эта́ж? – Нет, э́то [____] эта́ж.

EXERCISE 5.15

Match the adjectives on the left with an appropriate noun on the right. Put the adjective in the correct form and see if you can use each adjective and noun only once.

кра́сный + вино́   →   кра́сное вино́

пе́рвый	бале́т
краси́вый	вино́
большо́й	газе́ты
ма́ленький	де́вушки
второ́й	дом
кра́сный	Екатери́на
бе́лый	арти́стка
хоро́ший	журна́л
ста́рый	кни́ги
но́вый	ко́шка
дорого́й	маши́на
молодо́й	ме́сто
францу́зский	пого́да
чёрный	рестора́н
изве́стный	сыр
интере́сный	у́лица
англи́йский	челове́к
плохо́й	эта́ж

EXERCISE 5.16

Answer the following questions in the negative, where possible using a different or opposite adjective. Look at the model below.

– Сего́дня хоро́шая пого́да?

– Нет, сего́дня не хоро́шая пого́да. Сего́дня плоха́я пого́да.

1　Это ста́рый дом?
2　Это плоха́я маши́на?
3　Он ста́рый челове́к?
4　Это бе́лое вино́?
5　Это большо́й го́род?
6　Это Манѐжная пло́щадь?

7　«Пра́вда» – англи́йская газе́та?
8　У них ма́ленькие де́ти?
9　Мадри́д – францу́зская столи́ца?
10　Бетхо́вен – ру́сский компози́тор?
11　Это пе́рвый эта́ж?
12　У вас но́вая су́мка?
13　У него́ чёрная ко́шка?

EXERCISE 5.17

Answer the following questions. Note the use of the question word **како́й**, **кака́я**, meaning 'which' or 'what kind of?' You may want to qualify some of the adjectives with the word **дово́льно**, meaning 'quite', or 'fairly'.

Кака́я у вас кварти́ра?　　　　→　　　　У меня́ **дово́льно** ма́ленькая кварти́ра.

1　Кака́я у вас маши́на?
2　Како́й у вас дом?
3　Како́й у вас о́фис?
4　Кака́я сего́дня пого́да?
5　Каки́е города́ вы зна́ете в Росси́и?
6　Кто пе́рвый ру́сский президе́нт?
7　В Москве́ есть англи́йские па́бы?

8　Како́й теа́тр нахо́дится в це́нтре Москвы́?
9　Где нахо́дится са́мый большо́й музе́й в Росси́и?
10　Как называ́ется пло́щадь в це́нтре Москвы́?
11　Кто са́мая изве́стная америка́нская актри́са?
12　Кто са́мый хоро́ший ру́сский компози́тор?
13　Кака́я са́мая дорога́я гости́ница в Москве́?
14　Каки́е рестора́ны вы зна́ете в Москве́?

TEXT 5.1

Read the following text.

У меня́ есть подру́га. Её зову́т Ната́ша. Ната́ша молода́я, краси́вая де́вушка. Ната́ша о́чень хорошо́ <u>танцу́ет</u>. Она́ изве́стная балери́на. Ната́ша живёт в Москве́. Её кварти́ра нахо́дится на у́лице Арба́т: дом но́мер два, второ́й эта́ж, кварти́ра но́мер 12. У́лица Арба́т о́чень краси́вая ста́рая у́лица, а дом два – ма́ленькое, ста́рое зда́ние. Ната́ша ду́мает, что Арба́т – са́мая краси́вая у́лица в Москве́. Ната́ша живёт одна́. У неё есть большо́й чёрный кот и ма́ленькая бе́лая маши́на. У́тром и днём Ната́ша <u>обы́чно</u> отдыха́ет, а ве́чером она́ рабо́тает, <u>потому́ что</u> она́ балери́на. Она́ рабо́тает в теа́тре. Это большо́й но́вый теа́тр. Но сего́дня ве́чером она́ не рабо́тает. Она́ у́жинает в рестора́не. Это дорого́й францу́зский рестора́н. Ната́ша лю́бит францу́зские рестора́ны.

танцева́ть (танцу́ю, танцу́ешь)	to dance
обы́чно	usually
потому́ что	because

EXERCISE 5.18

Answer the following questions based on the text.

1 У вас есть подру́га?
2 Как её зову́т?
3 Она́ ста́рая же́нщина?
4 Кто она́?
5 Где она́ рабо́тает?
6 Э́то ста́рый теа́тр?
7 Где нахо́дится её кварти́ра?

8 У неё бе́лый кот?
9 Кака́я у неё маши́на?
10 Что она́ обы́чно де́лает у́тром?
11 Что она́ обы́чно де́лает ве́чером?
12 Она́ рабо́тает сего́дня ве́чером?
13 Где она́ у́жинает?
14 Како́й э́то рестора́н?

EXERCISE 5.19

Use the text about Natasha to make up your own short story about a friend.

PRONOUN REVIEW
ACCUSATIVE, GENITIVE AND PREPOSITIONAL CASES

The table below contains all the forms of the pronouns you have met so far. Check you are confident of the forms and when to use them before doing the exercise that follows.

Remember that the forms of он, она́, они́ have an н on the front if they are preceded by a preposition.

Его́ зову́т Алексе́й.   His name is Aleksei. (accusative case, no preposition, no н)
У него́ есть кабине́т.   He has an office. (genitive case, preposition, add н)

It is rare for the accusative of pronouns to be used with a preposition, and rare for the genitive to be used without a preposition, so in the table we give the accusative without н and the genitive with н.

The prepositional case is always preceded by a preposition, so these forms will always have the н at the front:

Мы говори́м о ней.   We are talking about her.
Я чита́ла о них.   I have read about them.

nom.	что	кто	я	ты	он	она́	мы	вы	они́
acc.	что	кого́	меня́	тебя́	его́	её	нас	вас	их
gen.	чего́	кого́	меня́	тебя́	(н)его́	(н)её	нас	вас	(н)их
prep.	о чём	о ком	обо мне	о тебе́	о нём	о ней	о нас	о вас	о них

EXERCISE 5.20

Insert the correct form of the pronoun into the gaps.

1 он

_____ студе́нт.

_____ зову́т Анто́н.

Я хорошо́ зна́ю _____ .

У _____ есть сестра́.

Я мно́го зна́ю о _____ .

2 я

_____ учи́тель.

_____ зову́т Ле́на.

У _____ есть ру́сский па́спорт.

Вы говори́те обо _____ ?

Вы понима́ете _____ ?

3 ты

Кто _____ ?

Как _____ зову́т?

У _____ есть брат?

Я люблю́ _____ .

Я ду́маю о _____ .

EXERCISE 5.21

Translate the following into Russian.

1 My name is Vladimir. I have a dog. His name is Sharik. I always think about him. **2** This is Marina. She has a sister. Her name is Katya. Marina talks about her a lot. **3** This is my boss. His name is Sasha. He has a secretary. Her name is Larisa. She knows a lot about him. **4** These are not our friends. We don't know what they are called. We don't know them. **5** What is your name? Where is your passport? Do you have a visa? **6** These are my children. I love them very much. I think about them a lot. **7** I have a Russian girlfriend. She lives in Russia. We have a flat in Moscow. I don't know much about her. **8** Do you know him? He often talks about you. **9** Who is this? Who has the magazine? Who do you love? Who are you thinking about? **10** What are you talking about? What are you saying about me?

EXERCISE 5.22

Make up questions to which the following could be answers.

1 – ▮▮▮▮▮▮?
  – Нет, я не был в Ирку́тске.

2 – ▮▮▮▮▮▮?
  – Фильм начина́ется в три часа́.

3 – ▮▮▮▮▮▮?
  – Вчера́ ве́чером мы бы́ли в рестора́не.

4 – ▮▮▮▮▮▮?
  – Коне́чно, она́ францу́женка.

5 – ▮▮▮▮▮▮?
  – Нет, я не люблю́ спорт.

6 – ▮▮▮▮▮▮?
  – Сего́дня у́тром.

7 – ▮▮▮▮▮▮?
  – Нет, мы ру́сские.

8 – ▮▮▮▮▮▮?
  – Говоря́т, что там живёт оди́н изве́стный актёр.

9 – ▮▮▮▮▮▮?
  – О рабо́те.

10 – ▮▮▮▮▮▮?
  – Сейча́с три часа́.

11 – ▮▮▮▮▮▮?
  – О Серге́е.

12 – ▮▮▮▮▮▮?
  – Тебя́.

13 – ▮▮▮▮▮▮?
  – У меня́.

14 – ▮▮▮▮▮▮?
  – Да, есть. А у вас?

15 – ▮▮▮▮▮▮?
  – Дово́льно ста́рая. А у вас?

16 – ▮▮▮▮▮▮?
  – Нет, кра́сное.

EXERCISE 5.23

Translate into Russian.

1 My girlfriend is not Spanish, but she speaks Spanish very well. 2 – Do you know what time the show starts this evening? – At seven o'clock. 3 I often see her at work, but know very little about her. 4 – Do you have a big family? – No, small. 5 – Could you tell me the time please? – It's two o'clock. 6 Are you playing tennis this afternoon? 7 – Does your daughter play the violin? – No she likes to play football. 8 – What time do we have a meeting tomorrow? – At five o'clock. 9 Who has (any) questions? 10 – Do they have a dog? – Yes, they do. 11 – What kind of a dog do they have? – A very expensive one. 12 – What kind of wine do you like? – Red. 13 Do you have a favourite restaurant in Moscow? 14 What is the name of the most expensive hotel in London?

Глава́ V
Пи́тер и Мари́на в ба́ре

В е́чер. Де́вять часо́в. Вход в бар. Пи́тер смо́трит вокру́г. Где Мари́на? Пи́тер не ви́дит её. Это о́чень популя́рный бар. Здесь не то́лько ру́сские, но и англича́не, америка́нцы, не́мцы, францу́зы. Лю́ди пьют, ку́рят, разгова́ривают. О чём они́ говоря́т? Пи́тер не зна́ет. Он слу́шает, но не понима́ет. «О́чень тру́дно понима́ть, когда́ лю́ди так бы́стро говоря́т», – ду́мает Пи́тер. В ба́ре разгова́ривают не то́лько по-ру́сски, но и по-англи́йски, по-францу́зски, да́же по-италья́нски. Пи́тер смо́трит вокру́г. В углу́ ста́рый мужчи́на игра́ет на пиани́но. У ба́ра сиди́т молодо́й челове́к в костю́ме. Пи́тер ду́мает, что молодо́й челове́к смо́трит на него́. Пи́тер ду́мает, что он зна́ет его́. Вдруг Пи́тер ви́дит Мари́ну.

– До́брый ве́чер, Пи́тер, – говори́т она́. – Познако́мьтесь, пожа́луйста. Это мой друг Ива́н.

– О́чень прия́тно, – говори́т Пи́тер, но ду́мает: «О́чень жаль».

– Ива́н – специали́ст по ико́нам. У него́ есть антиква́рный магази́н на у́лице Воздви́женка. Мы говори́м о конфере́нции. Ива́н зна́ет, что вы чита́ете докла́д на конфере́нции за́втра у́тром.

– Скажи́те, пожа́луйста, Пи́тер, о чём ваш докла́д? – спра́шивает Ива́н.

– Моя́ те́ма – «Болга́рские ико́ны».

– О́чень интере́сно, – говори́т Ива́н.

– О́чень интере́сно, – говори́т Мари́на.

– Да, – говори́т Пи́тер.

Пи́тер не зна́ет, о чём говори́ть. Мари́на и Ива́н то́же не зна́ют, о чём говори́ть.

– Мари́на, ско́лько сейча́с вре́мени? – спра́шивает Ива́н.

– Сейча́с де́сять три́дцать.

– К сожале́нию, мне пора́, – говори́т Ива́н.

– О́чень жаль, – говори́т Пи́тер, но ду́мает: «Отли́чно!»

Мари́на и Пи́тер сидя́т в ба́ре. Пи́тер пьёт вино́. Мари́на то́же пьёт вино́.

– Ва́ше здоро́вье! – говори́т Мари́на.

– Ва́ше здоро́вье! – говори́т Пи́тер.

Пи́тер ду́мает, что он о́чень ма́ло зна́ет о Мари́не. Мари́на ду́мает, что она́ о́чень ма́ло зна́ет о Пи́тере.

– Расскажи́те немно́го о себе́, Пи́тер, – говори́т Мари́на.

– Меня́ зову́т Пи́тер Манро́. Я специали́ст по ико́нам, рабо́таю в музе́е в Бо́стоне. Я живу́ в Бо́стоне. У меня́ есть брат и сестра́. Они́ живу́т в Нью-Йо́рке. Мои́ роди́тели то́же живу́т там. Мой брат – студе́нт, его́ зову́т Дик. Моя́ сестра́ – худо́жник, но сейча́с она́ не рабо́тает. У неё о́чень ма́ленький ребёнок и сейча́с она́ сиди́т до́ма. Я о́чень люблю́ мою́ рабо́ту, но когда́ я не рабо́таю, я люблю́ чита́ть, смотре́ть фи́льмы и слу́шать му́зыку. Я игра́ю на гита́ре, но, к сожале́нию, не о́чень хорошо́. А что вы лю́бите де́лать, Мари́на, когда́ вы не рабо́таете?

– Я то́же люблю́ чита́ть. А ве́чером я обы́чно смотрю́ телеви́зор. И ещё я люблю́ игра́ть в ша́хматы.

– О́чень интере́сно, – говори́т Пи́тер.

Мари́на и Пи́тер ещё сидя́т в ба́ре. Пи́тер и Мари́на ещё пьют вино́. А молодо́й челове́к в костю́ме ещё сиди́т у ба́ра.

– Мари́на, ско́лько сейча́с вре́мени?

– Сейча́с оди́ннадцать пятна́дцать.

– О! Мари́на! К сожале́нию, мне пора́! За́втра у́тром я чита́ю докла́д. Он не гото́в!

актёр	actor	пиани́но	piano
балери́на	ballerina	пить (пью, пьёшь)	to drink
бале́т	ballet	плохо́й	bad
антиква́рный	antique *adj.*	подру́га	girlfriend
арти́стка	female performer	пого́да	weather
балала́йка	balalaika	познако́мьтесь	please meet...
бейсбо́л	baseball		(*introducing two*
болга́рский	Bulgarian		*people*)
бы́стро	quickly	популя́рный	popular
ве́сти *f. pl.*	news (*old-fashioned*)	пора́	time
ве́чером	in the evening	мне пора́	it's time for me (to
вече́рний, -яя, -ее, -ие	evening *adj.*		go)
ви́деть (ви́жу, ви́дишь)	to see	потому́ что	because
вокру́г	around	пра́вда	truth
второ́й	second	премье́ра	premiere
гита́ра	guitar	програ́мма	programme
гольф	golf	разгова́ривать (разгова́риваю,	
да́же	even	разгова́риваешь)	to talk, chat
да́ча	dacha	рассказа́ть	to tell
детекти́в	thriller (book or film)	расскажи́те о себе́	tell (me) about
днём	in the daytime, afternoon		yourself
дово́льно	fairly, quite	региона́льный	regional
до́ма	at home	рекла́ма	advert
дорого́й	dear, expensive	репорта́ж	report
ещё	still, also	самолёт	aeroplane
зда́ние	building	са́мый	the most
здоро́вье	health	семе́йный	family *adj.*
за здоро́вье!	cheers!	сиде́ть (сижу́, сиди́шь)	to sit
изве́стный	famous	ско́лько	how much, how
интервью́	interview		many
интере́сный	interesting	ско́лько вре́мени?	what is the time?
испа́нцы *m. pl.*	Spanish (people)	во ско́лько?	at what time?
италья́нцы *m. pl.*	Italians	скри́пка	violin
к	towards	слова́рь *m.*	dictionary
кабине́т	office	смотре́ть (смотрю́, смо́тришь)	to watch, look at
како́й	which, what kind of	сожале́ние	regret
кана́л	canal, channel	к сожале́нию	unfortunately
ка́рты	cards	со́рок	forty
кот	(tom) cat	спаси́бо большо́е	thank you very much
кото́рый	who, which, that (*relative*	спекта́кль *m.*	show, spectacle
	pronoun)	специали́ст	specialist
кото́рый час?	what is the time?	ста́рый	old
ко́шка	cat	субти́тры	subtitles
культу́ра	culture	сыр	cheese
кури́ть (курю́, ку́ришь)	to smoke	танцева́ть (танцу́ю, танцу́ешь)	to dance
люби́мый	favourite	телеви́зор	television
люби́ть (люблю́, лю́бишь)	to love, like	те́ма	theme
ма́ленький	small	те́ннис	tennis
ма́ло	little	типи́чный	typical
мно́го	many, much	три́дцать	thirty
многосери́йный	multi-episode	тру́дно	(it is) difficult
начина́ться	to begin	у́гол	corner
начина́ется	(it) begins	в углу́	in the corner
неде́ля	week	у́тром	in the morning
но́вости *f. pl.*	news	хоте́ть	to want
нос	nose	я хочу́	I want
ночь *f.*	night	час	hour, o'clock
но́чью	at night	чёрный	black
обы́чно	usually	ша́хматы *pl.*	chess
осо́бенно	especially	эконо́мика	economics
парла́мент	parliament	эта́ж	floor, storey

УРО́К ШЕСТЬ
Lesson 6

Lesson 6 summarises all the rules for the present tense of verbs: after this lesson you should be able to use any new verb correctly.

You will learn the days of the week and a number of useful adverbs of time and amount (e.g. 'often', 'sometimes', 'a lot', 'a little'). You should now be able to make appointments, saying on what day, where and at what time you want to do something.

You will learn how to say what you <u>want</u> to do, what you <u>can</u> do and what you <u>must</u> do. The lesson also covers the past tense of verbs, which is very straightforward, and there's a short section explaining how you can change the word order in Russian to emphasise a particular part of the sentence. Finally, you'll learn to recognise variations in italicised and hand-written Russian script.

You have now met all the three main types of Russian verb endings.

The most important distinction between them is the vowel in the endings of the forms ты, он/á, мы and вы: some verbs have **e** in the endings of these forms; some have **ё** and some have **и**.

You may find it helpful to remember that **ё** verbs are <u>always stressed</u> on the <u>ending</u> (because ё is always stressed in Russian), and **e** verbs are <u>never stressed</u> on the <u>ending</u>.

	-e- in the endings	-ё- in the endings	-и- in the endings
	рабóтать	жить	говори́ть
	to work	to live	to speak
я	рабóтаю	живý	говорю́
ты	рабóтаешь	живёшь	говори́шь
он/онá	рабóтает	живёт	говори́т
мы	рабóтаем	живём	говори́м
вы	рабóтаете	живёте	говори́те
они́	рабóтают	живýт	говоря́т

1. You have to learn the infinitive.

Verbs are listed in dictionaries under their infinitives. The infinitive corresponds to the form 'to do' something. Remember that the infinitive does not necessarily tell you how the present tense will go.

2. You have to learn the я form.

There are no short cuts here. You cannot be sure of the я form of a verb by looking at the infinitive.

3. The vowel in the ending of the ты, он/онá, мы and вы forms will always be the same.

Learn the ты form, and (with extremely rare exceptions) you can be certain of the next three forms.

4. If a verb has e or ё in the ты to вы endings, the они́ form will be -ют.

There is a variation to this rule, which is that if the preceding letter is a consonant, the ending will be -ут.

5. If a verb has и in its ты to вы forms, the они́ form will be -ят.

The variation to this rule is that a very small number of verbs go -ат (after the letters ж, ч, ш, щ). Don't worry too much about this: it is a spelling rule, and hardly affects pronunciation.

Turn the page for a summary of these rules.

SUMMARY OF THE RULES GOVERNING RUSSIAN VERB CONJUGATION

When you meet a new verb, learn the <u>infinitive</u>, the <u>я form</u> and the <u>ты form</u>.

95% of the time, these forms will give you the rest of the verb.

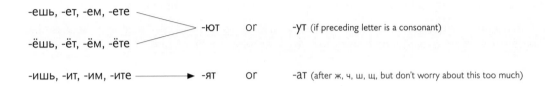

-ешь, -ет, -ем, -ете

-ёшь, -ёт, -ём, -ёте ⟶ -ют or -ут (if preceding letter is a consonant)

-ишь, -ит, -им, -ите ⟶ -ят or -ат (after ж, ч, ш, щ, but don't worry about this too much)

When you meet a new verb in this book, you will be given the infintive, я and ты forms. For example:

любить (люблю, любишь)   to love, like

This means you can be certain that the он to вы forms are **любит, любим, любите**, and the они form **любят**. Any exceptions to these rules will be given.

EXERCISE 6.1

Below are all the verbs that have appeared in the textbook so far (including some that have appeared only in the Peter and Marina story). Test your comprehension of the 5 rules by filling in the missing form.

видеть (вижу, видишь)	мы
встречать (встречаю, встречаешь)	он
говорить (говорю, говоришь)	они
гулять (гуляю, гуляешь)	они
делать (делаю, делаешь)	вы
думать (думаю, думаешь)	она
жить (живу, живёшь)	они
завтракать (завтракаю, завтракаешь)	мы
звонить (звоню, звонишь)	они
знать (знаю, знаешь)	он
играть (играю, играешь)	мы
изучать (изучаю, изучаешь)	вы
курить (курю, куришь)	она
любить (люблю, любишь)	они
обедать (обедаю, обедаешь)	они
отдыхать (отдыхаю, отдыхаешь)	она
пить (пью, пьёшь)	мы
понимать (понимаю, понимаешь)	вы
работать (работаю, работаешь)	она
разговаривать (разговариваю, разговариваешь)	он
сидеть (сижу, сидишь)	вы
слушать (слушаю, слушаешь)	мы
смотреть (смотрю, смотришь)	вы
спрашивать (спрашиваю, спрашиваешь)	они
танцевать (танцую, танцуешь)	она
ужинать (ужинаю, ужинаешь)	он
читать (читаю, читаешь)	мы

EXERCISE 6.2
Fill in the gaps with the verb in the correct form.

1 Я часто _____ его на работе. (видеть)

2 Когда он _____ меня, он всегда _____ «привет». (видеть, говорить)

3 Я часто _____ о тебе. (думать)

4 Где мы _____? (сидеть)

5 Утром я _____ кофе. (пить)

6 Я не _____, о чём вы _____. (понимать, говорить)

7 Мы не _____ телевизор утром. (смотреть)

8 Ты хорошо _____ его? Он часто _____ о тебе. (знать, спрашивать)

9 Я _____ вас. (слушать)

10 Вы _____, где она _____? (знать, жить)

11 Я не _____ _____ в офисе. (любить, обедать)

12 Я _____ дома и _____ о работе. (сидеть, думать)

13 Где вы _____ русский язык? (изучать)

14 Вы хорошо _____? (танцевать)

15 Ты не _____, что они _____ в Лондоне? (знать, делать)

16 Он часто _____ вечером. (звонить)

17 Мои родители всегда _____ меня на вокзале. (встречать)

18 Моя дочь _____ на скрипке. (играть)

19 О чём они _____? (разговаривать)

20 Почему она _____ в парке? (гулять)

Now look at this list of verbs which you have not met before. Note that although all have an infinitive in -ать, none follows the pattern of работать. This should make it clear why you need to learn the я and ты forms as well as the infinitive:

писа́ть (пишу́, пи́шешь)	to write
ждать (жду, ждёшь)	to wait for
встава́ть (встаю́, встаёшь)	to get up
спать (сплю, спишь)	to sleep
слы́шать (слы́шу, слы́шишь)	to hear
рисова́ть (рису́ю, рису́ешь)	to draw
чу́вствовать себя́ (чу́вствую себя́, чу́вствуешь себя́)	to feel

The last two in this list belong to a group of verbs with infinitives in -овать and -евать that go -ую, -уешь etc. in the present tense.

EXERCISE 6.3
Translate the following into Russian. Do not worry if you need to refer to the five verbs above; this test is primarily to check your comprehension of the rules governing Russian verb conjugation.

1 She writes. 2 Do you (s.) hear me? 3 They get up. 4 You (pl.) are sitting. 5 They feel. 6 He is sitting. 7 They are waiting. 8 You (pl.) are sleeping. 9 They draw. 10 We see. 11 I sleep well. 12 You (s.) wait. 13 He drinks. 14 You (pl.) get up. 15 They write. 16 We hear. 17 She sees. 18 He listens. 19 How do you feel? 20 They drink.

EXERCISE 6.4

Provide a possible first line to these dialogues.

1 – _____ ?
– Она́ живёт в Ло́ндоне.

2 – _____ ?
– Мы изуча́ем ру́сский язы́к.

3 – _____ ?
– Я встаю́ в семь три́дцать.

4 – _____ ?
– У́тром они́ пьют чай.

5 – _____ ?
– Да, я игра́ю в футбо́л хорошо́.

6 – _____ ?
– Мы ду́маем о спо́рте.

7 – _____ ?
– Фильм начина́ется в три часа́.

8 – _____ ?
– Нет, я говорю́ то́лько по-англи́йски.

9 – _____ ?
– Она́ чита́ет о Пу́шкине.

10 – _____ ?
– Я жду тебя́.

DAYS OF THE WEEK

DIALOGUES 6.1

1 – Ты рабо́таешь за́втра?
– Коне́чно, нет.
– А почему́?
– Потому́ что за́втра – суббо́та.

2 – Когда́ у вас уро́к?
– У меня́ уро́к в понеде́льник ве́чером.
– Во ско́лько?
– В шесть три́дцать.

3 – Что ты де́лаешь за́втра ве́чером?
– А како́й за́втра день?
– За́втра пя́тница.
– В пя́тницу я изуча́ю ру́сский язы́к.

4 – О́льга, ты рабо́таешь в воскресе́нье?
– Нет, в воскресе́нье я отдыха́ю.
– А что ты де́лаешь в воскресе́нье ве́чером?
– Ве́чером я обы́чно смотрю́ телеви́зор.

week	неде́ля
Monday	понеде́льник
Tuesday	вто́рник
Wednesday	среда́
Thursday	четве́рг
Friday	пя́тница
Saturday	суббо́та
Sunday	воскресе́нье

Look at the words below for 'the day before yesterday', 'yesterday', 'today', 'tomorrow' and 'the day after tomorrow'.

позавчера́	вчера́	сего́дня	за́втра	послеза́втра
↓	↓	↓	↓	↓
понеде́льник	вто́рник	среда́	четве́рг	пя́тница

EXERCISE 6.5
Complete the sentences below using the correct day of the week.

1 Сего́дня среда́. Вчера́ был _____.
2 Сего́дня вто́рник. Послеза́втра бу́дет _____.
3 Сего́дня суббо́та. За́втра бу́дет _____.
4 За́втра суббо́та. Сего́дня _____.

5 Сего́дня среда́. Позавчера́ был _____.
6 Сего́дня пя́тница. Послеза́втра бу́дет _____.
7 Сего́дня вто́рник. За́втра бу́дет _____.
8 Како́й сего́дня день? _____.

EXERCISE 6.6
Complete the crossword using all the days of the week and the 5 words for 'yesterday', 'today', etc.

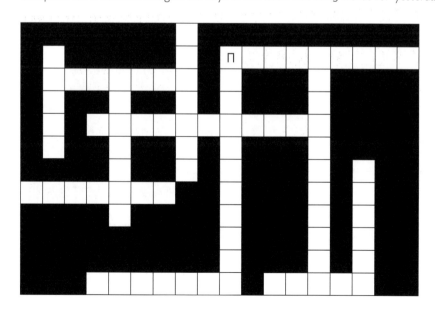

ON WHAT DAY

When you want to say on a particular day, you use **в** (except for Tuesday when you use **во**).

The day goes into the accusative case (see p. 142).

The masculine and neuter days do not change in the accusative case. For the feminine words – Wednesday, Friday and Saturday – the ending changes from -**a** to -**y**.

Monday	понеде́льник	on Monday	в понеде́льник
Tuesday	вто́рник	on Tuesday	**во** вто́рник
Wednesday	среда́	on Wednesday	в сре́ду
Thursday	четве́рг	on Thursday	в четве́рг
Friday	пя́тница	on Friday	в пя́тницу
Saturday	суббо́та	on Saturday	в суббо́ту
Sunday	воскресе́нье	on Sunday	в воскресе́нье

TEXT 6.1
Read the following text about Mr Smith the philosopher and answer the questions that follow.

Одна́ неде́ля из жи́зни ми́стера Сми́та

Сего́дня понеде́льник, во́семь часо́в. Ми́стер Смит сиди́т до́ма. Ми́стер Смит всегда́ ма́ло спит и встаёт ра́но. Он за́втракает, слу́шает ра́дио, пьёт ко́фе, чита́ет газе́ты и ду́мает. Он ду́мает о поли́тике. Ми́стер Смит мно́го ду́мает о поли́тике. Он ду́мает и чита́ет о поли́тике ка́ждый день. Иногда́ он да́же пи́шет о поли́тике.

Ка́ждый ве́чер ми́стер Смит игра́ет на фортепья́но. В понеде́льник ве́чером у него́ уро́к фортепья́но, и тогда́ он не ду́мает о поли́тике – он ду́мает о му́зыке. Во вто́рник ве́чером он изуча́ет кита́йский язы́к. В сре́ду ми́стер Смит не рабо́тает. В сре́ду у́тром он покупа́ет полити́ческие журна́лы, а днём он чита́ет их в саду́. Иногда́ он чу́вствует себя́ пло́хо, и тогда́ он чита́ет журна́лы на ку́хне.

В четве́рг ми́стер Смит обы́чно обе́дает в рестора́не. Его́ друг ми́стер Бра́ун то́же обе́дает в рестора́не. Они́ обе́дают вме́сте. Ми́стер Бра́ун ма́ло ду́мает, но мно́го говори́т. Ми́стер Бра́ун ничего́ не зна́ет о поли́тике, но он мно́го говори́т о поли́тике. Ми́стер Бра́ун ма́ло зна́ет о му́зыке, но он мно́го говори́т о му́зыке. А когда́ ми́стер Бра́ун говори́т, ми́стер Смит слу́шает и, коне́чно, ду́мает.

В суббо́ту у́тром, е́сли он чу́вствует себя́ хорошо́, ми́стер Смит пла́вает в бассе́йне. В суббо́ту ве́чером он сиди́т до́ма и смо́трит телеви́зор. В воскресе́нье он отдыха́ет. Иногда́ он рису́ет карти́ны. Ми́стер Смит о́чень лю́бит рисова́ть. Пра́вда, ми́стер Смит не о́чень интере́сный челове́к, но он мно́го ду́мает, мно́го чита́ет, а иногда́ да́же немно́го пи́шет. Почему́ ми́стер Смит так мно́го ду́мает? Потому́ что он фило́соф.

EXERCISE 6.7

1 Что ми́стер Смит пьёт у́тром?
2 О чём он ду́мает ка́ждый день?
3 О чём он чита́ет?
4 Ми́стер Смит рабо́тает в сре́ду?
5 Когда́ у него́ уро́к фортепья́но?
6 В како́й день он обе́дает в рестора́не?
7 О чём говори́т ми́стер Бра́ун?
8 Что де́лает ми́стер Смит, когда́ ми́стер Бра́ун говори́т?
9 Где он чита́ет журна́лы, когда́ он чу́вствует себя́ пло́хо?
10 Что де́лает ми́стер Смит в воскресе́нье?
11 Почему́ он так мно́го ду́мает?
12 Ми́стер Смит хорошо́ рису́ет?
13 Когда́ он пла́вает в бассе́йне?
14 Как вы ду́маете, ми́стер Смит интере́сный челове́к?

WORD ORDER

In Russian, the broad principle governing word order is that the interesting word goes at the end.

When you are answering a question, this means that the information you have been asked about will go last.

Compare these two examples:

1) Когда́ ми́стер Смит рабо́тает?   Ми́стер Смит рабо́тает в сре́ду.
2) Что де́лает ми́стер Смит в сре́ду?   В сре́ду ми́стер Смит рабо́тает.

1) asks when Mr Smith works, so the answer – on Wednesday – goes at the end.
2) asks what Mr Smith does on Wednesday, so the answer – works – goes at the end.

EXERCISE 6.8
Write out in full the answers to the following pairs of questions, and compare the word order.

1 Когда́ ми́стер Смит игра́ет на фортепья́но?
  Что де́лает ми́стер Смит ка́ждый ве́чер?

2 Где ми́стер Смит обы́чно обе́дает в четве́рг?
  Когда́ ми́стер Смит обы́чно обе́дает в рестора́не?

3 Когда́ ми́стер Смит пла́вает в бассе́йне?
  Что ми́стер Смит де́лает в суббо́ту у́тром?

4 Что он изуча́ет во вто́рник ве́чером?
  Когда́ он изуча́ет кита́йский язы́к?

EXERCISE 6.9
Provide questions to which the following could be answers.

1 Ми́стер Смит ду́мает о поли́тике.
2 Он ду́мает о поли́тике ка́ждый день.
3 Ми́стер Бра́ун мно́го говори́т о му́зыке.
4 В воскресе́нье ми́стер Смит отдыха́ет.
5 Когда́ ми́стер Бра́ун говори́т, ми́стер Смит слу́шает.
6 У него́ уро́к фортепья́но в понеде́льник ве́чером.

ADVERBS OF TIME AND AMOUNT

A number of adverbs connected with time and amount are particularly useful. You have met several of these already:

мно́го	a lot
ма́ло	little, few
всегда́	always
ча́сто	often
обы́чно	usually
иногда́	sometimes
ре́дко	rarely
никогда́	never

Note that with **никогда́** you also need to use a negative verb (i.e. with **не**):

Я никогда́ не чита́ю газе́ты.   I never read the newspapers.

EXERCISE 6.10
Qualify the following statements by using one of the adverbs above.

1 Я говорю́ по-ру́сски до́ма.

2 Я у́жинаю в рестора́не.

3 Я смотрю́ телеви́зор ве́чером.

4 Я пью ко́фе у́тром.

5 Я чита́ю газе́ты в воскресе́нье.

6 Я пла́ваю в бассе́йне.

7 Я рабо́таю в саду́.

8 Я ду́маю о рабо́те, когда́ я отдыха́ю.

9 Я пью во́дку.

10 Я смотрю́ ру́сские фи́льмы.

11 Я слу́шаю ра́дио у́тром.

12 Я покупа́ю проду́кты в суперма́ркете.

13 Я отдыха́ю в Люксембу́рге.

14 Я де́лаю дома́шнее зада́ние.

EXERCISE 6.11
Translate into Russian.

1 On Friday evening my friends always drink beer in the pub. **2** On Saturday morning they rarely feel well. **3** On Monday I usually get up at 8. **4** What are you doing on Thursday? **5** On Sunday evening we often watch TV. **6** I never play football on Wednesday. **7** On Tuesday morning we have a meeting in Paris.

EXERCISE 6.12
Make up 5 other sentences describing things you do often, rarely, sometimes, and so on. Try using the verbs given.

смотре́ть, слу́шать, чу́вствовать себя́ хорошо́, спать хорошо́, чита́ть, ви́деть

EXERCISE 6.13

The playbill below shows the days and times of performances at the Bolshoi Theatre. Note that the days are given using abbreviations. Answer the following questions based on the information given in the playbill.

1 Во ско́лько начина́ется спекта́кль «Пи́ковая да́ма»?
2 В како́й день «Евге́ний Оне́гин»?
3 Как называ́ется спекта́кль в суббо́ту?
4 Во ско́лько начина́ется спекта́кль в воскресе́нье?
5 В како́й день бу́дет конце́рт?
6 В каки́е дни бу́дет о́пера?
7 В каки́е дни бале́т?
8 В како́й день бу́дет о́пера Мо́царта?
9 Во ско́лько начина́ется спекта́кль «Жизе́ль»?
10 Как называ́ется спекта́кль во вто́рник?

Государственный Академический Большой Театр России

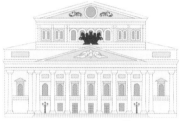

БОЛЬШОЙ
ТЕАТР
1776

Театра́льная пл., 1
м. Театра́льная

телефо́н: +7 495 455 5555

1 чт	19:00	ПИ́КОВАЯ ДА́МА О́пера в 3-х де́йствиях (3ч. 40м.)	П. И. Чайко́вский
2 пт	19:00	ЖИЗЕ́ЛЬ Бале́т в 2-х де́йствиях (2ч. 25м.)	А. Ада́н
3 сб	18:30	ДОН КИХО́Т Бале́т в 3-х де́йствиях с проло́гом и эпило́гом (3ч. 10м.)	Л. Ми́нкус
4 вс	14:00	ДОН ЖУАН О́пера в 2-х де́йствиях (2ч. 50м.)	В. А. Моцарт
5 пн	20:00	Конце́рт (2ч. 10м.)	
6 вт	19:00	ЕВГЕ́НИЙ ОНЕ́ГИН О́пера в 3-х де́йствиях (3ч. 20м.)	П. И. Чайко́вский
7 ср	19:00	ОДНОА́КТНЫЕ БАЛЕ́ТЫ (1ч. 50м.)	Ф. Шопе́н

ХОТЕ́ТЬ, TO WANT
МОЧЬ, TO BE ABLE TO

DIALOGUES 6.2

1
– Вы хоти́те ко́фе?
– Да, хочу́. А вы?
– Я хочу́ чай.

2
– Где вы хоти́те жить в Росси́и?
– Я хочу́ жить в Петербу́рге. А вы?
– Я то́же хочу́ жить там.

3
– Вы сейча́с за́няты?
– Нет, не за́нят.
– И вы мо́жете говори́ть?
– Да, могу́.

4
– Я ду́маю, что все ру́сские мужчи́ны лю́бят во́дку.
– Ты мо́жешь ду́мать, что хо́чешь, но э́то непра́вда.

There are two particularly useful verbs that do not follow the 5 rules on p. 117.

Мочь, meaning 'to be able to' (also 'can' and 'may' in English), has an irregular **они́** form.

Хоте́ть, 'to want', is a verb of mixed conjugation, meaning that it starts more like **рабо́тать** and ends like **говори́ть**. It is the only verb in Russian like this.

	мочь	хоте́ть
я	могу́	хочу́
ты	мо́жешь	хо́чешь
он/она́	мо́жет	хо́чет
мы	мо́жем	хоти́м
вы	мо́жете	хоти́те
они́	мо́гут	хотя́т

You can use **хоте́ть** with the infinitive of another verb or with a noun in the accusative case (see pp. 141–2).

Вы хоти́те спать?	Do you want to sleep?
Вы хоти́те ко́фе?	Do you want some coffee?

Note that the **он/она́** form of **мочь** is used in the expression **мо́жет быть**, 'maybe', 'perhaps'.

EXERCISE 6.14
Complete the following sentences using the correct form of **мочь** and **хотéть**.

1 Мы ▭ смотрéть балéт, но не ▭.
2 Онá ▭ рабóтать, но не ▭.
3 Ты ▭ говорить по-рýсски, но не ▭.
4 Они ▭ смотрéть нóвости, но не ▭.
5 Я ▭ тебя видеть, но не ▭.
6 Вы ▭ отдыхáть, но не ▭.

ДÓЛЖЕН
MUST

As in English ('must', 'should', 'ought', 'need', 'have to', etc.), there is more than one way to express obligation and necessity in Russian. The closest Russian has to 'must' is **дóлжен**. Although you follow it with a verb in the infinitive, **дóлжен** itself is not a verb, and behaves more like an adjective, with different forms depending on the gender of the subject.

masc.	fem.	neut.	plur.
дóлжен	должнá	должнó	должны́

EXERCISE 6.15
Insert the correct form of **дóлжен** into the following sentences.

1 Он ▭ дýмать бóльше.
2 Они ▭ рабóтать мéньше.
3 Жéня, ты ▭ изучáть испáнский язы́к.
4 Почемý мы ▭ ждать?
5 Дéти ▭ сидéть дóма.
6 Нина ▭ мнóго рабóтать.

EXERCISE 6.16
Translate into Russian.

1 – Do you want to watch TV? – Unfortunately I can't. I have to work. **2** Dmitri wants to play football, but he has to write a paper. **3** You (fem. sing.) must listen to me. **4** – Can you work in the early morning? – Only if I must. **5** – Does your wife want to study Russian? – Maybe. **6** I must be at home at six this evening. **7** If you want to speak Russian well, you must work hard (= a lot).

PAST TENSE OF VERBS

DIALOGUES 6.3

1 – Свéта, где вы бы́ли в суббóту вéчером?
– Сначáла в бáре, а потóм мы ýжинали в рестóране. А ты?
– К сожалéнию, в суббóту я дóлжен был рабóтать.

2 – Это прáвда, что ты был в Иркýтске?
– Да, был.
– А что ты там дéлал?
– Я рабóтал.

To form the past tense of a verb, you take the infinitive and replace the -ть with -л, -ла, -ло or -ли, depending on the subject. This rule is consistent across all types of verb, as long as the infinitive ends in -ть.

infinitive	masculine	feminine	neuter	plural (all genders)
рабóтать	рабóтал	рабóтала	рабóтало	рабóтали
говори́ть	говори́л	говори́ла	говори́ло	говори́ли
ви́деть	ви́дел	ви́дела	ви́дело	ви́дели

A small number of verbs that don't have infinitives ending in -ть tend to have irregular past tenses. Of these you have so far met мочь, 'can', 'be able':

infinitive	masculine	feminine	neuter	plural (all genders)
мочь	мог	могла́	могло́	могли́

Remember that the form of the past tense depends on the gender and the number (singular, plural) of the subject. So the form of the past tense after я and ты will depend on whether the subject is a man or woman:

– Олéг, ты рабóтал вчерá?   – Да, я рабóтал.
– Лéна, ты рабóтала вчерá?   – Да, я рабóтала.

PAST TENSE OF ДÓЛЖЕН

Дóлжен isn't a verb at all, so to put it in the past, simply follow it with the relevant form of быть in the past.

masc.	fem.	neut.	plur.
дóлжен был	должнá былá	должнó бы́ло	должны́ бы́ли

EXERCISE 6.17
Put the verb in brackets into the correct form in the past tense.

1 Он _____ . (спáть)
2 Мы _____ егó. (ви́деть)
3 Что онá _____ ? (читáть)
4 Где вы _____ ? (сидéть)
5 Где они́ _____ ? (рабóтать)
6 Что вы _____ ? (пить)
7 Я егó _____ . (люби́ть) (f.)
8 Где вы _____ ? (жить)
9 Я не _____ э́то. (знать) (m.)
10 Где они́ _____ жить? (должны́)

11 Что ты _____ в Москвé? (ви́деть) (m.)
12 Почемý ты не _____ спать? (мочь) (f.)
13 Где он _____ ? (быть)
14 Что онá _____ ? (хотéть)
15 Я не _____ игрáть в тéннис в пя́тницу. (мочь) (m.)
16 Онá _____ дýмать. (должнá)
17 Почемý вы не _____ говори́ть? (мочь)
18 Почемý ты не _____ в суббóту? (отдыхáть) (f.)
19 Как вы _____ вчерá? (чýвствовать себя́)
20 Что они́ _____ вчерá? (смотрéть)

TEXT 6.2

Оди́н день Бори́са

Бори́с Панко́в ру́сский. Он экономи́ст в фи́рме А́льфа-би́знес. Его́ о́фис в Ло́ндоне. Бори́с всегда́ о́чень за́нят. У него́ всегда́ мно́го рабо́ты. Он был о́чень за́нят вчера́. Он был за́нят весь день. Вот его́ день:

07:00	Он за́втракал до́ма в Ло́ндоне.
07:30	Он слу́шал но́вости.
08:15	Он был в метро́. Он чита́л газе́ты.
09:00	Он был в о́фисе в Ло́ндоне, где он рабо́тал.
12:00	Бори́с и его́ колле́га Ива́н обе́дали в рестора́не. Они́ говори́ли о встре́че в Москве́.
1:30	Они́ пи́ли ко́фе.
1:45	Он ждал такси́.
2:00	Он сиде́л в такси́, писа́л и чита́л имейлы.
3:00	Он был в Хи́троу.
4:00	Он сиде́л в самолёте. Он о́чень хоте́л спать, но до́лжен был рабо́тать.
10.30	Он сиде́л в такси́ и говори́л по телефо́ну.
11:00	Он отдыха́л в гости́нице «Метропо́ль» в Москве́.
11:30	Он чу́вствовал себя́ не о́чень хорошо́ и у́жинал в но́мере.
12:00	Бори́с был о́чень за́нят весь день. Тепе́рь он о́чень уста́л.

EXERCISE 6.18
Now answer the questions about the text.

1 Где он был в семь часо́в?
2 Где он был в во́семь пятна́дцать?
3 Что он де́лал в метро́?
4 Где он был в два часа́?
5 Он до́лго ждал такси́?
6 Когда́ он обе́дал?
7 Когда́ он пил ко́фе?

8 Когда́ он был в Хи́троу?
9 Что он де́лал у́тром в о́фисе?
10 Что он де́лал в такси́?
11 Когда́ он был в самолёте?
12 Где он у́жинал?
13 Он спал в самолёте?
14 Он уста́л в двена́дцать часо́в?

EXERCISE 6.19
Ask each other the following questions.

1 Что вы де́лали сего́дня у́тром?
2 Вы рабо́тали вчера́?
3 Что вы писа́ли сего́дня на рабо́те?
4 Как вы чу́вствовали себя́ в понеде́льник у́тром?
5 Что вы де́лали в суббо́ту ве́чером?
6 Во ско́лько вы обе́дали вчера́?
7 Вы говори́ли по-ру́сски в воскресе́нье?

8 Что вы чита́ли вчера́ ве́чером?
9 Что вы пи́ли сего́дня у́тром?
10 Вы смотре́ли телеви́зор в пя́тницу ве́чером?
11 Как вы спа́ли вчера́?
12 Вы танцева́ли в суббо́ту ве́чером?
13 Вы слу́шали ра́дио сего́дня у́тром?
14 Вы рисова́ли, когда́ вы бы́ли в шко́ле?
15 Где вы отдыха́ли ле́том?

EXERCISE 6.20
Replace the present tense with the past tense.

1 Я ча́сто ви́жу его́ в о́фисе.

2 Мы не мо́жем говори́ть.

3 Что ты чита́ешь?

4 Она́ живёт в Москве́.

5 Что вы пьёте у́тром?

6 Я пло́хо сплю.

7 Она́ не хо́чет говори́ть о нём.

8 Почему́ ты не смо́тришь телеви́зор?

9 Где она́?

10 Я жду вас.

11 К сожале́нию, я пло́хо танцу́ю.

12 Она́ никогда́ не чита́ет газе́ты.

13 Он не мо́жет жить в го́роде.

14 Мы ре́дко ду́маем о войне́.

15 Мои́ де́ти должны́ изуча́ть францу́зский язы́к.

16 Я сижу́ до́ма.

17 Он пи́шет рома́ны.

18 Она́ ча́сто спра́шивает о тебе́.

19 О чём вы разгова́риваете?

20 Как ты чу́вствуешь себя́?

EXERCISE 6.21
Work in pairs: one student should make up a sentence with a present tense, the other should replace the present with a past tense.

EXERCISE 6.22
Translate the following into Russian; (m.) denotes masculine, (f.) feminine, (s.) singular and (pl.) plural.

1 I (f.) knew. 2 We were speaking. 3 Where were you (m.s.) sitting? 4 What did you (pl.) do?
5 Where did he work? 6 Did you (f.s.) sleep well? 7 Why couldn't you (m.s.) speak? 8 I (m.) had
to watch football. 9 He didn't want to work. 10 What were you (pl.) reading? 11 Where was
she? 12 Didn't you (pl.) know? 13 We were on holiday. 14 I (f.) didn't see him. 15 Where did
they live? 16 I (f.) wasn't feeling well. 17 I (m.) liked to read. 18 What were you (m.s.) thinking
about? 19 What was she drawing? 20 They couldn't listen to the news.

У МЕНЯ́ ЕСТЬ IN THE PAST

In order to say 'I/you/she etc. had', you need to replace есть with the past tense of the verb быть.

The form of был varies according to the gender and number (singular or plural) of the thing you had. (Note that unlike есть above, был is never omitted, because otherwise it would not be clear that the tense was past.)

Remember, the form of был depends on the thing had, not on the person who had it:

У него́ была́ встре́ча.	He had a meeting.
У неё был уро́к.	She had a lesson.

Present			
у меня́	есть	дом	(m.)
		кварти́ра	(f.)
		де́ло	(n.)
		де́ньги	(pl.)

Past			
у меня́	был	о́фис	(m.)
	была́	встре́ча	(f.)
	бы́ло	вре́мя	(n.)
	бы́ли	кни́ги	(pl.)

EXERCISE 6.23

Put these sentences into the past tense according to the model.

У них есть дома́шнее зада́ние.   →   У них бы́ло дома́шнее зада́ние.

1 У меня́ есть маши́на.
2 У тебя́ есть кот.
3 У неё есть друзья́.
4 У них есть хоро́шее вино́.

5 У нас есть де́ньги.
6 У вас есть слова́рь.
7 У них есть кни́га.
8 У них есть кни́ги.

EXERCISE 6.24

Answer the following questions according to the model, using the past tense of 'have'.

У вас есть маши́на?   →   Ра́ньше у меня́ была́ маши́на, но сейча́с нет.

1 У вас есть де́ньги?
2 У неё больша́я кварти́ра?
3 У него́ интере́сная рабо́та?
4 У тебя́ есть хоро́ший друг в Петербу́рге?
5 У неё есть соба́ка?

6 У него́ больша́я ку́хня?
7 У них есть телеви́зор?
8 У вас есть да́ча?
9 У тебя́ есть вопро́с?
10 В о́фисе есть окно́?

Note the use of ра́ньше. Ра́ньше literally means 'earlier', or 'formerly', but you can use it with the past tense to create an equivalent of the English 'I **used to** do something'

Ра́ньше у меня́ была́ кварти́ра в Москве́.　　I used to have a flat in Moscow.
　　　　　　　　　　　　　　　　　　　　[= 'formerly I had a flat in Moscow']

Он ра́ньше рабо́тал в Теха́се.　　　　He used to work in Texas.

EXERCISE 6.25

Create questions and answers based on the diary below, including times and days of the weeks in your sentences. Use the past tense of verbs and у меня́ был, была́, etc., as in the models.

Когда́ у вас был уро́к?

Где вы бы́ли в понеде́льник в час?

Что вы де́лали во вто́рник ве́чером?

	пн	вт	ср	чт	пт	сб	вс
10:00						рабо́та	
11:00		уро́к					
12:00			встре́ча				
13:00	обе́д					до́ма	
14:00				семина́р			обе́д
15:00							
16:00			встре́ча				
17:00					ле́кция		
18:00						вечери́нка	
19:00			кино́				
20:00		у́жин		конце́рт			

The are a number of variations in the way Russian letters are handwritten and printed, and between Roman and italic type. Whether or not you want to learn to use handwritten Russian, you should start to become familiar with the different types of script. The three letters that vary the most between different fonts and scripts are the lower case г, д and т:

Г г	Г г	*Г г*	*Г г*	*Г г*	*Г г*
Д д	Д д	*Д д*	*Д д*	*Д д*	*Д g*
Т т	Т т	*Т т*	*Т т*	*Т т*	*Т т*

EXERCISE 6.26
Try reading the shop signs below, paying particular attention to the different versions of г, д and т.

EXERCISE 6.27
Now read the following words.

полиция   *ресторан*   *вход*

супермаркет   *гостиница*   *друг*

школа   *центр*   *женщина*

TEXT 6.3
Read the following text, paying attention to the past tense.

Ма́ша <u>родила́сь</u> и жила́ в го́роде, но когда́ она́ была́ ма́ленькая, она́ обы́чно отдыха́ла ле́том на да́че. Её ба́бушка уже́ не рабо́тала. У неё была́ ма́ленькая, краси́вая да́ча, и ле́том она́ всё вре́мя жила́ там. Ма́ша о́чень люби́ла отдыха́ть на да́че.

Ба́бушка всегда́ обе́дала в час. У неё был большо́й сад, и днём они́ <u>до́лго</u> сиде́ли в саду́ и говори́ли о <u>любви́</u>. Ве́чером они́ у́жинали вме́сте и пи́ли чай. Иногда́ Ма́ша писа́ла пи́сьма, а иногда́ они́ игра́ли в ка́рты. Ма́ша ча́сто чита́ла кни́ги, а ба́бушка слу́шала её. Ма́ша люби́ла чита́ть о любви́.

На да́че в <u>конце́</u> <u>коридо́ра</u> была́ ма́ленькая ко́мната. Э́то бы́ло <u>секре́тное</u> ме́сто. В ко́мнате на <u>стене́</u> была́ ма́ленькая, о́чень краси́вая ико́на. Иногда́ Ма́ша не могла́ спать, и <u>по́здно</u> ве́чером, когда́ ба́бушка уже́ спала́, Ма́ша смотре́ла на ико́ну. Она́ не зна́ла, <u>отку́да</u> э́та ико́на, но когда́ она́ ви́дела её, она́ ду́мала, что э́то са́мая краси́вая карти́на в ми́ре.

Ма́ша зна́ла, что ба́бушка не лю́бит говори́ть об ико́не, но не понима́ла, почему́.

VOCABULARY 6.1

до́лго	for a long time
коне́ц	end
коридо́р	corridor
любо́вь (*f.*), о любви́ (*prep. case*)	love
отку́да	where from
по́здно	late
роди́ться	to be born
роди́лся (*m.*), родила́сь (*f.*) , роди́лись (*pl.*)	was born
секре́тный	secret (*adj.*)
стена́	wall

EXERCISE 6.28
Answer the questions on the text.

1 Где Ма́ша родила́сь?

2 Где Ма́ша отдыха́ла ле́том?

3 Почему́ её ба́бушка всё вре́мя жила́ на да́че?

4 Ма́ша люби́ла отдыха́ть на да́че?

5 Когда́ они́ обе́дали?

6 Что они́ де́лали днём?

7 О чём они́ говори́ли?

8 Что они́ де́лали ве́чером?

9 Кто писа́л пи́сьма ве́чером?

10 О чём люби́ла чита́ть Ма́ша?

11 Где была́ ма́ленькая ко́мната?

12 Что бы́ло в ко́мнате?

13 Что де́лала Ма́ша по́здно ве́чером?

14 Что ду́мала Ма́ша об ико́не?

15 Ба́бушка люби́ла говори́ть об ико́не? Почему́?

EXERCISE 6.29
Make up questions to which the following could be answers.

1 _____?
К сожале́нию, не могу́. Я должна́ рабо́тать.

2 _____?
В пя́тницу я игра́ю в те́ннис.

3 _____?
Я покупа́ю проду́кты в суббо́ту.

4 _____?
Тебя́.

5 _____?
Да, спаси́бо.

6 _____?
О Ви́кторе.

7 – _____?
– Нет, ре́дко.

8 – _____?
– Я был там ле́том.

9 – _____?
– В 9:00.

10 – _____?
– Да, пила́.

11 – _____?
– У меня́ был уро́к.

12 – _____?
– Потому́ что я был за́нят.

EXERCISE 6.30
Translate into Russian.

1 I'm sorry, I can't. I have a meeting at 6 o'clock. 2 What are you doing on Thursday evening? 3 When I was in Moscow in the summer I couldn't speak Russian. 4 I often listen to the radio in the morning. 5 Have you read this magazine about Russia? 6 Why are they always talking about love? 7 What time did you have your lesson on Wednesday? 8 I used to like reading novels but now I only read newspapers. 9 I very much want to play the piano, but I can't. 10 – Do you drink coffee in the morning? – I used to, but now I drink tea. 11 Please tell me what you are doing on Saturday morning. 12 I never understand what you want. 13 What are you writing about? 14 Why do they want to see me? 15 What time does the party begin on Friday? 16 They can't speak French. 17 I waited for you for a long time. 18 She usually gets up at 6.30. 19 – Who are you waiting for? – I'm waiting for you. 20 – Why weren't you at the lesson on Tuesday? – Unfortunately I had to work on Tuesday evening. 21 On Friday morning we had a meeting in the office, but unfortunately I couldn't be there because I had flu (грипп). 22 I couldn't sleep because I was thinking about Sonya. 23 When we lived in Petersburg we had a big flat.

Глава́ VI
О чём пи́шет молодо́й челове́к?

Среда́. По́здно ве́чером Пи́тер сиди́т в гости́нице. Вчера́ он мно́го рабо́тал и ма́ло спал. Сего́дня он уста́л, но всё равно́ он чу́вствует себя́ о́чень хорошо́. Сего́дня у́тром он чита́л докла́д на конфере́нции. Всё бы́ло прекра́сно: лю́ди слу́шали его́, не спа́ли, задава́ли интере́сные вопро́сы. Тепе́рь Пи́тер сиди́т оди́н в ба́ре и чита́ет журна́л о спо́рте. Пи́тер о́чень лю́бит футбо́л: он всегда́ чита́ет о футбо́ле, он ча́сто смо́трит футбо́л, иногда́ он да́же игра́ет в футбо́л. Пи́тер чита́ет англи́йский журна́л. Пи́тер хо́чет чита́ть по-ру́сски, но ещё не мо́жет.

– Что вы хоти́те? – спра́шивает официа́нтка.

– У вас есть пи́во?

– Коне́чно, есть.

– А како́е пи́во вы рекоменду́ете?

– Пи́во «Ба́лтика» о́чень вку́сное. Хоти́те попро́бовать?

– С удово́льствием. Да́йте, пожа́луйста, «Ба́лтику». Ма́ленький стака́н, пожа́луйста.

Пи́тер пьёт пи́во и ду́мает о еде́ в гости́нице. В но́мере есть холоди́льник и мини-ба́р, но в нём то́лько шокола́д, чи́псы и напи́тки. И всё о́чень до́рого. «Я хочу́ фру́кты, – ду́мает Пи́тер. – Мо́жет быть, апельси́ны, я́блоки, бана́ны». Пи́тер берёт каранда́ш и пи́шет спи́сок на салфе́тке.

Недалеко́ от него́ сиди́т молодо́й челове́к в костю́ме. Пи́тер ду́мает, что молодо́й челове́к смо́трит на него́, но Пи́тер не понима́ет, почему́. Молодо́й челове́к в костю́ме пьёт ко́фе. Он не чита́ет. Он пи́шет. У него́ есть блокно́т. Пи́тер не зна́ет, о чём пи́шет молодо́й челове́к, но о́чень хо́чет знать, что он пи́шет.

Молодо́й челове́к встаёт и спра́шивает: «Скажи́те пожа́луйста, где здесь туале́т?» Официа́нтка отвеча́ет: «Снача́ла пря́мо, пото́м поверни́те напра́во, пото́м нале́во».

Пи́тер смо́трит. Молодо́й челове́к в туале́те, но его́ блокно́т ещё на столе́. Пи́тер ждёт. В ба́ре ти́хо. Туале́т далеко́. Пи́тер встаёт и бы́стро берёт блокно́т.

Пи́тер чита́ет блокно́т. «Что де́лает П. М.?» Э́то календа́рь. Пи́тер чита́ет да́льше.

Вс. («Что тако́е "вс"? – ду́мает Пи́тер. – Наве́рное, воскресе́нье».) 14:45. Аэропо́рт. Такси́ в центр. Гости́ница «Метропо́ль». Получа́ет письмо́. Гуля́ет. У́жинает в гости́нице. Оди́н.

Пн. («Э́то, наве́рное, понеде́льник», – ду́мает Пи́тер.) 9 часо́в. Встре́ча. Третьяко́вская галере́я. На конфере́нции.

Вт. («Вто́рник, коне́чно».) 13:15. Экску́рсия. Обе́д в рестора́не «Тита́ник». Де́вушка. Не зна́ю, как зову́т. Говори́т по-англи́йски.

Ср. («Э́то среда́ – сего́дня!») 09:30. Докла́д. Ску́чно. Ве́чером в ба́ре в гости́нице «Метропо́ль». («Интере́сно, – ду́мает Пи́тер. – Что зна́чит "ску́чно"?»)

«О́чень стра́нно – ду́мает Пи́тер. – Э́то мой календа́рь. Э́то мой у́жин, моя́ встре́ча, мой обе́д, моя́ де́вушка. Ну, коне́чно, не моя́ де́вушка – но э́то Мари́на».

А в конце́ Пи́тер чита́ет: «ВДНХ. Пав. 2003, 3-й эт. 321-64-59». «О́чень стра́нно, – ду́мает Пи́тер. – Что э́то зна́чит? Мо́жет быть, э́то вре́мя, и́ли год, и́ли телефо́н? А мо́жет быть, э́то код?» Пи́тер смо́трит вокру́г. Молодо́й челове́к ещё в туале́те. Пи́тер бы́стро берёт каранда́ш и пи́шет на салфе́тке. К сожале́нию, Пи́тер пло́хо пи́шет по-ру́сски. К сожале́нию, он пи́шет о́чень ме́дленно.

Вдруг он ви́дит, что молодо́й челове́к уже́ в ба́ре.

– Что вы де́лаете?! Э́то не ваш стол! Э́то не ваш блокно́т! А э́то что тако́е?! Что вы пи́шете? Да́йте салфе́тку!

– Извини́те, – говори́т Пи́тер. – Я не понима́ю. Я пло́хо говорю́ по-ру́сски. Что вы хоти́те?

– В чём де́ло? – говори́т официа́нтка.

– Я не понима́ю, – говори́т Пи́тер. – Э́тот молодо́й челове́к хо́чет салфе́тку. Принеси́те, пожа́луйста.

– Нет, нет, – говори́т молодо́й челове́к. – Я хочу́ ва́шу салфе́тку. Да́йте её.

Молодо́й челове́к бы́стро берёт салфе́тку и чита́ет: «Апельси́ны, я́блоки, бана́ны...»

– Хмм. Ничего́ не понима́ю. Принеси́те счёт, пожа́луйста.

В ба́ре опя́ть ти́хо. Пи́тер сиди́т оди́н.

– Вы хоти́те салфе́тку? – спра́шивает официа́нтка.

– Нет, спаси́бо. У меня́ есть.

Пи́тер берёт из карма́на салфе́тку и чита́ет: «ВДНХ. Пав. 2003, 3-й эт. 321-64-59».

академический	academic *adj.*	коридо́р	corridor
апельси́н	orange	ку́хня	kitchen
Ба́лтика	Baltic Sea	ле́кция	lecture
бана́н	banana	любо́вь *f.*, любви́ *prep.*	love
бассе́йн	swimming-pool	ме́ньше	less
блокно́т	note pad	поли́ция	police
бо́льше	more	мини-ба́р	minibar
брать (беру́, берёшь)	to take	мочь (могу́, мо́жешь, мо́гут)	to be able, can
ВДНХ	VDNKh exhibition centre in Moscow	(*past* мог, могла́, могло́, могли́)	
весь, вся, всё	all, the whole	наве́рное	probably
вечери́нка	party	напи́ток, *pl.* напи́тки	drink
вку́сный	tasty	непра́вда	untrue
во́дка	vodka	никогда́	never
воскресе́нье	Sunday	обы́чно	usually
всё равно́	all the same	одноа́ктный	one-act (*adj., of plays*)
встава́ть (встаю́, встаёшь)	to get up	о́пера	opera
вто́рник	Tuesday	отвеча́ть (отвеча́ю, отвеча́ешь)	to answer
гардеро́б	cloakroom	отку́да	from where
гастроно́м	delicatessen	официа́нт, официа́нтка	waiter, waitress
год	year	писа́ть (пишу́, пи́шешь)	to write
госуда́рственный	state *adj.*	пла́вать (пла́ваю, пла́ваешь)	to swim
грипп	flu	позавчера́	the day before yesterday
да́й(те) *imperative*	give	по́здно	late
да́льше	further	покупа́ть (покупа́ю, покупа́ешь)	to buy
да́ма	lady	поли́тика	politics, policy
де́йствие	action, act (theatre)	полити́ческий	political
де́ло	matter, thing	получа́ть (получа́ю, получа́ешь)	to receive
в чём де́ло?	what's the matter?	понеде́льник	Monday
до́лго	for a long time	попро́бовать	to try, taste
до́лжен, должна́, -но́, -ны́	must	послеза́втра	the day after tomorrow
дома́шний, -яя, -ее, -ие	home, domestic	прекра́сно	(it is) wonderful
дома́шнее зада́ние	homework	принести́	to bring
дорого́й	expensive, dear	принеси́те (*imperative*)	bring
до́рого	(it is) expensive	проду́кты *m. pl.*	(food) products
дочь *f.*	daughter	проло́г	prologue
еда́	food	пя́тница	Friday
е́сли	if	ра́но	early
есть	to eat	ра́ньше	earlier, formerly
ел, е́ла, е́ли	ate (*past tense*)	ре́дко	rarely
ждать (жду, ждёшь)	to wait for	рекомендова́ть (рекоменду́ю, рекоменду́ешь)	to recommend
жизнь *f.*	life	рисова́ть (рису́ю, рису́ешь)	to draw
задава́ть (задаю́, задаёшь)		роди́ться	to be born
вопро́с	to ask a question	роди́лся *m.*, родила́сь *f.*	
зна́чить	to mean	роди́лись *pl.*	was/were born
зна́чит	it means	сад	garden
из + *gen.*	from	в саду́	in the garden
иногда́	sometimes	салфе́тка	napkin
ка́ждый	each, every	секре́тный	secret *adj.*
календа́рь *m.*	calendar	семина́р	seminar
карма́н	pocket		
кита́йский	Chinese		
код	code		
коне́ц	end		
в конце́	at the end		

скýчно	(it is) boring
слы́шать (слы́шу, слы́шишь)	to hear
спать (сплю, спишь)	to sleep
спи́сок	list
среда́	Wednesday
стена́	wall
суббóта	Saturday
супермáркет	supermarket
счёт	bill
такси́	taxi
ти́хо	(it is) quiet
тогда́	then (at that time)
удовóльствие	pleasure
с удовóльствием	with pleasure
устáл, -a, -и	tired
филóсоф	philosopher
фортепья́но	piano
холоди́льник	fridge
четвéрг	Thursday
чи́псы *pl.*	crisps
чýвствовать себя́	
(чýвствую, чýвствуешь)	to feel
экскýрсия	excursion, tour
эпилóг	epilogue
я́блоко	apple

УРО́К СЕМЬ
Lesson 7

Lesson 7 explains what happens to a noun when it is the *direct object* of a verb – that is, the underlined word in sentences such as 'I am reading a <u>newspaper</u>' and 'I shut the <u>door</u>'.

You will learn two different ways to say 'go', one for going on foot, and the other by transport; and you'll learn how to say you are going <u>to</u> Moscow, as opposed to being <u>in</u> Moscow. So by the end of the lesson you should be able to talk about travel plans and describe recent trips.

The main vocabulary topic of the lesson is food: as well as learning thirty basic foods, you'll practise reading a menu, and learn phrases for ordering in a restaurant. You'll also learn the words for 'more' and 'less' (and how the Bolsheviks got their name).

DIALOGUES 7.1

1 – Вы их понима́ете?
  – Нет, они́ говоря́т о́чень бы́стро. А вы?
  – Да, я их понима́ю.

2 – Кого́ вы зна́ете в Москве́?
  – У меня́ есть там оди́н ста́рый друг.
  – Как его́ зову́т?
  – Его́ зову́т Пётр.

The accusative case is used for the direct object of a verb; that is, the thing that you do something to. For example, in 'he hit the table', 'table' is the direct object of 'hit'; or in 'I understand you', 'you' is the direct object of 'understand'.

You already know the accusative case of pronouns. It is the form used in the expression for giving people's names. Remind yourself of the forms below.

The accusative of что, 'what' is что; but note that the accusative of кто, 'who' is кого́.

nom.	что	кто	я	ты	он	она́	оно́	мы	вы	они́
acc.	что	кого́	меня́	тебя́	его́	её	его́	нас	вас	их

EXERCISE 7.1
Translate the following sentences into Russian. Make sure you understand the use of the accusative case.

1 I understand you (pl.). 2 What do you (s.) want? 3 He loves her. 4 They are listening to him. 5 I hear them. 6 Who does he love? 7 Did she see us? 8 Do they understand us?
9 I love you (s.). 10 Who do you (pl.) know in London? 11 She doesn't know me. 12 They don't understand me. 13 Who understands them? 14 We saw you (pl.).

EXERCISE 7.2
Pair exercise: using the verb знать, to know, create a sentence of the type 'she knows me', 'he knows us', etc. Your partner should then respond by swapping the subject and the object. So 'she knows me' becomes 'I know her' and 'he knows us' becomes 'we know him'. E.g.:

Она́ зна́ет меня́.   →   Я зна́ю её.
Он зна́ет нас.   →   Мы зна́ем его́.

ACCUSATIVE CASE OF NOUNS

DIALOGUES 7.2

1
  – Вы хорошо́ зна́ете Москву́?
  – Коне́чно. Я жил там три го́да.
  – Како́й ваш люби́мый райо́н?
  – Я о́чень люблю́ Кита́й-го́род.

2
  – Вы чита́ете ру́сские газе́ты?
  – Да, я чита́ю газе́ту «Изве́стия».
  – А каки́е журна́лы вы чита́ете?
  – Журна́л «Отдохни́!».

3
  – Вы хоти́те во́дку?
  – Спаси́бо, нет, я никогда́ не пью во́дку. Я люблю́ вино́.
  – Стра́нно! Я ду́мал, все ру́сские лю́бят во́дку.

4
  – Ты слы́шал? Ви́ктор покупа́ет кварти́ру в Москве́.
  – Не мо́жет быть!

The table below gives the accusative case of nouns. Note that feminine nouns change, while masculine and neuter nouns do not. (Remember that the feminine days of the week – среда́, пя́тница and суббо́та – change when you say 'on' a particular day. This is also an example of the accusative case.)

	noun	example	meaning
masc.	журна́л хлеб	Я чита́ю журна́л Я покупа́ю хлеб	I am reading the magazine I am buying bread
fem.	газе́та икра́ тётя	Я чита́ю газе́ту Я покупа́ю икру́ Я люблю́ тётю	I am reading the newspaper I am buying caviar I love [my] aunt
neut.	письмо́ зо́лото	Я чита́ю письмо́ Я люблю́ зо́лото	I am reading the letter I love gold

Feminine nouns that end in a soft sign do not change:

Я ви́дел це́рковь.   I saw the church.

EXERCISE 7.3
Complete the sentences according to the model.

Я ви́дел (дом, у́лица, маши́на)   →   Я ви́дел дом, я ви́дел у́лицу, я ви́дел маши́ну.

1   Я чита́ю (кни́га, газе́та, рома́н, текст, журна́л)
2   Я слу́шаю (о́пера, конце́рт, ра́дио, му́зыка)
3   Я получа́ю (письмо́, име́йл, докуме́нт, информа́ция)
4   Я люблю́ (те́ннис, футбо́л, кино́, поли́тика, геогра́фия, теа́тр, литерату́ра)
5   Я хочу́ (сок, я́блоко, ры́ба, мя́со, торт, сыр, пи́во)

ЕСТЬ
TO EAT

The verb **есть** has its own completely irregular conjugation.

present		past		
я	ем		
ты	ешь	**masc.**	ел
он/она́	ест	**fem.**	е́ла
мы	еди́м	**neut.**	е́ло
вы	еди́те	**pl.**	е́ли
они́	едя́т		

EXERCISE 7.4
Insert the correct form of **есть** in the present or past.

1   Вы _____ ры́бу?
2   Я не _____ мя́со.
3   У́тром она́ ничего́ не _____.
4   Что ты _____ на у́жин?

5   Интере́сно, что они́ _____.
6   Почему́ ты не _____? Э́то о́чень вку́сно.
7   Что вы _____ вчера́ ве́чером?
8   Я никогда́ не _____ борщ.

DIALOGUES 7.3

1   – Что вы еди́те у́тром?
     – У́тром я ем омле́т, а мои́ де́ти едя́т ка́шу. А что ва́ша семья́ ест на за́втрак?
     – Мы обы́чно еди́м бутербро́ды.

2   – Пе́тя, что ты ешь?
     – Суп.
     – Како́й?
     – Мясно́й. Хо́чешь попро́бовать?
     – Нет. Ты зна́ешь, что я не ем мя́со.
     – Извини́. Я забы́л.

EXERCISE 7.5

Below you will see thirty basic foods. Match the words beneath to the relevant picture or number, writing a translation if necessary.

апельси́н		ма́сло		смета́на	
блины́		молоко́		сок	
вино́		моро́женое		соль	
во́дка		мя́со		суп	
грибы́		о́вощи		сыр	
капу́ста		пе́рец		торт	
карто́шка		пи́во		фру́кты	
колбаса́		пиро́г		хлеб	
ку́рица		ры́ба		я́блоко	
ка́ша		сала́т		яйцо́	

1 – Вы лю́бите мя́со?
   – Да, о́чень люблю́. А вы?
   – Нет, я вегетариа́нец. Я не ем мя́со.

2 – Вы лю́бите гото́вить?
   – Да, о́чень.
   – А что вы обы́чно гото́вите?
   – Я гото́влю всё: ры́бу, мя́со, о́вощи.
   – А я гото́влю то́лько просты́е блю́да.

3 – Вы лю́бите во́дку?
   – Коне́чно! А вы?
   – Я не о́чень люблю́ во́дку.

4 – Ты хо́чешь грибы́?
   – Нет, я не ем грибы́.
   – Почему́?
   – Про́сто потому́ что я их не люблю́.

5 – Ты лю́бишь смета́ну?
   – Да, о́чень.
   – А почему́ ты не ешь её?
   – Потому́ что, к сожале́нию, я на дие́те.

гото́вить (гото́влю, гото́вишь)   to prepare, cook

Note the use of the pronouns **его**, **её** to say 'it' as the object for a masculine and feminine noun, and '**их**' as the object for 'them'.

Он лю́бит блины́, но не ест их.   He loves blinis, but doesn't eat them.
Она́ лю́бит сыр, но не ест его́.   She loves cheese, but doesn't eat it.

EXERCISE 7.6
Ask each other which foods you like, and which you don't, which you like to cook, and which you don't. Remember to use the accusative case for the *object*.

EXERCISE 7.7
Create sentences according to the model, using the verbs **люби́ть** and **есть**. Don't forget to use **его́** and **её** to say 'it' as the object for a masculine and feminine noun, and '**их**' as the object for 'them'.

Пи́тер – смета́на → Пи́тер о́чень лю́бит смета́ну, но, к сожале́нию, он на дие́те и не ест её.
Мы – блины́   → Мы о́чень лю́бим блины́, но, к сожале́нию, мы на дие́те и не еди́м их.

1 Моя́ де́вушка – карто́шка	5 Мы – ры́ба
2 Мои́ де́ти – яйца	6 Вы – колбаса́
3 Я – сыр	7 Мой муж – ма́сло
4 Ты – торт	8 Они́ – моро́женое

EXERCISE 7.8
Translate the following sentences into Russian.

1 Do you want vodka? **2** I am reading the newspaper. **3** They love Moscow. **4** She knows London very well. **5** Who do you know in Moscow? **6** I listen to the radio every morning. **7** I love ice-cream. **8** What did you eat for breakfast? **9** What are you reading? **10** They watch television every evening. **11** I love him but he doesn't love me. **12** They can't work on Sunday. **13** I don't want chicken, thank you. **14** My friend doesn't eat meat, but she likes fish very much.

БО́ЛЬШЕ/МЕ́НЬШЕ
MORE/LESS

DIALOGUES 7.5

1 – Что вы лю́бите бо́льше – Ло́ндон и́ли Нью-Йо́рк?
  – Я не зна́ю. Я никогда́ не был в Нью-Йо́рке. А вы?
  – Я люблю́ Ло́ндон бо́льше, чем Нью-Йо́рк.

2 – Вы хоти́те вино́?
  – Да, коне́чно! Како́е вы рекоменду́ете?
  – А како́е вы лю́бите бо́льше – кра́сное или бе́лое?
  – Я люблю́ кра́сное бо́льше, чем бе́лое.
  – Тогда́ я рекоменду́ю «Каберне́».

бо́льше means 'more', ме́ньше – 'less' (the Bolsheviks were the self-proclaimed majority faction when the Russian Social Democratic Labour Party split in 1903, as opposed to the Mensheviks, the minority faction. After the 1917 October Revolution the Bolsheviks became the Communist Party).

After these comparative forms, you should use the word **чем** to say 'than'.

EXERCISE 7.9
Put the following pairs of words into sentences expressing a preference. Make some more comparisons of your own.

1 Москва́, Петербу́рг	**8** теа́тр, кино́
2 чита́ть, писа́ть	**9** Аме́рика, А́нглия
3 о́пера, бале́т	**10** ко́фе, чай
4 джаз, по́п-му́зыка	**11** кра́сное вино́, бе́лое вино́
5 газе́ты, журна́лы	**12** ру́сский язы́к, англи́йский язы́к
6 рабо́та, о́тдых	**13** зелёный чай, чёрный чай
7 футбо́л, хокке́й	**14** ры́ба, мя́со

DIALOGUES 7.6

1 – До́брый ве́чер.
  – До́брый ве́чер. У вас есть <u>сто́лик на двои́х</u>?   a table for two
  – Да, коне́чно. <u>Сюда́</u>, пожа́луйста.   This way (lit. 'to here')

2 – <u>Мо́жно* меню́</u>?   can I have the menu?
  – Коне́чно. Вот оно́.
  – Спаси́бо. И <u>принеси́те</u>, пожа́луйста, минера́льную во́ду.   bring
  – <u>С га́зом и́ли без</u>?   with gas or without?
  – Без га́за.

3 – <u>Вы вы́брали</u>?   have you chosen?
  – Да, вы́брали. Оди́н борщ, мя́со, ры́бу и сала́т, пожа́луйста.
  – <u>Вы бу́дете</u> вино́?   Will you have
  – Да, бу́дем.
  – Кра́сное и́ли бе́лое?
  – Кра́сное.

4 – Вы хоти́те десе́рт?
  – А что у вас есть?
  – Есть торт и моро́женое.
  – Мы бу́дем моро́женое и ко́фе.
  – Это <u>всё</u>?   everything
  – Да, всё.

5 – <u>Прия́тного аппети́та</u>!   Bon appetit!
  – Спаси́бо.

6 – <u>Что́-нибудь ещё</u>?   Anything else?
  – Нет, э́то всё, спаси́бо. Всё бы́ло о́чень <u>вку́сно</u>. Принеси́те,   tasty
    пожа́луйста, <u>счёт</u>.   the bill

* **Мо́жно** literally means 'it is possible'. You can use it colloquially with a noun in the accusative case to mean 'May I have...', or with a verb in the infinitive to mean 'May I....?'

VOCABULARY 7.1

сто́лик на двои́х	a table for two (learn as a phrase; it uses a special form of 2)
сюда́	(to) here, i.e. this way
мо́жно	may I have… (lit. 'is it possible?')
принеси́те	bring
вы́брать	to choose
с га́зом	sparkling ('with gas')
без га́за	still ('without gas')
прия́тного аппети́та	bon appetit
что́-нибу́дь ещё	something/anything else
всё	everything, all
счёт	bill
вку́сно	(it is) tasty
что вы бу́дете?	what will you have (lit. 'what will you be?')

ЧТО ВЫ БУ́ДЕТЕ?
WHAT WILL YOU HAVE?

бу́ду, бу́дете is the future tense of the verb 'to be'. Its forms are exactly like those of any other verb. It is used on its own to mean 'I will be' etc., and with other verbs to make a future tense. You will learn about this in detail in the next lesson. You can also use бу́ду etc. colloquially in a restaurant to say 'I want' or 'I'll have', followed by the accusative.

я	бу́ду
ты	бу́дешь
он/она́	бу́дет
мы	бу́дем
вы	бу́дете
они́	бу́дут

DIALOGUES 7.7

1
– Что вы бу́дете <u>на пе́рвое</u>?　　　　　　　　　　　　for first course
– Я бу́ду борщ, а мой друг бу́дет пельме́ни.
– Вы бу́дете во́ду?
– Да, бу́дем.
– С га́зом и́ли без?
– С га́зом.

2
– Что вы бу́дете <u>на второ́е</u>?　　　　　　　　　　　　for second (main) course
– Я бу́ду котле́ты, а мой гость бу́дет шашлы́к.
– А гарни́р бу́дете?
– Да, карто́фель фри, пожа́луйста.

3
– Что вы бу́дете на десе́рт?
– Я бу́ду моро́женое, а мой друг – торт.
– Вы хоти́те ко́фе и́ли чай?
– Ко́фе, пожа́луйста.

The menu below has a selection of traditional Russian dishes. Make up dialogues between waiter and customer based on the prompts below.

– Что вы бу́дете?

– Вы хоти́те…?

– Я рекоменду́ю…

– Вы вы́брали?

– Что́-нибу́дь ещё?

– Что вы бу́дете на пе́рвое?

– Что вы бу́дете на второ́е?

– Что вы бу́дете на гарни́р?

– Что вы бу́дете на десе́рт?

– Принеси́те, пожа́луйста…

– Я бу́ду…

– Что тако́е…?

– У вас есть…?

– Что вы рекоменду́ете?

– Мо́жно…?

МЕНЮ

САЛА́ТЫ И ЗАКУ́СКИ		ДЕСЕ́РТЫ	
Сала́т «Це́зарь»	345 р.	Сы́рный торт	230 р.
Пирожки́	150 р.	Штру́дель я́блочный	240 р.
Сала́т «Гре́ческий»	370 р.	Торт шокола́дный	240 р.
Блины́ с икро́й и смета́ной	300 р.	Моро́женое	225 р.

ПЕ́РВЫЕ БЛЮ́ДА		ГОРЯ́ЧИЕ НАПИ́ТКИ	
Борщ	255 р.	Ко́фе эспре́ссо	175 р.
Пельме́ни	270 р.	Чай зелёный	165 р.
Суп из бе́лых грибо́в	255 р.	Чай чёрный	165 р.
		Лимо́н	45 р.

ГОРЯ́ЧИЕ БЛЮ́ДА		БЕЗАЛКОГО́ЛЬНЫЕ НАПИ́ТКИ	
Котле́ты мясны́е с ри́сом	265 р.	Морс дома́шний	300 р.
Шашлы́к из ку́рицы с сала́том	340 р.	Квас	250 р.
Гуля́ш по-венге́рски	320 р.	Апельси́новый сок	190 р.
Риба́й стейк	670 р.	Минера́льная вода́ «Эвиа́н»	235 р.

ГАРНИ́РЫ		АЛКОГО́ЛЬНЫЕ НАПИ́ТКИ	
Рис	155 р.	Во́дка «Столи́чная»	190/900 р.
Капу́ста	155 р.	Пи́во Ба́лтика 7	295 р.
О́вощи	155 р.	Конья́к «Хе́ннесси» VSOP	460 р.
Карто́фель фри	155 р.	Вино́ столо́вое (Ита́лия)	240 р.

In English you can often combine two nouns using one of them as a 'noun adjunct' – in other words, like an adjective: 'orange juice'; 'chocolate cake'. Russian cannot do this; instead, you use an adjective based on the noun:

апельси́новый сок
шокола́дный торт

Adjectives can be formed from nouns in different ways, but most often adjectives like this will end in -овый, -ный.

EXERCISE 7.11
Look back at the menu and find the adjectives that are formed from nouns. Write them out along with the noun to which they are related.

INSTRUMENTAL CASE: A BRIEF INTRODUCTION

In the menu on the previous page you will see a few examples of the preposition c, meaning 'with'. C is followed by the instrumental case. You will cover the instrumental case and its uses in detail in Lesson 14. The basic instrumental endings of regular nouns are straightforward and easy to remember – and worth becoming familiar with, because c is a very common preposition. Regular masculine and neuter nouns change the ending to -ом, feminine nouns to -ой.

Чай с лимо́ном.	Tea with lemon.
Блины́ с икро́й.	Blini with caviare.
Ко́фе с молоко́м и са́харом.	Coffee with milk and sugar.

ИДТИ́, Е́ХАТЬ
TO GO

DIALOGUES 7.8

1 – Когда́ вы е́дете в Москву́?
   – Мы е́дем в Москву́ в сре́ду.
   – Вы е́дете туда́ пе́рвый раз?
   – Коне́чно, нет. Я зна́ю Москву́ хорошо́.

2 – О́ля, ты идёшь на вечери́нку в суббо́ту?
   – Да, иду́. То́лько я забы́ла, где она́ бу́дет.
   – Ты зна́ешь бар «Дру́жба»?
   – Коне́чно. Вечери́нка там?
   – Да. В семь часо́в.

There are a number of different ways to say 'to go' in Russian. The first distinction you need to bear in mind is whether you are going on foot or by transport.

For journeys by foot, use идти́.

For journeys by transport, use е́хать.

Note that the идти́, the foot verb, is stressed on the endings; е́хать, the transport verb, is stressed on the first syllable.

	идти́	éхать
я	иду́	éду
ты	идёшь	éдешь
он/она́	идёт	éдет
мы	идём	éдем
вы	идёте	éдете
они́	иду́т	éдут

EXERCISE 7.12

Fill in the gap with either идти́ or éхать and the correct ending.

1 я _____ . (🚗)

2 он _____ . (🚗)

3 мы _____ . (🚶)

4 они́ _____ . (🚗)

5 ты _____ . (🚶)

6 вы _____ . (🚗)

7 я _____ . (🚶)

8 ты _____ . (🚗)

9 вы _____ . (🚶)

10 она́ _____ . (🚶).

" В Москву́! В Москву́! В Москву́! "

А. П. Чéхов. Три сестры́, II (1901)

КУДА́?
WHERE TO?

Russian differentiates between where, meaning 'at where', and where, meaning 'to where'. In other words, you use one word if you are asking about the position of something, and another if you are asking about direction.

The word for where (position) is: где?

The word for where (direction) is куда́? Compare:

Где вы рабóтаете?	Where do you work? (position)
Куда́ вы éдете?	Where are you going? (direction)

EXERCISE 7.13

Insert the correct question word into the following sentences.

1 _____ вы éдете?

2 _____ вы живёте?

3 _____ они́ едут?

4 _____ мы идём?

5 _____ он рабóтает?

6 _____ она́ идёт?

7 _____ она́ отдыха́ет?

8 _____ ты éдешь?

B AND HA FOR DIRECTION

When you first learnt the words в and на, the word following it went into the prepositional case (usually changing the ending to -е):

– Где вы живёте?   – Я живу́ в Петербу́рге.
– Где она́ рабо́тает?   – Она́ рабо́тает на по́чте.

The words в and на can also be used for direction, to mean 'into' and 'onto', or 'to'. (Compare the difference between где and куда́ above). If you want to use в and на for direction, the word that follows should go in the accusative case. Look at the examples below:

– Куда́ вы е́дете?   – Я е́ду в Петербу́рг.
– Куда́ она́ идёт?   – Она́ идёт на по́чту.

Note that the words that take на for position (e.g. по́чта) also take на for direction.

Дом is an exception: use домо́й when you are going home (i.e. homewards).

– Куда́ ты сейча́с идёшь?   – Сейча́с я иду́ домо́й.

EXERCISE 7.14
Insert the correct form of идти́.

1 Я _____ в рестора́н.   6 Куда́ ты _____ ?
2 Ма́ша _____ в магази́н.   7 Мы _____ в о́фис.
3 Мои́ друзья́ _____ в библиоте́ку. 8 Ви́ктор _____ домо́й.
4 Студе́нтка _____ в университе́т. 9 Куда́ вы _____ ?
5 Де́ти _____ в шко́лу.   10 Я _____ на рабо́ту.

EXERCISE 7.15
Insert the correct form of е́хать.

1 – Куда́ вы сейча́с _____ ?
   – Я _____ в центр, а мой друг _____ на вокза́л.

2 – Куда́ ты сейча́с _____ ?
   – Я _____ в теа́тр.

3 – Вы _____ на по́чту?
   – Да, мы _____ на по́чту.

4 – Куда́ они́ _____ ?
   – Они́ _____ в Аме́рику.

EXERCISE 7.16
Answer the questions using the word in brackets.

Куда́ вы идёте? (о́фис)   →   Я иду́ в о́фис.

1 Куда́ она́ идёт сейча́с? (шко́ла)
2 Куда́ идёт ва́ша сестра́? (магази́н)
3 Куда́ вы идёте? (конце́рт)
4 Куда́ вы идёте? (больни́ца)

5 Куда́ идёт Анто́н? (музе́й)
6 Куда́ иду́т студе́нты? (уро́к)
7 Куда́ они́ иду́т? (теа́тр)
8 Куда́ ты идёшь? (по́чта)

EXERCISE 7.17
Answer the questions using the word in brackets.

Куда́ вы е́дете? (Ки́ев)   →   Мы е́дем в Ки́ев.

1 Куда́ вы е́дете? (Москва́)
2 Куда́ е́дет Мари́на? (Пари́ж)
3 Куда́ ты е́дешь? (конфере́нция)
4 Куда́ е́дут де́ти? (цирк)
5 Куда́ ты е́дешь? (Ита́лия)
6 Куда́ они́ е́дут? (рабо́та)

EXERCISE 7.18
Use the model to form sentences with **идти́** and **е́хать** from the words below.

Он – идти́ – институ́т   →   Он идёт в институ́т.

1 Они́ – идти́ – по́чта
2 Я – идти́ – рабо́та
3 Ты – е́хать – Эдинбу́рг
4 Мы – е́хать – Москва́
5 Я – е́хать – Пари́ж
6 Мы – идти́ – рестора́н

7 Они́ – е́хать – Аме́рика
8 Вы – идти́ – парк
9 Он – е́хать – Фра́нция
10 Вы – е́хать – Йорк
11 Ты – идти́ – гости́ница
12 Она́ – идти́ – дом

EXERCISE 7.19
Answer the questions, using the word in brackets.

1 Куда́ вы идёте? (о́фис)
2 Где вы живёте? (Ло́ндон)
3 Куда́ вы е́дете? (Ло́ндон)
4 Куда́ она́ идёт? (рабо́та)
5 О чём она́ ду́мает? (рабо́та)
6 Где они́ рабо́тают? (по́чта)
7 Куда́ они́ иду́т? (по́чта)

8 Где он живёт? (Росси́я)
9 Где мы обе́даем? (о́фис)
10 Куда́ вы е́дете? (А́нглия)
11 О чём ты чита́ешь? (А́нглия)
12 Где он отдыха́ет? (Я́лта)
13 Куда́ они́ иду́т? (дом)
14 Где они́ за́втракают? (дом)

PAST TENSE OF 'TO GO'

The past tense of verbs of motion is dealt with in detail in Book 2 of *Russian made clear*.

One of the most common uses of a verb of motion is in statements of the type 'yesterday we went to a restaurant'. In such statements you use 'went' to mean 'was there' – i.e. you are not describing the journey in any way, but are simply stating the fact of having been somewhere.

One of the implications of these statements is that you have come back from wherever you went; i.e., when you say 'yesterday we went to school', you imply that you also came back.

In these kind of sentences you do not use идти and ехать at all. Instead you should generally use ходил (ходила, ходили) for trips on foot, and ездил (ездила, ездили) for trips by transport.*

– Куда́ вы ходи́ли вчера́ ве́чером?
– Where did you go yesterday evening?

– Вчера́ мы ходи́ли в теа́тр.
– Yesterday we went to the theatre.

– Куда́ вы е́здили ле́том?
– Where did you go in the summer?

– Ле́том я е́здил в Крым.
– In the summer I went to the Crimea.

– Что ты де́лал в суббо́ту?
– What did you do on Saturday?

– К сожале́нию, я ходи́л на рабо́ту.
– Unfortunately I went to work.

– Когда́ ты е́здила в Пари́ж?
– When did you go to Paris?

– Я е́здила в Пари́ж в апре́ле.
– I went to Paris in April.

* For short trips – e.g. to the shops or to work, particularly if you are not interested in how you got there – you can use ходи́ть (and идти́) even if in fact the trips involved the use of transport.

TAM VS ТУДА́, ЗДЕСЬ VS СЮДА́
POSITION VS DIRECTION

Russian distinguishes between 'there' (position) там and 'there' (direction) туда́. This mirrors the difference between где ('where', position) and куда́ ('where', direction). Similarly, здесь means 'here' (position) and сюда́ means 'here' (direction).

	position	direction
where?	где	куда́
there	там	туда́
here	здесь	сюда́

EXERCISE 7.20
Answer the questions following the model with туда́ or там, using the words in brackets.

Когда́ вы ходи́ли в Большо́й теа́тр (вчера́)?   →   Мы ходи́ли туда́ вчера́.

1 Когда́ вы е́здили в Петербу́рг? (ле́том)
2 Когда́ вы ходи́ли в Эрмита́ж? (вчера́ у́тром)
3 Вы бы́ли в Москве́? (в апре́ле)
4 Он е́здил в Крым? (в а́вгусте)
5 Когда́ ты е́здил в Ита́лию? (ле́том)
6 Когда́ ты ходи́л в но́вый францу́зский рестора́н? (вчера́ ве́чером)
7 Когда́ ты был на конфере́нции? (в декабре́)
8 Когда́ они́ е́здили в Росси́ю? (ле́том)

EXERCISE 7.21
Change the sentences with **быть** into an equivalent sentence with **ходи́ть** or **е́здить**.

Мы бы́ли в рестора́не. → Мы ходи́ли в рестора́н.

1 Она́ была́ на конце́рте.

2 Мы бы́ли в Росси́и.

3 Ты был в Петербу́рге?

4 Где вы бы́ли в воскресе́нье?

5 Где она́ была́ ле́том?

6 Вчера́ я был на уро́ке.

7 Когда́ ты была́ там?

8 Ле́том я был до́ма в Росси́и.

EXERCISE 7.22
Translate into Russian.

1 Where are you going on Saturday? 2 Where did you go last night? 3 When are you going to Moscow? 4 When did you go to Moscow? 5 I am going home. 6 They are going to the theatre. 7 They went to the theatre last night. 8 Are you going to the party this evening? 9 Were you at the party last night? 10 We are going there in the summer. 11 He is not going to work today. 12 She went to France in the summer. 13 Do you work here? 14 I've forgotten where they went in the summer.

EXERCISE 7.23
Create a possible first line for these dialogues.

1 – _____?
   – Мы е́здили в Крым.

2 – _____?
   – Мы бу́дем моро́женое.

3 – _____?
   – Да, всё о́чень вку́сно.

4 – _____?
   – В суббо́ту мы ходи́ли в Большо́й теа́тр.

5 – _____?
   – С га́зом.

6 – _____?
   – Я е́ду в Москву́ в суббо́ту.

7 – _____?
   – К сожале́нию, нет. Он говори́т о́чень бы́стро.

8 – _____?
   – Потому́ что я не ем мя́со.

9 – _____?
   – Я бу́ду суп, а мой друг бу́дет сала́т.

10 – _____?
   – Нет, я тебя́ не люблю́.

11 – _____?
   – Нет, э́то всё, спаси́бо.

12 – _____?
   – Я люблю́ фру́кты бо́льше, чем шокола́д.

Глава VII
Влади́мир Влади́мирович и ми́стер Ди́ксон

Влади́мир Влади́мирович – бизнесме́н. Влади́мир Влади́мирович ду́мает, что он о́чень ва́жный челове́к. Он роди́лся в Ту́ле, но сейча́с он живёт в Москве́, в це́нтре. Влади́мир Влади́мирович о́чень лю́бит дороги́е ве́щи. Он лю́бит икру́, шампа́нское, зо́лото. Влади́мир Влади́мирович и его́ жена́ о́чень лю́бят дороги́е пое́здки. Ле́том они́ е́здили в Крым, а в декабре́ они́ е́дут на Барба́дос.

Влади́мир Влади́мирович обы́чно встаёт по́здно, в де́вять часо́в. «Я не люблю́ ра́но встава́ть, – ду́мает Влади́мир Влади́мирович. – Я о́чень ва́жный челове́к, и до́лжен спать до́лго». Ка́ждое у́тро он за́втракает с жено́й. Обы́чно они́ пьют ко́фе, а иногда́ они́ пьют чай. Иногда́ они́ да́же пьют шампа́нское.

Его́ води́тель всегда́ ждёт его́ в оди́ннадцать часо́в. Влади́мир Влади́мирович лю́бит краси́вые ве́щи, и у него́ о́чень краси́вая неме́цкая маши́на. Обы́чно, когда́ Влади́мир Влади́мирович е́дет на рабо́ту, он чита́ет и пи́шет имейлы. Он ду́мает, что то́лько ва́жные лю́ди чита́ют и пи́шут имейлы в маши́не.

На рабо́те Влади́мир Влади́мирович говори́т о́чень бы́стро. Его́ колле́ги всегда́ слу́шают его́, и иногда́ он да́же слу́шает их. Когда́ Влади́мир Влади́мирович спра́шивает: «Как вы ду́маете, э́то хоро́шая иде́я?», все колле́ги отвеча́ют: «Да, ва́ша иде́я о́чень хоро́шая».

В понеде́льник ве́чером Влади́мир Влади́мирович изуча́ет англи́йский язы́к, потому́ что все его́ клие́нты говоря́т по-англи́йски, и он хо́чет понима́ть, о чём они́ говоря́т. К сожале́нию, Влади́мир Влади́мирович то́лько немно́го говори́т по-англи́йски. Но Влади́мир Влади́мирович ду́мает, что он говори́т о́чень хорошо́.

У Влади́мира Влади́мировича есть оди́н о́чень ва́жный клие́нт. Его́ зову́т Ру́перт Ди́ксон. Ми́стер Ди́ксон – англи́йский бизнесме́н. Он арт-ди́лер. Ми́стер Ди́ксон лю́бит ста́рые ве́щи.

Сейча́с Влади́мир Влади́мирович сиди́т в маши́не и е́дет в рестора́н. Его́ секрета́рь говори́т по телефо́ну о его́ календаре́. «Вы не забы́ли, что у вас би́знес-ланч в 12.30? Сего́дня ве́чером вы идёте в теа́тр, – говори́т она́, – а пото́м в но́вый францу́зский рестора́н. За́втра вы е́дете на конфере́нцию, а в суббо́ту вы е́дете в Нью-Йорк. Ва́ша жена́ то́же е́дет».

В рестора́не все зна́ют его́. «До́брый день, Влади́мир Влади́мирович. Ваш гость ждёт вас. Сюда́, пожа́луйста».

– Здра́вствуйте, ми́стер Ди́ксон, – говори́т Влади́мир Влади́мирович. – Как ва́ши дела́?

– Ты опозда́л. Я уже́ вы́брал. Что ты бу́дешь? Вот меню́. Ты бу́дешь вино́? Где официа́нт? Принеси́те во́ду. С га́зом.

Ми́стер Ди́ксон и Влади́мир Влади́мирович обе́дают.

– Вчера́ я был на конфере́нции. Слу́шал ле́кцию. Наш америка́нский друг чита́л докла́д. Бы́ло о́чень ску́чно. Ты слы́шал об ико́не «Ро́зовая Мадо́нна»? Что ты зна́ешь о ней? – спра́шивает Ди́ксон.

– К сожале́нию, ма́ло. Я зна́ю, что э́то болга́рская ико́на, что она́ о́чень краси́вая и дорога́я, но я не зна́ю, где она́. Я слы́шал, что никто́ не зна́ет, где она́.

– А я зна́ю, – говори́т ми́стер Ди́ксон. – Где Ми́ша? – спра́шивает он. – У меня́ есть зада́ние для него́.

Вот Ми́ша. Ми́ша – ассисте́нт Влади́мира Влади́мировича. Ми́ша – молодо́й челове́к. Ми́ша – молодо́й челове́к в костю́ме.

а́вгуст	August	литерату́ра	literature
алкого́льный	alcoholic	ма́сло	butter, oil
апельси́новый	orange *adj.*	минера́льная вода́	mineral water
аппети́т	appetite	мо́жно	it is/is it possible, may I
прия́тного аппети́та	bon appetit!	молоко́	milk
апре́ль *m.*	April	моро́женое	ice-cream
арт-ди́лер	art dealer	морс	mors (*fruit drink*)
без + *gen.*	without	мясно́й	meat *adj.*
безалкого́льный	non-alcoholic	мя́со	meat
би́знес-ланч	business lunch	никто́	no one
блины́ *m. pl.*	blinys	о́вощи *f. pl.*	vegetables
блю́до	dish, course	омле́т	omelette
быть	to be	опозда́ть	to be late
бу́ду, бу́дешь	I will be, etc.	опозда́л, -а, -и	I (etc.) am late
ва́жный	important	отдохни́! *imperative*	have a rest!
вегетариа́нец, -а́нка	vegetarian	о́тдых	rest
венге́рский	Hungarian	пельме́ни *m. pl.*	pelmeni (*ravioli*)
вещь *f.*	thing	пе́рец	pepper
вку́сно	(it is) tasty	пирожо́к, пирожки́ *pl.*	pie (*small*)
вы́брал, -а, -и	I (etc.) have chosen	пиро́г	pie
газ	gas	пое́здка	trip
без га́за	still (without gas)	поп-му́зыка	pop music
с га́зом	fizzy (with gas)	просто́й	simple
гарни́р	side dish	пюре́	puree
горя́чий	hot	райо́н	region
гость *m.*	guest	риба́й стейк	ribeye steak
гото́вить (гото́влю, гото́вишь)	to prepare, cook	рис	rice
гре́ческий	Greek	ро́зовый	pink
гриб	mushroom	ры́ба	fish
гуля́ш	goulash	сала́т	salad
дека́брь *m.*	December	са́хар	sugar
десе́рт	dessert	свобо́дный	free
джаз	jazz	смета́на	smetana (*sour cream*)
дие́та	diet	сок	juice
домо́й	home(wards)	соль *f.*	salt
е́здить	to go (by transport)	со́ус	sauce
е́здил, -а, -и	went (*past tense*)	стейк	steak
е́хать (е́ду, е́дешь)	to go (by transport)	сто́лик	table (*in restaurant*)
забы́л, -а, -и	I (etc.) have forgotten	сто́лик на двои́х	table for two
заку́ски *f. pl.*	starters	столо́вая	dining room
зелёный	green	столо́вый	table *adj.*
зо́лото	gold *noun*	суп	soup
иде́я	idea	сыр	cheese
идти́ (иду́, идёшь)	to go (on foot)	сы́рный	cheese *adj.*
икра́	caviar	сюда́	here (*direction*)
име́йл	email	текст	text
институ́т	institute	торт	cake
информа́ция	information	туда́	there (*direction*)
капу́ста	cabbage	университе́т	university
карто́фель *m.*	potato	хлеб	bread
карто́фель фри	french fries	ходи́ть	to go (on foot)
карто́фельный	potato *adj.*	ходи́л, -а, -и	I (*etc.*) went
карто́шка (*colloquial*)	potato	хокке́й	hockey
ка́ша	kasha (*porridge*)	цирк	circus
квас	kvass (*fermented drink*)	чем	than
кино́	cinema	что́-нибудь	something, anything
колбаса́	sausage	шампа́нское	champagne
конья́к	cognac	шашлы́к	kebab
котле́та	rissole, meat patty	шокола́дный	chocolate *adj.*
Крым	Crimea	штру́дель *m.*	strudel
куда́	where (*direction*)	эспре́ссо	espresso
ку́рица	chicken	я́блочный	apple *adj.*
лимо́н	lemon	яйцо́	egg

УРÓК BÓСЕМЬ
Lesson 8

Lesson 8 introduces one of the two ways of putting verbs into the future tense. As well as discussing future plans including travel, you will learn how to invite someone to do something, and to say that you agree or disagree.

The lesson also introduces adverbs, so that you can say *how* you do something ('well', 'easily', etc.).

Vocabulary topics include the months and the seasons, and you'll learn how to discuss the weather. There are also some essential phrases for use on the telephone ('may I speak to...' 'please leave a message' and so on).

DIALOGUES 8.1

1
– Когда́ ты бу́дешь до́ма сего́дня?
– Я бу́ду до́ма в семь. А ты?
– Я ду́маю, я бу́ду до́ма то́лько в де́вять.

2
– Во ско́лько вы бу́дете в о́фисе за́втра?
– Мы бу́дем в о́фисе в во́семь три́дцать.
– Хорошо́. На́ша встре́ча бу́дет в де́вять часо́в.

You have already learnt the future tense of the verb 'to be', used colloquially to say 'I want' when you are ordering in a restaurant (see p. 148).

я	бу́ду
ты	бу́дешь
он/она́	бу́дет
мы	бу́дем
вы	бу́дете
они́	бу́дут

EXERCISE 8.1
Translate the following into Russian.

1 I will be at home at 7 o'clock. **2** He will be in the office at 3 o'clock. **3** We will be in St Petersburg in the summer. **4** You (s.) will be at a meeting at 11 o'clock. **5** When will she be in Russia? **6** They will be at a conference tomorrow.

ЧЕ́РЕЗ
IN (OF TIME)

The preposition **че́рез** is used in expressions of time to say 'in (a certain amount of time)'. It is followed by the accusative case. For example:

че́рез мину́ту	in a minute
че́рез час	in an hour
че́рез неде́лю	in a week
че́рез ме́сяц	in a month
че́рез год	in a year (year's time)

EXERCISE 8.2
Translate the following into Russian.

1 What time will you be home today? **2** Where will you be tomorrow at 3 o'clock? **3** Where will you be in a year's time? **4** Where will you be in 5 hours' time? **5** I will be in the office in a minute. **6** We will be in Russia in one month's time. **7** When will you be at the lesson? **8** When will the teacher be here? **9** I'll be ready in a minute. **10** She'll be here in a week.

COMPOUND FUTURE TENSE

DIALOGUES 8.2

1 – Где рабо́тает ваш брат?
– Сейча́с он рабо́тает в Ло́ндоне, но ско́ро он бу́дет рабо́тать в Москве́.
– А где он бу́дет рабо́тать в Москве́?
– Он бу́дет рабо́тать в рестора́не «Пра́га» на у́лице Ста́рый Арба́т.

2 – Где вы живёте?
– Сейча́с я живу́ в Бо́лтоне, но че́рез ме́сяц я бу́ду жить в Петербу́рге.
– А где вы бу́дете жить в Петербу́рге?
– Я бу́ду жить в кварти́ре на Не́вском проспе́кте.

3 – Вы говори́те по-ру́сски?
– Да, я говорю́ по-ру́сски, но то́лько немно́го.
– А вы бу́дете говори́ть по-ру́сски в Москве́?
– Коне́чно, я бу́ду там говори́ть по-ру́сски.

You can combine the forms **бу́ду**, etc. with the infinitive of other verbs to form a future tense.

This future form is called 'imperfective' and is most common with actions that happen repeatedly or over an indefinite period, like living, working or speaking.

For the future of **до́лжен** (= 'I will have to'), simply follow the relevant form of **до́лжен** with the correct form of **быть**:

О́ля, ты должна́ бу́дешь рабо́тать за́втра.   Olya, you will have to work tomorrow.

This form is not particularly common, since there is often little difference between **до́лжен** in the present and future:

О́ля, ты должна́ рабо́тать за́втра.   Olya, you must work tomorrow.

EXERCISE 8.3
Put these sentences into the past and future.

Я ду́маю о вас.   →   Я ду́мал(а) о вас.   →   Я бу́ду ду́мать о вас.

1 Он спит.	**11** Ты слы́шишь меня́?
2 Ты игра́ешь в те́ннис?	**12** Что вы еди́те?
3 Они́ мно́го говоря́т.	**13** В Москве́ есть метро́.
4 Вы за́няты?	**14** Ири́на до́ма?
5 Они́ не смо́трят телеви́зор.	**15** Э́то тру́дно.
6 Ни́на в о́фисе.	**16** Почему́ ты рабо́таешь в суббо́ту?
7 Вы слу́шаете му́зыку.	**17** Я должна́ говори́ть по-францу́зски.
8 Он пьёт вино́.	**18** Там мо́жно говори́ть по-ру́сски?
9 Что вы де́лаете?	**19** Я ча́сто ви́жу её.
10 Где вы живёте?	**20** Мы ждём вас.

As you have seen, Russian verbs relating to going ('verbs of motion') do not work in the same way as other verbs. The most common future tense of these verbs is formed by adding the prefix по- to идти́ and е́хать. This creates what is called a perfective future verb. For more on the perfective future, see Lesson 15. The distinction between movement by foot and transport still applies.

	пойти́	пое́хать
я	пойду́	пое́ду
ты	пойдёшь	пое́дешь
он/она́	пойдёт	пое́дет
мы	пойдём	пое́дем
вы	пойдёте	пое́дете
они́	пойду́т	пое́дут

TEXT 8.1
Read the text and answer the questions beneath.

Одна́ неде́ля в Росси́и

Меня́ зову́т Бори́с. Я рабо́таю в А́льфа-ба́нке. Я бухга́лтер. Мой о́фис нахо́дится в Ло́ндоне, в це́нтре. Иногда́ я рабо́таю в Москве́. Сего́дня понеде́льник, и я е́ду в Москву́. У меня́ мно́го дел в Москве́ на э́той неде́ле. Я бу́ду в Москве́ в семь часо́в сего́дня ве́чером. Обы́чно, когда́ я в Москве́, я живу́ в гости́нице «Метропо́ль», но в э́тот раз я бу́ду жить в гости́нице «Национа́ль». За́втра у́тром я бу́ду в о́фисе. У меня́ бу́дет встре́ча в де́сять часо́в. В час я пойду́ в рестора́н «Арти́стико» на обе́д, а по́здно ве́чером пое́ду в Петербу́рг на по́езде. Мой по́езд ухо́дит в оди́ннадцать часо́в. Я бу́ду в Петербу́рге в семь часо́в в сре́ду у́тром. Я ду́маю, что мой колле́га Алексе́й бу́дет втреча́ть меня́ на вокза́ле. Я бу́ду жить у него́, потому́ что я не о́чень хорошо́ зна́ю Петербу́рг, и коне́чно, гости́ницы в це́нтре о́чень дороги́е. Алексе́й то́же рабо́тает в ба́нке. В сре́ду мы не бу́дем в о́фисе – мы бу́дем отдыха́ть. Мы пойдём в музе́й Эрмита́ж. В четве́рг мы пое́дем на маши́не за́ город. Наш гла́вный клие́нт рабо́тает на фа́брике недалеко́ от Петербу́рга. У нас бу́дет встре́ча там в три часа́. Пото́м мы пое́дем обра́тно в Петербу́рг, а ве́чером мы пойдём в Марии́нский теа́тр. Там мы бу́дем смотре́ть бале́т «Лебеди́ное о́зеро». В пя́тницу у́тром я пое́ду обра́тно в Москву́, а ве́чером я пое́ду в Ло́ндон.

бухга́лтер	accountant	обра́тно	back (of travel; e.g. 'there and back')
гла́вный	main	поезд ухо́дит	the train is leaving
за́ город	out of town	фа́брика	factory
на э́той неде́ле	this week		

1 Где рабо́тает Бори́с?
2 Когда́ он е́дет в Москву́?
3 Где он бу́дет жить в Москве́?
4 Что он бу́дет де́лать во вто́рник?
5 Во ско́лько у него́ бу́дет встре́ча во вто́рник?
6 Когда́ он пое́дет в Петербу́рг?
7 На чём он пое́дет в Петербу́рг?

8 Почему́ он не бу́дет жить в гости́нице?
9 Что бу́дет де́лать Бори́с в сре́ду?
10 Куда́ он пойдёт в сре́ду?
11 В четве́рг он пое́дет за́ город на по́езде?
12 Что он бу́дет де́лать в четве́рг днём? Почему́?
13 Когда́ Бори́с пойдёт в Марии́нский теа́тр?
14 Когда́ он пое́дет обра́тно в Москву́?

TRAVELLING BY MEANS OF TRANSPORT

To say by what means of transport you are travelling, use **на** + the prepositional case:

Я éду на рабóту на велосипéде.	I am going to work by bike.
Мы éздили в Петербýрг на пóезде.	We went to Petersburg by train.
Я поéду домóй на машúне.	I will go home by car.

Идти itself refers to movement on foot, but if you want to underline that you are walking, add пешкóм, on foot:

– Ты éдешь домóй на метрó?	– Are you going home on the metro?
– Нет, сегóдня я пойдý домóй пешкóм.	– No, today I'll go home on foot.

EXERCISE 8.4
Translate the following into Russian, using the model given.

Сегóдня средá, и я éду в óфис. В четвéрг я тóже поéду в óфис.

1 Today is Friday and he is going to a concert. On Saturday he will also go to a concert. **2** Today is Tuesday and we are going to work on foot. On Wednesday we will also go to work on foot. **3** Today is Friday and we are going to the dacha by car. On Saturday we will also go to the dacha by car. **4** Today is Wednesday and you are going to Petersburg by train. In a week's time you will also go to Petersburg by train. **5** Today is Monday and I am going to the park. On Tuesday I will also go to the park. **6** Today is Thursday and they are going out of town (зá город). On Friday they will also go out of town.

У МЕНЯ́ ЕСТЬ IN THE FUTURE

DIALOGUES 8.3

1. – У нас бýдет урóк зáвтра?
   – Да, бýдет.
   – А во скóлько?
   – Урóк бýдет в 16:30.

2. – Во втóрник у вас бýдут переговóры?
   – Да, бýдут.
   – Во скóлько?
   – Переговóры бýдут в 13:00.

In order to form the future tense of 'have', you replace **есть** with **бýдет**, if what you will have is singular, or **бýдут**, if what you will have is plural.

present	future
У меня́ есть врéмя	У меня́ бýдет врéмя
У негó есть очки́	У негó бýдут очки́

EXERCISE 8.5

Answer the following questions using the future tense of 'have' as in the example.

У вас есть маши́на? → Нет, сейча́с нет, но ско́ро у меня́ бу́дет маши́на.

1 У вас есть де́ньги?
2 У неё больша́я кварти́ра?
3 У него́ интере́сная рабо́та?
4 У тебя́ есть моби́льный телефо́н?
5 У неё сейча́с экза́мены?

6 В го́роде есть кита́йский рестора́н?
7 У них есть телеви́зор?
8 У вас есть соба́ка?
9 У тебя́ есть друзья́ в Петербу́рге?
10 В о́фисе есть при́нтер?

EXERCISE 8.6

Translate the following into Russian.

1 In three hours' time I will be in Moscow. 2 In a minute you will have the money. 3 In a month's time I will have a new job. 4 I'll go home in an hour. 5 In a year's time they will have a small dog. 6 In one month we will have a visa. 7 In a week's time it will be summer. 8 In two hours' time they will go to America. 9 In a week's time he will have a new wife. 10 Our friends will be here in a minute.

ANIMATE ACCUSATIVE

DIALOGUES 8.4

1 – Ты лю́бишь Москву́?
   – Нет, не о́чень. Но я о́чень люблю́ Петербу́рг.

2 – Ты хорошо́ зна́ешь Ле́ну?
   – Нет, я ви́дела её то́лько оди́н раз.
   – А Макси́ма?
   – Да, Макси́ма я зна́ю о́чень хорошо́.

	question words		masc.			fem.		neut.
nom.	что	кто	Ло́ндон	Макси́м	И́горь	Москва́	Ле́на	вино́
acc.	что	кого́	Ло́ндон	Макси́ма	И́горя	Москву́	Ле́ну	вино́

Most masculine words do not change in the accusative case:

Я зна́ю Петербу́рг. I know St Petersburg.

However, animate masculine nouns – that is, masculine words that refer to people or animals – do change.

If the animate noun ends in a consonant, add -a for the accusative.

If the animate noun ends in a soft sign or -й, replace with -я:

Я зна́ю президе́нта. I know the president.
Я люблю́ И́горя. (from И́горь) I love Igor.
Я зна́ю Серге́я. (from Серге́й) I know Sergei.

Remember that feminine nouns (apart from those ending in a soft sign) change in the accusative whether they are animate or not:

Я чита́ю кни́гу. I am reading a book.
Я зна́ю Та́ню. I know Tanya.

EXERCISE 8.7
Put the words in brackets in the correct form.

1 Я люблю _____. (теа́тр)
2 Ната́ша лю́бит _____. (Ви́ктор)
3 Мы лю́бим _____. (му́зыка)
4 Он чита́ет _____. (газе́та и журна́л)
5 _____ вы хоти́те? (что)
6 Вы зна́ете _____? (президе́нт Росси́и)
7 Они́ лю́бят _____. (я)

8 Ты понима́ешь _____? (Ле́на)
9 Вы хоти́те _____? (мя́со)
10 Вы ви́дите _____? (пло́щадь)
11 Она́ понима́ет _____. (Андре́й)
12 Мы лю́бим _____. (Та́ня)
13 _____ ты зна́ешь в Ло́ндоне? (кто)
14 Мы все лю́бим _____.(дире́ктор)

DIALOGUE 8.5

– Ле́на, <u>приглаша́ю</u> тебя́ на день рожде́ния.
– Большо́е спаси́бо. А когда́?
– В суббо́ту ве́чером. Мы пойдём в клуб.
– Отли́чно.

приглаша́ть (приглаша́ю, приглаша́ешь)   to invite

In the above dialogue, note how when you invite someone to something, the invitee goes in the accusative (as the object of invite), and so does the destination (the accusative for direction).

EXERCISE 8.8
Create sentences inviting people to events and places.

Ле́на, вечери́нка   →   Я приглаша́ю Ле́ну на вечери́нку.

1 Друг, рестора́н
2 Подру́га, теа́тр
3 Брат, футбо́л

4 Ма́ма, о́пера
5 Нача́льник, бар
6 Ви́ктор, день рожде́ния

EXERCISE 8.9
Create sentences by putting the words into the right form, inserting prepositions where appropriate.

Она́, знать, перево́дчик, Москва́   →   Она́ зна́ет перево́дчика в Москве́.

1 Я, хоте́ть, колбаса́ и сыр
2 Ви́ктор, слу́шать, му́зыка
3 Мы, понима́ть, вы
4 Я, не понима́ть, он
5 Я, люби́ть, Со́ня
6 Мы, пить, сок и́ли вода́
7 Ты, знать, Вади́м
8 Серге́й, знать, Ло́ндон
9 И́горь, знать, Москва́
10 Они́, покупа́ть, еда́, ры́нок

11 Она́, понима́ть, я
12 Я, не понима́ть, Ле́на
13 Что, она́, люби́ть
14 Кто, она́, люби́ть
15 Вы, хоте́ть, мя́со и́ли ры́ба
16 Что, вы, люби́ть бо́льше, Москва́ и́ли Петербу́рг
17 Что, он, чита́ть, газе́та и́ли журна́л
18 Они́, знать, Анто́н
19 Мари́на, знать, они́
20 Они́, покупа́ть, кварти́ра, Ло́ндон

Мо́жно literally means 'it is possible'. However, it has several uses: you can use it with a noun in the accusative case to mean 'May I have…', or with a verb in the infinitive to mean 'May I….?' (see restaurant dialogues on p. 147).

Извини́те, мо́жно ко́фе?	Excuse me, may I have some coffee?
Здесь мо́жно кури́ть?	Is it all right to smoke here?

You can also use **мо́жно** on the phone as an informal way of saying 'may I speak to…?' In this case, remember to follow it with the accusative:

Мо́жно Бори́са?	May I speak to Boris?
Мо́жно А́нну?	May I speak to Anna?

ON THE PHONE

DIALOGUES 8.6

1
– Алло́.
– Здра́вствуйте. <u>Мо́жно</u> Светла́ну?
– Извини́те. <u>Пло́хо слы́шно</u>. <u>Перезвони́те</u>, пожа́луйста.

2
– Алло́. <u>Слу́шаю вас.</u>
– До́брый день. Господи́на Смирно́ва, <u>бу́дьте добры́</u>.
– <u>Кто его́ спра́шивает?</u>
– Меня́ зову́т Ро́берт Грин.
– <u>Одну́ мину́ту.</u>

3
– Алло́. Слу́шаю вас.
– До́брый день, э́то Ли́дия. Бори́са Никола́евича, бу́дьте добры́.
– <u>Его́ сейча́с нет</u>. <u>Что переда́ть?</u>
– <u>Переда́йте</u>, пожа́луйста, что я звони́ла.

4
– Приве́т, То́ня. Ма́ма до́ма?
– Нет, её нет. Но ско́ро бу́дет.
– Переда́й, что я бу́ду до́ма че́рез час.
– <u>Обяза́тельно переда́м</u>.

VOCABULARY

мо́жно…	may I [speak to]… (informal)
пло́хо слы́шно	I can't hear (lit. 'poorly audible')
перезвони́те, пожа́луйста	please call back
слу́шаю вас	I'm listening (common way to answer the phone)
бу́дьте добры́	be so kind (a very polite way of asking to speak to or see someone)
кто его́/её спра́шивает?	who shall I say is calling (lit. 'who is asking for him/her')
одну́ мину́ту	one minute (i.e. hold on…)
его́ сейча́с нет	he's not here at the moment
что переда́ть?	what message shall I give? (lit. 'what to pass on?')
переда́й/переда́йте, что…	pass on that…
обяза́тельно	definitely, certainly
переда́м	I'll pass it on

EXERCISE 8.10

Match the questions on the left to possible responses in a telephone conversation.

– Мо́жно Ни́ну?

– Мо́жно Ви́ктора?

– Что переда́ть?

– Господи́на Петро́ва, пожа́луйста.

– Серге́я, бу́дьте добры́.

– Переда́йте, пожа́луйста, что звони́ла Ири́на.

– Переда́йте, пожа́луйста, что звони́ла Ири́на.

– Её нет до́ма.

– Мину́тку.

– Кто его́ спра́шивает?

– Обяза́тельно переда́м.

– Его́ сейча́с нет. Перезвони́те, пожа́луйста, че́рез час.

EXERCISE 8.11

Create phone conversations according to the instructions.

Task 1

– Answer the phone.

– Ask to speak to Vladimir Vladimirovich.

– Ask who's talking.

– Give your name.

– Say he'll be a moment.

Task 2

– Ask to speak to Marina.

– Say that she's not at home.

– Ask when she'll be back.

– Say she'll be back on Sunday. Ask if the caller wants to leave a message.

– Leave a message saying that you called.

– Say you'll definitely pass the message on.

Task 3

– Answer the phone.

– Ask to speak to Katya.

– Say you can't hear. Ask to repeat.

– Repeat that you want to speak to Katya.

– Say you can't hear. Ask to call back.

Task 4

– Answer the phone.

– Ask to speak to Igor.

– Say he's not at home.

– Ask when he will be at home.

– Ask to call back in an hour.

	pronouns		masc.		fem.			neut.
nom.	что	кто	Ло́ндон	И́горь	Москва́	неде́ля	Росси́я	вино́
acc.	что	кого́	Ло́ндон	И́горя*	Москву́	неде́лю	Росси́ю	вино́
prep.	чём	ком	Ло́ндоне	И́горе	Москве́	неде́ле	Росси́и	вине́

* remember that animate nouns change in the accusative.

EXERCISE 8.12

Complete the sentences by putting the words in brackets into the correct form.

1 Я рабо́таю в _____. (Ло́ндон)
2 Я е́ду в _____. (Ло́ндон)
3 Я не зна́ю _____. (Ви́ктор)
4 _____ вы ждёте? (кто)
5 Я иду́ на _____. (рабо́та)
6 Пи́тер и Мари́на на _____. (ста́нция метро́)
7 Мари́на лю́бит _____? (Пи́тер)
8 Пи́тер и Мари́на покупа́ют _____ на _____. (карти́на) (ры́нок)
9 В _____ Пи́тер хоте́л _____ и _____. (рестора́н) (пи́во) (ку́рица)
10 У _____ есть де́ньги, потому́ что он ходи́л в _____. (он) (банк)
11 В _____ я пое́ду в _____. (суббо́та) (Вене́ция).
12 Как _____ зову́т? (они́)
13 В 6 часо́в я пойду́ _____. (дом)
14 _____ вы зна́ете в Мадри́де? (кто)
15 Когда́ вы ви́дели _____? (они́)
16 О _____ вы говори́те? (что)
17 Как зову́т его́ _____? (сестра́)
18 О _____ э́та кни́га? (кто)
19 Когда́ вы бы́ли в _____? (Ита́лия)
20 Когда́ вы е́здили в _____? (Ита́лия)
21 Я чита́ю _____ об _____. (кни́га) (Ита́лия)
22 Я ду́маю о _____. (Москва́)
23 Мо́жно _____? – _____ нет до́ма, перезвони́те че́рез _____. (Серге́й) (он) (час)
24 Дава́й встре́тимся в _____ в 2 часа́. (рестора́н)
25 Тури́сты е́дут на _____ на _____. (экску́рсия) (авто́бус)
26 Моя́ подру́га всегда́ говори́т о _____, потому́ что она́ лю́бит _____. (Том) (он)

ADVERBS

DIALOGUES 8.7

1 – Како́й у тебя́ компью́тер?
  – О́чень ме́дленный!

2 – Как твой брат говори́т по-англи́йски? Хорошо́?
  – Он говори́т ме́дленно, но пра́вильно.

Adverbs are used to describe an action; you have already learnt a number of adverbs of frequency ('often', 'sometimes', etc.: see p. 124).

In English, adverbs formed from adjectives usually end in -ly; e.g. easily, quickly, etc.

The majority of adjectives in Russian can be turned into adverbs very simply, by replacing the adjectival ending with -o. For example:

Она́ хоро́шая актри́са.	She is a good actress.
Она́ игра́ет хорошо́.	She acts (plays) well.
Он плохо́й пиани́ст.	He is a bad pianist.
Он пло́хо игра́ет.	He plays badly.

As you know, adjectives vary their form according to the noun they describe. Adverbs, however, have only one form:

Э́то краси́вый го́род.	This is a beautiful town.
Э́то краси́вая у́лица.	This is a beautiful street.
Он/она́ танцу́ет краси́во.	He/she dances beautifully.

EXERCISE 8.13
Select the adjective or adverb from the brackets.

1 Он ⬛ футболи́ст. Он ⬛ игра́ет в футбо́л. (хоро́ший, хорошо́)
2 ⬛ он студе́нт? ⬛ он говори́т по-ру́сски? (како́й, как)
3 Мы ⬛ говори́м по-ру́сски. Мы ⬛ студе́нты. (плохи́е, пло́хо)
4 Э́то ⬛ рестора́н. Здесь говоря́т то́лько ⬛. (ру́сский, по-ру́сски)
5 Она́ ⬛ танцу́ет. Она́ о́чень ⬛. (краси́вая, краси́во)
6 Ру́сский язы́к не ⬛. (тру́дный, тру́дно)
7 Э́тот рестора́н о́чень ⬛. (дорого́й, до́рого)
8 По́езд идёт о́чень ⬛. Э́то о́чень ⬛ по́езд. (бы́стрый, бы́стро)
9 Почему́ ты так ⬛ говори́шь? (ме́дленный, ме́дленно)
10 ⬛ прекра́сно он игра́ет! (како́й, как)
11 ⬛ прекра́сная му́зыка! (кака́я, как)

ТРУ́ДНО ГОВОРИ́ТЬ ПО-РУ́ССКИ!
IT'S DIFFICULT TO SPEAK RUSSIAN

DIALOGUES 8.8

1 – Э́то прáвда, что рýсский язы́к óчень трýдный?
  – Да, трýдный, но интерéсный.

2 – Э́то прáвда, что изучáть рýсский язы́к óчень трýдно?
  – Да, трýдно, но интерéсно.

In sentences of the type 'it is cold' or 'it is difficult to speak Russian' – i.e. where the subject is 'it' as opposed to a specified noun – you use an adverbial form; that is, with the ending -**о**. This form can be used with an infinitive:

Трýдно говори́ть по-рýсски.	It is difficult to speak Russian.
Всегдá интерéсно слýшать англи́йское рáдио.	It is always interesting to listen to English radio.

The form is also common when talking about the weather:

Сегóдня жáрко.	It's hot today.
Вчерá бы́ло теплó.	It was warm yesterday.
Зáвтра бýдет хóлодно.	Tomorrow it will be cold.

Here are some common examples of this form:

хорóший	хорошó	good	(note change of emphasis)
плохóй	плóхо	bad	(note change of emphasis)
лёгкий	легкó	easy	(note change of emphasis)
трýдный	трýдно	difficult	
вáжный	вáжно	important	
интерéсный	интерéсно	interesting	
скýчный	скýчно	boring	
жáркий	жáрко	hot	
тёплый	теплó	warm	(note change of emphasis)
холóдный	хóлодно	cold	(note change of emphasis)

EXERCISE 8.14
Choose the correct word from the brackets.

1 Жить в Москве́ о́чень _____.   (дорого́й, до́рого)
   Москва́ о́чень _____ го́род.

2 Сего́дня _____ день.   (тёплый, тепло́)
   Сего́дня _____.

3 Изуча́ть ру́сский язы́к о́чень _____.   (тру́дный, тру́дно)
   Ру́сский язы́к о́чень _____.

4 Зимо́й в Москве́ о́чень _____.   (холо́дная, хо́лодно)
   Зима́ в Москве́ о́чень _____.

5 Како́й _____ фильм!   (интере́сный, интере́сно)
   Как _____!

6 _____ жить без де́нег.   (плоха́я, пло́хо)
   Без де́нег жизнь _____.

7 Я ду́маю, что испа́нский язы́к о́чень _____.   (лёгкий, легко́)
   Говори́ть по-испа́нски _____.

8 По-мо́ему, рабо́тать ка́ждый день о́чень _____.   (ску́чная, ску́чно)
   По-мо́ему, у него́ о́чень _____ рабо́та.

9 Э́то о́чень _____ вопро́с.   (ва́жный, ва́жно)
   О́чень _____ изуча́ть языки́!

Я СОГЛА́СЕН, СОГЛА́СНА
I AGREE

One way to express agreement in Russian is by using the word **согла́сен**. The form of **согла́сен** varies according to the gender and number (singular or plural) of the subject:

masc.	fem.	pl.
согла́сен	согла́сна	согла́сны

Я согла́сен.   I agree. (a man speaking)
Я согла́сна.   I agree. (a woman speaking)

Note also how you say 'in my opinion':

по-мо́ему

EXERCISE 8.15

Create dialogues based on the model using the words in the boxes (i.e. saying whether it is easy, difficult, etc. to do something), and whether or not you agree.

– По-мо́ему, говори́ть по-ру́сски о́чень тру́дно.

– Я не согла́сна. Я ду́маю, что говори́ть по-ру́сски легко́.

ва́жно
легко́
тру́дно
хорошо́
пло́хо
прия́тно
интере́сно
ску́чно

говори́ть о пого́де
говори́ть пра́вду
жить в Москве́
рабо́тать в Росси́и
смотре́ть футбо́л
чита́ть кни́ги
говори́ть по-ру́сски
пить во́дку
ду́мать о рабо́те
игра́ть на скри́пке
кури́ть сига́ры
слу́шать рэп

МЕ́СЯЦЫ
MONTHS

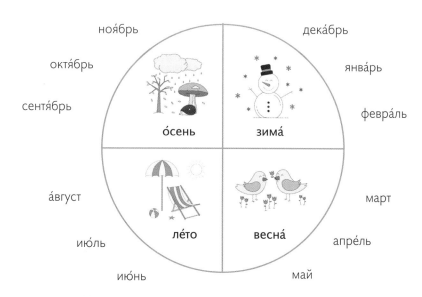

ноя́брь   декáбрь

октя́брь   янва́рь

сентя́брь   февра́ль

о́сень   зима́

а́вгуст   март

ле́то   весна́

ию́ль   апре́ль

ию́нь   май

In order to say 'in' a particular month, use **в** and the prepositional case.

в ма́е in May **в а́вгусте** in August **в ноябре́** in November

The seasons are given below. Note that to say 'in spring' etc., you do not use **в**, but just change the ending. This is the instrumental case, the same form as that used to say 'in the morning' etc. (see p. 103):

весна́	spring	весно́й	in spring
ле́то	summer	ле́том	in summer
о́сень	autumn	о́сенью	in autumn
зима́	winter	зимо́й	in winter

EXERCISE 8.16

In the following exercise you need to replace the season with a suitable month, or the month with a suitable season.

Он пое́дет в Петербу́рг в ию́не.   →   Он пое́дет в Петербу́рг ле́том.

1 Я бу́ду рабо́тать в Москве́ зимо́й.
2 Они́ пое́дут в Ве́ну в ма́рте.
3 Она́ всегда́ отдыха́ет во Фра́нции в а́вгусте.
4 В январе́ в Сиби́ри о́чень хо́лодно.
5 Почему́ вы не отдыха́ете ле́том?
6 Я о́чень люблю́ Москву́ в октябре́.

7 Мы пое́дем в Нью-Йо́рк весно́й.
8 В сентябре́ я бу́ду изуча́ть ру́сский язы́к.
9 Я пью пи́во то́лько ле́том.
10 Она́ всегда́ пло́хо спит в а́вгусте.
11 Ле́том в Ита́лии всегда́ о́чень жа́рко.
12 В январе́ в Еги́пте о́чень си́льный ве́тер.

ПОГО́ДА
WEATHER

❝ Моро́з и со́лнце; день чуде́сный! ❞

А.С. Пу́шкин. *Зи́мнее у́тро* (1829)

TEXT 8.2

Read the following text about the weather. Learn the new vocabulary.

В январе́ я е́ду в Санкт-Петербу́рг. Я зна́ю, что зимо́й в Петербу́рге о́чень хо́лодно, осо́бенно когда́ ду́ет си́льный ве́тер. Ча́сто идёт снег, иногда́ дождь. Но пого́да не всегда́ плоха́я, а когда́ на у́лице си́льный моро́з, снег бе́лый и чи́стый и све́тит со́лнце, Петербу́рг – са́мый краси́вый го́род в ми́ре. Мно́го тури́стов е́дет в Петербу́рг ле́том, осо́бенно в ию́не. Коне́ц ию́ня – э́то «бе́лые но́чи», о́чень стра́нное вре́мя, когда́ да́же по́здно ве́чером све́тит со́лнце и го́род не спит. Но моё люби́мое вре́мя го́да – о́сень. О́сенью ча́сто пого́да о́чень хоро́шая: со́лнечно и тепло́, но не жа́рко.

жа́рко	(it is) hot
тепло́	(it is) warm
хо́лодно	(it is) cold
со́лнечно	(it is) sunny
о́блачно	(it is) cloudy
ве́трено	(it is) windy
идёт дождь	it is raining
идёт снег	it is snowing
со́лнце све́тит	the sun is shining
ве́тер ду́ет	the wind is blowing
моро́з	(deep) frost
ве́тер	wind
си́льный	strong
температу́ра	temperature
гра́дус	degree
плюс	plus
ми́нус	minus

1 – Куда́ ты пое́дешь отдыха́ть зимо́й?

– В январе́ мы пое́дем в А́встрию <u>ката́ться на лы́жах</u>.

– А кака́я там пого́да в январе́? Холо́дная?

– Да, ми́нус 5 – ми́нус 10, но э́то нева́жно: когда́ све́тит со́лнце, моро́з – не пробле́ма.

– Поня́тно. А мы пое́дем на Барба́дос, там да́же в январе́ со́лнечно и жа́рко.

2 – Како́й твой люби́мый ме́сяц?

– Май. В ма́е обы́чно тепло́ и со́лнечно.

– А я люблю́ о́сень. О́сенью о́чень краси́во.

– Да, краси́во, то́лько ча́сто хо́лодно, ве́трено и идёт дождь.

ката́ться на лы́жах   to ski

EXERCISE 8.17
Talk about the weather in the forecast below

– Кака́я пого́да бу́дет во вто́рник?

– Во вто́рник бу́дет о́блачно и ве́трено, но не о́чень хо́лодно.

– Кака́я температу́ра бу́дет в пя́тницу?

– В пя́тницу бу́дет си́льный моро́з, ми́нус де́сять гра́дусов.

понеде́льник	вто́рник	среда́	четве́рг	пя́тница	суббо́та	воскресе́нье
8 °C	3 °C	0 °C	-3 °C	-10 °C	-2 °C	6 °C

EXERCISE 8.18
Ask each other questions about the weather using words from the text and vocab above.

Кака́я сего́дня пого́да?   What's the weather like today?

EXERCISE 8.19
Create questions and answers about weather around the world.

Как вы ду́маете, кака́я пого́да...

1 в ию́ле в Еги́пте?

2 в ноябре́ в Петербу́рге?

3 в ма́е на ю́ге Фра́нции?

4 в январе́ в Финля́ндии?

5 в декабре́ в Си́днее?

6 в ма́рте в Москве́?

7 в феврале́ в Шотла́ндии?

8 в апре́ле в Гре́ции?

EXERCISE 8.20

Create a possible first line for these dialogues.

1 – _____ ?
– Ле́том мы пое́дем в Испа́нию.

2 – _____ ?
– Я ду́маю, что че́рез ме́сяц.

3 – _____ ?
– Сейча́с нет, но ско́ро бу́дет.

4 – _____ ?
– Май. А у тебя́?

5 – _____ ?
– Его́ нет сейча́с до́ма.

6 – _____ .
– Обяза́тельно переда́м.

7 – _____ ?
– Да, о́чень краси́вый.

8 – _____ ?
– Че́рез неде́лю.

9 – _____ ?
– Кра́сное.

10 – _____ ?
– У меня́ ма́ленький дом.

11 – _____ ?
– Сего́дня хо́лодно.

12 – _____ ?
– Ми́нус 10.

13 – _____ ?
– О́чень хорошо́, но ме́дленно.

14 – _____ ?
– За́втра бу́дет со́лнечно.

15 – _____ ?
– Нет, лёгкий.

16 – _____ ?
– Да, тру́дно.

17 – _____ .
– А по-мо́ему, э́то ску́чно.

18 – _____ ?
– Нет, весно́й.

EXERCISE 8.21

Translate into Russian.

1 In a week's time we will have a meeting in Petersburg. 2 – When are you going to the conference? – In a week. 3 On Saturday evening we are going to a party. 4 In a month I will have a Russian visa, and then I will go to Moscow. 5 Excuse me, can I smoke here? 6 Do you have a large family? 7 It is difficult to understand when people speak very quickly. 8 I'll definitely pass it on. 9 What is the most expensive restaurant in Moscow called? 10 – Why doesn't he want to live in the centre? – He says it's very expensive. 11 – Can I speak to Marina? – She's not here. Please call back in two hours. 12 – Do you know what the weather will be like tomorrow? – I've heard it's going to be sunny, but cold and windy. 13 It often rains in England in winter. 14 In Irkutsk the climate is continental (континента́льный): it's very cold in winter and hot in summer. 15 Where will you go in the summer?

Глава VIII
Пи́тер и Мари́на е́дут в Изма́йловский парк

Четве́рг, у́тро. Пи́тер Манро́ сиди́т в но́мере. Сего́дня на у́лице хо́лодно и о́блачно, си́льный ве́тер. Но в но́мере о́чень жа́рко и ду́шно. «Бо́же мой, – ду́мает Пи́тер, – почему́ в Росси́и в дома́х всегда́ так жа́рко и ду́шно?» Пи́тер смо́трит вокру́г. Типи́чный но́мер в гости́нице люкс: большо́й и све́тлый, ме́бель дорога́я, хоро́шая и удо́бная. В но́мере есть кори́чневое кре́сло, дива́н, стул и пи́сьменный стол. На столе́ стои́т ма́ленькая ла́мпа и лежа́т все его́ люби́мые кни́ги. Сего́дня Пи́тер хоте́л пое́хать за́ город, но не мог реши́ть, куда́. Наконе́ц он реши́л пое́хать на Изма́йловский ры́нок.

Пи́тер звони́т по телефо́ну.

– Слу́шаю вас.

– До́брое у́тро. Мари́ну Гру́здеву, бу́дьте добры́.

– Как вас предста́вить?

– Извини́те, я не понима́ю. Повтори́те, пожа́луйста.

– Как вас предста́вить? Кто её спра́шивает?

– Извини́те, о́чень тру́дно понима́ть, когда́ вы так бы́стро говори́те. Мо́жно Мари́ну Гру́здеву?

– Как вас зову́т?

– Меня́ зову́т Пи́тер Манро́.

– Одну́ мину́тку… Алло́, вы слу́шаете?

– Да, я слу́шаю.

– К сожале́нию, её сейча́с нет. Она́ бу́дет че́рез 15 мину́т. Что переда́ть?

– Переда́йте, пожа́луйста, что звони́л Пи́тер Манро́, что я сего́дня е́ду на Изма́йловский ры́нок и что я приглаша́ю её туда́.

– Обяза́тельно переда́м.

Пи́тер ещё сиди́т в но́мере и ждёт. Он пьёт зелёный чай. Че́рез пять мину́т звони́т телефо́н.

– Приве́т, Пи́тер, э́то Мари́на. Вы идёте на Изма́йловский верниса́ж?

– Нет, я иду́ на Изма́йловский ры́нок. Дава́йте пойдём вме́сте.

– С удово́льствием, – отвеча́ет Мари́на. – Я бу́ду вас ждать у вхо́да в метро́.

– Кака́я ста́нция?

– Ста́нция «Театра́льная». Вы по́мните, где гла́вный вход?

– Нет, я забы́л.

– Э́то на у́лице Больша́я Дми́тровка.

– Хорошо́. Когда́ вы бу́дете там?

– Я бу́ду там че́рез три́дцать мину́т. Я бу́ду стоя́ть у вхо́да, внутри́, не на у́лице. Вы зна́ете, Пи́тер, что сего́дня о́чень хо́лодно? Ве́тер о́чень си́льный, и говоря́т, что бу́дет дождь. У вас есть пальто́ и зонт?

– Пальто́ есть. Се́рое. Оно́ ста́рое, но дово́льно тёплое.

– Отли́чно. Тогда́ до встре́чи. Че́рез полчаса́.

СТАНЦИЯ ТЕАТРАЛЬНАЯ

Тепе́рь Пи́тер и Мари́на на ста́нции метро́ «Театра́льная». Пи́тер смо́трит на схе́му метро́. Он ничего́ не понима́ет.

– Кака́я на́ша ли́ния? – спра́шивает Пи́тер.

– На́ша ли́ния – си́няя.

– А э́то кака́я ста́нция?

– Э́то ста́нция «Театра́льная».

– А где ста́нция «Пло́щадь револю́ции»?

– Ну, ста́нция «Пло́щадь револю́ции» то́же здесь.

В Москве́ така́я систе́ма: когда́ есть ра́зные ли́нии, есть ра́зные назва́ния ста́нций. Наприме́р, здесь три ли́нии: кра́сная, зелёная и си́няя. Поэ́тому есть три ста́нции – «Театра́льная», «Пло́щадь револю́ции» и «Охо́тный ряд». Но э́ти ра́зные ста́нции в одно́м ме́сте. Вы понима́ете?

– Коне́чно, – говори́т Пи́тер, но ду́мает: «Я ничего́ не понима́ю».

Пи́тер и Мари́на иду́т на платфо́рму. «Вот, смотри́те! – говори́т Мари́на. – Мы идём туда́». Пи́тер чита́ет: «Перехо́д на ста́нцию "Пло́щадь револю́ции" в це́нтре за́ла».

Пи́тер и Мари́на иду́т на ста́нцию «Пло́щадь револю́ции». Пи́тер чита́ет: «К поезда́м до ста́нции "Ки́евская"».

– А что э́то зна́чит? – спра́шивает Пи́тер.

– Э́то зна́чит, что «Ки́евская» – коне́чная ста́нция.

– А куда́ мы е́дем? Кака́я на́ша коне́чная ста́нция?

– Мы е́дем в Изма́йловский парк. На́ша коне́чная ста́нция – «Щёлковская». Мы идём туда́, напра́во.

Мари́на и Пи́тер уже́ на ры́нке. Здесь продаю́т всё: сувени́ры, матрёшки, ста́рые фла́ги, плака́ты, карти́ны и, коне́чно, ико́ны. Пи́тер и Мари́на смо́трят на ико́ны.

– Слу́шайте, Мари́на, – вдруг говори́т Пи́тер, – вы ви́дите э́ту ико́ну? Я ви́дел её в кни́ге. Э́то о́чень изве́стная болга́рская ико́на. Я ду́маю, она́ называ́ется «Ро́зовая Мадо́нна». Ра́ньше она́ была́ в собо́ре в го́роде Ряза́нь. Вы слы́шали о ней?

– Да, – отвеча́ет Мари́на, – я слы́шала о ней. Я чита́ла о ней, когда́ я изуча́ла болга́рское иску́сство в университе́те. Пойдём посмо́трим.

А́встрия	Austria	небольшо́й	small
алло́	hello (*on phone*)	нева́жный	unimportant
аресте́нт	prisoner	недорого́й	inexpensive
Бо́же мой!	My God	ноя́брь *m.*	November
бу́дьте добры́	be so kind	о́блачно	(it is) cloudy
бухга́лтер	book-keeper, accountant	о́блачный	cloudy
бы́стрый	fast	обра́тно	back, backwards (*e.g.*
велосипе́д	bicycle		*there and back*)
верниса́ж	exhibition, art fair, market	обяза́тельно	definitely, certainly,
весна́	spring		without fail
весно́й	in spring	о́зеро	lake
ве́тер	wind	Лебеди́ное о́зеро	Swan Lake
ве́треный	windy	о́сень *f.*	autumn
ве́трено	(it is) windy	о́сенью	in the autumn
внутри́ + *gen.*	inside	очки́ *pl.*	glasses
гла́вный	main	пальто́ *indecl.*	coat
гости́ничный	hotel *adj.*	перегово́ры *m. pl.*	negotiations
гра́дус	degree	переда́ть*	to convey, pass on
дива́н	sofa	переда́й(те) *imperative*	pass on
дождь *m.*	rain	я переда́м	I'll pass it on
дуть	to blow	перезвони́ть*	to call back
ду́ет	it is blowing	перезвони́те *imperative*	call back
ду́шно	(it is) stuffy	перехо́д	underpass, subway
ду́шный	stuffy	пиани́ст	pianist
Еги́пет	Egypt	пи́сьменный стол	(writing) desk
жа́ркий	hot	плака́т	poster
жа́рко	(it is) hot	по-мо́ему	in my opinion
за́ город	out of town (*direction*)	пое́хать*	to go (by transport)
заме́тить*	to notice	пое́ду, пое́дешь	I (etc.) will go
зима́	winter	пойти́	to go (on foot)
зимо́й	in winter	пойду́, пойдёшь	I (etc.) will go
зи́мний, -яя, -ее, -ие	winter *adj.*	полчаса́	half an hour
зонт	umbrella	по́мнить (по́мню, по́мнишь)	to remember
иску́сство	art	поэ́тому	therefore
ию́ль *m.*	July	предста́вить	to present, introduce
ию́нь *m.*	June	как вас предста́вить?	how shall I introduce
ката́ться на лы́жах	to ski		you? (*on phone*)
клуб	club	прекра́сный	wonderful
коне́чный	final *adj.*	приглаша́ть (приглаша́ю,	
континента́льный	continental	приглаша́ешь)	to invite
кори́чневый	brown	при́нтер	printer
кре́сло	armchair	продава́ть (продаю́,	
ла́мпа	lamp	продаёшь)	to sell
лёгкий	easy, light	ра́зный	different (various)
легко́	(it is) easy	реши́ть*	to decide
лежа́ть (лежу́, лежи́шь,		рожде́ние	birth
лежа́т)	to lie	день рожде́ния	birthday
ли́ния	line	ряд	row
люкс	luxury (*hotel etc.*)	свети́ть	to shine
май	May	све́тлый	light *adj.*
март	March	сентя́брь *m.*	September
ма́стер	master, craftsman	се́рый	grey
ме́бель *f.*	furniture	Сиби́рь *f.*	Siberia
ме́дленный	slow	сига́ра	cigar
ме́сяц	month	си́льный	strong
мину́тку	just a minute	си́ний, -яя, -ее, -ие	blue
моро́з	frost	систе́ма	system
назва́ние	name	ско́ро	soon
наконе́ц	at last	ску́чный	boring
наприме́р	for example	слы́шный	audible
нача́льник	boss	не слы́шно	I can't hear (*on phone*)

снег	snow
согла́сен, согла́сна	
согла́сны	I (etc.) agree
со́лнечно	(it is) sunny
со́лнечный	sunny
со́лнце	sun
со́лнце све́тит	the sun is shining
стоя́ть (стою́, стои́шь)	to stand
стра́нный	strange
сувени́р	souvenir
схе́ма	plan, map
температу́ра	temperature
тепло́	(it is) warm
тёплый	warm
том	volume (of book)
тру́дно	(it is) difficult
тру́дный	difficult
удо́бный	convenient, comfortable
уходи́ть (ухожу́, ухо́дишь)	to leave (on foot)
фа́брика	factory
февра́ль *m.*	February
фестива́ль *m.*	festival
Финля́ндия	Finland
флаг	flag
хо́лодно	(it is) cold
холо́дный	cold
че́рез + *acc.*	in (of a period of time)
чи́стый	clean
чуде́сный	miraculous, wonderful
экза́мен	exam
юг	south
янва́рь *m.*	January

* These verbs are examples of perfective verbs. You will learn about these in detail in Lesson 11. For the moment you should remember that perfective verbs cannot be used in the present tense.

УРО́К ДЕ́ВЯТЬ
Lesson 9

Lesson 9 introduces the form of the noun used to convey possession – how to say 'of' something: for example, 'the father of the bride' (or 'the bride's father'), 'the centre of Moscow' and so on. You'll learn the directions of the compass, and the names of some of Russia's more distant regions.

Lesson 9 also covers the remaining numbers up to 1000, and drills two common situations when you need them – telephone numbers and prices. Prices lead on to the main conversation topic of the lesson, shopping, when you'll learn the vocabulary for basic articles of clothing.

DIALOGUES 9.1

1
   – Э́то пальто́ Ви́ктора?
   – Нет, э́то пальто́ И́горя.
   – А где пальто́ Ви́ктора?
   – Вот оно́.

2
   – Чей э́то чемода́н?
   – Э́то чемода́н Све́ты.
   – А где чемода́н О́льги?
   – Вот он.

The forms of the genitive case are as follows:

	masc.		fem.		neut.	
nom.	Ива́н	И́горь	Москва́	Росси́я	вино́	мо́ре
gen.	Ива́на	И́горя	Москвы́	Росси́и	вина́	мо́ря

The genitive case is used in Russian for possession, or to say <u>of</u> something or someone. For example:

дом Ива́на	Ivan's house	(masculine)
центр Москвы́	the centre of Moscow	(feminine)
буты́лка вина́	a bottle of wine	(neuter)

Although there is some flexibility in English over the order of words – e.g. 'the brother of Maria' or 'Maria's brother' – in Russian the order is fixed, with the noun in the genitive always coming second:

брат Мари́и	Maria's brother

Note that the genitive case of masculine nouns that end in a soft sign or -й is -я rather than -а. Similarly, the genitive of neuter nouns ending in -e is -я:

дом И́горя	Igor's house (from И́горь)
дом Дми́трия	Dmitrii's house (from Дми́трий)
но́мер зада́ния	the number of the exercise (from зада́ние)

The genitive case of feminine nouns that end in -я and -ь is -и, not -ы:

столи́ца Росси́и	the capital of Russia (from Росси́я)
назва́ние пло́щади	the name of the square (from пло́щадь)

Remember that the letters below are never followed by -ы, and must always be followed by -и instead (this spelling rule affects the plural of masculine and feminine nouns, see p. 63, and adjectives, see p. 107):

   г   ж   к   х   ч   ш   щ

The same rule applies to the genitive singular of feminine nouns:

кварти́ра Мари́ны	Marina's flat
кварти́ра Ма́ши	Masha's flat

EXERCISE 9.1
Translate the following into Russian.

1 A bottle of wine. **2** A glass of water. **3** Natasha's dog. **4** The end of the lesson. **5** A map of the centre of Moscow. **6** Chekhov Street. **7** Ivan's daughter. **8** My mother. **9** The Pushkin Museum. **10** Oleg's wife. **11** The city centre. **12** A cup of coffee. **13** Children of the Arbat. **14** A piece (кусо́к) of cake. **15** Sergei's brother. **16** The capital of France. **17** A cup of tea. **18** Igor's friend.

EXERCISE 9.2
Look at the family tree above. Describe the relationship between the pairs given below, saying 'Nikolai is the son of Anton' etc., as in the example. The family relationships are given beneath as a reminder, along with two new ones for 'nephew' and 'niece'.

Ната́ша, Ви́ктор   →   Ната́ша – сестра́ Ви́ктора.

1 Анто́н, Ни́на	**7** А́нна, Никола́й	
2 Ива́н, А́нна	**8** Ви́ктор, Ни́на	
3 Ната́ша, Анто́н	**9** Никола́й, Анто́н	
4 Никола́й, Ни́на	**10** А́нна, Ната́ша	
5 Ната́ша, Ви́ктор	**11** Никола́й, Ви́ктор	
6 Ива́н, Ни́на	**12** Ни́на, Ви́ктор	

ба́бушка, де́душка, ма́ма, па́па, тётя, дя́дя, до́чка, сын, сестра́, брат, жена́, муж, <u>племя́нник</u>, <u>племя́нница</u>

EXERCISE 9.3
Write down the country for each capital city as in the example.

Ло́ндон   →   Ло́ндон – столи́ца А́нглии.

1 Рим	**5** Пари́ж
2 Мадри́д	**6** Вашингто́н
3 Москва́	**7** Берли́н
4 Ки́ев	**8** Кабу́л

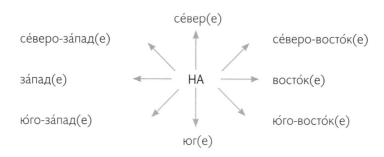

се́вер(е)
се́веро-за́пад(е)   се́веро-восто́к(е)
за́пад(е)   НА   восто́к(е)
ю́го-за́пад(е)   ю́го-восто́к(е)
юг(е)

The directions of the compass all take **на** when you want to say 'in the north' etc. As you would expect, this is followed by the prepositional case.

на се́вере — in the north
на восто́ке — in the east
на ю́го-за́паде — in the south-west

EXERCISE 9.4

Follow the model to ask where various cities and regions in Russia are located.

Где нахо́дится А́страхань?   →   А́страхань нахо́дится на ю́ге Росси́и.

Му́рманск, Росто́в-на-Дону́, Но́вая Земля́, Владивосто́к, Смоле́нск, А́страхань, Каре́лия, Чуко́тка

EXERCISE 9.5

Form sentences using the genitive and prepositional cases. Follow the pattern given.

Мой дом – центр – Лондон → Мой дом в центре Лондона.

1 Он рабóтает – óфис – президéнт
2 Марсéль нахóдится – юг – Фрáнция
3 Я рабóтаю – центр – Москвá
4 Телевúзор – кóмната – Вéра
5 Мы живём – юго-востóк – Петербýрг

6 Лос-Áнджелес нахóдится – зáпад – Амéрика
7 Дверь – конéц – коридóр
8 Лéйпциг нахóдится – востóк – Гермáния
9 Вчерá я был – квартúра – Ивáн
10 Барселóна нахóдится – сéверо-востóк – Испáния

NUMBERS 20–1000

So far you have met the numbers one to twenty. That is the difficult part. Once you get into the tens, Russian numbers follow a fairly recognisable system.

0	ноль						
1	одúн, однá, однó						
2	два, две	11	одúннадцать	20	двáдцать	200	двéсти
3	три	12	двенáдцать	30	трúдцать	300	трúста
4	четы́ре	13	тринáдцать	40	сóрок	400	четы́реста
5	пять	14	четы́рнадцать	50	пятьдесáт	500	пятьсóт
6	шесть	15	пятнáдцать	60	шестьдесáт	600	шестьсóт
7	семь	16	шестнáдцать	70	сéмьдесят	700	семьсóт
8	вóсемь	17	семнáдцать	80	вóсемьдесят	800	восемьсóт
9	дéвять	18	восемнáдцать	90	девянóсто	900	девятьсóт
10	дéсять	19	девятнáдцать	100	сто	1000	ты́сяча

EXERCISE 9.6

Using the examples below, write out or ask each other the sums in full.

– Скóлько бýдет шестьдесáт мúнус пять?   – Пятьдесáт пять.
– Скóлько бýдет двáдцать плюс сóрок семь?   – Шестьдесáт семь.

94	–	24	=	70		19	+	41	=	60		76	+	24	=	100
65	–	30	=	35		85	–	35	=	50		92	–	12	=	80
48	–	18	=	30		62	+	28	=	90		55	+	44	=	99

EXERCISE 9.7

Answer the following questions. Do not worry about the form of the nouns used in the questions, simply answer the questions with a number.

1 Ско́лько мину́т в ча́се?
2 Ско́лько дней в ма́рте?
3 Ско́лько дней в году́?
4 Ско́лько рубле́й в до́лларе?

5 Ско́лько ме́сяцев в году́?
6 Ско́лько букв в алфави́те?
7 Ско́лько шта́тов в Аме́рике?
8 Ско́лько сантиме́тров в ме́тре?

EXERCISE 9.8

In this drill choose a number between 1 and 10, then add 10, then multiply by 10 and then multiply by 100.

5 → пять → пятна́дцать → пятьдеся́т → пятьсо́т

ТЕЛЕФО́Н
TELEPHONE NUMBERS

Russians normally give phone numbers in groups of three. So for 241-63-17 instead of saying 'two-four-one-six-three-one-seven', they will say 'two hundred and forty-one, sixty-three, seventeen'. If the two letter combination begins with a zero (e.g. 04), they say e.g. **ноль четы́ре**.

EXERCISE 9.9

Practise saying these telephone numbers in the Russian way.

929-99-19
250-05-13
555-63-70

00 7 495 921-52-90
00 7 812 110-90-09
8 10 44 207 689-54-00
8 499 434-75-64

EXERCISE 9.10

This exercise is called '**цифровы́е стихи́**', or 'verses in numbers'. If you read the numbers out aloud you will find they mimic the rhythms of Russian poetry. As well as Pushkin and Mayakovsky, there is a 'happy verse' and a 'sad verse'. Read the numbers in the groups in which they are given, and don't forget to say '**ноль-оди́н**' etc. for 01.

1. Пу́шкин	3. Весёлые	4. Гру́стные
17 30 48	2 15 42	511 16
140 10 01	42 15	5 20 337
126 138	37 08 5	712 19
140 3 501	20 20 20!	17 247
	7 14 105	
2. Маяко́вский	2 00 13	
2 46 38 1	37 08 5	
116 14 20!	20 20 20!	
15 14 21		
14 0 17		

EXERCISE 9.11

Nevsky Prospect is the main street in St Petersburg, stretching from the Winter Palace in the west to the Alexander Nevsky Monastery in the east. It is lined with shops, hotels, museums, palaces, churches and stations.

Read out the addresses of the various buildings along Nevsky Prospect. See if you can work out which of the four missing letters goes with which building. address numbers starts at one in the west, and even numbers are on the north side of the street.

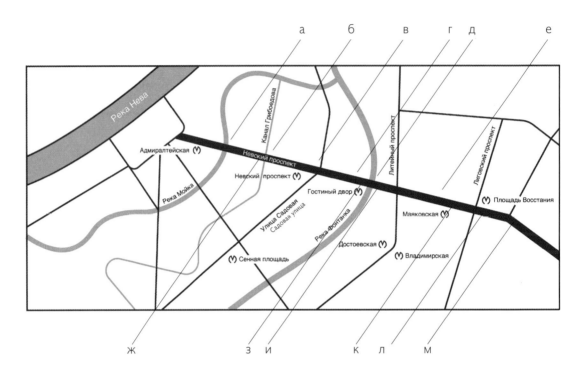

1	Каза́нский собо́р, дом 25	
2	Ани́чков дворе́ц, дом 39	и
3	Музе́й шокола́да, дом 62	
4	Гости́ный двор, дом 35	з
5	Рестора́н «Се́вер», дом 44	в
6	Рестора́н «Не́вский», дом 71	к
7	Дом кни́ги, дом 28	
8	Моско́вский вокза́л, дом 85	
9	Елисе́евский магази́н, дом 56	г
10	Литерату́рное кафе́, дом 18	а
11	А́льфа-банк, дом 87	м
12	Кинотеа́тр «Колизе́й», дом 100	е

The rules governing numbers and nouns are as follows:

a) use the <u>nominative singular</u> after any number <u>ending in 1</u> (e.g. 1, 21, 101, 2451) <u>but not 11</u>;

b) use the <u>genitive singular</u> after any number <u>ending 2, 3 or 4</u> (e.g. 2, 24, 2454) <u>but not 12, 13, 14</u>;

c) use the <u>genitive plural</u> after any number whose last digit is <u>zero</u> or <u>5–9</u> (e.g. 5, 28, 110, 2457)

Note that the <u>teens</u> are all followed by the <u>genitive plural</u>, because it is the <u>last spoken digit</u> of any number that dictates the form of the noun that follows it, and 12, 13 and 14 (**двена́дцать, трина́дцать, четы́рнадцать**) do not actually end in the words 2, 3 and 4.

Ско́лько, 'how many' and **мно́го**, 'many' are also followed by the <u>genitive plural</u>. This form will be covered in detail in Book 2 of *Russian made clear*.

nom.	gen. sing.	gen. pl.
1	2, 3, 4	5–20
21	22, 23, 24	25–30
31	32, 33, 34	35–40

The table below gives some words often used with numbers, along with their genitive singular and plural forms.

You have already met the forms of the word **час**, used to tell the time. This is a completely regular noun, and serves as a model for most other masculine nouns ending in a consonant.

The word for minute, **мину́та**, serves as a model for most feminine nouns ending in -a.

1	2, 3, 4 (gen. sing.)	5–20, 25–30 etc., ско́лько, мно́го (gen. pl.)
час	часа́	часо́в
мину́та	мину́ты	мину́т
рубль	рубля́	рубле́й
год	го́да	лет
раз	ра́за	раз
челове́к	челове́ка	челове́к

EXERCISE 9.12

Give the number followed by the correct form of **час** and **мину́та**.

1 3 (час)
2 5 (мину́та)
3 12 (час)

4 30 (мину́та)
5 21 (час)
6 42 (мину́та)

7 11 (мину́та)
8 60 (мину́та)
9 19 (час)

EXERCISE 9.13
Using forms of the word for year, write out the following in full.

1 Two years **2** Fifteen years **3** Five years **4** Four years **5** Fourteen years **6** Twenty-one years
7 One hundred and four years **8** Twenty-five years **9** Fifty years **10** One year

EXERCISE 9.14
Add up the collections of notes and coins below, using the correct form of **рубль**.

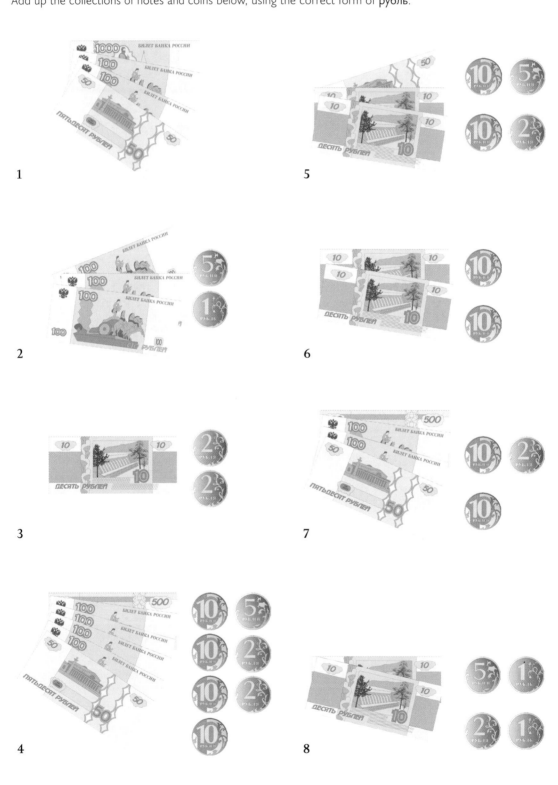

Ты́сяча, the word for 1000, is a feminine noun, so changes its form after a number, e.g. 2000, 5000, etc. Its forms are like **мину́та** (although with a genitive singular ending in -и after ч).

This means that when you say, for example, 2000 roubles, you need to put **ты́сяча** into the genitive singular after 2, and roubles into the genitive plural because it follows a number that is 5 or more.

Although this can seem confusing at first, in practice the form of roubles will always be **рубле́й** (and you are most likely to use 1000s when talking about prices).

1	2,3,4 (gen. sing.)	5-20, 25-30 etc. (gen. pl.)
ты́сяча	ты́сячи	ты́сяч

EXERCISE 9.15
Write these numbers out in full.

1 50,000
2 3,000
3 21,000

4 10,000
5 100,000
6 250,000

EXERCISE 9.16
Insert the correct form of the noun; practise saying the number.

1 5 (год)
2 50 (мину́та)
3 3 (ты́сяча)
4 12 (час)
5 23 (челове́к)
6 90 (ты́сяча)
7 2400 (рубль)
8 2 (год)

9 15 (челове́к)
10 61 (год)
11 10 (раз)
12 100 (мину́та)
13 50,000 (рубль)
14 64 (год)
15 3 (раз)

СКÓЛЬКО СТÓИТ?
HOW MUCH DOES IT COST?

DIALOGUES 9.2

1 – Скажи́те, пожа́луйста, у вас есть ка́рта Москвы́?
– Да, коне́чно. Вот туристи́ческая ка́рта це́нтра го́рода.
– Покажи́те, пожа́луйста. Ско́лько она́ сто́ит?
– Сто рубле́й.

2 – Покажи́те, пожа́луйста, э́ти часы́.
– Пожа́луйста.
– Ско́лько они́ сто́ят?
– Три ты́сячи рубле́й.

Сто́ить, 'to cost' is a regular verb like говори́ть, so the он/она́ form is сто́ит, and the они́ form is сто́ят. The difference in pronunciation is minimal:

Биле́т сто́ит два́дцать пять рубле́й.	The ticket costs 25 roubles.
Э́ти боти́нки сто́ят пять ты́сяч рубле́й.	These boots cost 5,000 roubles.

EXERCISE 9.17
Look at the items below. Ask each other how much things cost. For example:

– Ско́лько сто́ит биле́т? – Биле́т сто́ит 55 рубле́й.

блокно́т, пи́во, паке́т молока́, биле́т, откры́тка, бато́н хле́ба, буты́лка вина́, рю́мка во́дки, кусо́к
то́рта, ча́шка ча́я, апельси́новый сок, конфе́ты

DIALOGUES 9.3

1
– Да́йте, пожа́луйста, хлеб.

– Како́й вы хоти́те? Бе́лый и́ли чёрный?

– Вот э́тот, чёрный, за 22 рубля́.

– Что́-нибу́дь ещё?

– Да, ещё, пожа́луйста, паке́т молока́, килогра́мм* са́хара и две́сти
гра́мм* сы́ра.

– Хорошо́. <u>С вас</u> две́сти пять рубле́й.   from you (i.e. you owe)

– Спаси́бо. Вот две́сти два́дцать.

– Вот ва́ша <u>сда́ча</u>, пятна́дцать рубле́й.   change

2
– <u>Да́йте</u>, пожа́луйста, две ча́шки ча́я и два куска́ то́рта «Пра́га».   give

– Чай чёрный и́ли зелёный?

– Оди́н чёрный и оди́н зелёный.

– Э́то всё?

– Нет, ещё буты́лку воды́ без га́за. <u>Ско́лько с меня́?</u>   how much from me?
                                                                      (=do I owe)
– С вас 390 рубле́й.

3
– Мо́жно оди́н биле́т?

– <u>На ско́лько пое́здок?</u>   for how many journeys

– Извини́те, я не понима́ю. Повтори́те, пожа́луйста.

– На ско́лько пое́здок? Одна́ пое́здка э́то оди́н раз. Вы мо́жете
купи́ть биле́т на одну́ пое́здку, две пое́здки и́ли два́дцать пое́здок.

– Поня́тно. Биле́т на две пое́здки, пожа́луйста.

– Хорошо́. С вас сто де́сять рубле́й.

4
– Скажи́те, пожа́луйста, у вас есть тёплые <u>ша́рфы</u>?   scarves

– Да, коне́чно. Како́й вы хоти́те? <u>Жёлтый</u>, <u>си́ний</u> и́ли кра́сный?   yellow; blue

– <u>Покажи́те</u>, пожа́луйста, си́ний шарф. Ско́лько он сто́ит?   show

– Девятьсо́т пятьдеся́т рубле́й.

– <u>Напиши́те</u>, пожа́луйста. Я пло́хо понима́ю по-ру́сски.   write down

гра́мм and related words (e.g. **килогра́мм**) follow the irregular pattern of **раз**: the genitive plural
is the same as the nominative:

1	2–4	5+
грамм	гра́мма	грамм

IMPERATIVES

The shopping dialogues contain three new imperatives. Imperatives are forms of the verb used to give orders. They are very common in Russian, and are a perfectly polite way of conveying a request. (See p. 395 in the Grammar Supplement for more on imperatives.) The list below gives all the imperatives you have met:

да́йте, пожа́луйста	please give (me)
напиши́те, пожа́луйста	please write (it) down
покажи́те, пожа́луйста	please show (me)
скажи́те	tell (me)
извини́те	excuse (me)
иди́те	go
повтори́те	repeat
говори́те (ме́дленно)	talk (slowly)

All of these imperatives can be used without -те if you are talking to one person with whom you are familiar, i.e. on ты terms:

покажи́   покажи́те

EXERCISE 9.18
Fil in the blanks with appropriate words based on the dialogues from the previous page.

1   – _____, пожа́луйста, у вас есть чёрный хлеб?
    – Да, коне́чно. _____ вы хоти́те? «Моско́вский» или «Бороди́нский»?
    – _____, пожа́луйста, «Бороди́нский».
    – Что́-нибу́дь ещё?
    – Да, ещё, пожа́луйста, килогра́мм _____, три́ста грамм _____ и конфе́ты _____ 200 рубле́й.
    – Хорошо́. С _____ пятьсо́т шестьдеся́т рубле́й.
    – Спаси́бо. Вот шестьсо́т.
    – Вот ва́ша _____, _____ рубле́й.

2   – _____, пожа́луйста, оди́н биле́т.
    – На ско́лько _____?
    – На _____ пое́здки.
    – Сто де́сять _____.
    – Спаси́бо.

3   – _____, пожа́луйста, э́ти перча́тки.
    – Каки́е? Вот э́ти, чёрные?
    – Нет, жёлтые. Ско́лько они́ _____?
    – 1560 рубле́й.
    – Извини́те, я не понима́ю. _____, пожа́луйста.

EXERCISE 9.19

Use the model to create questions and answers about the price of clothes. There are no right answers, but actual prices taken from an online store are given at the bottom.

– Как ты ду́маешь, ско́лько сто́ит э́то кольцо́?
– Я ду́маю, что кольцо́ сто́ит 1490 рубле́й.

шарф	ша́пка	костю́м
пальто́	кольцо́	тёмные очки́
перча́тки	часы́	боти́нки
пла́тье	зонт	ту́фли

2250 ₽	490 ₽	6900 ₽	690 ₽	1500 ₽	900 ₽
280 ₽	1490 ₽	5400 ₽	350 ₽	5800 ₽	800 ₽

ту́фли 1500 ₽, тёмные очки́ 900 ₽, шарф 690 ₽, часы́ 350 ₽, зонт 800 ₽, кольцо́ 1490 ₽, костю́м 5800 ₽, пла́тье 6900 ₽, пальто́ 5400 ₽, перча́тки 490 ₽, боти́нки 2250 ₽, ша́пка 280 ₽

EXERCISE 9.20

Create your own dialogues to take place in each of the places given, using as many of the phrases and imperatives from the previous pages as possible.

1 В ба́ре.
2 В магази́не.
3 В ка́ссе метро́.
4 В кафе́.

EXERCISE 9.21
Translate into Russian.

1 Please show me this dress. How much is it? **2** Please give me a bottle of still water. **3** Please write it down, I don't understand Russian well. **4** Here is your change. **5** You owe 100 roubles. **6** Please give me a cup of tea and a small piece of cake. **7** Do you have warm gloves? How much do they cost? **8** Two beers please. **9** How much do I owe? **10** Please give me a loaf of bread for 35 roubles. **11** Please tell me where I can buy a map of Moscow.

IMPERFECTIVE AND PERFECTIVE VERBS: A VERY BRIEF INTRODUCTION

So far you have learnt the verb **покупа́ть**, to buy. This is called an imperfective verb. All the verbs you have met have been imperfective verbs. Imperfective verbs –

– are used in the <u>present</u> (both 'I buy' and 'I am buying'), <u>past</u> and <u>future</u> tenses;
– are used for repeated or incomplete actions.

For almost every English verb there is a second verb in Russian, called the perfective verb. The perfective verb is never used in the present tense, only in the past and future. It is used for one-off, complete actions in the past and future.

The perfective verb for 'to buy' is **купи́ть**. Use it in the past to say you bought something once (or in the future to say you will buy something once):

Вчера́ я купи́л руба́шку.　　　　　Yesterday I bought a shirt.

You will learn much more about the difference between imperfective and perfective verbs in Lesson 11; for the moment you need only be aware of the general principles, and the idea that there are almost always two possible Russian verbs for every English verb.

EXERCISE 9.22
Memory game. Take turns to say that you bought a piece of clothing, adding one new item each time.

– Сего́дня я купи́л(а) зонт.
– Сего́дня я купи́л(а) зонт и перча́тки.

EXERCISE 9.23
Create sentences using **купи́ть** in the past tense followed by an accusative and genitive.

Она́, купи́ть, паке́т, молоко́　　　　　→　　　　　Она́ купи́ла паке́т молока́.

1 Мы, купи́ть, килогра́мм, ма́сло
2 Ты, купи́ть, ча́шка, чай
3 Он, купи́ть, буты́лка, вино́
4 Она́, купи́ть, кусо́к, торт
5 Я, хоте́ть, купи́ть, бато́н, хлеб

6 Они́, купи́ть, две́сти, грамм, колбаса́
7 Я, купи́ть, ка́рта, Москва́
8 Мы, купи́ть, ко́пия, карти́на, Ре́пин
9 Я, купи́ть, со́рок, литр, бензи́н
10 Брат, Мари́на, купи́ть, кварти́ра, юг, Петербу́рг

EXERCISE 9.24
Create a possible first line for these dialogues.

1 – _____?
   – Нет, э́то буты́лка вина́.

2 – _____?
   – Она́ сто́ит три́ста рубле́й.

3 – _____?
   – Нет, Изма́йловский парк на восто́ке
     Москвы́.

4 – _____?
   – Нет, она́ жена́ Ви́ктора.

5 – _____?
   – Потому́ что оно́ сто́ило то́лько 500 рубле́й.

6 – _____?
   – Э́то маши́на Ви́ктора.

7 – _____?
   – Они́ сто́ят 4000 рубле́й.

8 – _____?
   – Нет, э́то портре́т Пу́шкина.

9 – _____?
   – На две пое́здки.

10 – _____?
    – Да, ещё, пожа́луйста, паке́т молока́.

11 – _____?
    – 8 962 993 77 16.

12 – _____?
    – Я рабо́тал там два го́да.

13 – _____?
    – С вас 200 рубле́й.

14 – _____?
    – Я купи́л их в Пари́же.

15 – _____?
    – Чёрный, за 24 рубля́.

EXERCISE 9.25
Translate into Russian.

1 How much does a flat cost in the centre of London? 2 Please give me a bottle of wine. 3 Can I have a cup of tea? 4 – How many years did you work in Paris? – Three years. 5 A kilogram of meat costs 650 roubles. 6 Viktor's sister works in a bank. 7 What is Viktor's sister called? 8 Please write it down. I understand Russian badly. 9 What do you know about Viktor's sister? 10 Please tell me how much these red shoes cost. 11 Nina's brother bought a villa in the south of France. 12 Have you read Dickens's novels? 13 There were ten thousand people at the concert. 14 *Three Sisters* is my favourite play by Chekhov. 15 Where can I buy gloves? 16 How much does a bottle of vodka cost in Moscow today? 17 Please give me the telephone number of the bank director's secretary. 18 I have been to Russia five times. 19 Please show me the map of Moscow for 100 roubles. 20 Please give me a ticket for two trips.

Глава́ IX
Пи́тер и Мари́на на Изма́йловском ры́нке

Пи́тер и Мари́на на Изма́йловском ры́нке. Недалеко́ от них стои́т продаве́ц. Он пьёт чай и ест кусо́к то́рта. На его́ прила́вке мо́жно найти́ всё: оде́жду, сувени́ры, компакт-ди́ски и ДВД, ста́рые ве́щи, кни́ги, откры́тки, ма́рки, карти́ны и, коне́чно, ико́ны.

– Что вас интересу́ет? – спра́шивает продаве́ц. – Здесь есть всё. Сего́дня о́чень хо́лодно. Я ви́жу, у вас нет ша́рфа. Мо́жет быть, вы хоти́те шарф «Дина́мо Москва́»? 300 рубле́й, 5 до́лларов. И́ли перча́тки. И́ли вот, смотри́те, ша́пка офице́ра Сове́тской А́рмии за 3000 рубле́й. О́чень хоро́шая цена́. Нет? Мо́жет быть, вас интересу́ют ка́рты? У меня́ есть ста́рые ка́рты Росси́и, пла́ны це́нтра го́рода, откры́тки, ма́рки. И́ли, мо́жет быть, вы хоти́те что́-нибу́дь совреме́нное? Портре́ты президе́нта Пу́тина, премье́р-мини́стра Медве́дева? После́дний фильм о Га́рри По́ттере? В кино́ ещё не пока́зывают. И́ли традицио́нные ру́сские сувени́ры. Матрёшки у меня́ – лу́чшие в Изма́йлове. Смотри́те, вот – двена́дцать штук за 950 рубле́й. У меня́ есть и други́е игру́шки. Я ви́жу, у вас о́чень краси́вая жена́. Наве́рное, де́ти у вас то́же о́чень краси́вые. У нас есть прекра́сные игру́шки.

Пи́тер красне́ет.

– Нет, спаси́бо, – говори́т Мари́на, – у нас нет дете́й.

– И мы не жена́ты, – добавля́ет Пи́тер.

Пото́м Пи́тер говори́т: «Покажи́те, пожа́луйста, э́ту карти́ну».

– Э́то не карти́на. Э́то ико́на. О́чень краси́вая, ста́рая ико́на. Она́ называ́ется «Кра́сная Мадо́нна».

– Скажи́те, пожа́луйста, ско́лько она́ сто́ит?

– 18000 рубле́й.

– Мари́на, что э́то зна́чит? Ско́лько рубле́й в до́лларе?

– Я ду́маю, 60.

– Зна́чит, 300 до́лларов? Э́то о́чень до́рого! Сли́шком до́рого! 8000. Не бо́льше.

– Нет, э́то сли́шком ма́ло. 14000, – говори́т продаве́ц.

– Нет. 10000.

– Дава́й 12000. 200 до́лларов. О́чень хоро́шая цена́. Э́то о́чень изве́стная ико́на. Ра́ньше она́ была́ в музе́е Пу́шкина. Ей три́ста лет, не ме́ньше.

– Ла́дно, – говори́т Пи́тер. – 12000 рубле́й. Договори́лись.

– Вот ва́ша ико́на, – говори́т продаве́ц. – Спаси́бо и до свида́ния.

Че́рез две мину́ты продаве́ц вдруг слы́шит мужско́й го́лос:

– Вы по́мните меня́? Я был здесь вчера́. Мы говори́ли об ико́не. Я хоте́л купи́ть её.

Это Ми́ша, ассисте́нт Влади́мира Влади́мировича.

– Да, по́мню. Но ико́ну уже́ купи́ли.

– Вы что?! Кто? Где? Когда́?

– Вот, ви́дишь? Молодо́й челове́к в ста́ром се́ром пальто́ идёт к метро́. Наве́рное, америка́нец. Пло́хо говори́т по-ру́сски. Купи́л за 200 до́лларов. Сумасше́дший!

Но Ми́ша уже́ не слу́шает. Он бы́стро бежи́т к метро́.

***

Пи́тер и Мари́на уже́ на платфо́рме. У Пи́тера паке́т. У Мари́ны то́же паке́т. В паке́те Мари́ны проду́кты. В паке́те Пи́тера ико́на. Недалеко́ от Мари́ны и Пи́тера стои́т молодо́й челове́к в костю́ме. «Нет, – ду́мает он, – здесь мно́го наро́ду. Здесь сли́шком мно́го наро́ду».

Пи́тер и Мари́на сидя́т в метро́. Они́ разгова́ривают. Напро́тив них сиди́т молодо́й челове́к. Ка́жется, что он чита́ет газе́ту, но на са́мом де́ле он смо́трит на Мари́ну и Пи́тера, и осо́бенно на паке́т Пи́тера. «Нет, – ду́мает он. – Здесь мно́го наро́ду. Здесь сли́шком мно́го наро́ду».

– Пи́тер, ско́лько лет ты уже́ рабо́таешь в музе́е? Кста́ти, мо́жно на «ты»? – спра́шивает Мари́на.

Пи́тер не понима́ет: «Мо́жно что на меня́?»

– Пи́тер, мы уже́ друзья́. Уже́ пора́ говори́ть «ты», а не «вы».

– А, поня́тно! Коне́чно, мо́жно. Дава́йте на «ты»!

– Тогда́ дава́й на «ты». – Мари́на смеётся. Пи́тер то́же смеётся, но не понима́ет, почему́.

– Так ско́лько лет ты уже́ рабо́таешь в музе́е?

– Я рабо́таю там уже́ пять лет. Мо́жет быть, мне пора́ найти́ но́вую рабо́ту. Я хочу́ пое́хать за грани́цу.

– Мо́жет быть, в Росси́ю?

– Мо́жет быть. А ты, Мари́на, где ты хо́чешь рабо́тать?

– Я то́же хочу́ пое́хать за грани́цу. Я хочу́ пое́хать в Аме́рику.

– Мо́жет быть, в Бо́стон?

– Мо́жет быть.

Молодо́й челове́к напро́тив Пи́тера и Мари́ны всё ещё смо́трит на паке́т Пи́тера.

– Интере́сно, Пи́тер, кака́я сейча́с пого́да в Бо́стоне? Там хо́лодно?

– Да, в Бо́стоне зимо́й всегда́ хо́лодно. Я о́чень люблю́ зи́му в Бо́стоне, когда́ идёт снег, све́тит со́лнце и ве́тер обы́чно не о́чень си́льный. Но моё люби́мое вре́мя го́да – о́сень, осо́бенно сентя́брь и октя́брь. Дере́вья стоя́т все кра́сные и золоты́е, тепло́, но не жа́рко.

– Тогда́ я хочу́ пое́хать в Бо́стон о́сенью.

– Отли́чно. Договори́лись.

Вот ста́нция «Ку́рская». Ди́ктор говори́т: «Осторо́жно, две́ри закрыва́ются. Сле́дующая ста́нция – "Пло́щадь револю́ции"».

– Пи́тер, мне пора́ домо́й. Сле́дующая ста́нция – моя́. Уже́ по́здно. За́втра у меня́ мно́го рабо́ты.

– А я хочу́ пойти́ в бар. Мо́жет быть, пойдём в бар вме́сте?

– Нет, Пи́тер, мне пора́ домо́й.

Ди́ктор говори́т: «Ста́нция "Пло́щадь револю́ции". Перехо́д на ста́нции "Театра́льная" и "Охо́тный ряд"».

– Пи́тер, э́то моя́ ста́нция. Мне пора́.

– Мари́на, дава́й пойдём в бар! Ты бу́дешь до́ма че́рез час.

– Че́рез час?

– Да, че́рез час. Мо́жет быть, че́рез полтора́.

Ди́ктор говори́т: «Осторо́жно, две́ри закрыва́ются. Сле́дующая ста́нция – "Арба́тская"».

– Пойдём скоре́е! – говори́т Пи́тер.

Пи́тер и Мари́на уже́ на платфо́рме. По́езд ухо́дит. А где молодо́й челове́к в костю́ме? Всё ещё в по́езде? И́ли то́же на платфо́рме?

алфави́т	alphabet
а́рмия	army
бато́н хле́ба	white loaf
бежа́ть (бегу́, бежи́шь)	to run
бензи́н	petrol
боти́нок, боти́нки pl.	low boots
бу́ква	letter (of alphabet)
весёлый	happy
во́семьдесят	eighty
восемьсо́т	eight hundred
восто́к	east
гимна́зия	secondary school
грамм	gram
грани́ца	border
за грани́цу	abroad (direction)
гру́стный	sad
две́сти	two hundred
двор	courtyard
дворе́ц	palace
девяно́сто	ninety
девятьсо́т	nine hundred
де́ло	thing, matter
на са́мом де́ле	in fact
де́рево, дере́вья pl.	tree
ди́ктор	announcer
добавля́ть (добавля́ю, добавля́ешь)	to add
до́ллар	dollar
друго́й	other, different
жёлтый	yellow
жена́т, -ы	married (of man or couple)
закрыва́ться	to close (intransitive)
две́ри закрыва́ются	the doors are closing
за́пад	west
земля́	earth, ground
золото́й	gold adj.
игру́шка	toy
интересова́ть	to interest
интересу́ет	(it) interests
каза́ться	to seem
ка́жется	it seems
кафе́	cafe
килогра́мм	kilogramme
кольцо́	ring
компакт-ди́ск	compact disc
конфе́ты	sweets
ко́пия	copy
красне́ть (красне́ю, красне́ешь)	to blush
кста́ти	by the way
купи́ть pf.	to buy
кусо́к	piece
ла́дно	(that's) ok, fine
литерату́рный	literary
литр	litre
лу́чший, -ая, -ее, -ие	best
ма́рка	postage stamp
метр	metre
моде́ль f.	model
моне́та	coin
мужско́й	male adj.
найти́ pf.	to find
напро́тив + gen.	opposite
наро́д	people, nation
мно́го наро́ду	many people
оде́жда	clothing
осторо́жно!	be careful
откры́тка	postcard
офице́р	officer
паке́т	carrier bag
перча́тки f. pl.	gloves
пла́тье	dress
племя́нник	nephew
племя́нница	niece
пока́зывать (пока́зываю, пока́зываешь)	to show
покажи́те imperative	show
полтора́	one and a half
портре́т	portrait
после́дний, -яя, -ее, -ие	last
прила́вок	stall
продаве́ц	seller
пятьдеся́т	fifty
пятьсо́т	five hundred
руба́шка	shirt
рю́мка	shot glass
сантиме́тр	centimetre
сда́ча	change (money)
се́вер	north
се́веро-восто́к	north-east
се́веро-за́пад	north-west
се́мьдесят	seventy
семьсо́т	seven hundred
скоре́е	more quickly
сле́дующий, -ая, -ее, -ие	next
сли́шком	too (excessively)
смея́ться (смею́сь, смеёшься, смеётся)	to laugh
сове́тский	Soviet
совреме́нный	contemporary
сто	hundred
сто́ить (сто́ит, сто́ят)	to cost
сумасше́дший	mad(man)
тёмный	dark
традицио́нный	traditional
три́ста	three hundred
туристи́ческий	tourist adj.
ту́фли f. pl.	shoes
ты́сяча	thousand
цена́	price
цифрово́й	digital, numeric
часы́ m. pl.	watch, clock
чемода́н	suitcase
четы́реста	four hundred
шарф	scarf
шестьдеся́т	sixty
шестьсо́т	six hundred
штат	state
шту́ка	thing, item
юго-восто́к	south-east
юго-за́пад	south-west

УРО́К ДЕ́СЯТЬ
Lesson 10

In Lesson 10 you will learn and practise a range of useful prepositions, including 'without', 'from', 'near' and 'after', which are all followed by the genitive case (the form used to denote possession). You'll also look at how the same form is used when you say you <u>don't</u> have something.

The main vocabulary of the lesson relates to the home: rooms, furniture and so on. The lesson ends with a situations test, a good measure of everything you have learnt so far: 50 one-line situations where you have to come up with the relevant language to perform a given task (e.g. 'ask how much a ticket to London costs').

DIALOGUES 10.1

1
  – У Ви́ктора есть сестра́?

  – Нет, у него́ нет сестры́.

  – А брат есть?

  – Да, у него́ два бра́та.

2
  – Како́й ко́фе ты бу́дешь?

  – Без молока́ и без са́хара. А ты?

  – Я бу́ду чай.

3
  – Отку́да вы?

  – Я из Ми́нска. А вы?

  – Я из Зеленогра́да, это го́род недалеко́ от Москвы́.

4
  – Дава́й встре́тимся в два часа́ по́сле обе́да?

  – Хорошо́. А где?

  – В це́нтре ГУ́Ма, о́коло фонта́на.

So far you have met the genitive case in its basic form, to say 'of' something or someone. The genitive case has several other important uses:

1. After **у**, as in the expression 'to have' (see also **у** meaning 'at [someone's home]' below)
У Бори́са есть жена́.	Boris has a wife.
У Ла́ры есть муж.	Lara has a husband.

2. After **нет**, particularly in the expression **у меня́** (etc.) **нет**
У меня́ нет му́жа.	I don't have a husband.
Здесь нет рабо́ты.	There is no work here.

    Note the following useful expressions with irregular genitive forms:
I don't have (any) money.	У меня́ нет де́нег. (from де́ньги, a plural noun)
I don't have (any) time.	У меня́ нет вре́мени. (from вре́мя, an irregular neuter noun)

3. After 2, 3 and 4 (genitive singular). Numbers from 5-20 are followed by the genitive plural.
два часа́	two o'clock (*also* 'two hours')
три мину́ты	three minutes

4. After a large number of prepositions, of which some of the most common are:
без	without
из	from (a place; e.g. 'Masha is from Moscow')
по́сле	after
от	from (a person; e.g. 'this is a present from Ivan')
недалеко́ от	near (not far from)
для	for
о́коло	near
до	until, before
у	at (a person's house)
напро́тив	opposite
от... до...	from... to... (of distance) [both genitive]

EXERCISE 10.1
Put the word in brackets into the genitive case, and translate the sentences into English.

1 Я пью кóфе без (сáхар).

2 Давáй встрéтимся пóсле (рабóта).

3 Я родúлся недалекó от (Минск).

4 Мой óфис нахóдится óколо (рекá).

5 Джон из (Лóндон).

6 Тáня из (Москвá).

7 Это подáрок от (Сáша).

8 У меня́ есть письмó для (вы).

9 До (суббóта).

10 Вчерá мы бы́ли у (Максúм).

11 Он живёт у (сестрá).

12 Наш дом напрóтив (парк).

EXERCISE 10.2
Read the following text and answer the questions.

Майкл из А́нглии, из Лóндона. Сейчáс он рабóтает в Москвé, в бáнке Росси́и. Он экономи́ст. Рáньше Майкл жил в цéнтре Лóндона, óколо Гайд-пáрка. Сейчáс у Мáйкла квартúра в цéнтре Москвы́. Дом Мáйкла недалекó от реки́. На рабóте Майкл всегдá óчень зáнят. У негó нет секретаря́ и нет ассистéнта. Пóсле рабóты он иногдá отдыхáет в бáре. Недалекó от óфиса есть мáленький бар, где Майкл лю́бит пить пи́во. У Мáйкла два брáта и три сестры́, но они́ живýт в Лóндоне. Майкл живёт оди́н. У негó нет жены́ и нет подрýги.

1 Откýда Майкл?

2 Где он рабóтает?

3 Где он жил рáньше?

4 Где нахóдится квартúра Мáйкла?

5 У негó есть секретáрь?

6 Когдá он отдыхáет?

7 У Мáйкла большáя семья́?

8 Майкл женáт?

EXERCISE 10.3
Translate the following sentences into Russian.

1 I have a meeting before lunch. 2 After university I lived in a flat on Chekhov street. 3 What do you want to do after Moscow? 4 I like to read after dinner. 5 They will be in the office before the meeting. 6 I will be at the station after breakfast. 7 I'll go to the gym (фúтнес-центр) before work. 8 We will be in Moscow at the end of the year.

EXERCISE 10.4
Put the following into the negative.

1 У меня́ есть подрýга.

2 У неё есть собáка.

3 На Кремлé есть флаг.

4 У них есть пи́во.

5 У тебя́ есть брат.

6 У них есть дéньги.

7 У нас есть календáрь.

8 У негó есть дáча.

9 У неё есть пальтó.

10 В гóроде есть собóр.

11 У тебя́ есть врéмя.

12 У меня́ есть икóна.

EXERCISE 10.5
Create negative sentences according to the model.

Ви́ктор, сестра́	→	У Ви́ктора нет сестры́.
Ко́мната, телеви́зор	→	В ко́мнате нет телеви́зора.

1 Дире́ктор, секрета́рь
2 Гости́ница, бассе́йн
3 Мари́на, брат
4 Президе́нт ба́нка, нача́льник
5 Актёр, роль (f.)

6 Ло́ндон, центр
7 Серге́й, подру́га
8 Ви́ка, телефо́н
9 Перево́дчик, слова́рь
10 Брат, маши́на

EXERCISE 10.6
Each suitcase contains nine objects, of which only three are in both suitcases. The aim of the exercise is to discover these three objects. Cover up one set of contents each and ask questions using **у вас есть**. The contents of both suitcases are listed at the bottom of the page.

– У вас есть колбаса́?   – Нет, у меня́ нет колбасы́.

                                    – Да, у меня́ есть колбаса́.

сви́тер, нож, ви́лка, зонт, ло́жка, колбаса́, ку́рица, па́спорт, шарф, лека́рство, пода́рок, пла́тье, часы́, блокно́т, буты́лка во́дки

У МЕНЯ́ НЕ́ БЫЛО
I DIDN'T HAVE

When you put **у меня́ есть** (etc.) in the past, the form of **был** matches that of the thing you had (see pp. 130–1):

У меня́ был уро́к.	I had a lesson. (masc.)
У меня́ была́ встре́ча.	I had a meeting. (fem.)
У меня́ бы́ло вре́мя.	I had time. (neut.)

When you put **у меня́ был** (etc.) in the negative, you only use the form **не́ было**, regardless of the gender of the thing you didn't have; and the thing itself goes <u>into the genitive</u>:

У меня́ не́ было уро́ка.	I didn't have a lesson. (masc.)
У меня́ не́ было встре́чи.	I didn't have a meeting. (fem.)
У меня́ не́ было вре́мени.	I didn't have time. (neut.)

Note that **не́ было** is pronounced as if it were one word, with the emphasis on the **не**.

Similarly, if you want to say **у меня́ нет** in the future, there is only one form, and it is always followed by the genitive:

За́втра у нас не бу́дет уро́ка. Tomorrow we won't have a lesson.

EXERCISE 10.7
Answer the following questions based on the model. Your reasons should contain **у меня́ нет** in the present or past; e.g. a reponse to 'why didn't you go to the theatre' could be 'because I didn't have a ticket'.

Почему́ вы не чита́ете? → Потому́ что у меня́ нет кни́ги.

1 Почему́ вы не покупа́ете дом?
2 Почему́ вы не ходи́ли в теа́тр?
3 Почему́ вы не смотре́ли э́тот фильм?
4 Почему́ Анто́н не пи́шет дикта́нт?

5 Почему́ вы не бы́ли на уро́ке?
6 Почему́ вы не переводи́ли текст?
7 Почему́ вы не е́дете в Москву́?
8 Почему́ вы не еди́те?

EXERCISE 10.8
Work in pairs: the first person should say something they have (had, will have); the second should repeat in the negative. Use only singular nouns.

У меня́ есть маши́на.	→	У меня́ нет маши́ны.
У меня́ бу́дет маши́на.	→	У меня́ не бу́дет маши́ны.
У меня́ была́ маши́на.	→	У меня́ не́ было маши́ны.

EXERCISE 10.9
Translate the following into Russian.

Marina has a sister. Marina's sister is a lawyer. Marina's sister lives in the centre of Moscow. Marina's sister has a friend. Marina's sister's friend works in a shop. Marina's sister's friend has two brothers, but doesn't have a sister. This is a present from Marina's sister's friend's brother.

EXERCISE 10.10

Create dialogues according to the models with **от** and **до** to give the distance and time between two places.

– Как далеко́ от Москвы́ до Петербу́рга?
– От Москвы́ до Петербу́рга 708 киломе́тров.

1 Ло́ндон – Пари́ж (340 км)
2 Гости́ница – центр (10 мин. пешко́м)
3 Москва́ – Владивосто́к (9258 км)
4 Дом – о́фис (30 мин. на метро́)
5 Та́ллин – Петербу́рг (315 км)

6 Москва́ – Владивосто́к (6 дней на по́езде)
7 Москва́ – Петербу́рг (4 ч. на по́езде «Сапса́н»)
8 Ло́ндон – Нью-Йорк (7 ч. 45 мин. на самолёте)
9 Гости́ница – аэропо́рт (1,5 ч. на маши́не)
10 Москва́ – Ирку́тск (5 ч. 25 мин. на самолёте)

НАЛЕ́ВО VS СЛЕ́ВА
TO THE LEFT VS ON THE LEFT

DIALOGUES 10.2

1
– Извини́те, где здесь апте́ка?
– Вы зна́ете, где универма́г?
– Зна́ю.
– Апте́ка сле́ва от него́.

2
– Вы не зна́ете, как дойти́ до апте́ки?
– Иди́те пря́мо, а пото́м поверни́те напра́во.
– Э́то далеко́?
– Нет. Мину́т пять пешко́м.

3
– Скажи́те, пожа́луйста, как дойти́ до музе́я Пу́шкина?
– Иди́те пря́мо, а о́коло магази́на поверни́те напра́во. Музе́й бу́дет сле́ва от вас.
– Э́то далеко́ отсю́да?
– Не о́чень. Мину́т 10 пешко́м.

In dialogues 2 and 3 above the number comes after the word for minutes. In Russian this conveys a sense of an approximate number. If you want to say <u>at</u> an approximate time, note where you put в:

В пять часо́в.   At five o'clock.
Часо́в в пять.   At about five o'clock.

In dialogues for giving directions in the book so far, the words for right and left have been given as **напра́во** and **нале́во**. These words mean 'to the right' and 'to the left'; i.e., they are used for giving directions towards something.

If you want to say 'on the right' and 'on the left' (i.e. where you are talking about the <u>position</u> of something, rather than the <u>direction</u>), you should use **спра́ва** and **сле́ва**. These can be followed by **от** + genitive to say 'on the right/left of'.

где?	куда?
сле́ва (от)	нале́во
спра́ва (от)	напра́во

EXERCISE 10.11

Following the model, use **спра́ва/сле́ва от** or **напро́тив** (all followed by the genitive) to say where various buildings on the street are situated.

– Где магази́н «О́бувь»?   – Магази́н «О́бувь» спра́ва от универма́га.
                            – Магази́н «О́бувь» напро́тив музе́я.

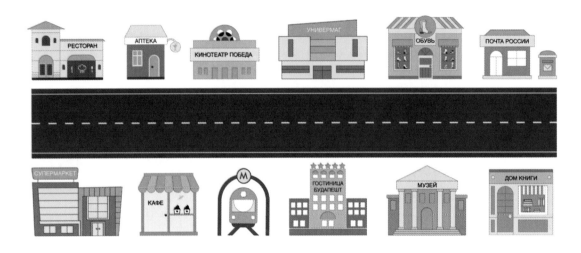

ОТКУ́ДА?
WHERE FROM?

EXERCISE 10.12

Create and answer questions about the following characters and their countries of origin. Try answering with a city as well as a country.

– Отку́да Хосе́?   – Хосе́ из Испа́нии, из Мадри́да.

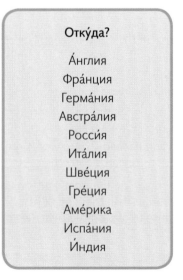

Кто?	Отку́да?
Людми́ла	А́нглия
Джон	Фра́нция
Хосе́	Герма́ния
Курт	Австра́лия
Мари́	Росси́я
Радж	Ита́лия
Лючи́я	Шве́ция
Бьорн	Гре́ция
Брюс	Аме́рика
Мэ́ри-Джо	Испа́ния
Ни́кос	И́ндия

Read the dialogues, paying attention to the genitive case.

1
— Привéт, Натáша. Ты откýда идёшь?
— Из магази́на. Я купи́ла подáрок для мýжа.
— Подáрок?! Я не знáла, что у Андрéя скóро день рождéния.
Я дýмала, у негó день рождéния в ию́не…
— Ну да, в начáле ию́ня. Нет, э́то не на день рождéния, а на
Рождествó.   *beginning*
— Ты шýтишь! До Рождествá ещё два мéсяца!   *you're joking*
— А ты дýмаешь, что два мéсяца – э́то дóлго? На сáмом дéле врéмя   *time is flying (lit. 'running')*
бежи́т óчень бы́стро, а в концé гóда у нас всегдá óчень мнóго
рабóты и нет врéмени покупáть подáрки.

2
— Сергéй, у меня́ для тебя́ сюрпри́з!   *surprise*
— Прáвда? Надéюсь, прия́тный?   *I hope*
— Дýмаю, что да. В э́ти выходны́е мы éдем в Пари́ж.   *weekend (lit. 'days off')*
— Ничегó себé! Здóрово! И что, ты ужé купи́ла биле́ты?   *wow! fantastic!*
— Да, купи́ла биле́ты и заказáла гости́ницу в цéнтре Пари́жа,   *booked*
недалекó от Лýвра и сáда Тюильри́.
— Недалекó от Лýвра, ты серьёзно?   *seriously*
— Да, от гости́ницы до Лýвра тóлько 10 минýт пешкóм.
— Отли́чно. И когдá мы éдем?
— В пя́тницу вéчером, пóсле рабóты. Тóлько у меня́ однá прóсьба: *request*
пожáлуйста, не бери́ моби́льный. Я хочý э́ти два дня жить без   *don't take*
компью́тера и без телефóна, котóрый без концá звони́т.
— Хорошó, нет проблéм.   *no problem*
— И без телеви́зора…
— А что, в нóмере нет телеви́зора?
— Навéрно, есть, но, я надéюсь, ты не бýдешь егó смотрéть с утрá   *probably*
до вéчера?   *from morning to night*
— Конéчно, нет, я прóсто шучý. Отли́чная идéя! Ты молодéц!   *I'm joking; well done you!*

EXERCISE 10.13

Fill in the gaps with a suitable phrase from the dialogues on the previous page.

1 – Приве́т, А́нна. Ты _____ идёшь?

– _____ библиоте́ки. Я ходи́ла туда́ гото́вить те́мы _____ экза́мена.
Ты _____?! _____ экза́мена ещё 2 ме́сяца!

– Да, но сейча́с я могу́ рабо́тать споко́йно, а в конце́ семе́стра у нас бу́дет мно́го экза́менов и не _____ вре́мени!

2 – И́горь, у меня́ _____ тебя́ сюрпри́з.

– Пра́вда? _____, прия́тный?

– Коне́чно. Ка́тя приглаша́ет нас на день рожде́ния.

– _____! А когда́?

– В пя́тницу _____ рабо́ты. Ты зна́ешь, где она́ живёт?

– Нет, не зна́ю. Мо́жет быть, пойдём туда́ вме́сте?

– Коне́чно, _____.

3 – Илья́, когда́ ты е́дешь в Рим?

– Я _____, в э́ти _____.

– Ты уже́ _____ гости́ницу?

– Ещё нет. Хоро́шие гости́ницы в _____ Ри́ма о́чень дороги́е, а я не хочу́ жить далеко́ _____ це́нтра, в но́мере _____ ду́ша и интерне́та.

– _____, мо́жно арендова́ть кварти́ру на са́йте в интерне́те, э́то сейча́с о́чень популя́рно.

– _____! Спаси́бо! А ты мо́жешь дать мне а́дрес са́йта?

– Коне́чно, _____.

4 – Скажи́те, пожа́луйста, как _____ до апте́ки?

– Иди́те пря́мо, а _____ магази́на _____ нале́во. Апте́ка бу́дет спра́ва _____ вас.

	question words		masc.		fem.			neut.
nom.	кто	что	Ло́ндон	И́горь	Москва́	неде́ля	Росси́я	вино́
acc.	кого́	что	Ло́ндон	И́горя*	Москву́	неде́лю	Росси́ю	вино́
gen.	кого́	чего́	Ло́ндона	И́горя	Москвы́	неде́ли	Росси́и	вина́
prep.	ком	чём	Ло́ндоне	И́горе	Москве́	неде́ле	Росси́и	вине́

* remember that the accusative of animate masculine nouns is the same as the genitive.

EXERCISE 10.14
Answer the questions with the words given in bold at the beginning.

Петербу́рг

1 А́нна из _____.
2 Ра́ньше я жил в _____.
3 Ле́том мы пое́дем в _____.
4 Что вы зна́ете о _____?
5 Вы бы́ли в _____?
6 Когда́ вы е́здили в _____?
7 Я люблю́ _____.
8 Наш о́фис нахо́дится на ю́ге _____.
9 _____ – о́чень краси́вый го́род.
10 Мой друг живёт недалеко́ от _____.

Ви́ктор и Ни́на

1 У _____ есть дочь.
2 _____ рабо́тают в Ло́ндоне.
3 Ты хорошо́ зна́ешь _____?
4 Мы говори́ли о _____.
5 Это письмо́ от _____.
6 Вчера́ я ви́дела _____.
7 Я купи́л пода́рок для _____.

EXERCISE 10.15
Rewrite these two-line dialogues putting the nouns and pronouns in brackets into the correct form.

1 – О (что) ты ду́маешь?
   – О (револю́ция).

2 – (Кто) ты ви́дел в Берли́не?
   – (Марк и Ю́лия).

3 – У (кто) есть вопро́сы?
   – У (И́горь).

4 – (Что) вы бу́дете есть?
   – (Пи́цца и сала́т).

5 – На (что) вы пое́дете в Йорк?
   – На (по́езд).

6 – Для (кто) э́ти цветы́?
   – Для (ма́ма).

7 – Без (что) вы не мо́жете пое́хать в Росси́ю?
   – Без (па́спорт и ви́за).

8 – О (кто) э́тот фильм?
   – О (Гага́рин).

9 – От (кто) э́то письмо́?
   – От (Андре́й).

10 – (Что) нет в но́мере?
   – (Интерне́т).

B AND HA REVISION

The physical distinction between **в** and **на** is quite straightforward: **в** means 'in', **на** means 'on'.

Both **в** and **на** can mean 'at': the basic guideline is to use **на** if you are at an event, and **в** if you are at a place.

The most common exceptions are:

на вокза́ле	at the (mainline) station
на ста́нции	at the (metro) station
на заво́де	at the factory
на по́чте	at the post office
на ры́нке	at the market
на стадио́не	at the stadium

Words that take **в** + prepositional for position will take **в** + accusative for direction; words that take **на** + prepositional for position will take **на** + accusative for direction:

Я была́ на уро́ке.	Я была́ в Ло́ндоне.
Я иду́ на уро́к.	Я е́ду в Ло́ндон.

Remember also that there are special forms for **дом**:

Он был до́ма.	He was at home.
Он идёт домо́й.	He is going home. (i.e. direction)

B/ИЗ AND HA/C

If you want to say from a place or event (e.g. 'he is going home from the office'), remember the following rule:

words that use **в** for 'in', 'at' or 'to', will use **из** for 'from'.
words that use **на** for 'on', 'at' or 'to', will use **с** for 'from'.

Я иду́ в теа́тр.	Мы идём на уро́к.
Я иду́ из теа́тра.	Мы идём с уро́ка.

ГДЕ? КУДА́? ОТКУ́ДА?
WHERE? WHERE TO? WHERE FROM?

где?	куда́?	отку́да?
в Ло́ндоне	в Ло́ндон	из Ло́ндона
в Росси́и	в Росси́ю	из Росси́и
на рабо́те	на рабо́ту	с рабо́ты
на вокза́ле	на вокза́л	с вокза́ла
до́ма	домо́й	из до́ма
там	туда́	отту́да
здесь	сюда́	отсю́да

EXERCISE 10.16
Answer the questions according to the model.

Парк

(a) – Где вы бы́ли?   – Я был в па́рке.
(b) – Куда́ вы идёте?   – Я иду́ в парк.
(c) – Отку́да вы идёте?   – Я иду́ из па́рка.

1 По́чта
2 Магази́н
3 Встре́ча
4 Уро́к
5 Теа́тр

6 Конфере́нция
7 Рабо́та
8 Цирк
9 Там

EXERCISE 10.17
Ask and answer questions based on the pictures and names shown.

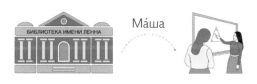

→   Ма́ша идёт из библиоте́ки на уро́к.

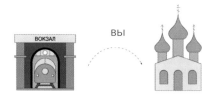

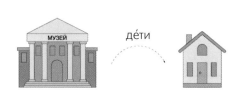

EXERCISE 10.18
Create sentences according to the model.

Университе́т, библиоте́ка   →
Студе́нты бы́ли в университе́те, а сейча́с они́ иду́т из университе́та в библиоте́ку.

1 Мы, бар, рестора́н
2 Мои́ колле́ги, встре́ча, о́фис
3 Та́ня, Москва́, Ло́ндон

4 Друзья́, конце́рт, дом
5 Оле́г, обе́д, рабо́та
6 Я, бассе́йн, бале́т

КÓМНАТА, МÉБЕЛЬ
ROOM, FURNITURE

EXERCISE 10.19

Identify the words below with the relevant objects and rooms in the picture. Words relating to rooms (кóмнаты) are given on the left, words for furniture (мéбель) are on the right.

мéбель (f.)

вáнна
дивáн
душ
зéркало
ковёр
крéсло
кровáть
лáмпа
плитá
пóлка
кни́жные пóлки
стол
пи́сьменный стол
стул
телеви́зор
шкаф

кóмнаты

вход
коридóр
вáнная
туалéт
столóвая
гости́ная
спáльня
балкóн
кýхня
кабинéт

TEXT 10.1

Моя́ кварти́ра нахо́дится в Москве́, далеко́ от це́нтра го́рода, о́коло ста́нции метро́ Ба́бушкинская. Э́то типи́чная сове́тская кварти́ра. Но кварти́ра не ма́ленькая – в ней четы́ре ко́мнаты, ва́нная и ку́хня. В де́тстве вся моя́ семья́ жила́ здесь – моя́ ба́бушка, мои́ роди́тели, моя́ сестра́ и я. Но ба́бушка давно́ умерла́, роди́тели то́же. Моя́ сестра́ тепе́рь живёт далеко́ от Москвы́, и я живу́ здесь оди́н.

Кварти́ра нахо́дится на второ́м этаже́. Коридо́р у меня́ небольшо́й, и там нет ничего́, кро́ме зе́ркала. Пе́рвая ко́мната сле́ва от коридо́ра – мой кабине́т. Э́то са́мая ва́жная для меня́ ко́мната в кварти́ре, потому́ что я писа́тель, у меня́ нет о́фиса и я мно́го рабо́таю до́ма. У меня́ в кабине́те ма́ло ме́бели, там есть то́лько большо́й пи́сьменный стол, стул и кни́жные по́лки. Втора́я ко́мната сле́ва – э́то столо́вая, где в це́нтре ко́мнаты стои́т кру́глый стол, а вокру́г него́ сту́лья. Обы́чно я ем на ку́хне и у́жинаю в столо́вой, то́лько когда́ у меня́ го́сти. Пе́рвая ко́мната спра́ва – гости́ная. В ней стоя́т два кре́сла, дива́н, телеви́зор, ла́мпа и лежи́т о́чень краси́вый ковёр, кото́рый я купи́л в Таджикиста́не.

Моя́ спа́льня нахо́дится спра́ва в конце́ коридо́ра. В спа́льне, коне́чно, у меня́ есть крова́ть и ма́ленькая по́лка. Ещё в спа́льне стоя́т стул и ла́мпа. Ва́нная у меня́ ма́ленькая, но чи́стая и удо́бная. В ней есть ва́нна и душ. Моя́ ку́хня о́чень старомо́дная: в ней есть ста́рая плита́, стол и два сту́ла.

Note that the words for 'bathroom', 'dining room' and 'sitting room' (but not 'bedroom' or 'kitchen') are all feminine adjectives in form (this is because they are agreeing with the unspoken word ко́мната):

столо́вая	dining room
гости́ная	sitting room
ва́нная	bathroom

This means the prepositional case is an adjectival ending, not the usual noun ending:

в столо́вой	in the dining room
в гости́ной	in the sitting room
в ва́нной	in the bathroom

The prepositional case of bedroom, corridor, etc. are regular:

в спа́льне	in the bedroom
на/в ку́хне	in the kitchen

EXERCISE 10.20

Create questions and answers about where various bits of furniture are in the flat on the previous page.

– Где стои́т дива́н?
– Дива́н стои́т в гости́ной.

– Что есть в кабине́те?
– В кабине́те есть компью́тер и при́нтер.

EXERCISE 10.21

Answer the following questions about the flat described above.

1 В столо́вой есть дива́н?
2 Где стои́т компью́тер?
3 Где стои́т зе́ркало?
4 Кака́я ко́мната нахо́дится о́коло ку́хни?
5 В спа́льне есть стол?

6 Что нахо́дится в конце́ коридо́ра?
7 В коридо́ре есть шкаф?
8 Кака́я ко́мната нахо́дится сле́ва от вхо́да?
9 Кака́я пе́рвая ко́мната спра́ва от коридо́ра?
10 Где лежи́т ковёр?

EXERCISE 10.22

Describe your own flat or home.

EXERCISE 10.23

Create a possible first line for these dialogues.

1 – _____?
   – Нет, это бутылка вина.

2 – _____?
   – Для мужа.

3 – _____?
   – Конéчно, нет. Я прóсто шучý.

4 – _____?
   – С урóка.

5 – _____?
   – Нет, онá женá Вúктора.

6 – _____?
   – Потомý что онú стóили всегó 500 рублéй.

7 – _____?
   – Это машúна Вúктора.

8 – _____!
   – Здóрово!

9 – _____?
   – 4000 рублéй.

10 – _____?
   – У Нúны.

11 – _____?
   – В Москвé два цúрка.

12 – _____?
   – Нет, спрáва.

13 – _____?
   – От Владúмира до Москвы́ полторá часá
     на машúне.

14 – _____?
   – Нет проблéм.

15 – _____?
   – От Сáши.

16 – _____?
   – Это кабинéт дирéктора.

17 – _____?
   – Пóсле обéда.

18 – _____?
   – Áнна из Новосибúрска.

19 – _____!
   – Ничегó себé!

20 – _____?
   – Идúте прямо до магазúна, а потóм
     поверни́те налéво.

EXERCISE 10.24
Translate the following into Russian.

1 At our meeting after lunch we talked about the boss's brother. **2** This is Vadim's wife, this is Vadim's wife's brother, this is Vadim's wife's brother's son, and this is Vadim's wife's brother's son's wife. I don't know her very well. **3** In Russia today it's difficult to live without money. **4** I don't have any money and he doesn't have any time. **5** This is a present for you from Ivan's brother. **6** She lives opposite the entrance into the park, not far from the post office. **7** I will wait for you by the exit after the lesson. **8** Masha's sister does not have a job. **9** She lives near the bar at the end of Sakharov street. **10** How do I get from the hotel to the Pushkin Museum? **11** We do not have a restaurant in the hotel. **12** How far is it from the capital of Russia to the capital of Germany? **13** Let's go for a walk in the park after the end of the lesson. **14** We'll go home from the station in a taxi, because we won't have time. **15** Ivan's brother was reading about a man from a town in the south of France. **16** Before the war people didn't even know what the capital of Iraq was called. **17** The director's secretary won't have any work before the end of the week. **18** – Who is this letter from? – Tanya. **19** Andrei's office is opposite the park, to the right of the chemist. **20** There was a sofa and two armchairs in the sitting room, but there wasn't a television. **21** I hope that when we go to Barbados we'll rest from morning till evening, and dance from evening till morning. **22** I probably won't have a lesson before the end of March. **23** Well done you! **24** – Is Pedro from Spain? – No, he's from Cuba.

SITUATIONS TEST

EXERCISE 10.25
This test should cover everything you have learnt so far. Do not attempt it until you have had a good review!
Remember that you are trying to cope in a situation: do not worry if you cannot remember every word.

1. Introductions
Introduce yourself, giving name, profession
Say where you were born/where you are from
Introduce your wife/husband/partner
Give her/his name and profession
Say where you both live
Describe your family
Say where you work and how many people work in your office

2. Small Talk
Express an opinion about Moscow
Say what you are going to do at the weekend
Talk about what you like doing when not working
Ask what someone knows about London
Ask if someone has ever been to England/US
Say that you were on holiday in France in summer
Say where you are going on Saturday
Ask where someone lives and what he/she does
Say where you live, and describe your home

3. Asking for things
Ask where the metro is
Ask someone to repeat what he/she has said
Say that you don't speak much Russian
Ask if someone speaks English
Say you want some coffee
Give directions to the left and right
Ask how much a ticket to London costs
Say that 400 roubles is very expensive
Ask how much a newspaper costs

4. Make arrangements
Say that you will be at the entrance to the metro at 6 o'clock
Say that you will be in Moscow on Sunday evening
Say that you are going to a restaurant this evening
Ask what time our meeting is
Say that you will be in the office on Monday morning at 9.00
Say 'let's meet' at a particular place and time
Say that you will be at the dacha at the weekend
Say you want to see Mr Pankov
Say that you will be in the bar after work
Give your telephone number at work and home
Ask to speak to Irina
Ask to leave a message saying that you called

5. In the restaurant
Ask if they have a table
Ask for a table near the window
Ask for the menu
Ask what блины́ по-ру́сски is
Ask how much caviar costs
Order some soup and a bottle of wine
Say that you prefer potatoes to cabbage
Say that you want ice-cream for dessert
Say you don't eat meat
Say that you like vegetables, especially mushrooms
Ask for the bill
Say that that's everything

Глава́ X
У них никого́ нет

Пи́тер и Мари́на уже́ час сидя́т в ба́ре. На столе́ лежа́т ви́лки, ло́жки и ножи́, но всё равно́ Пи́тер и Мари́на не едя́т. У Пи́тера большо́й бока́л вина́. У Мари́ны то́же большо́й бока́л вина́. На столе́ стои́т уже́ втора́я буты́лка вина́. Пи́тер чу́вствует себя́ прекра́сно. Мари́на то́же чу́вствует себя́ о́чень хорошо́. В ба́ре мно́го наро́ду, но Пи́тер и Мари́на сидя́т в углу́ у окна́. Ме́сто ти́хое и ую́тное. Пи́тер смо́трит на Мари́ну. Мари́на смо́трит на Пи́тера. Ни он, ни она́ не ви́дят молодо́го челове́ка, кото́рый сиди́т у ба́ра.

– Ты из Бо́стона, Пи́тер?

– Нет, я роди́лся в При́нстоне, недалеко́ от Нью-Йо́рка. А где ты родила́сь?

– Я из Воро́нежа. Это большо́й го́род на ю́ге Росси́и.

– Это далеко́ от Москвы́?

– Да, дово́льно далеко́. Мо́жет быть, шестьсо́т киломе́тров от столи́цы, на по́езде часо́в пять-шесть.

– А твоя́ семья́ ещё живёт там?

– Да, да. Мои́ роди́тели живу́т там.

– А у тебя́ есть бра́тья и́ли сёстры?

– Бра́та нет. У меня́ одна́ сестра́, кото́рая живёт в Но́вгороде. Это недалеко́ от Петербу́рга.

– Она́ за́мужем?

– Да, за́мужем. И у неё есть ма́ленькая до́чка, ей три го́да.

– Так что, у твои́х роди́телей то́лько одна́ вну́чка, а вну́ка нет?

– Что ты име́ешь в виду́?

– Я име́ю в виду́, что у твое́й сестры́ нет сы́на.

– Да, пра́вда. У неё нет сы́на.

Пи́тер молчи́т. Мари́на то́же молчи́т.

– А у тебя́ есть де́ти, Пи́тер?

– Нет, нет.

– У меня́ то́же нет дете́й.

Пи́тер бы́стро выпива́ет бока́л вина́.

– Скажи́, пожа́луйста, Мари́на, ваш друг Ива́н – кто он тако́й?

– Твой друг, Пи́тер.

– Нет, он не мой друг.

Мари́на смеётся:

– Нет, Пи́тер, я шучу́. Я име́ю в виду́, что мы уже́ говори́м на «ты». На́до бы́ло сказа́ть «твой друг», а не «ваш друг».

– Поня́тно! Твой друг Ива́н – кто он?

– Ива́н – бизнесме́н, бога́тый и ва́жный бизнесме́н.

«Богатый, – думает Питер, – это плохо. И важный. Это очень плохо».

– Иван из Москвы? – спрашивает он.

– Нет, он из города недалеко от Петербурга.

– Интересно. А где он сейчас живёт?

– В Москве. А скажи, почему он тебя так интересует?

– Я не знаю. Просто он интересный человек.

Питер молчит. Марина тоже молчит.

– А у тебя есть девушка, Питер?

– Нет, у меня никого нет.

– У меня тоже никого.

Питер быстро выпивает бокал вина. «Это хорошо», – думает он.

– Какая у тебя квартира, Питер? – спрашивает Марина.

– Небольшая. В ней есть спальня, гостиная, столовая и маленький кабинет. И, конечно, кухня и ванная.

– И ты считаешь, что это небольшая квартира?! Четыре комнаты. Ничего себе! У меня в квартире только одна комната и кухня. На кухне я готовлю и завтракаю. В спальне я работаю, отдыхаю и, конечно, сплю.

– Конечно, – говорит Питер.

Марина ждёт. Питер ничего не говорит. Питер смотрит на Марину. Марина смотрит на часы. Уже поздно.

– Питер, я очень устала. Мне пора.

– Очень жаль, – говорит Питер. – А ты не хочешь кофе?

– Питер, уже поздно. И где мы будем пить кофе в такое время? Все кафе уже закрыты. Я думаю, что в такое время только в гостинице кафе будет открыто.

– Да, правда, – говорит Питер. – Очень жаль. Ладно. Тебе пора! Слушай, Марина, ты можешь взять икону с собой? Я хочу её передать в музей, но завтра туда не пойду.

– Конечно, могу.

Молодой человек у бара внимательно смотрит, как Питер берёт икону из пакета и кладёт её в пакет Марины. Теперь у Питера в пакете только перчатки и шарф. Питер и Марина выходят из бара и стоят на улице. Питер берёт шарф и перчатки из пакета.

– Слушай, Питер, – говорит Марина, – ты знаешь, я еду домой на метро. Я боюсь брать икону с собой. Она очень ценная. Лучше, если она будет у тебя. Ты можешь её передать в музей послезавтра.

– Да, если ты боишься, конечно. Давай.

Питер берёт икону и кладёт её обратно в пакет. В этот момент из бара выходит молодой человек.

– Ну, ладно, Питер. Я иду туда, налево, а ты – туда, направо. Спокойной ночи.

– Спокойной ночи, Марина. Большое спасибо за прекрасный день.

– Спасибо тебе за прекрасный вечер.

Марина медленно идёт к метро. У неё грустное лицо.

Австра́лия	Australia	на́до	it is necessary
арендова́ть (аренду́ю, аренду́ешь)	to rent	нача́ло	beginning
балко́н	balcony	ни… ни…	neither… nor…
бога́тый	rich	ничего́ себе́!	not bad!
бока́л	glass (wine)	нож	knife
боя́ться (бою́сь, бои́шься)	to be afraid	о́бувь	shoes, footwear
ва́нна	bath	о́коло + gen.	near
ва́нная	bathroom	откры́т, -а, -о, -ы	open
взять pf.	to take	отсю́да	from here
ви́лка	fork	отту́да	from there
внима́тельно	attentively	переводи́ть (перевожу́, перево́дишь)	to translate
внук	grandson	плита́	cooker, stove
вну́чка	granddaughter	пода́рок	present, gift
выпива́ть (выпива́ю, выпива́ешь)	to drink up	по́лка	shelf
		кни́жные по́лки	bookshelves
выходи́ть (выхожу́, выхо́дишь)	to exit, go out of	по́сле + gen.	after
выходны́е pl.	weekend	прия́тный	pleasant, nice
гости́ная	sitting room	про́сьба	request
давно́	long ago	Рождество́	Christmas
де́тство	childhood	роль f.	role
дикта́нт	dictation	сайт	(web) site
дойти́	to get to	сви́тер	sweater, jumper
как дойти́ до + gen.?	How do I get to…?	семе́стр	term
душ	shower	серьёзный	serious
заво́д	factory	серьёзно?	seriously?
заказа́ть pf.	to order, book	сказа́ть pf.	to say
закры́т, -а, -о, -ы	closed	сле́ва	on the left
за́мужем	married (of women)	с собо́й	with myself/himself/ herself etc.
здо́рово!	great!		
зе́ркало	mirror	спа́льня	bedroom
иде́я	idea	споко́йный	calm, peaceful
име́ть (име́ю, име́ешь)	to have	споко́йной но́чи	goodnight
име́ть в виду́	to mean	спра́ва	on the right
что ты име́ешь в виду́?	what do you mean?	стадио́н	stadium
интерне́т	internet	старомо́дный	old-fashioned
километр	kilometre	счита́ть (счита́ю, счита́ешь)	to consider, reckon, count
класть (кладу́, кладёшь)	to put		
кни́жный	book adj.	сюрпри́з	surprise
ковёр	carpet	ти́хий	quiet
крова́ть f.	bed	умере́ть pf.	to die
кро́ме + gen.	apart from	у́мер, умерла́, у́мерли	has died (past)
кру́глый	round	универма́г	supermarket
лека́рство	medicine	ую́тный	cosy
лицо́	face	фи́тнес-центр	gym
ло́жка	spoon	фонта́н	fountain
лу́чше	better	це́нный	valuable
молоде́ц!	well done!	Шве́ция	Sweden
молча́ть (молчу́, молчи́шь)	to be quiet	шкаф	cupboard
моме́нт	moment	в шкафу́	
наде́яться	to hope	шути́ть (шучу́, шу́тишь)	to joke
я наде́юсь	I hope		

УРО́К ОДИ́ННАДЦАТЬ
Lesson 11

Lesson 11 is short, and has only one topic: verb aspects. You'll learn how to distinguish between something that <u>was happening</u> and something that <u>happened</u>, and between something you <u>used to do</u> regularly and something you <u>did once</u>.

> **"** Не говори́, что де́лал, а говори́, что сде́лал **"**
> Ру́сская посло́вица

DIALOGUES 11.1

1
  – Где ты купи́ла э́то пла́тье?
  – В Ри́ме. Я всегда́ покупа́ю оде́жду в Ита́лии.

2
  – Ни́на, Серге́й звони́л тебе́ сего́дня 3 ра́за.
  – Пра́вда? И что он хоте́л?
  – Не зна́ю, он не сказа́л. А ты не хо́чешь сама́ позвони́ть и спроси́ть его́?

3
  – Ты уже́ сде́лал дома́шнее зада́ние?
  – Да, сде́лал.
  – И до́лго ты его́ де́лал?
  – О́коло ча́са. Оно́ бы́ло о́чень тру́дное.

4
  – Что вы де́лали на уро́ке в сре́ду?
  – Мы чита́ли диало́ги, говори́ли о пого́де и писа́ли текст.
  – Вы прочита́ли все диало́ги?
  – Да, прочита́ли. И написа́ли но́вые.

VERB ASPECTS
BASIC PRINCIPLES (1)

Russian verbs usually come in pairs, so for every verb in English (e.g. 'to read') there are usually two possible verbs in Russian (e.g. чита́ть and прочита́ть).

One verb in every pair is called the imperfective (e.g. чита́ть). You use this verb for regular or repeated actions, or for actions that are not complete, or for actions that took place at some point in the past where the speaker is not interested in the result.

The second verb in each pair is called the perfective (e.g. прочита́ть); it is used for actions that happen once, or that are complete, or where the speaker is interested in the result.

In this book (and most other textbooks and dictionaries) the imperfective verb is given first, the perfective second. The following abbreviations are commonly used: imp. for imperfective; pf. for perfective.

The table below summarises the basic uses of imperfective and perfective aspects.

imperfective aspect (imp.)	perfective aspect (pf.)
regular or repeated	one-off
incomplete (i.e. what was happening, or how long something went on for)	complete (i.e. what happened)
no interest in the result	interested in the result

VERB ASPECTS
BASIC PRINCIPLES (2)

Aspect (imperfective or perfective) is <u>not</u> the same as tense. Tense defines <u>when</u> something happened (past – before now; present – now; future – after now). Aspect defines the nature of the action (repeated, incomplete etc.).

In this lesson you will practise <u>only the past tense</u> of imperfective and perfective aspects.

However, it is important to know that <u>the present tense can only be formed from the imperfective verb</u> (e.g. **я читáю**). This covers both the English 'I am reading' (now) and 'I read' (regularly).

The part of a perfective verb that looks like the present tense (e.g. **я прочитáю**) is actually a <u>perfective future tense</u> (see Lesson 15):

Я читáю твой доклáд.	I am reading your report.
Я прочитáю твой доклáд пóсле обéда.	I will read your report after lunch.

To summarise:

An <u>imperfective</u> verb can be in the <u>past</u>, <u>present</u> or <u>future</u>.

A perfective verb can be in the <u>past</u> and <u>future</u> only.

	Imperfective	Perfective
infinitive	читáть	прочитáть
past	я читáл(а)	я прочитáл(а)
present	я читáю	–
future	я бýду читáть	я прочитáю

EXERCISE 11.1
Each of the five verbs given in the infinitive below appears in dialogues 11.1. Each verb has a pair, which is also used in the dialogues. Try to identify and write down the pair for each verb, also in the infinitive.

	Imperfective (imp.)	Perfective (pf.)
1		сдéлать
2	читáть	
3	писáть	
4	звони́ть	
5		купи́ть

You cannot guess what the perfective verb will be simply by looking at an imperfective verb. However, the two are usually connected (for example, the perfective verb will often add a prefix), so you should find you can recognise a perfective verb if you know the relevant imperfective.

There are four main ways that perfective verbs are formed, shown in the table below. The first three are quite common, the fourth quite rare:

how to form perfective	imperfective	perfective
1 add a prefix	писа́ть	написа́ть
2 change the conjugation (normally from -ать to -ить)	получа́ть	получи́ть
3 shorten the stem	понима́ть	поня́ть
4 use an entirely different root	говори́ть	сказа́ть

EXERCISE 11.2

The list below contains the perfective pairs of fourteen imperfective verbs you already know. Try first to write down the corresponding imperfective verb. If you get stuck look through the list on the right.

1 уви́деть		пить
2 встать		обе́дать
3 сде́лать		входи́ть
4 пообе́дать		смотре́ть
5 вы́пить		пока́зывать
6 перевести́		встава́ть
7 поня́ть		покупа́ть
8 подожда́ть		слу́шать
9 вы́йти		де́лать
10 послу́шать		понима́ть
11 показа́ть		спра́шивать
12 взять		отвеча́ть
13 спроси́ть		ви́деть
14 посмотре́ть		ждать
15 нача́ть		выходи́ть
16 войти́		брать
17 отве́тить		начина́ть
18 купи́ть		переводи́ть

Note the unusual past tense of the perfective verbs 'to enter' and 'to exit' (on foot), and 'to find':

imperfective		perfective	
входи́ть	входи́л (-а, -о, -и)	войти́	вошёл, вошла́, вошло́, вошли́
выходи́ть	выходи́л (-а, -о, -и)	вы́йти	вы́шел, вы́шла, вы́шло, вы́шли
находи́ть	находи́л (-а, -о, -и)	найти́	нашёл, нашла́, нашло́, нашли́

USE OF ASPECTS IN THE PAST TENSE (1)
REGULAR VS ONE-OFF

DIALOGUES 11.2

1
— Ты спроси́ла Ни́ну Серге́евну, когда́ у нас бу́дет экску́рсия?
— Я спра́шивала её мно́го раз, но она́ говори́т, что ещё не зна́ет.

2
— Вчера́ я пе́рвый раз посмотре́ла фильм «Граждани́н Кейн».
— Отли́чный фильм! Я его́ смотре́л три ра́за.

3
— Ра́ньше мы начина́ли рабо́тать в 9 часо́в.
— А тепе́рь?
— Тепе́рь у нас но́вый нача́льник, и мы начина́ем ра́но. Наприме́р, сего́дня
мы на́чали в 7:30.

imperfective aspect	perfective aspect
regular or repeated	one-off

In the past tense, the <u>imperfective</u> verb is used for actions that <u>happened regularly</u>. The <u>perfective</u> verb is used for actions that <u>happened once</u>. Look at the examples below:

imperfective	**perfective**
Она́ ви́дела его́ ка́ждый день.	Пе́рвый раз она́ уви́дела его́ год наза́д.
She saw him every day.	She saw him for the first time a year ago.

EXERCISE 11.3

Compare the following two texts. The left-hand text describes regular events that happened daily. The right-hand text describes events that happened today. Regular events are given in the imperfective; events that happened once today are in the perfective.

Год наза́д Анто́н и Ма́ша жи́ли в Ло́ндоне. Ка́ждое у́тро они́ встава́ли в 6:30, Анто́н покупа́л в магази́не молоко́ и газе́ты, и они́ за́втракали до́ма. Анто́н пил ко́фе, а его́ жена́ пила́ чай. По́сле за́втрака обы́чно звони́ла ма́ма Анто́на. Она́ всегда́ спра́шивала: «Как дела́?», а Анто́н отвеча́л, что у них всё хорошо́.

Анто́н начина́л рабо́тать ра́но, но не де́лал мно́го: он то́лько чита́л и писа́л име́йлы и звони́л по телефо́ну. Это бы́ло, коне́чно, о́чень ску́чно. В час он покупа́л сэ́ндвич и обе́дал в о́фисе. По́сле обе́да он чита́л докуме́нты. В пять часо́в он смотре́л на часы́, говори́л: «До за́втра» и выходи́л из о́фиса.

Сего́дня у́тром Анто́н и Ма́ша вста́ли в 7 часо́в, Анто́н купи́л в магази́не молоко́ и газе́ты, и они́ поза́втракали. Анто́н вы́пил ча́шку ко́фе, а его́ жена́ вы́пила ча́шку ча́я. По́сле за́втрака позвони́ла ма́ма Анто́на. Она́ спроси́ла: «Как дела́?», а Анто́н отве́тил, что у них всё хорошо́.

Анто́н на́чал рабо́тать по́здно и сде́лал немно́го: он то́лько написа́л и прочита́л два име́йла и позвони́л по телефо́ну в Нью-Йо́рк. Это бы́ло о́чень интере́сно. В час он купи́л сэ́ндвич и пообе́дал в о́фисе, а по́сле обе́да прочита́л докуме́нты. В пять часо́в он посмотре́л на часы́, сказа́л: «До за́втра» и вы́шел из о́фиса.

EXERCISE 11.4

Answer questions on the text using the relevant aspect.

1 Где они́ жи́ли год наза́д?
2 Во ско́лько Анто́н встал сего́дня?
3 Что он покупа́л в магази́не ка́ждый день?
4 Он ра́но на́чал рабо́тать сего́дня?
5 Во ско́лько он обы́чно выходи́л из о́фиса?
6 Что он обы́чно де́лал до обе́да?
7 Во ско́лько он обы́чно обе́дал?
8 Ско́лько име́йлов он прочита́л до обе́да?
9 Что он сего́дня сде́лал в пять часо́в?
10 Что он де́лал ка́ждый день в пять часо́в?

Adverbs of time often provide a good clue as to which aspect you should use. The following adverbs invariably describe regular or repeated actions, so usually go with an imperfective verb:

ча́сто	often	иногда́	sometimes
ре́дко	rarely	никогда́	never
обы́чно	usually	ка́ждый день	every day
всегда́	always	ра́ньше	earlier, formerly

Ра́ньше is often used with the imperfective verb to convey the English 'I used to [do something]'

Она́ ра́ньше рабо́тала в Ки́еве.   She used to work in Kiev.

By contrast, these adverbs usually refer to a one-off action, so often go with <u>perfective</u> verbs:

вдруг	suddenly
наконе́ц	at last
сра́зу	immediately

EXERCISE 11.5
Choose the correct word from the brackets, and translate the sentences.

1   Она́ ре́дко (покупа́ла, купи́ла) цветы́.
2   Наконе́ц я его́ (ви́дел, уви́дел).
3   Мы ча́сто (за́втракали, поза́втракали) в буфе́те.
4   Нача́льник сра́зу (отвеча́л, отве́тил) на наш вопро́с.
5   Они́ всегда́ (у́жинали, поу́жинали) по́здно в суббо́ту.
6   Вчера́, как обы́чно, мой друг (входи́л, вошёл) в класс че́рез де́сять мину́т по́сле нача́ла уро́ка.
7   Он ка́ждый день (ви́дел, уви́дел) её у метро́.
8   Ты ча́сто (слу́шал, послу́шал) но́вости по ра́дио, когда́ ты жил в Австра́лии?
9   Обы́чно она́ (ждала́, подожда́ла) его́ о́коло метро́.
10 Она́ прочита́ла письмо́ и сра́зу (писа́ла, написа́ла) отве́т.

EXERCISE 11.6
Select the correct verb from the imperfective/perfective pairing in brackets. Use present or past tenses (but remember that only the imperfective verb can be used to form the present).

1   Я всегда́ ▬▬▬▬ газе́ты у́тром. Сего́дня утро́м я то́же ▬▬▬▬ газе́ту. (покупа́ть, купи́ть)
2   Ка́ждое воскресе́нье она́ ▬▬▬▬ пи́сьма домо́й. В э́то воскресе́нье она́ ▬▬▬▬ два письма́. (писа́ть, написа́ть)
3   Ви́ктор обы́чно ▬▬▬▬ в кафе́, но сего́дня он ▬▬▬▬ до́ма. (за́втракать, поза́втракать).
4   Ты ▬▬▬▬ ключи́? Да, коне́чно, я всегда́ ▬▬▬▬ их. (брать, взять)
5   Она́ ча́сто ▬▬▬▬ мне по́здно ве́чером. Вчера́ она́ то́же ▬▬▬▬ о́чень по́здно. (звони́ть, позвони́ть)
6   Обы́чно он ▬▬▬▬ в 6 часо́в. Вчера́ он ▬▬▬▬ в 7 часо́в. (встава́ть, встать)
7   Ка́ждое у́тро он ▬▬▬▬ меня́ «Как дела́?», но сего́дня он ничего́ не ▬▬▬▬.(спра́шивать, спроси́ть)
8   Ра́ньше Ни́на всегда́ ▬▬▬▬, что она́ лю́бит отдыха́ть на мо́ре, но вчера́ она́ ▬▬▬▬, что бо́льше лю́бит го́ры. (говори́ть, сказа́ть)
9   Ра́ньше я никогда́ не ▬▬▬▬, что говори́т мой сын, но сего́дня наконе́ц я его́ ▬▬▬▬. (понима́ть, поня́ть)
10 – Ты хо́чешь газе́ту? Я уже́ ▬▬▬▬ её. – Нет, спаси́бо, я ре́дко ▬▬▬▬ газе́ты. (чита́ть, прочита́ть)
11 Я ча́сто ▬▬▬▬ её в метро́. Сего́дня у́тром я ▬▬▬▬ её на у́лице. (встреча́ть, встре́тить)
12 Обы́чно я ▬▬▬▬ из до́ма в 6.30, но сего́дня я ▬▬▬▬ в 7 часо́в. (выходи́ть, вы́йти)

DIALOGUES 11.3

1 – Ты не зна́ешь, когда́ сде́лали э́тот но́вый вебса́йт?

– Его́ сде́лали три ме́сяца наза́д.

– А до́лго его́ де́лали?

– Да, его́ де́лали два го́да.

2 – Ле́на, ты отдыха́ла в суббо́ту?

– Нет, я писа́ла статью́.

– И ско́лько вре́мени ты её писа́ла?

– Я писа́ла её весь день.

– И как, написа́ла?

– Да, написа́ла.

3 – Вчера́ И́горь три часа́ пока́зывал мне фотогра́фии, кото́рые он сде́лал в Кита́е.

– Всё показа́л?

– Нет, я ду́маю, он показа́л то́лько полови́ну.

imperfective aspect	perfective aspect
incomplete 1: interested in <u>how long</u> an action went on for	complete 1: interested in the fact that the action is <u>finished</u>

The <u>imperfective</u> verb is used to describe an <u>incomplete process</u>, as opposed to a <u>complete action</u>. This means that when you highlight <u>how long</u> an action took – i.e. you are interested in the <u>process</u>, not in the completion of the action – use the <u>imperfective</u>:

– Ты до́лго гото́вил у́жин?   – Did you spend a long time making dinner?
[lit. 'prepare dinner for a long time']

– Я гото́вил его́ три́дцать мину́т.   – I spent 30 minutes making it.
[lit. 'prepared it for 30 minutes']

When highlighting the fact that <u>an action is complete</u> use the <u>perfective</u>:

– Ты уже́ пригото́вила у́жин?   – Have you already made dinner?

– Да, пригото́вила.   – Yes, I've made it.

To say <u>how long</u> an action lasts, put the length of time in the accusative case <u>without any preposition</u>:

Я рабо́тал **неде́лю**.   I worked for a week.

Она́ отдыха́ла **весь день**.   She rested all day.

EXERCISE 11.7
Choose the correct aspect of the verb in brackets.

1 Она́ два часа́ _____ мне фотогра́фии сы́на. (пока́зывала, показа́ла)

2 Наконе́ц она́ _____ мне фотогра́фию сы́на. (пока́зывала, показа́ла)

3 Я _____ у́жин весь день. (гото́вил, пригото́вил)

4 Ты уже́ _____ у́жин? (гото́вил, пригото́вил)

5 Мы хорошо́ _____ и тепе́рь чу́вствуем себя́ отли́чно. (отдыха́ли, отдохну́ли)

6 Всё ле́то мы _____ на Ки́пре. (отдыха́ли, отдохну́ли)

7 Ты уже́ _____ дома́шнее зада́ние? Покажи́, пожа́луйста. (де́лал, сде́лал)

8 Я о́чень до́лго _____ дома́шнее зада́ние. (де́лал, сде́лал)

9 Ско́лько вре́мени ты _____ э́ту карти́ну? (рисова́л, нарисова́л)

10 Покажи́, что ты _____. (рисова́л, нарисова́л)

11 Де́вочка _____ ча́шку ча́я и _____ два бутербро́да. (пила́, вы́пила) (е́ла, съе́ла)

12 Де́вочка ме́дленно _____ чай и _____ бутербро́д. (пила́, вы́пила) (е́ла, съе́ла)

USE OF ASPECTS IN THE PAST TENSE (3)
INCOMPLETE VS COMPLETE
AN ACTION THAT WAS HAPPENING WHEN SOMETHING ELSE HAPPENED

DIALOGUE 11.4

1 – Что ты де́лал, когда́ ма́ма получи́ла письмо́?

   – Я сиде́л на ку́хне и за́втракал.

   – И что она́ сказа́ла, когда́ уви́дела и́мя на конве́рте?

   – Ничего́ не сказа́ла, про́сто взяла́ письмо́, прочита́ла его́ и вы́шла из ко́мнаты.

   – А что ты де́лал, когда́ она́ чита́ла?

   – Я ел за́втрак и смотре́л на неё.

imperfective aspect	perfective aspect
incomplete 2:	complete 2:
an action that was <u>in the process of happening</u>	an action that <u>happened</u>

In addition to highlighting how long an action was going on for, the <u>imperfective</u> is used for an action that <u>was happening</u> (i.e. an incomplete process) when something else <u>happened</u>. The action that <u>happened</u> will be conveyed by a <u>perfective</u> verb:

Я писа́л докла́д, когда́ позвони́л мой друг.   I was writing a report when my friend called.
   [imp.]   [pf.]

Use the <u>perfective</u> for an action that was finished (i.e. a <u>complete action with a result</u>). This is particularly common where you have two consecutive actions:

Я написа́л письмо́, а пото́м позвони́л домо́й.   I wrote a letter and then called home.
   [pf.]   [pf.]

If you have two actions that were going on at the same time, then use two imperfective verbs:

Когда́ я писа́л докла́д, мой друг говори́л по телефо́ну.   While I was writing my report
   [imp.]   [imp.]   my friend was talking on the phone

EXERCISE 11.8

Read the following text. Mark each verb as perfective (pf.) or imperfective (imp.), and make sure you understand why each aspect has been used.

Я рабо́тал, когда́ позвони́л мой друг. Он сказа́л, что он уже́ в Ло́ндоне. Я вы́шел из о́фиса и встре́тил его́ в рестора́не недалеко́ от па́рка. Когда́ мы обе́дали, мы говори́ли о его́ пла́нах. Он сказа́л, что он купи́л кварти́ру, и показа́л мне фотогра́фии. Когда́ мы пообе́дали, он пригласи́л меня́ в го́сти, и я отве́тил, что о́чень хочу́ прийти́, то́лько он до́лжен <u>зара́нее</u> сказа́ть, когда́.

зара́нее   in advance

EXERCISE 11.9

The list below contains four imperfective and four perfective verbs. The pair for each verb can be found in the last three exercises (ex. 11.7, dialogue 11.4, ex. 11.8). Fill in the gaps to complete the imperfective and perfective pairs.

	Imperfective (imp.)	Perfective (pf.)
1	приглаша́ть	
2		встре́тить
3		сказа́ть
4	получа́ть	
5	пока́зывать	
6		съесть
7		нарисова́ть
8	выходи́ть	

A NOTE ON ПОШЁЛ AND ПОЕ́ХАЛ

Пошёл (foot) and пое́хал (transport) are the perfective past tenses of идти́ and е́хать. They are particularly useful when you want to describe two consecutive actions.

Я купи́л газе́ту и пошёл на рабо́ту.	I bought a newspaper and went to work.
Я купи́ла биле́т и пое́хала домо́й.	I bought a ticket and went home.

Don't forget, though, that for trips in the past where you went somewhere and came back, you normally use ходи́л and е́здил:

Вчера́ мы ходи́ли в кино́.	Yesterday we went to the cinema.
Ле́том мы е́здили в Герма́нию.	In the summer we went to Germany.

The full system for verbs of motion in the past is discussed in detail in Book 2 of *Russian made clear*.

EXERCISE 11.10
Read the following sentences. The first describes two incomplete actions going on at the same time; the second describes one action interrupted by another; the third describes two consecutive actions. Translate the sentences into English. This will help you to see how different tenses are used in English to convey the two aspects in Russian.

(a) Вчера́ ве́чером, когда́ я смотре́л телеви́зор, мой сын де́лал дома́шнее зада́ние.
Yesterday evening while I was watching TV my son did his homework.

(b) Когда́ мой сын де́лал дома́шнее зада́ние, позвони́л его́ друг.
While my son was doing his homework his friend called.

(c) Когда́ он сде́лал дома́шнее зада́ние, мы поу́жинали.
When he had done his homework we had dinner.

1 (a) Сего́дня у́тром я чита́л докуме́нт, а моя́ колле́га отвеча́ла на име́йлы.
   (b) Когда́ она́ отвеча́ла на име́йлы, позвони́л её клие́нт.
   (c) Когда́ она́ отве́тила на все име́йлы, она́ вы́пила ча́шку ко́фе.

2 (a) Вчера́ у́тром Ма́ша пила́ ко́фе, а её муж чита́л газе́ту.
   (b) Когда́ он чита́л газе́ту, он уви́дел там интере́сную фотогра́фию.
   (c) Когда́ он прочита́л газе́ту, он на́чал смотре́ть телеви́зор.

3 (a) Вчера́ ве́чером мы смотре́ли телеви́зор и пи́ли вино́.
   (b) Когда́ мы смотре́ли телеви́зор, мы услы́шали интере́сные но́вости.
   (c) Когда́ мы посмотре́ли телеви́зор, мы на́чали у́жинать.

4 (a) Сего́дня она́ покупа́ла проду́кты в магази́не, а её муж гуля́л в па́рке.
   (b) Когда́ она́ покупа́ла проду́кты в магази́не, она́ уви́дела подру́гу.
   (c) Когда́ она́ купи́ла проду́кты, она́ пошла́ домо́й.

One way to understand the distinction between imperfective and perfective verbs is to compare two actions:

1) Two actions that were going on <u>simultaneously</u>, with <u>no result</u> implied:

Вчера́ ве́чером, когда́ я смотре́ла телеви́зор, мой брат игра́л на компью́тере.
Last night while I watched TV my brother played on the computer.

2) Two actions where <u>one was happening</u> when the other <u>happened</u>:

Вчера́ ве́чером, когда́ я смотре́л телеви́зор, позвони́ла моя́ подру́га.
Last night while I was watching TV my friend called.

3) Two <u>consecutive actions</u>

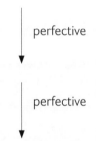

Вчера́ ве́чером, когда́ я посмотре́л телеви́зор, позвони́ла моя́ подру́га.
Last night when I had watched TV my friend called.

EXERCISE 11.11
Answer the questions using a verb in the appropriate aspect.

Что ты де́лала, когда́ я позвони́л?   →   Когда́ ты позвони́л, я смотре́ла телевизор.

1   Что ты де́лала, когда́ позвони́л твой нача́льник?
2   Что ты сде́лал, когда́ ты получи́л моё письмо́?
3   Что ты де́лал, когда́ твоя́ жена́ гото́вила у́жин?
4   Что он сказа́л, когда́ ты спроси́ла о его́ рабо́те?
5   Что ты отве́тил, когда́ тебя́ спроси́ли, где Ви́ктор?
6   О чём ты ду́мала, когда́ ты чита́ла моё письмо́?

EXERCISE 11.12
Complete the following sentences with an appropriate verb (there is no need for the actions in both parts of the sentence to be done by the same person). Translate all the sentences into English.

1 (a) Когда́ я смотре́л телеви́зор, …

(b) Когда́ я посмотре́л телеви́зор, …

2 (a) Когда́ я гото́вил у́жин, …

(b) Когда́ я пригото́вил у́жин, …

3 (a) Когда́ я чита́ла газе́ту, …

(b) Когда́ я прочита́ла газе́ту, …

4 (a) Когда́ мы выходи́ли из до́ма, …

(b) Когда́ мы вы́шли из до́ма, …

5 (a) Когда́ она́ звони́ла домо́й, …

(b) Когда́ она́ позвони́ла домо́й, …

EXERCISE 11.13
Translate the following into Russian.

1 I was reading a book when my friend called. 2 I used to do my homework while watching television. 3 While I was watching television my wife read the newspaper. 4 She watched television and had dinner. 5 While we were having breakfast my brother walked into the room. 6 As I was walking into the office I saw my boss. 7 He thought about you while writing the letter. 8 I met my friend while I was buying a computer. 9 When I had bought the computer I invited him over.

EXERCISE 11.14
Create dialogues according to the model, using the verbs given. Each dialogue should contain an imperfective verb in the present tense and a perfective verb in the past tense with уже́.

покупа́ть: – Почему́ ты не покупа́ешь биле́т?

                    – Потому́ что я уже́ купи́л его́.

чита́ть статью́, обе́дать, писа́ть име́йл, де́лать дома́шнее зада́ние, отвеча́ть, пить во́дку, есть торт, у́жинать, брать шокола́д.

DIALOGUES 11.5

Read the following dialogues. Translate and explain the use of imperfective and perfective verbs in each.

1
– Что ты вчера́ де́лал, Ви́ктор?
– Я чита́л журна́л «Нау́ка и жизнь».
– Э́то интере́сный журна́л?
– Да, о́чень. Е́сли хо́чешь, мо́жешь взять. Я его́ уже́ прочита́л.

2
– Дми́трий, ты за́втракал сего́дня?
– Нет, не за́втракал. Я то́лько вы́пил ча́шку ко́фе.

3
– Что вы де́лали в суббо́ту?
– Покупа́ли пода́рки на Рождество́.
– И как, всё купи́ли?
– Нет, к сожале́нию, купи́ли то́лько полови́ну.
– А вот я ещё ничего́ не покупа́ла.

imperfective aspect	perfective aspect
an action that took place at some point (no interest in the result)	an action <u>with a result</u>

One of the most common uses of the imperfective verb is to decribe an action that took place or was taking place in the past, but where <u>you are not interested in the result</u>; that is, it is not clear – or does not matter – whether it was completed or what happened as a result.

– Что вы де́лали вчера́ ве́чером?   – What did you do (were you doing) yesterday evening?
– Вчера́ ве́чером мы смотре́ли фильм. – Yesterday evening we watched a film.
– Что вы де́лали на уро́ке?   – What did you do in the lesson?
– Мы чита́ли диало́ги и писа́ли текст. – We read dialogues and wrote a text.

Note that although the examples above describe actions that are finished (i.e. you're not watching the film now, the lesson is over), you use the imperfective, because you are not interested in the result: you are describing an action <u>that took place at some point in the past</u>.

You may find it helpful to think of this as stating <u>the fact of having done something</u>:

– Ты чита́л «Войну́ и мир»?   – Have you read *War and Peace*?
– Да, чита́л.   – Yes I have.
– Ты смотре́л фильм «Соля́рис»? – Have you seen *Solaris*?
– Да, смотре́л.   – Yes I have.

A perfective verb in these questions (ты прочита́л) would imply that we knew you were planning to read *War and Peace*, and wanted to know how you had got on. So we would no longer be interested in <u>the fact of having read</u>, but in <u>the result</u> (i.e. what did you think of it, etc.).

Compare these two questions that a teacher might ask:

Вы чита́ли текст?
Вы прочита́ли текст?

The first question is neutral: 'have you read the text?' (you may or may not have). The second is more pointed, implying that you were intending/supposed to read it (e.g. as homework). In English we might translate the perfective as 'did you read the text?'

EXERCISE 11.15
Read the following sentences and translate into English. Discuss which aspect is being used and why.

1 Вы чита́ли «А́нну Каре́нину»?
2 Вы прочита́ли текст?
3 Почему́ ты не де́лал дома́шнее зада́ние?
4 Почему́ ты не сде́лал дома́шнее зада́ние?
5 Кто написа́л рома́н «Идио́т»?
6 – Почему́ ты не пьёшь ко́фе? – Я уже́ пил ко́фе сего́дня.
7 – Почему́ ты не пьёшь ко́фе? – Я его́ уже́ вы́пил.
8 – Что вы де́лали на уро́ке? – Писа́ли дикта́нт.
9 Ты уже́ ел?
10 Ты уже́ съел ка́шу?
11 Что ты пригото́вила на у́жин?
12 Вы слы́шали но́вости?

EXERCISE 11.16
Translate into Russian. Bear in mind that in certain cases either imperfective or perfective aspect might be right, depending on what you want to say.

1 Have you read Anna Karenina? 2 What did you do at school today? 3 When I had bought the computer we had lunch. 4 Have you heard of her? 5 Where did you go on holiday in the summer? 6 Last night I read the newspaper. 7 Last night we watched a film. 8 I took my keys and went to work.

SUMMARY OF USE OF ASPECTS IN THE PAST TENSE

Remember the following key words to help you decide which aspect to use:

imperfective	perfective
regular, repeated	one-off
incomplete	complete
process	finished action
fact, no interest in result	result

EXERCISE 11.17
This exercise contains two dialogues. Choose the correct aspect from the brackets to make sense of the whole conversation.

1 – Что вы вчера ▭ на уро́ке? (де́лали, сде́лали)

   – Мы ▭ текст. (чита́ли, прочита́ли)

   – И до́лго вы его́ ▭? (чита́ли, прочита́ли)

   – Мы ▭ его́ весь уро́к. (чита́ли, прочита́ли)

   – Вы всё ▭? (чита́ли, прочита́ли)

   – Да, мы ▭ всё. (чита́ли, прочита́ли)

2 – Вы ▭ футбо́л в воскресе́нье? (смотре́ли, посмотре́ли)

   – Нет, не ▭. (смотре́ли, посмотре́ли)

   – А что же вы ▭? (де́лали, сде́лали)

   – Мы с подру́гой ▭ ста́рые фи́льмы на ДВД. (смотре́ли, посмотре́ли)

   – Вы ▭ их весь день? (смотре́ли, посмотре́ли)

   – Да, почти́ весь день.

   – И ско́лько фи́льмов вы ▭? (смотре́ли, посмотре́ли)

   – Мы ▭ 4 фи́льма. (смотре́ли, посмотре́ли)

EXERCISE 11.18
Replace the imperfective aspect with the same verb in the perfective aspect. Remove any adverbs or replace with a suitable alternative.

Де́ти до́лго чита́ли кни́гу.   →   Вчера́ де́ти прочита́ли кни́гу.

1 Я ча́сто встреча́л его́ в метро́.
2 Ка́ждый день в 9 часо́в он входи́л в о́фис и говори́л мне «Приве́т!»
3 Она́ всегда́ за́втракала до́ма.
4 Я слу́шала его́, но не понима́ла.
5 Он всегда́ звони́л о́чень ра́но.
6 Де́вочка пила́ молоко́ и е́ла конфе́ты.
7 Она́ мно́го раз спра́шивала о тебе́.
8 Ра́ньше мы начина́ли рабо́тать в 9 часо́в.

EXERCISE 11.19
Translate these questions into English, making sure you understand why the imperfective or perfective aspect has been used.

1 Кто взял мои́ ключи́?
2 Вы посмотре́ли э́тот фильм?
3 Вы игра́ли в футбо́л вчера́?
4 Что она́ сказа́ла?
5 О чём они́ говори́ли?
6 Кто написа́л «До́ктор Жива́го»?
7 Что вы де́лали вчера́ ве́чером?
8 Вы до́лго жда́ли меня́?
9 Что вы изуча́ли в университе́те?
10 Вы мно́го вы́пили вчера́?
11 Где ты купи́ла но́вый компью́тер?
12 Вы слы́шали но́вости?
13 Где ты ра́ньше рабо́тал?
14 Вы хорошо́ отдохну́ли на Ки́пре?
15 Вы смотре́ли э́тот фильм?
16 Толсто́й до́лго писа́л пе́рвый рома́н?

DIALOGUE 11.6

– Кáтя, почемý ты не позвони́ла вчерá? Я ждал весь день!

– Что зна́чит «не позвони́ла»?! Я звони́ла 3 рáза, и кáждый раз твоя́ секретáрша говори́ла, что ты зáнят.

– Серьёзно? Онá мне ничегó не сказáла… А ты пóмнишь, во скóлько тóчно ты звони́ла?

– В пéрвый раз я позвони́ла рóвно в 10, а потóм – часá чéрез два. Что же ты дéлал всё ýтро?

– Я был на встрéче в óфисе, но всё равнó стрáнно, что Ксéния мне ничегó не передáла. Мóжет, забы́ла?

– Мóжет быть. По-мóему, онá чáсто забывáет передáть, когдá я звоню́…

забывáть (забывáю, забывáешь)/ забы́ть	to forget

EXERCISE 11.20
Select the correct form from the brackets.

1 Пáпа иногдá (читáл, прочитáл) мне расскáзы.

2 Сегóдня ýтром я три часá (писáл, написáл) письмó.

3 Мой дéдушка всегдá (говори́л, сказáл) óчень мéдленно.

4 Онá вчерá (покупáла, купи́ла) кни́гу о кóсмосе.

5 Я ужé (дéлал, сдéлал) всё, что вы хотéли.

6 Он (слýшал, послýшал) рáдио, когдá вдруг (звони́л, позвони́л) Андрéй.

7 О чём вы так дóлго её (спрáшивали, спроси́ли)?

8 Вчерá, когдá мы (начинáли, начáли) рабóтать, нас (приглашáли, пригласи́ли) в кабинéт дирéктора.

9 Когдá мы бы́ли в Росси́и, мы (покупáли, купи́ли) сувени́ры кáждый день.

10 В шкóле он никогдá не (дéлал, сдéлал) домáшнее задáние.

11 – Вы (читáли, прочитáли) «Áнну Карéнину»? – Да, (читáла, прочитáла).

12 Мы чáсто (ви́дели, уви́дели) Ивáна в автóбусе.

13 Иногдá он (звони́л, позвони́л) три рáза в день.

14 – Что вы дéлали сегóдня ýтром? – Я (писáла, написáла) статью́.

15 – Вы написáли её? – Да, ужé (писáла, написáла).

DIALOGUE 11.7

Read the following dialogue. Translate and explain the use of imperfective and perfective verbs.

– Привéт, Мáша, что читáешь?

– Э́то нóвый ромáн Ди́ны Рýбиной, ты не читáл?

– А кто э́то? Я никогдá о ней не слы́шал…

– Не мóжет быть! Ты меня́ <u>удивля́ешь</u>… Я прочитáла все её ромáны, и они́ все óчень интерéсные.

amaze

EXERCISE 11.21
Translate into Russian.

1 When I was living in Moscow I got up at 8 every morning. **2** I waited two hours for you. Why didn't you call? **3** We had breakfast together and talked about the weather. **4** While I watched TV my friend wrote a letter. **5** He wrote a letter and began to watch the film. **6** Yesterday we spent two hours walking in the park. **7** I met him early this morning by the metro. **8** He received his bonus and bought a car. **9** What time did you get up this morning? **10** Did you play football last night? **11** What did you do this morning? **12** I first met him three years ago. **13** I decided to eat my sandwich. **14** While she was walking in the park she saw her husband. **15** – Have you prepared dinner? Why not? – Because while I was preparing dinner my friend called and we decided to have dinner in a restaurant this evening. **16** What did he say? **17** I thought [about it] and said no. **18** – Have you seen Doctor Zhivago? – No, but I've read the book. **19** – Who did you invite to the theatre? – I invited Masha, but she said no.

EXERCISE 11.22
Create a possible question as the first line for these dialogues.

1 – _____?
  – Да, наконе́ц!

2 – _____?
  – Весь день.

3 – _____?
  – Потому́ что у меня́ не́ было де́нег.

4 – _____?
  – Потому́ что у нас не́ было вре́мени.

5 – _____?
  – Да, коне́чно. Я всегда́ покупа́ю биле́ты зара́нее.

6 – _____?
  – Обы́чно в во́семь, но сего́дня я встал ра́ньше.

7 – _____?
  – Когда́ мы смотре́ли телеви́зор.

8 – _____?
  – Ещё нет. Я бу́ду де́лать его́ сего́дня ве́чером.

9 – _____?
  – Три часа́.

10 – _____?
  – В 9 часо́в.

11 – _____?
  – 6 раз. Это мой са́мый люби́мый фильм.

12 – _____?
  – Рисова́ла.

13 – _____?
  – Пика́ссо.

Глава XI
А сча́стье бы́ло так возмо́жно, так бли́зко

П[и́]тер и Мари́на разгова́ривали на у́лице, а молодо́й челове́к в костю́ме стоя́л сле́ва от две́ри в рестора́н и смотре́л на них. Мари́на взяла́ паке́т и сказа́ла Пи́теру: «До свида́ния». Пото́м Пи́тер то́же взял паке́т и сказа́л Мари́не: «Споко́йной но́чи».

Вдруг молодо́й челове́к услы́шал звоно́к моби́льника.

– Да, шеф, слу́шаю вас, – сказа́л он шёпотом.

– Почему́ ты шёпчешь? – спроси́л Влади́мир Влади́мирович.

– Они́ стоя́т ря́дом, – отве́тил молодо́й челове́к. – Я смотрю́ на них.

– Ну что, ты купи́л ико́ну?

– Нет. Когда́ я нашёл продавца́, оказа́лось, что он уже́ про́дал её.

– Не мо́жет быть! Ты что?!

– Ничего́ стра́шного, шеф. Оказа́лось, что её то́лько что купи́л наш друг.

– Ты шу́тишь? Отку́да он мог знать, где она́?

– Я не зна́ю, шеф, но я не шучу́ – э́то то́чно был он. Снача́ла я ду́мал, что, мо́жет быть, кто́ то друго́й купи́л ико́ну, но когда́ продаве́ц сказа́л, что э́то сумасше́дший америка́нец, кото́рый пло́хо говори́л по-ру́сски и всё вре́мя смотре́л на де́вушку, я всё по́нял. К сча́стью, я ви́дел, как они́ входи́ли в метро́.

– Отли́чно! Молоде́ц! Так что, ико́на тепе́рь у тебя́?

– Нет, там бы́ло сли́шком мно́го наро́ду. Но я зна́ю, где она́. На́ши друзья́ то́лько что бы́ли в ба́ре, и когда́ они́ вы́пили две буты́лки вина́, он дал ико́ну де́вушке. А тепе́рь она́ идёт к метро́. Что мне де́лать?

– Ты что, дура́к?! Иди́ за ней! Бы́стро! Позвони́ мне, когда́ ико́на бу́дет у тебя́.

Че́рез два́дцать мину́т Пи́тер уже́ сиде́л в ба́ре в гости́нице «Метропо́ль». Недалеко́ от него́ молода́я де́вушка игра́ла на а́рфе. Му́зыка была́ о́чень краси́вая, но Пи́тер не слу́шал, он мог ду́мать то́лько о Мари́не. Как жаль, что он не пригласи́л её вы́пить ко́фе в гости́нице! Наконе́ц Пи́тер вы́шел из ба́ра и пошёл в но́мер.

В но́мере Пи́тер сиде́л и ду́мал о пое́здке в Изма́йлово. Как хорошо́ они́ отдохну́ли сего́дня, как ве́село провели́ вре́мя вме́сте! Пото́м он вспо́мнил прекра́сный ве́чер в ба́ре. Они́ вы́пили две буты́лки вина́! Он вспо́мнил, как Мари́на спра́шивала его́ о семье́, о жи́зни в Бо́стоне, о де́вушке. «Интере́сно, – поду́мал Пи́тер, – почему́ она́ спроси́ла о де́вушке? Мо́жет быть… нет, не мо́жет быть».

Вдруг Пи́тер по́нял, что он весь день ничего́ не ел. Он позвони́л в рум-се́рвис и заказа́л бутербро́д. И ещё бока́л вина́. Тепе́рь он о́чень хоте́л услы́шать го́лос Мари́ны, но боя́лся позвони́ть. Не́сколько раз он брал телефо́н, набира́л но́мер, а пото́м опя́ть клал телефо́н на стол. Он хоте́л посла́ть ей СМС и не́сколько раз начина́л писа́ть, но не мог найти́ пра́вильные слова́.

«Наве́рное, она́ ду́мает, что я глу́пый, некульту́рный америка́нец, – ду́мал Пи́тер. – Я никогда́ не чита́л "Войну́ и мир", не ви́дел фи́льмы Тарко́вского, не смотре́л бале́ты Чайко́вского, не слу́шал му́зыку Шостако́вича. В ю́ности я чита́л то́лько детекти́вы, смотре́л боевики́, слу́шал по́п-му́зыку».

Пи́тер сиде́л в но́мере и ду́мал о Мари́не, а в э́то вре́мя Мари́на сиде́ла в метро́ и ду́мала о Пи́тере: «Како́й он у́мный, э́тот америка́нец! Когда́ я слу́шала его́ докла́д, я ду́мала, что э́то са́мый интеллиге́нтный, са́мый культу́рный челове́к в за́ле. И как хорошо́ он отвеча́л на все вопро́сы аудито́рии! Осо́бенно в конце́, когда́ он отве́тил на сло́жный вопро́с молодо́го челове́ка в костю́ме! Но стра́нно, почему́ он тако́й скро́мный, тако́й ро́бкий? Мо́жет быть, все америка́нцы таки́е? И́ли, мо́жет быть, пробле́ма во мне? Почему́ он не пригласи́л меня́ вы́пить ко́фе в гости́нице?»

Пи́тер съел бутербро́д, вы́пил бока́л вина́ и наконе́ц реши́л позвони́ть Мари́не. «На́до ей что́-нибу́дь сказа́ть», – поду́мал он. Пи́тер пригото́вил фра́зу, взял телефо́н и набра́л но́мер. Но отве́та не́ было, то́лько автоотве́тчик. Он хоте́л оста́вить сообще́ние, но не знал, что сказа́ть. В конце́ концо́в он ничего́ не сказа́л.

По ра́дио опя́ть игра́ла му́зыка Чайко́вского, в э́тот раз э́то была́ о́пера «Евге́ний Оне́гин». Пи́тер внима́тельно слу́шал. Э́то был коне́ц о́перы. Гла́вные геро́и, Евге́ний и Татья́на, пе́ли вме́сте: «А сча́стье бы́ло так возмо́жно, так бли́зко, так бли́зко, бли́зко!» «Да, – поду́мал Пи́тер, – э́то то́чно».

VERB REVISION LESSONS 1–10

From this lesson onwards, all verbs are given in imperfective and perfective aspects. The imperfective is given on the first line, with the perfective infinitive beneath. In almost all dictionaries and textbooks the imperfective is given first, with the perfective often separated by an oblique: де́лать/сде́лать.

If a verb ends in -ать (or -ять) in the infinitive and only the я form is shown, this means that the verb conjugates like рабо́тать (see, for example, обе́дать below). For other verbs you will be given the я and ты forms, since these are enough to tell you how the rest of the verb goes.

Bear in mind that at the moment you will only be given the infinitive of the perfective verb, from which you can form the perfective past. In Lesson 15 you will study the perfective future, and from that point you will be given the full forms of the perfective verb.

REVISION EXERCISE
The list below contains the most common verbs from the first ten lessons of the textbook. The verbs are divided into groups according to the different ways they form their perfectives. You should revise the forms of the present tense and memorise the pairs of imperfective and perfective infinitives.

ви́деть (ви́жу, ви́дишь) уви́деть	to see
гото́вить (гото́влю, гото́вишь) пригото́вить	to prepare
де́лать (де́лаю) сде́лать	to do
есть (ем, ешь, ест, еди́м, еди́те, едя́т) съесть	to eat
ждать (жду, ждёшь) подожда́ть	to wait
за́втракать (за́втракаю) поза́втракать	to have breakfast
звони́ть (звоню́, звони́шь) позвони́ть	to telephone
идти́ (иду́, идёшь) пойти́	to go (on foot)

обе́дать (обе́даю) пообе́дать	to have lunch
писа́ть (пишу́, пи́шешь) написа́ть	to write
пить (пью, пьёшь) вы́пить	to drink
рисова́ть (рису́ю, рису́ешь) нарисова́ть	to draw
слу́шать (слу́шаю) послу́шать	to listen
слы́шать (слы́шу, слы́шишь) услы́шать	to hear
смотре́ть (смотрю́, смо́тришь) посмотре́ть	to look at, watch
у́жинать (у́жинаю) поу́жинать	to have dinner
чита́ть (чита́ю) прочита́ть	to read
встреча́ть (встреча́ю) встре́тить	to meet
изуча́ть (изуча́ю) изучи́ть	to study
отвеча́ть (отвеча́ю) отве́тить	to answer
покупа́ть (покупа́ю) купи́ть	to buy
получа́ть (получа́ю) получи́ть	to receive
приглаша́ть (приглаша́ю) пригласи́ть	to invite
спра́шивать (спра́шиваю) спроси́ть	to ask
встава́ть (встаю́, встаёшь) встать	to get up
забыва́ть (забыва́ю) забы́ть	to forget
зака́зывать (зака́зываю) заказа́ть	to order
начина́ть (начина́ю) нача́ть	to begin
пока́зывать (пока́зываю) показа́ть	to show
понима́ть (понима́ю) поня́ть	to understand
брать (беру́, берёшь) взять	to take
входи́ть (вхожу́, вхо́дишь) войти́	to enter
выходи́ть (выхожу́, выхо́дишь) вы́йти	to exit
говори́ть (говорю́, говори́шь) сказа́ть	to say
отдыха́ть (отдыха́ю) отдохну́ть	to rest

автоотве́тчик	answerphone
а́рфа	harp
аудито́рия	audience, auditorium
бли́зко	(it is) near, close
боеви́к	action film
вебса́йт	website
ве́село	(it is) jolly, fun
возмо́жный	possible
вспомина́ть (вспомина́ю)/	
вспо́мнить	to remember, recall
геро́й	hero
глу́пый	stupid
гора́, *pl.* го́ры	mountain
граждани́н	citizen
диало́г	dialogue
дура́к	idiot
за + *inst.*	behind
идти́ за + *inst.*	to follow
зара́нее	in advance
звоно́к	phone call
идио́т	idiot
интеллиге́нтный	intelligent, cultured
Кипр	Cyprus
Кита́й	China
класс	class(room)
конве́рт	envelope
коне́ц	end
кто́-то	someone
культу́рный	cultured, sophisticated
моби́льник (*colloquial*)	mobile phone
набира́ть (набира́ю)/	
набра́ть	to dial
наза́д	ago, back
нау́ка	science
нача́льник	boss
некульту́рный	uncultured, unsophisticated
не́сколько	several
оказа́лось *pf.*	it turned out
оставля́ть (оставля́ю)/	
оста́вить	to leave behind (*something*)
отве́т	answer

петь (пою́, поёшь)/	
спеть	to sing
план	plan
полови́на	half
посло́вица	proverb, saying
почти́	almost
проводи́ть (провожу́, прово́дишь)/	
провести́ вре́мя	to spend time
расска́з	story, tale
ро́бкий	shy
ро́вно	exactly
ро́вно в три часа́	at three o'clock precisely
ря́дом	next to
сам	my/him/herself
секрета́рша (*colloquial*)	(female) secretary
скро́мный	modest
сло́жный	complicated
СМС	text message
сообще́ние	information, message (on answerphone)
сра́зу	immediately
статья́	article
стра́шный	terrible, frightening
ничего́ стра́шного!	not to worry!
сча́стье	happiness
к сча́стью	fortunately
сэ́ндвич	sandwich
то́лько что	only just
то́чно	exactly
э́то то́чно	that's exactly right; too right!
удивля́ть (удивля́ю)/	
удиви́ть	to amaze, surprise
у́мный	clever
фра́за	phrase
шёпот	whisper
шёпотом	in a whisper
шепта́ть (шепчу́, ше́пчешь)/	
шепну́ть	to whisper
шеф	chief, boss
ю́ность	youth
в ю́ности	in (my) youth

УРÓК ДВЕНÁДЦАТЬ
Lesson 12

Lesson 12 is all about the form of the noun used when you give, say, show, etc. something to someone (the *indirect object*). You'll also learn how to express feelings and emotions in Russian (e.g. 'I am cold', 'I am bored'), to give someone's age, and to say 'I need'.

The lesson covers basic language for a visit to the doctor: parts of the body, common illnesses, how to say that something hurts, along with some things the doctor might say in return.

НРА́ВИТСЯ
LIKE, ENJOY

DIALOGUES 12.1

1 – Вы лю́бите му́зыку?
   – Да, я о́чень люблю́ му́зыку.

2 – Вам нра́вится му́зыка?
   – Да, о́чень нра́вится.

3 – Вы лю́бите чита́ть ру́сские кни́ги?
   – Да, я люблю́ чита́ть ру́сские кни́ги.

4 – Вам нра́вится чита́ть ру́сские кни́ги?
   – Да, мне нра́вится чита́ть ру́сские кни́ги.

Люби́ть is quite a strong word: it means 'to love', particularly in relation to people, or if you want to express a strong liking for something. If you want to express something closer to the more neutral English word 'to like' or 'to enjoy', you can use the Russian expression нра́вится.

Нра́вится can be used with a noun ('to enjoy something') or a verb in the infinitive ('to enjoy doing something'):

Мне нра́вится ру́сская му́зыка.	I like/enjoy Russian music.
Вам нра́вится смотре́ть ру́сские фи́льмы?	Do you like/enjoy watching Russian films?

In the examples above, note that the words for 'I' and 'you' are not the normal я and вы. You may also notice that му́зыка is in the nominative case, and not the accusative (му́зыку) as you would expect for the object of a verb.

This is because мне нра́вится is an <u>impersonal expression</u>: instead of saying 'I enjoy music' you say something like 'to me is enjoyable/pleasing music'. So when using нра́вится you need to remember the following:

1. The person who does the enjoying goes into <u>the dative case</u>.
2. The person or thing you like/enjoy stays in the nominative case.

Since the thing you enjoy is the subject of the verb in Russian, if you enjoy something in the plural, you should use a plural form of the verb: нра́вятся rather than нра́вится. The difference in pronunciation between these forms is very slight.

Мне нра́вится ру́сская му́зыка.	I like Russian music. (singular)
Мне нра́вятся ру́сские кни́ги.	I like Russian books. (plural)

The table over the page gives the dative case for the pronouns я and вы.

DATIVE CASE OF Я AND ВЫ

nom.	я	вы
dat.	мне	вам

EXERCISE 12.1

Replace a sentence containing любить with one containing нравится, and vice-versa.

Я люблю во́дку.　　　→　　　Мне нра́вится во́дка.

1　Вы лю́бите колбасу́?
2　Я люблю́ рабо́тать.
3　Вам нра́вится бале́т?
4　Мне нра́вится Москва́.
5　Я люблю́ её.

6　Я люблю́ слу́шать му́зыку.
7　Вы лю́бите жить в гости́нице?
8　Вы лю́бите Бори́са?
9　Мне нра́вится чита́ть о спо́рте.
10　Я люблю́ смотре́ть ру́сские фи́льмы.

DATIVE CASE OF PRONOUNS

DIALOGUES 12.2

1　– Тебе́ нра́вится футбо́л?
　– Не о́чень. А тебе́?
　– Нет, мне бо́льше нра́вится те́ннис.

2　– Ему́ ка́жется, что Ле́на не лю́бит его́.
　– Почему́ ему́ так ка́жется?
　– Потому́ что ей не нра́вится, когда́ он звони́т ей.

nom.	кто	я	ты	он	она́	мы	вы	они́
dat.	кому́	мне	тебе́	ему́	ей	нам	вам	им

Ка́жется means 'it seems'. Used with a dative case, it is a very common way of expressing an opinion in Russian (and much more colloquial than the equivalent expression in English):

Мне ка́жется, что ты не понима́ешь меня́.　　　It seems to me (I think) that you don't understand me.

Note also in the second dialogue above that the verb звони́ть, 'to call, phone' is followed by the dative in Russian (see dialogues 12.8 for more on this).

EXERCISE 12.2
Rewrite the following sentences replacing **ду́мать** with **ка́жется**, or **люби́ть** with **нра́вится** and the relevant pronoun in the dative case.

| Я люблю́ игра́ть в футбо́л. | → | Мне нра́вится игра́ть в футбо́л. |
| Они́ ду́мают, что он всё зна́ет. | → | Им ка́жется, что он всё зна́ет. |

1 Ты лю́бишь во́дку?
2 Она́ ду́мает, что ты хорошо́ говори́шь по-ру́сски.
3 Как вы ду́маете?
4 Вы лю́бите писа́ть пи́сьма?
5 Мы ду́маем, что она́ бу́дет до́ма.
6 Он лю́бит кино́.
7 Ты ду́маешь, что у него́ краси́вое и́мя?

8 Они́ лю́бят чита́ть.
9 Мы лю́бим говори́ть по-ру́сски.
10 Он лю́бит спорт.
11 Я ду́маю, что она́ о́чень краси́вая де́вушка.
12 Она́ лю́бит о́перу.
13 Мы лю́бим жить в Москве́.
14 Я люблю́ бале́т.

EXERCISE 12.3
In pairs, use the prompts to find out five things that your partner likes doing.

– Тебе́ нра́вится...?
– Как вам нра́вится...?

PAST TENSE OF НРА́ВИТСЯ

	masc.	fem.	neut.	pl.
imperfective	нра́вился	нра́вилась	нра́вилось	нра́вились
perfective	понра́вился	понра́вилась	понра́вилось	понра́вились

When you put **нра́вится** into the past, if you are referring to having enjoyed something specific (a film, a book), you will tend to use the <u>perfective past tense</u>. If instead you are talking about having enjoyed something regularly (e.g. swimming), you will normally use the <u>imperfective past</u>:

| Как вам понра́вился фильм? | How did you enjoy the film? (<u>perfective</u>) |
| В шко́ле мне нра́вилось игра́ть в футбо́л. | At school I liked playing football. (<u>imperfective</u>) |

Note that the form of **нра́вился** etc. is dictated by the gender and number (singular or plural) of the thing you enjoyed, and that if you follow it with a verb in the infinitive, you use the neuter form **(по)нра́вилось**:

Как тебе́ понра́вился конце́рт?	How did you like the concert? (m.)
Мне не понра́вилась её но́вая пе́сня.	I didn't like her new song. (f.)
В де́тстве ей нра́вилось моро́женое.	In childhood she liked ice-cream. (n.)
Нам понра́вились ва́ши иде́и.	We liked your ideas. (pl.)
Ра́ньше ему́ нра́вилось чита́ть детекти́вы.	He used to like reading thrillers. (infin.)

EXERCISE 12.4

Insert the correct form of нра́вился, нра́вилась, нра́вилось, нра́вились.

1 Когда́ я рабо́тал в Росси́и, мне не _____ встре́чи без перево́дчика.
2 Ра́ньше им _____ смотре́ть мультфи́льмы.
3 Нам всегда́ _____ спорт.
4 Мне никогда́ не _____ кра́сное вино́.
5 В ю́ности ему́ не _____ о́пера.

EXERCISE 12.5

Insert the correct form of понра́вился, понра́вилась, понра́вилось, понра́вились.

1 Как тебе́ _____ вы́ставка?
2 Вам _____ э́тот спекта́кль?
3 Мне о́чень _____ твои́ друзья́.
4 Ему́ _____ но́вая крова́ть?
5 Мне _____ отдыха́ть в Шотла́ндии.

DIALOGUE 12.3

– Ой, Та́ня, како́е краси́вое пла́тье! Когда́ ты его́ купи́ла?
– Тебе́ пра́вда нра́вится? Спаси́бо! Я купи́ла его́ в суббо́ту, уви́дела – и сра́зу взяла́, мне о́чень понра́вился <u>цвет</u>.   colour
– Пра́вильно сде́лала, что купи́ла, <u>оно́ тебе́ о́чень идёт</u>. А я реши́ла пока́   it suits you very well
   ничего́ не покупа́ть – жду конца́ <u>распрода́жи</u>.   sale
– Ну и молоде́ц!

EXERCISE 12.6

Fill in the gaps with the correct form of нра́вился or понра́вился (in some cases either may be possible).

1 В шко́ле ему́ _____ матема́тика.
2 Ты чита́л э́ти стихи́? Как они́ тебе́ _____?
3 Вчера́ мы посмотре́ли но́вый спекта́кль. Он нам совсе́м не _____.
4 В де́тстве мне не _____ игра́ть в футбо́л.
5 Ты был в Москве́? Как тебе́ _____ Кремль?
6 Когда́ я изуча́ла ру́сский язы́к, мне не _____ грамма́тика, но мне всегда́ _____ говори́ть по-ру́сски.
7 – Ты смотре́л э́ту пье́су? – Да, но она́ мне не о́чень _____.
8 Как тебе́ _____ мои́ друзья́?

DIALOGUES 12.4

1 – Привéт, Сáша! Ты хóчешь пойти в кинó?
– Извини, сегóдня я не могу. Мне нáдо рабóтать.
– А ты не знáешь, что Раиса дéлает сегóдня?
– Мне кáжется, ей тóже нáдо рабóтать.

2 – Мне так плóхо сегóдня!
– Мне кáжется, тебé нельзя быˊло пить так мнóго вчерá вéчером. И нáдо быˊло лечь спать рáньше.
– Ты прав. Я дýмаю, у меня похмéлье. И тепéрь мне нýжен аспирин.

3 – Здрáвствуйте.
– Дóбрый день. Мне нужныˊ нóвые часыˊ.
– Конéчно. Какие вам нрáвятся?
– Недорогиˊе.

НÝЖЕН, НУЖНÁ, НÝЖНО, НУЖНЫˊ
NEED (OF THINGS)

masc.	fem.	neut.	pl.
нýжен	нужнá	нýжно	нужныˊ

Нýжен means 'necessary'; use it with a noun to convey the English 'I need something' (as opposed to 'I need <u>to do</u> something').

The form of нýжен is dictated by the gender and number (singular or plural) of the thing you need. Note that the person who needs does not affect the form of нýжен.

Нам нýжен счёт. (m.)   We need the bill.
Нам нужнá пóмощь. (f.)   We need help.
Нам нýжно врéмя. (n.)   We need time.
Нам нужныˊ дéньги. (pl.)   We need (some) money.

EXERCISE 12.7
Complete the following using the correct dative case of the pronoun and the relevant form of нýжен.

я:	книˊга	часыˊ	билéт
→	Мне нужнá книˊга.	Мне нужныˊ часыˊ.	Мне нýжен билéт.

1	я:	молокó	дéньги	билéт
2	ты:	сýмка	зонт	пальтó
3	он:	врач	докумéнты	подрýга
4	онá:	продýкты	врéмя	словáрь
5	мы:	билéты	машиˊна	совéт
6	вы:	кáрта	газéта	óтпуск
7	они:	дáча	холодиˊльник	ключиˊ

To create future or past tenses with ну́жен, simply add бу́дет/бу́дут or был/была́/бы́ло/бы́ли. The form of быть will depend on the gender and number (singular or plural) of the thing you will need/needed.

Тебе́ нужна́ бу́дет ка́рта.   You will need a map.
Мне нужны́ бы́ли де́ньги.   I needed (some) money.

EXERCISE 12.8
Repeat ex. 12.7 using the past (ну́жен был, etc.) and the future (ну́жен бу́дет, нужны́ бу́дут).

НА́ДО
NEED (WITH VERBS)

На́до means 'it is necessary' and has only one form. Use it with a <u>verb in the infinitive</u> to convey the English 'I need to do something'. The <u>person</u> who needs to do something should go in the dative:

Мне на́до рабо́тать.   I need to work.

To create future or past tenses with на́до, simply add бу́дет or бы́ло:

Ей на́до бы́ло пойти́ к врачу́.   She needed to go to the doctor.
Нам на́до бу́дет говори́ть по-ру́сски.   We will have to speak Russian.

The negative не на́до means '(you) don't need to do something', i.e. 'it is not necessary'. In some contexts it can have the sense of '(you) shouldn't do something', i.e. telling someone not to do something; however, it is easier to stick to нельзя́ (see next page) for this:

Сего́дня нам не на́до рабо́тать.   We don't need to work today.

You can also use the neuter form ну́жно with a verb in the infinitive, exactly like на́до. Like на́до you can also create future and past tenses by using ну́жно бу́дет or ну́жно бы́ло. But if you are in any doubt about this, stick to the simple rule:

use на́до when you need <u>to do something</u> (i.e. + a verb)
use ну́жен, нужна́ etc. when you need <u>something</u> (i.e. + a noun)

EXERCISE 12.9
Insert на́до or ну́жен in correct form.

1 Нам не ▬▬▬ твой сове́т.
2 Мне ▬▬▬ пойти́ к врачу́.
3 Что вам ▬▬▬?
4 Почему́ тебе́ ▬▬▬ уче́бник?
5 Им ▬▬▬ но́вая ме́бель.
6 Нам ▬▬▬ бы́ло рабо́тать.

7 Мне ▬▬▬ бу́дут очки́.
8 Тебе́ не ▬▬▬ ждать.
9 Нам сро́чно ▬▬▬ твой отве́т.
10 Кому́ э́то ▬▬▬?
11 Ей всегда́ ▬▬▬ вре́мя.
12 Ему́ ▬▬▬ но́вые перча́тки.

You have already met мо́жно + infinitive to say 'it is possible/allowed' (see Lesson 8):

Здесь мо́жно кури́ть?   Is it all right (possible/allowed) to smoke here?

You can add a noun or pronoun in the dative to мо́жно to create a specific 'subject':

Мне мо́жно кури́ть?   May I smoke? (= 'to me is it possible/allowed')

Нельзя́ means 'it is forbidden'. Use it with a verb in the infinitive to convey the English 'you must/may not do something' (i.e. the opposite of мо́жно above). Like на́до, the person goes in the dative. Add бу́дет or бы́ло to create future or past tenses.

Вам нельзя́ кури́ть.   You must not smoke.

Ей нельзя́ бы́ло смотре́ть э́тот фильм.   She couldn't watch the film. (i.e. wasn't allowed to)

Note that нельзя́ used in this way is always followed by an imperfective infinitive.

EXERCISE 12.10
Read the following text, inserting мо́жно, нельзя́, на́до, or ну́жен in the correct form, as appropriate.

Когда́ я была́ ма́ленькая, мне каза́лось, что мои́ роди́тели всегда́ говоря́т мне «＿＿＿＿». Е́сли я спра́шивала: «＿＿＿＿ мне пойти́ в го́сти?», они́  всегда́ отвеча́ли: «А ты сде́лала дома́шнее зада́ние? Е́сли нет, то тебе́ ＿＿＿＿ игра́ть, а ＿＿＿＿ рабо́тать». Когда́ я говори́ла ма́ме, что мне ＿＿＿＿ но́вые боти́нки и́ли но́вое пла́тье, она́ отвеча́ла: «Нет, не ＿＿＿＿. Я то́лько что тебе́ купи́ла но́вые». Недалеко́ от шко́лы был магази́н, где продава́ли шокола́д и пиро́жные. Ка́ждый день по доро́ге домо́й я говори́ла ба́бушке: «Я хочу́ конфе́ты. ＿＿＿＿?» Ба́бушка спра́шивала: «Ма́ма дала́ тебе́ де́ньги?» Я, коне́чно, говори́ла, что нет, а ба́бушка отвеча́ла: «Тогда́ ＿＿＿＿».

В де́тстве мне каза́лось, что у меня́ бы́ли то́лько ску́чные зада́ния. ＿＿＿＿ бы́ло смотре́ть телеви́зор, ＿＿＿＿ бы́ло убира́ть ко́мнату, ＿＿＿＿ бы́ло встава́ть по́здно, ＿＿＿＿ бы́ло мыть посу́ду, ＿＿＿＿ бы́ло де́лать дома́шнее зада́ние, ＿＿＿＿ бы́ло смотре́ть кино́. А что ＿＿＿＿ бы́ло де́лать? ＿＿＿＿ бы́ло чита́ть кни́ги и игра́ть на пиани́но.

А тепе́рь у меня́ де́ти, и я понима́ю, почему́ всё бы́ло так.

VOCABULARY
Remember that the imperfective verb is always given first.

убира́ть (убира́ю, убира́ешь)/
   убра́ть ко́мнату   to tidy the room
мыть (мо́ю, мо́ешь)/
   помы́ть посу́ду   to wash the dishes
продава́ть (продаю́, продаёшь)/
   прода́ть   to sell

EXERCISE 12.11

Reread the text above. Most of the verbs are in the imperfective aspect. Identify the four perfective verbs and explain their usage.

DIALOGUE 12.5

– Наташа, мне нужен твой совет.

– Конечно. А в чём дело?

– Ты знаешь, через месяц я иду на <u>свадьбу</u>, но…   wedding

– Что «но»?

– Боюсь, что моё платье мне будет мало. Мне <u>срочно</u> нужна хорошая диета.   urgently

– Понятно. А ты не хочешь купить новое платье?

– Не хочу. Мне нравится моё платье.

– Тогда вот тебе диета. Тебе нельзя будет есть хлеб и картофель, нельзя есть
  <u>сладкое</u>, нельзя пить алкоголь, нельзя…   sweet

– Лучше скажи, что мне можно.

– Утром тебе можно есть всё, что хочешь. Днём можно есть рыбу, мясо и
  овощи, а вечером – несладкий йогурт.

– И что, это <u>помогает</u>?   help

– Мне кажется, да.

– Ладно, спасибо. Только мне очень трудно не есть вечером, ты знаешь, я так
  поздно <u>кончаю</u> работать!   finish

EXERCISE 12.12

Make up a diet that you would recommend to a friend using надо, можно, нельзя.

– Вот тебе диета …

EXERCISE 12.13

Translate the following into Russian.

1 I need to work. **2** You need to think. **3** She needed a new bag. **4** You must not speak English. **5** You will need a visa. **6** She needs to go. **7** I needed glasses. **8** They must not drink. **9** They will need some money. **10** We need to go home. **11** You will need to speak French. **12** I need a cigarette. **13** You don't need to translate this text. **14** I had to buy everything. **15** We need to speak Russian. **16** She needs a holiday.

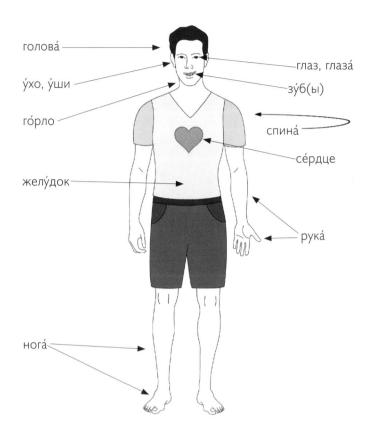

голова́ — глаз, глаза́

у́хо, у́ши — зу́б(ы)

го́рло

спина́

се́рдце

желу́док

рука́

нога́

БОЛЕ́ТЬ
TO HURT, ACHE

Боле́ть means 'to hurt'. You can use it with **у меня́** etc. and various parts of the body to describe physical ailments. Look at these examples:

У меня́ боли́т голова́.	I have a headache. ('my head hurts')
У неё боли́т го́рло.	She has a sore throat. ('her throat hurts')

Note that the form of **боле́ть** is dictated by the thing that hurts. If the subject of **боле́ть** is plural, you should use the **они́** form, **боля́т**. And if you want to talk about something that hurt in the past, use **боле́л** etc.:

У него́ боля́т зу́бы.	He has toothache. ('his teeth hurt')
Вчера́ у меня́ боле́ло го́рло.	Yesterday I had a sore throat. ('my throat hurt')

Note also the following phrases connected with illnesses:

У меня́ ка́шель.	I have a cough.
У меня́ просту́да.	I have a cold.
У меня́ грипп.	I have flu.
У меня́ высо́кая температу́ра.	I have a temperature.
У меня́ аллерги́я.	I have an allergy.

ВРАЧ
DOCTOR

DIALOGUES 12.6

1 – Здра́вствуйте. <u>Сади́тесь</u>, пожа́луйста!   sit down
   – Спаси́бо, до́ктор.
   – Что у вас боли́т?
   – У меня́ боли́т голова́ и го́рло, и у меня́ о́чень си́льный ка́шель.
   – Поня́тно. Покажи́те мне го́рло… скажи́те «ааа». Да, го́рло кра́сное.
     Температу́ра была́?
   – Наве́рное. Мне всё вре́мя то жа́рко, то хо́лодно.
   – Ну, температу́ра у вас небольша́я. <u>Не волну́йтесь</u>, э́то то́лько просту́да.   don't worry
   – Пра́вда? А почему́ мне так пло́хо? Я ду́мал, что э́то грипп.
   – Нет, э́то то́лько си́льная просту́да. Вам на́до два дня сиде́ть до́ма,
     отдыха́ть и <u>принима́ть</u> парацетамо́л.   take (of
                                                                                  medicine)
   – Мо́жет быть, мне нужны́ антибио́тики?
   – Нет, антибио́тики вам не нужны́. Вот вам <u>реце́пт</u>. Е́сли че́рез неде́лю вам   prescription
     не бу́дет лу́чше, <u>приходи́те</u> ещё.   come again

2 – Ви́ктор, как ты себя́ чу́вствуешь?
   – Мне лу́чше, спаси́бо.
   – А что сказа́л врач?
   – Он сказа́л, что э́то просту́да, но <u>всё равно́</u> мне на́до сиде́ть до́ма и   all the same
     принима́ть <u>лека́рство</u>.   medicine
   – Мо́жет быть, тебе́ что-нибу́дь ну́жно? Я всё равно́ иду́ в апте́ку и могу́
     купи́ть тебе́ лека́рство.
   – Нет, спаси́бо, по-мо́ему, у меня́ всё есть.
   – А чита́ть тебе́ мо́жно? Я могу́ дать тебе́ хоро́ший детекти́в.
   – Спаси́бо, детекти́в – э́то <u>здо́рово</u>! Принеси́, е́сли тебе́ не тру́дно.   that's great
   – Коне́чно, не тру́дно. Ру́сский и́ли англи́йский?
   – Како́й хо́чешь, мне всё равно́.

EXERCISE 12.14

The people below are suffering from various ailments. Use **на́до**, **ну́жен** or **нельзя́** + one of the phrases at the bottom to give the doctor's advice (there are more possible prescriptions than ailments). Use the same pronoun in the answer as in the question: e.g., if the question has **у него́**, use a form of **он** in the answer.

– У него́ боли́т зуб.
– Я ду́маю, что ему́ нельзя́ есть конфе́ты.

1 У него́ боли́т зуб.

2 У меня́ боли́т го́рло.

3 Она́ о́чень уста́ла.

4 У меня́ похме́лье.

5 У меня́ боли́т желу́док.

6 У тебя́ боли́т голова́.

7 У него́ боли́т нога́.

8 У неё боля́т у́ши.

9 Он о́чень лени́вый.

10 У тебя́ аллерги́я.

11 У меня́ боля́т глаза́.

12 У меня́ грипп.

есть конфе́ты; гуля́ть в па́рке; игра́ть в футбо́л; кури́ть; о́тпуск; пить алкого́ль; рабо́тать бо́льше; слу́шать ро́к-му́зыку; лека́рство; спать бо́льше; очки́; принима́ть аспири́н; антибио́тики; дие́та.

EXERCISE 12.15

Fill in the gaps with possible lines for a conversation between a doctor (Д - до́ктор) and patient (Б - больно́й).

1 Д – _____?
   Б – У меня́ боли́т голова́.

2 Д – _____?
   Б – Нет, не боля́т.

3 Д – _____?
   Б – Да, о́чень. Я да́же не могу́ есть.

4 Д – _____!
   Б – «А-а-а»!

5 Д – _____?
   Б – Да, есть. 38,5.

6 Б – До́ктор, у меня́ _____?
   Д – Нет, не волну́йтесь, э́то то́лько _____

7 Б – _____?
   Д – Нет, не на́до.

8 Б – _____?
   Д – Нет, то́лько аспири́н.

9 Б – Мне мо́жно рабо́тать на компью́тере?
   Д – Нет, _____.

10 Б – _____?
   Д – Нет, нельзя́. Вам на́до сиде́ть до́ма.

TEXT 12.1

Read the following jokes about visiting the doctor.

Врач спра́шивает медсестру́:
– Как дела́ у пацие́нта из пала́ты но́мер 3?
– Ему́ лу́чше. Сего́дня у́тром он уже́ мог говори́ть!
– И что он сказа́л?
– Что он чу́вствует себя́ о́чень пло́хо.

– Ты зна́ешь, вчера́ я был у врача́, и он сказа́л, что мне нельзя́ кури́ть и нельзя́ волнова́ться!
– Ну и что же?
– Как же я могу́ не волнова́ться, е́сли мне нельзя́ кури́ть!?

The basic forms for the dative case of nouns are given below.

Note that soft masculine nouns (nouns that end in -й or -ь) have a dative in -ю, the soft equivalent of -у:

Note that feminine nouns ending in -ия have a dative in -ии.

	nom.	dat.
masc.	Бори́с Серге́й И́горь	Бори́су Серге́ю И́горю
fem.	Ве́ра Та́ня Мари́я	Ве́ре Та́не Мари́и
neut.	окно́	окну́

EXERCISE 12.16

Use на́до with the dative to say what different professions have to do. Create dialogues according to either of the two models.

– Что на́до де́лать води́телю?
– Води́телю на́до води́ть маши́ну.

– Кому́ на́до де́лать дома́шнее зада́ние?
– Студе́нту.

учи́тель актёр писа́тель поли́тик журнали́ст юри́ст банки́р пацие́нт по́вар врач музыка́нт секрета́рь тури́ст	брать интервью́ говори́ть по телефо́ну гото́вить еду́ принима́ть лека́рство де́лать де́ньги игра́ть на конце́рте игра́ть на сце́не писа́ть контра́кты писа́ть реце́пты отдыха́ть писа́ть кни́ги слу́шать наро́д учи́ть

DATIVE CASE TO GIVE SOMEONE'S AGE

DIALOGUES 12.7

1 – Ско́лько вам лет?
– Мне со́рок лет.

2 – Ты зна́ешь, ско́лько лет Ири́не?
– Че́рез ме́сяц ей бу́дет пятьдеся́т три го́да.

3 – Ско́лько тебе́ бы́ло лет, когда́ ты пе́рвый раз был в Росси́и?
– Мне бы́ло два́дцать лет.

4 – Ско́лько лет Джо́ну?
– По-мо́ему, ему́ 29 лет.

In Russian, instead of saying 'I am forty' you say 'to me forty years', using the dative case **мне**. If you want to say 'I was forty' (etc.), simply add **бы́ло**, apart from any number involving 1, in which case use **был**:

Ему́ бы́ло шестьдеся́т пять лет.   He was 65.
Мне был три́дцать оди́н год.   I was 31.

EXERCISE 12.17
Ask each other questions about people's ages. As in the model, use pronouns (he, she, etc.) in the answers, but note the use of the dative case of nouns in the questions.

Ско́лько лет Влади́миру Пу́тину? (1952)   →   Ему́ шестьдеся́т во́семь лет.

1 Ско́лько лет при́нцу Ча́рлзу? (1948)
2 Ско́лько лет Бара́ку Оба́ме? (1961)
3 Ско́лько лет Бриджи́т Бардо́? (1934)
4 Ско́лько лет премье́р-мини́стру Великобрита́нии?
5 Ско́лько лет Елизаве́те Второ́й? (1926)
6 Ско́лько лет бы́ло Джо́ну Ке́ннеди, когда́ он у́мер? (46)
7 Ско́лько вам бы́ло лет, когда́ вы пе́рвый раз бы́ли в Росси́и?
8 Ско́лько лет бы́ло Толсто́му, когда́ он на́чал писа́ть «Войну́ и мир»? (37)
9 Ско́лько вам бы́ло лет, когда́ вы на́чали изуча́ть ру́сский язы́к?
10 Ско́лько лет бы́ло Екатери́не Вели́кой, когда́ она́ ста́ла императри́цей? (33)

EXERCISE 12.18
Translate into Russian.

1 – How old are you? – I'm 27. 2 Natasha is 32. 3 They are 20. 4 How old was he? 5 – How old are you? – I'm 4. 6 She will be 31 in March. 7 How old were you when you first went to Russia? 8 Do you know Ivan and his wife? Ivan is 65 and his wife is 20. 9 My grandmother is very old. In a year she will be a hundred. 10 How old was Andrei when he worked in America? 11 In 5 years Viktor will be 50. 12 How old was Pushkin when he died?

TEXT 12.2

Оди́н молодо́й челове́к спроси́л Мо́царта, как лу́чше писа́ть симфо́нии.

– Вы ещё сли́шком мо́лоды, – отве́тил Мо́царт. – Лу́чше начина́ть <u>с ма́леньких</u> <u>пьес</u>.

with small pieces

– Но вы на́чали писа́ть симфо́нии, когда́ вам бы́ло то́лько 9 лет, – сказа́л молодо́й челове́к.

– Да, – отве́тил Мо́царт, – но я никого́ не спра́шивал, как их писа́ть.

EXERCISE 12.19
Put the words in brackets into the correct case.

1   нельзя́ кури́ть, потому́ что   боли́т го́рло. (Ви́ктор) (он)
2   В суббо́ту   на́до бы́ло встать о́чень ра́но. (Мари́на)
3   – Как ты ду́маешь, ско́лько лет   ? – По-мо́ему,   31 год. (Ла́на) (она́)
4   не нра́вится рабо́тать в ба́нке,   ка́жется, что там никто́ не понима́ет   . (Анто́н) (он) (он)
5   Когда́   бы́ло 11 лет, он уже́ писа́л о́перы. (Мо́царт)
6   –   ка́жется, что   ну́жен хоро́ший о́тпуск. – Я зна́ю, но   так не ка́жется. (Я) (ты) (дире́ктор)
7   – Ты уже́ смотре́л но́вый фильм? – Да, но   не понра́вился. (он) (я)
8   – Как ты себя́ чу́вствуешь? –   уже́ лу́чше, спаси́бо. (я)
9   – Врач сказа́л, что   нельзя́ волнова́ться. (вы)
10   нра́вится бале́т, а его́   футбо́л. (Ви́ктор) (жена́)

ЗВОНИ́ТЬ/ПОЗВОНИ́ТЬ
TO CALL (PHONE)

DIALOGUES 12.8

1   – До́брый день, Ма́ша.
    – Здра́вствуйте, господи́н Панко́в.
    – Мне кто-нибу́дь звони́л сего́дня у́тром?
    – Да, вам звони́л ми́стер Ди́ксон из Ло́ндона.

2   – До́брое у́тро, Ма́ша.
    – Здра́вствуйте, господи́н Панко́в.
    – Вы уже́ позвони́ли Ни́не Серге́евне?
    – Да, позвони́ла.

3   – Женя́, кому́ ты звони́шь?
    – Анто́ну.
    – Переда́й ему́ приве́т от меня́.

The verb **звони́ть/позвони́ть** is always followed by the dative case.

EXERCISE 12.20

Answer the questions below, remembering to use the dative case after **звони́ть**.

1 Кому́ звони́т Ма́ша?
2 Кому́ звони́т Са́ша?
3 Кому́ звони́т Михаи́л?
4 Кому́ звони́т Та́ня?

5 Кому́ звони́т Ири́на?
6 Кому́ звони́т Бори́с?
7 Кому́ звони́т Мари́на?
8 Кому́ звони́т Серге́й?

Серге́й

Та́ня

Са́ша

Ма́ша

Михаи́л

Мари́на

Бори́с

Ири́на

VERBS THAT TAKE THE DATIVE

DIALOGUES 12.9

1 – Ле́на, что ты пи́шешь?
– Я пишу́ письмо́.
– Кому́?
– Ма́ме.

2 – Что ты купи́ла?
– Игру́шку.
– А кому́?
– Сы́ну.

The main use of the dative case is to show the recipient of an action (giving, explaining, showing, helping etc.). In English we sometimes convey this by the word 'to'. Look at the following examples:

I gave the book **to my mother**.
They explained the situation **to us**.
He never says 'good morning' **to me**.

In all of these, the recipient (shown in bold), would go in the dative case in Russian. As you would expect, the direct object (i.e. the thing you give) goes in the accusative case.

However, you need to be careful. English does not always use 'to' before the recipient. Look at these examples. In Russian, you would still need to put the recipient in the dative case.

I told him the truth.	(i.e. I told the truth to him)	Я сказа́л ему́ пра́вду.
He wrote her a letter.	(i.e. He wrote a letter to her)	Он написа́л ей письмо́.
He gave us our visas.	(i.e. he gave our visas to us)	Он дал нам ви́зы.

The following common verbs often use a construction like those above. For example, you can say something to someone, write something to someone, and so on. Note that покупа́ть follows the same pattern, even though in English you buy something for, rather than to, someone:

говори́ть/сказа́ть	to say
чита́ть/прочита́ть	to read
отвеча́ть/отве́тить	to reply
пока́зывать/показа́ть	to show
писа́ть/написа́ть	to write
посыла́ть/посла́ть	to send
покупа́ть/купи́ть	to buy
дава́ть (даю́, даёшь, даю́т)/ дать	to give

The words for 'to promise' (обеща́ть/пообеща́ть) and 'to advise' (сове́товать/посове́товать) also take the dative in Russian, although are not used with 'to' in English.

Я обеща́ю вам, что всё бу́дет норма́льно.	I promise you that everything will be ok.
Что ты сове́туешь мне сде́лать?	What do you advise me to do?

Some other verbs in Russian are followed by the dative even though there is no explicit sense of conveying something. You have already met one of the most useful of these: звони́ть/позвони́ть, 'to telephone'.

Two other common verbs that take the dative are помога́ть/помо́чь, 'to help', and меша́ть/помеша́ть, which is difficult to translate into English, but means either 'to disturb' or 'to hinder/prevent':

Он мне помога́ет.	He helps me.
Я ей помога́ю.	I am helping her.
Она́ ему́ помогла́.	She helped him. (the perfective past of помо́чь follows the pattern of мочь)
Я вам меша́ю?	Am I disturbing you?
Ты мне меша́ешь рабо́тать.	You're preventing me from working.

Finally, one verb that does not take the dative is спра́шивать/спроси́ть, 'to ask'. This is followed by the accusative:

Я спроси́ла му́жа: «Где ключи́?»	I asked my husband, 'Where are the keys?'

TEXT 12.3
Read the following text. Note the use of the dative case.

Э́то мой секрета́рь. Её зову́т Людми́ла. Она́ о́чень хоро́ший секрета́рь. Она́ мне всегда́ помога́ет. Когда́ я в А́нглии, она́ мне звони́т и говори́т, как иду́т дела́ в Москве́. Она́ чита́ет мне мои́ пи́сьма. Когда́ я хочу́ пое́хать в Москву́, она́ посыла́ет мне приглаше́ние. Когда́ я в о́фисе в Москве́, она́ де́лает мне ко́фе, а иногда́ да́же покупа́ет мне конфе́ты. Ка́ждое у́тро, когда́ она́ вхо́дит в о́фис, она́ спра́шивает меня́: «Извини́те, я вам не меша́ю?», а пото́м чита́ет мне ру́сские газе́ты. Она́ всегда́ сове́тует мне изуча́ть ру́сский язы́к. Людми́ла ча́сто говори́т мне, каки́е интере́сные спекта́кли и вы́ставки мо́жно посмотре́ть в Москве́, а иногда́ да́же пока́зывает мне го́род.

EXERCISE 12.21
Now imagine that Lyudmila is describing her duties to her friend. Retell the story from her point of view.

Э́то мой нача́льник. Его́ зову́т Ричард. Я ему́ всегда́ помога́ю. Когда́ он в А́нглии....

EXERCISE 12.22
Make complete sentences from the following words, using the dative case.

1 Он, всегда́, покупа́ть, ма́ма, цветы́.
2 Ни́на, то́лько что, посла́ть, СМС, сестра́.
3 Он, никогда́, говори́ть, мы, пра́вда.
4 Ма́ма, вчера́, чита́ть, кни́га, сын.
5 Показа́ть (imperative), он, э́тот докуме́нт.
6 Дать (imperative), я, ча́шка, чай.
7 Он, посове́товать, сестра́, посмотре́ть, э́тот фильм.
8 Анто́н, помога́ть, подру́га, переводи́ть, текст.
9 Я, обеща́ть, ты, что, всё, бы́ть, хорошо́.
10 Переда́ть (imperative), И́горь, что, он, звони́ть, клие́нт.

EXERCISE 12.23

Robert is on holiday in Russia. Create dialogues about what souvenirs he is buying for his friends and family. Use either the imperfective present or the perfective past.

– Что он покупа́ет па́пе?

– Он покупа́ет па́пе самова́р.

– Кому́ он купи́л матрёшку?

– Он купи́л матрёшку подру́ге.

ба́бушка, де́душка, ма́ма, па́па, сестра́, друг, подру́га, учи́тель

матрёшка, самова́р, флаг, ло́жка, ша́пка, ма́рки, откры́тка, альбо́м, игру́шка

DIALOGUES 12.10

Translate the dialogue. Note the examples of the dative case and explain the use of imperfective and perfective verbs.

– Приве́т! Ну, как дома́шняя рабо́та? Всё сде́лал?

– Нет, коне́чно. Я прочита́л и перевёл текст и на́чал де́лать упражне́ние, но не ко́нчил. А ты?

– Текст я то́же прочита́л, а вот упражне́ние да́же не де́лал – абсолю́тно не́ было вре́мени. <u>Вообще́</u>, тебе́ не ка́жется, что нам всегда́ даю́т   In general
сли́шком больши́е зада́ния?

– Хм... Мо́жет быть, сказа́ть об э́том Ива́ну Петро́вичу?

– Нет, наве́рное, <u>не сто́ит</u>...   it's not worth it

EXERCISE 12.24

Read the following text, putting the words in brackets into the correct form. All the verbs should go into the past tense: you should decide whether to use an imperfective or perfective past.

Пётр Ивано́в рабо́тал в (банк). Ка́ждый день он (встава́ть/встать) о́чень ра́но, бы́стро (за́втракать/поза́втракать) и (выходи́ть/вы́йти) из (дом). Он всегда́ (приходи́ть/прийти́) на (рабо́та) пе́рвый, никогда́ не (опа́здывать/опозда́ть), никогда́ не (боле́ть/заболе́ть) и ре́дко (брать/взять) о́тпуск. Коне́чно, нача́льник (Пётр) (ду́мать/поду́мать), что (он) – отли́чный рабо́тник.

Но одна́жды, когда́ Пётр (обе́дать/пообе́дать) в (рестора́н), он (зака́зывать/заказа́ть) блю́до, кото́рое ра́ньше никогда́ не (есть/съесть). Когда́ он (есть/съесть) его́, он сра́зу (чу́вствовать/почу́вствовать) себя́ пло́хо. «Наве́рное, я (боле́ть/заболе́ть)», – с удивле́нием (ду́мать/поду́мать) Пётр.

Он (встава́ть/встать), (выходи́ть/вы́йти) из (рестора́н) и пошёл (дом).

Когда́ Пётр (приходи́ть/прийти́) (дом), он сра́зу (звони́ть/позвони́ть) (нача́льник), (говори́ть/сказа́ть) (он), что (случа́ться/случи́ться) и (проси́ть/попроси́ть) отгу́л на за́втра.

Коне́чно, нача́льник (дава́ть/дать) (он) отгу́л.

Весь ве́чер Пётр (чу́вствовать/почу́вствовать) себя́ о́чень пло́хо и не (мочь/смочь) ничего́ (де́лать/сде́лать). Наконе́ц он (звони́ть/позвони́ть) (подру́га Ма́ша).

«Ма́ша, – (спра́шивать/спроси́ть) Пётр, – ты мо́жешь (помога́ть/помо́чь) (я)? (Я) о́чень пло́хо и (я) ну́жно лека́рство».

«Коне́чно, – (отвеча́ть/отве́тить) (он) Ма́ша. – Я бу́ду у (ты) че́рез полчаса́».

Ма́ша сра́зу пошла́ в (апте́ка) и (покупа́ть/купи́ть) (Пётр) (лека́рство).

Когда́ Ма́ша (приходи́ть/прийти́) к (Пётр), она́ (дава́ть/дать) (он) (лека́рство) и (гото́вить/пригото́вить) (он) чай. Пётр (пить/вы́пить) чай и сра́зу (чу́вствовать/почу́вствовать) себя́ лу́чше.

EXERCISE 12.25

Translate into Russian.

1 What did she say to you? 2 We are writing a postcard to dad. 3 They always send me photos. 4 The teacher gave us very difficult homework. 5 Am I disturbing you? 6 Show me your throat. 7 Did anyone call me? 8 Why don't you help Igor? 9 What did they advise you to do? 10 I always read my daughter a story in the evening. 11 He never buys his wife flowers. 12 I gave Mikhail our new address. 13 Say hi to Masha from me. 14 I promise you everything will be fine. 15 I have just sent Sergei a text.

The table below contains all the cases of pronouns you have covered so far.

Remember that if a preposition comes before forms of **он**, **она́**, **они́**, you need to add **н**. Since the prepositional case is always preceded by a preposition, it is always written with **н**.

nom.	что	кто	я	ты	он	она́	мы	вы	они́
acc.	что	кого́	меня́	тебя́	(н)его́	(н)её	нас	вас	(н)их
gen.	чего́	кого́	меня́	тебя́	(н)его́	(н)её	нас	вас	(н)их
dat.	чему́	кому́	мне	тебе́	(н)ему́	(н)ей	нам	вам	(н)им
prep.	(о) чём	(о) ком	(обо) мне	(о) тебе́	(о) нём	(о) ней	(о) нас	(о) вас	(о) них

EXERCISE 12.26
Put the words in brackets into the correct form.

1 Да́йте (я), пожа́луйста, ваш но́мер телефо́на.
2 (Ты) нужна́ э́та газе́та?
3 Я не зна́ю (он).
4 Я ду́маю о (он).
5 Ско́лько (она́) лет?
6 (Я) не нра́вится э́тот торт.
7 Ты понима́ешь (она́) ?
8 У (кто) есть вопро́сы?
9 Он ре́дко звони́т (я).
10 Как (они́) зову́т?
11 Я ви́жу (они́) ка́ждый день.
12 (Кто) нужна́ ви́за?
13 (Вы) нра́вится здесь?
14 Она́ всегда́ говори́т (мы) пра́вду.
15 Она́ спроси́ла (я) о (вы).
16 Я ча́сто ви́жу (он).
17 Что он сказа́л (ты) обо (я)?

18 У (она́) есть э́та кни́га.
19 (Кто) ты купи́ла цветы́?
20 Вы слы́шите (я)?
21 Почему́ вы говори́те о (он)?
22 Она́ лю́бит (он).
23 У (они́) есть биле́ты.
24 Что (она́) на́до?
25 Здесь никто́ не зна́ет (мы).
26 (Я) на́до позвони́ть (он).
27 У (мы) есть всё, что (мы) ну́жно.
28 (Она́) два́дцать лет.
29 Она́ помогла́ (вы)?
30 Я не понима́ю (ты).
31 (Мы) нужна́ но́вая крова́ть.
32 Что у (ты) боли́т?
33 Я слу́шаю (вы).
34 Что (они́) переда́ть?

EXERCISE 12.27
Translate the following text into Russian.

Yesterday I had a headache. I have a headache almost every day. My leg hurts, my eyes ache and I have a sore throat. At the hospital I asked the doctor, 'Am I disturbing you?' 'Of course not', he said. I asked him, 'What do you advise me to do?' He answered: 'It seems to me you need to work less and rest more. Of course, you mustn't smoke, you mustn't drink and you should eat less as well. How old are you?' 'I'm thirty-five,' I told him. 'It seems that nothing helps me.' 'Please show me your hand,' said the doctor. 'Interesting. Did your mother read you strange stories when you were small? And you enjoy French films? I thought so. You need a new job, and I think that you need to buy your brother a dog and go for a walk in the park every morning. That's all. I promise you you will soon feel better. Now I'm afraid I must go.'

"Кому́ на Руси́ жить хорошо́?"

Поэ́ма Н. А. Некра́сова (1876)

"Мне гру́стно... потому́ что ве́село тебе́."

М. Ю. Ле́рмонтов. Отчего́ (1840)

DATIVE CASE IN IMPERSONAL EXPRESSIONS

DIALOGUES 12.11

1
— О́льга, почему́ ты закры́ла окно́?
— Потому́ что мне бы́ло о́чень хо́лодно.
— А на у́лице сего́дня жа́рко.
— Я зна́ю, но у меня́ просту́да.

2
— Вам легко́ говори́ть по-ру́сски?
— Нет, мне о́чень тру́дно. А вам?
— А мне о́чень легко́. Моя́ ма́ма ру́сская.
— Вам везёт!

An impersonal expression (see p. 169) is one that has no specific subject. It roughly corresponds to an English expression with 'it is'. For example:

Сего́дня хо́лодно.	It is cold today.
Говори́ть по-ру́сски легко́.	It is easy to speak Russian.

You can use impersonal expressions with a dative case to convey a feeling or sense. For example:

Сего́дня мне хо́лодно.	I am/feel cold today.
	(lit. 'to me cold today')
Ему́ легко́ говори́ть по-ру́сски.	He finds speaking Russian easy.
	(lit. 'to him easy to speak Russian')

The following impersonal forms are particularly useful:

хо́лодно	(it is) cold	жа́рко	(it is) hot
ску́чно	(it is) boring	интере́сно	(it is) interesting
хорошо́	(it is) good	пло́хо	(it is) bad
легко́	(it is) easy	тру́дно	(it is) difficult
ве́село	(it is) fun	гру́стно	(it is) sad
стра́шно	(it is) frightening		

Note the difference between the adjective ску́чный and the impersonal form ску́чно:

Он ску́чный.	He is boring.
Ему́ ску́чно.	He is bored. (lit. 'to him boring')

Интере́сно has an additional colloquial use, which equates to the English 'I wonder':

Интере́сно, во ско́лько он бу́дет до́ма?	I wonder when he will be at home.

To put an impersonal expression in the past, simply add бы́ло; to put into the future, add бу́дет:

Мне бы́ло ску́чно.	I was bored.
	(lit. 'to me was boring')
Ему́ бу́дет тру́дно.	It will be difficult for him.
	(lit. 'to him will be difficult')

Note also the following impersonal expression with **пора**. Use it with an infinitive to say 'it's time to do something', or on its own to mean 'it's time to go':

Нам порá рабóтать.	It's time for us to work.
Мне порá.	It's time for me to go.

One other useful colloquial impersonal expression uses the verb **везти́**, 'to convey':

Вам везёт!	You are lucky, lucky you!

EXERCISE 12.28
Put the noun or pronoun into the correct case and choose the relevant impersonal expression from the list beneath.

И́горь   →   И́горю плóхо.

И́горь	Дми́трий	дóчка	я
вы	Жéня	Мáша	студéнт
Фёдор	Сáша	Влáда	

хóлодно, жáрко, скýчно, интерéсно, хорошó, плóхо, легкó, трýдно, вéсело, грýстно, стрáшно

EXERCISE 12.29
Translate the following into English.

1   Вéре бы́ло óчень хóлодно вчерá вéчером.
2   Вам не скýчно жить в Иркýтске?
3   Я дýмаю, вам бýдет интерéсно рабóтать там.
4   Мне плóхо.
5   Им порá спать.
6   Вам трýдно изучáть рýсский язы́к?
7   Почемý Дми́трию вчерá бы́ло так вéсело?
8   Ты дýмаешь, нам порá идти́?
9   Тáне всегдá грýстно.
10 Я не понимáю, почемý тебé всегдá так скýчно на урóке.
11 Мне интерéсно, какáя зáвтра бýдет погóда.
12 Емý всегдá везёт.

EXERCISE 12.30
Complete the sentences with the right pronoun and an appropriate impersonal expression.

1 Вчера́ мы смотре́ли но́вый фильм «Дра́кула». _____ бы́ло о́чень _____ .

2 Вчера́ я слу́шал ле́кцию о бухгалте́рии. _____ бы́ло так _____ !

3 – Почему́ _____ так _____ изуча́ть ру́сский язы́к? – Потому́ что я всегда́ де́лаю дома́шнее зада́ние.

4 Где твоя́ ша́пка? _____ не _____ ?

5 Он всё вре́мя улыба́ется (smiles), но никто́ не понима́ет, почему́ _____ так _____ .

6 _____ не _____ ? Е́сли да, я могу́ откры́ть окно́.

7 _____ о́чень _____ рабо́тать, когда́ ты так гро́мко говори́шь по телефо́ну.

8 У меня́ высо́кая температу́ра и боли́т голова́. _____ о́чень _____ .

9 Е́сли _____ не _____ , позвони́ мне сего́дня ве́чером.

10 Почему́ _____ так _____ ? Что случи́лось?

EXERCISE 12.31
Translate the following into Russian.

1 You'll be cold without a hat. 2 Does he find studying Russian interesting? 3 It was very cold in Moscow in December. 4 It is difficult to live without a car. 5 He's a very boring person. 6 He was very bored at the meeting. 7 It's very hot here. 8 When I'm sad I watch happy films. 9 What films do you watch when you are happy? 10 Did you find it difficult working in Moscow? 11 Lucky you! 12 I get sad thinking about it. 13 Aren't you hot? 14 He never knows when it is time to work. 15 I was scared to watch this film.

NOUN REVIEW
ACCUSATIVE, GENITIVE, DATIVE, PREPOSITIONAL CASES

The table below gives five of the six cases of the most common types of nouns. There are other nouns that do not follow these patterns exactly (e.g. masculine and feminine nouns ending in a soft sign; neuter nouns ending in -e). Their forms are given in full on pp. 373–4 in the Grammar Supplement.

	masc.			fem.		neut.	
nom.	Ло́ндон	врач	Серге́й	Мари́на	Та́ня	А́нглия	окно́
acc.	Ло́ндон	врача́	Серге́я	Мари́ну	Та́ню	А́нглию	окно́
gen.	Ло́ндона	врача́	Серге́я	Мари́ны	Та́ни	А́нглии	окна́
dat.	Ло́ндону	врачу́	Серге́ю	Мари́не	Та́не	А́нглии	окну́
prep.	Ло́ндоне	враче́	Серге́е	Мари́не	Та́не	А́нглии	окне́

EXERCISE 12.32
Put the word in bold into the correct form for each of the sentences.

1 Москва́

Мой брат живёт в   .

Он хорошо́ зна́ет   .

Тури́сты е́дут в   .

Мари́на из   .

Мой о́фис в це́нтре   .

2 друг

За́втра мне на́до позвони́ть   .

Я уви́дел в магази́не   .

Вчера́ я был у   .

Я ча́сто помога́ю   .

Э́то письмо́ от   .

Мы говори́ли о   .

3 теа́тр

Я о́чень люблю́   .

Вчера́ я был в   .

Сего́дня ве́чером я иду́ в   .

Ни́на мно́го зна́ет о   .

Я живу́ недалеко́ от   .

4 сестра́

Вчера́ я помогла́   .

Я ча́сто ду́маю о   .

Я давно́ не ви́дела   .

Э́ту кни́гу мне показа́ла   .

У меня́ две   .

В суббо́ту я была́ у   .

EXERCISE 12.33
Answer the questions using the word in bold.

1 брат

Кто написа́л э́то письмо́?

Кому́ вы посла́ли откры́тку?

Чья э́то фотогра́фия?

Кого́ вы ви́дели вчера́?

О ком вы ду́маете?

У кого́ вы бы́ли в суббо́ту?

2 подру́га

Кому́ ты ча́сто звони́шь?

О ком он ду́мает?

Кто вам сего́дня звони́л?

Кого́ вы встре́тили на вокза́ле сего́дня у́тром?

У кого́ вы бы́ли вчера́?

Кому́ вы купи́ли цветы́?

EXERCISE 12.34
Create as many questions to which the following could be answers, using different forms of **кто** and **что**.

Брат Мари́ны хорошо́ игра́ет на гита́ре.   →   Кто хорошо́ игра́ет на гита́ре?

                                              →   На чём игра́ет брат Мари́ны?

1 Вчера́ преподава́тель рассказа́л нам о Пу́шкине.

2 У Анто́на есть больша́я кварти́ра в Ло́ндоне.

3 Ви́ктор написа́л нам об о́тпуске.

4 Мари́не ну́жен но́вый компью́тер для рабо́ты.

5 Вчера́ моя́ сестра́ была́ в поликли́нике у врача́.

6 Серге́ю нра́вится Ле́на.

EXERCISE 12.35
Create a possible first line for these dialogues.

1 – ....?
   – Ви́ктору.

2 – ....?
   – Нет, жа́рко.

3 – ....?
   – Че́рез год ему́ бу́дет 50.

4 – ....?
   – Да, понра́вилась.

5 – ....
   – Обяза́тельно переда́м.

6 – ....?
   – Нет, не ну́жен, спаси́бо.

7 – ....?
   – Нет, голова́.

8 – ....?
   – Потому́ что нам на́до бы́ло рабо́тать.

9 – ....?
   – Мне всё равно́. Как хо́чешь.

10 – ....?
   – Нет, ничего́. Спаси́бо.

11 – ....?
   – Му́зыка.

12 – ....?
   – Нет, нельзя́.

13 – ....?
   – Ни́не. У неё за́втра день рожде́ния.

14 – ....?
   – Нет, о́чень легко́.

15 – ....?
   – Нет, про́сто я уста́л.

16 – ....?
   – По-мо́ему, нет. Он сказа́л, что фильм был о́чень ску́чный.

EXERCISE 12.36
Translate into Russian.

1 Did Lena like the concert? 2 They showed us their photos but we were very bored. 3 Why are you always buying me flowers? 4 He will go to London in spring. 5 Please say 'hi' to him. 6 I haven't got any time. 7 Please give the book to Ivan. 8 He sends his sister a telegram. 9 He went to the concert on Saturday. 10 Aren't you cold? 11 They must work tomorrow. 12 Why don't you like his new play? 13 How old were you when you bought a car? 14 It seems to Lena that no one understands her. 15 Sit down please. How are you feeling? 16 I shouldn't have drunk so much yesterday. I have a hangover. 17 My head and throat hurt. I think I have flu. 18 We were bored in the lesson yesterday. 19 Tamara had to work on Saturday. 20 Victor helped his friend buy a present for his girlfriend. 21 It's time for you to go home. 22 You can't smoke in the restaurant. 23 We were waiting for the bus on Oxford Street. 24 Let's speak without an interpreter. 25 We were playing tennis on Friday. 26 I'll wait for her near the museum at midday. 27 – How old is he? – He will be 30 in a month. 28 As I child I always had to tidy the flat and clean the dishes. 29 You need glasses. 30 What time do you have to be at home?

Глава XII
Мари́на идёт домо́й

Двена́дцать часо́в. Мари́на выхо́дит из метро́ Ю́го-За́падная и надева́ет ша́пку и перча́тки. Сле́ва и спра́ва на у́лице мно́го магази́нов, кафе́, рестора́нов. Магази́ны закры́ты, потому́ что уже́ по́здно. Да́же рестора́ны уже́ не рабо́тают. У вхо́да в метро́ есть не́сколько кио́сков, где продаю́т сигаре́ты, напи́тки и шокола́д, но Мари́на идёт ми́мо. Ей ничего́ не ну́жно. На у́лице о́чень хо́лодно. В це́нтре Москвы́ то́же бы́ло хо́лодно, но здесь холодне́е. Ве́тер там си́льный, но здесь сильне́е. От ветра́ у Мари́ны немно́го боля́т у́ши. Она́ идёт о́чень бы́стро. Вдруг Мари́не ка́жется, что кто́-то идёт за ней. Ей немно́го стра́шно. Она́ смо́трит наза́д, но никого́ не ви́дит. Мари́на идёт быстре́е.

Мари́на живёт в большо́м до́ме на проспе́кте Верна́дского. В э́том до́ме три ко́рпуса, кото́рые стоя́т вокру́г небольшо́го двора́. Во дворе́ ле́том о́чень прия́тно: дере́вья, трава́, лю́ди отдыха́ют, де́ти игра́ют. Но сейча́с там пу́сто. В ка́ждом ко́рпусе не́сколько подъе́здов. У Мари́ны тре́тий подъе́зд. Во дворе́ она́ ви́дит, что дверь подъе́зда откры́та. Замо́к, наве́рное, не рабо́тает. «Нам ну́жен но́вый замо́к», – ду́мает Мари́на.

Мари́на вхо́дит в дом и закрыва́ет дверь. Да, замо́к не рабо́тает. Мари́на смо́трит во двор. Ка́жется, там никого́ нет. Лифт на пе́рвом этаже́. «Отли́чно», – ду́мает Мари́на и бы́стро вхо́дит в лифт. Но две́ри не закрыва́ются. Лифт, ка́жется, не рабо́тает. «На́до идти́ пешко́м», – ду́мает она́.

Мари́на поднима́ется по ле́стнице. Ей ка́жется, что она́ слы́шит шаги́. Ей стра́шно. Мари́на и́щет телефо́н в су́мке. «На́до позвони́ть Ива́ну», – ду́мает она́. Но Ива́н не отвеча́ет, и поэ́тому Мари́на посыла́ет ему́ СМС. «Позвони́ мне, пожа́луйста, как мо́жно скоре́е!» – пи́шет она́.

Кварти́ра Мари́ны нахо́дится на деся́том этаже́. Там она́ открыва́ет су́мку и и́щет ключи́. «Где мои́ ключи́? – ду́мает Мари́на. – Что случи́лось? Что я бу́ду де́лать без них? Где я могла́ их потеря́ть?» Наконе́ц Мари́на нахо́дит ключи́ в су́мке, берёт их и открыва́ет дверь. Когда́ она́ вхо́дит в кварти́ру, она́ слы́шит, что звони́т телефо́н. Мари́на бежи́т в ко́мнату и берёт тру́бку.

– Ива́н, э́то ты? – спра́шивает она́.

– Нет, э́то Пи́тер.

– Ой, Пи́тер, как я ра́да, что ты позвони́л. Мне стра́шно. Мне ка́жется, что я слы́шала шаги́ на ле́стнице.

– Подожди́, подожди́, – говори́т Пи́тер. – Говори́ ме́дленнее, пожа́луйста. Не волну́йся. Ты до́ма, дверь закры́та, всё норма́льно.

Но Мари́на уже́ не слу́шает. Она́ понима́ет, что не закры́ла дверь.

Мари́на выхо́дит из гости́ной. Дверь ещё откры́та. Она́ смо́трит в коридо́р. Там, ка́жется, никого́ нет. Она́ закрыва́ет дверь на замо́к.

Вдруг она́ слы́шит ти́хий го́лос: «Где твой паке́т? Дай мне ико́ну».

А в тру́бке слы́шен го́лос Пи́тера: «Мари́на? Ты там? Что случи́лось? Ты слы́шишь меня́?»

Но отве́та нет.

LESSON 12 VOCABULARY

абсолю́тно	absolutely	меша́ть (меша́ю)/	
алкого́ль *m.*	alcohol	помеша́ть + *dat.*	to hinder, prevent
аллерги́я	allergy	ми́мо + *gen.*	past
альбо́м	album, picture book	мультфи́льм	cartoon
антибио́тик	antibiotic	мыть (мо́ю, мо́ешь)/	
аспири́н	aspirin	помы́ть посу́ду	to wash the dishes
банки́р	banker	надева́ть (надева́ю,	
боле́ть (боле́ю, боле́ешь)/		надева́ешь)/наде́ть	to put on (*i.e. clothing*)
заболе́ть	to be ill, fall ill	нельзя́ + *verb infinitive*	it is forbidden
боле́ть (боли́т, боля́т)/		несла́дкий	unsweetened
заболе́ть	to hurt	нога́	leg, foot
больно́й *m.*	patient	нра́виться (нра́вится,	
боя́ться *imp.*	to be afraid	нра́вятся)/понра́виться	to enjoy
не бо́йся *imperative*	don't be afraid!	ну́жен, нужна́,	
бухгалте́рия	accounting	ну́жно, нужны́ + *noun*	need (is necessary)
(мне) везёт	(I am) lucky	обеща́ть (обеща́ю)/	
вели́кий	great	пообеща́ть + *dat.*	to promise
(мне) ве́село	(I am) happy	одна́жды	once (upon a time)
води́ть маши́ну	to drive a car	опа́здывать (опа́здываю)/	
волнова́ться *imp.*	to be worried	опозда́ть	to be late
не волну́йтесь	don't worry	отгу́л	leave, day off
вообще́	in general	о́тпуск	leave, holiday
высо́кий	tall, high	отчего́	why
вы́ставка	exhibition	парацетамо́л	paracetamol
выходи́ть (выхожу́,		пацие́нт	patient
выхо́дишь)/вы́йти	to go out, exit (*on foot*)	пе́сня	song
глаз, *pl.* глаза́	eye	пиро́жное	pastry, cake
голова́	head	площа́дка	(play) ground
го́рло	throat	по́вар	cook
идти́/пойти́ в го́сти	to (go to) visit someone	поднима́ться (поднима́юсь)	to go up
грамма́тика	grammar	подожди́(те)! *imperative*	wait!
грипп	flu	подъе́зд	entrance (to a building)
гро́мкий	loud	пока́	while, for the time being
деся́тый	tenth	поликли́ника	clinic
доро́га	road, way	помога́ть (помога́ю)/	
желу́док	stomach	помо́чь + *dat.*	to help
закрыва́ть (закрыва́ю)/		по́мощь *f.*	help
закры́ть	to close	посыла́ть (посыла́ю)/	
заменя́ть (заменя́ю) *imp.*	to substitute	посла́ть	to send
замо́к	lock	похме́лье	hangover
зуб	tooth	поэ́ма	poem
императри́ца	empress	пра́вый	right *adj.*
йо́гурт	yoghurt	преподава́тель *m.*	teacher
иска́ть (ищу́, и́щешь)/		приглаше́ние	invitation
поиска́ть	to look for	принима́ть (принима́ю)/	
как мо́жно... + *comparative*	as ... as possible	приня́ть	to take (*e.g. medicine*)
как мо́жно скоре́е	as quickly/soon as	принц	prince
	possible	приходи́ть (прихожу́,	
ка́шель *m.*	cough	прихо́дишь)/прийти́	to arrive, to come (on
кио́ск	kiosk		foot)
контра́кт	contract	приходи́те *imperative*	come
конча́ть (конча́ю)/		про́бовать (про́бую,	
ко́нчить	to finish	про́буешь)/попро́бовать	to try, attempt, to taste
кто́-нибу́дь	someone	продава́ть (продаю́,	
лени́вый	lazy	продаёшь)/прода́ть	to sell
ле́стница	stairs	проси́ть (прошу́, про́сишь)/	
лечь спать *pf.*		попроси́ть	to request, ask for
лёг, легла́, легли́ *past*	to go to sleep	просту́да	a cold
матема́тика	maths	пусто́й	empty

пье́са	a play (theatre)
рабо́тник	worker
рад, ра́да, ра́ды	pleased, glad
распрода́жа	sale
реце́пт	recipe, prescription
ро́к-му́зыка	rock music
рука́	hand, arm
сади́ться/сесть	to sit down
сади́тесь! *imperative*	sit down
самова́р	samovar
сва́дьба	wedding
се́рдце	heart
сигаре́та	cigarette
сла́дкий	sweet *adj.*
случа́ться/случи́ться	to happen
что случи́лось?	what happened?
сове́т	advice
сове́товать (сове́тую, сове́туешь)/	
посове́товать + *dat.*	to advise
совсе́м	completely
спина́	back
сро́чно	immediately, urgently
стать	to become
стра́шный	terrible
мне стра́шно	I'm frightened
сце́на	stage (theatre)
телегра́мма	telegram
те́ло	body
теря́ть (теря́ю, теря́ешь)/	
потеря́ть	to lose
трава́	grass
тре́тий	third
тру́бка	receiver
убира́ть (убира́ю)/	
убра́ть ко́мнату	to tidy the room
удивле́ние	amazement, surprise
с удивле́нием	with surprise
улыба́ться *imp.*	to smile
упражне́ние	exercise
у́хо, *pl.* у́ши	ear
цвет	colour
цвето́к, *pl.* цветы́	flower
шаг	footstep
ю́го-за́падный	south-western

УРО́К
ТРИНА́ДЦАТЬ
Lesson 13

Lesson 13 introduces more of the language needed to make travel plans: how to give dates ('on the fourth of July', etc.) and more details about the various ways to say 'to go'.

You'll read about Russian holidays, when they are and what they celebrate. The lesson also explains how to compare things – to say that something is more difficult, better or quicker than something else.

DIALOGUES 13.1

1
– Приве́т, Ка́тя! Куда́ ты идёшь?

– Я иду́ в фи́тнес-центр, у меня́ сего́дня уро́к пла́вания.

– О, молоде́ц! И ча́сто ты туда́ хо́дишь?

– На пла́вание я хожу́ раз в неде́лю, а в фи́тнес-центр ча́ще.

2
– Макси́м, твоя́ жена́ е́здит на велосипе́де?

– Да, е́здит, но не о́чень хорошо́. Она́ лу́чше е́здит на мотоци́кле.

3
– Почему́ ты так бы́стро идёшь? Мы опа́здываем?

– Нет, не опа́здываем, про́сто я всегда́ хожу́ дово́льно бы́стро. Но е́сли хо́чешь, мы мо́жем идти́ ме́дленнее.

4
– Ле́на и Ви́ктор уже́ верну́лись из о́тпуска?

– Нет, они́ ещё в Испа́нии. Сего́дня я получи́ла от них име́йл.

– И что они́ там де́лают так до́лго? Лежа́т на пля́же?

– Нет, они́ взя́ли маши́ну и тепе́рь е́здят по стране́.

A 'verb of motion' is one of a group of verbs in Russian that relate to movement – going, flying, swimming, etc. Verbs of motion come in pairs, where the first verb in the pair relates to specific movement (a journey from a to b), while the second verb is used for non-specific movement (regular journeys or journeys in no particular direction).

In this book these verbs are called 'specific' and 'non-specific'. Other terms used to distinguish between them are 'unidirectional' vs 'multidirectional', or 'determinate' vs 'indeterminate'.

As you know, Russian distinguishes between movement on foot and movement by transport. For the basic English verb 'to go', there are therefore four verbs in Russian: a specific and a non-specific verb for going by foot, and the same for going by transport.

		specific (determinate, unidirectional)	non-specific (indeterminate, multidirectional)
		идти́	ходи́ть
	я	иду́	хожу́
	ты	идёшь	хо́дишь
	он/она́	идёт	хо́дит
	мы	идём	хо́дим
	вы	идёте	хо́дите
	они́	иду́т	хо́дят
		е́хать	е́здить
	я	е́ду	е́зжу
	ты	е́дешь	е́здишь
	он/она́	е́дет	е́здит
	мы	е́дем	е́здим
	вы	е́дете	е́здите
	они́	е́дут	е́здят

EXERCISE 13.1

Fill in the gaps with the relevant form of ходи́ть (1–5) or е́здить (6–11).

1 Мы идём в кино́.   Мы ча́сто ▒▒▒▒ в кино́.*
2 Вы идёте на футбо́л в воскресе́нье?   Вы всегда́ ▒▒▒▒ на футбо́л в воскресе́нье?
3 Она́ идёт в университе́т.   Она́ ▒▒▒▒ в университе́т 3 ра́за в неде́лю.
4 Мои́ друзья́ иду́т в рестора́н сего́дня   Мои́ друзья́ ▒▒▒▒ в рестора́н ка́ждый
  ве́чером.   ве́чер.
5 Я иду́ в бассе́йн.   Я ре́дко ▒▒▒▒ в бассе́йн.
6 Мари́на е́дет на рабо́ту на такси́.   Мари́на ре́дко ▒▒▒▒ на рабо́ту на такси́.
7 Мы е́дем в Варша́ву.   Мы ▒▒▒▒ в Варша́ву ка́ждый ме́сяц.
8 Я е́ду в Москву́.   Обы́чно я ▒▒▒▒ в Москву́ в ма́е.
9 Ты е́дешь в о́фис на метро́?   Ты всегда́ ▒▒▒▒ в о́фис на метро́?
10 Студе́нты е́дут на экску́рсию.   Студе́нты ча́сто ▒▒▒▒ на экску́рсии.
11 Ви́ктор е́дет в парк на велосипе́де.   Ви́ктор хорошо́ ▒▒▒▒ на велосипе́де.

* Remember that for short trips – typically within a town or city, e.g. to the shops or to work –
you can use идти́ and ходи́ть even if in fact the trips involve the use of transport.

SPECIFIC VS NON-SPECIFIC (1)
SINGLE JOURNEY VS REPEATED MOVEMENT

DIALOGUES 13.2

1 – Куда́ вы идёте?
   – Мы идём в бар.
   – Вы всегда́ хо́дите в бар по́сле уро́ка ру́сского языка́?
   – Почти́ всегда́.

2 – Когда́ ты е́дешь в о́тпуск?
   – В нача́ле а́вгуста.
   – Ты всегда́ е́здишь отдыха́ть в а́вгусте?
   – Нет, не всегда́. Иногда́ я е́зжу в о́тпуск о́сенью.

The first difference between specific and non-specific verbs of motion in the present tense is
between a single journey from a to b and repeated or regular journeys.

| Мы е́дем в Пари́ж. | We are going to Paris. |
| Мы ча́сто е́здим в Пари́ж. | We often go to Paris. |

	specific	non-specific
	single journey	repeated or regular movement
	⟶	⟶ ⟶ ⟶
🚶	идти́	ходи́ть
🚗	е́хать	е́здить

EXERCISE 13.2

Rewrite these sentences, replacing the underlined words with the words in brackets and changing the verb of motion. In questions 4 and 8 you will also need to change the position of the adverb.

1 Сейча́с де́ти иду́т в шко́лу. (ка́ждое у́тро)
2 Раз в ме́сяц мы хо́дим в теа́тр. (Че́рез три дня)
3 Они́ е́дут в командиро́вку в конце́ а́вгуста. (о́чень ча́сто)
4 По́сле обе́да Ната́ша идёт в го́сти к подру́ге. (ре́дко)
5 В конце́ ма́я Ни́на е́дет отдыха́ть в Крым. (ка́ждое ле́то)
6 Я хожу́ на ле́кцию ка́ждый четве́рг. (в э́тот четве́рг)
7 Два ра́за в ме́сяц мы е́здим в Пари́ж. (за́втра)
8 Сего́дня они́ е́дут в о́фис на метро́. (всегда́)
9 Я е́зжу в А́встрию ка́ждый год. (в декабре́)
10 Почему́ ты не идёшь в кино́? (никогда́ не)

SPECIFIC VS NON-SPECIFIC (2)
JOURNEY FROM A TO B VS MOVEMENT IN NO PARTICULAR DIRECTION

DIALOGUE 13.3

– Здра́вствуйте. У вас есть путеводи́тели по Москве́?
– Коне́чно, есть. У нас есть «Прогу́лки по Москве́», «Архитекту́рные прогу́лки по Москве́», «По Москве́-реке́» и «По Кремлю́». Что вас интересу́ет?
– Меня́ интересу́ет архитекту́ра.
– Тогда́ я сове́тую вам купи́ть «Архитекту́рные прогу́лки по Москве́».

The second common use of the non-specific verb is for movement in no particular direction. This is most commonly used for walks around town, journeys around countries etc., usually with the preposition по + the dative case:

Я о́чень люблю́ ходи́ть по Москве́.	I love to walk around Moscow.
Тури́сты е́здят на авто́бусе по А́нглии.	The tourists are travelling around England by bus.
Она́ хо́дит по па́рку.	She is walking around the park.
Я не люблю́ е́здить на маши́не по Ло́ндону.	I don't like driving around London.

По can also be used with the specific verb идти́, in which case it means along:

Он идёт по у́лице.	He is walking along the street.
Мы е́дем по бульва́ру.	We are driving along the boulevard.

	specific	non-specific
	journey from a to b	movement in no particular direction
	→	
(walking)	идти́	ходи́ть
(car)	е́хать	е́здить

275

NON-SPECIFIC (ХОДИ́ТЬ/Е́ЗДИТЬ) (3)
HOW A MOVEMENT IS GENERALLY DONE

DIALOGUES 13.4

1 – Твой сын уже́ хо́дит?!
   – Коне́чно. Ему́ уже́ год.
   – А я ду́мал, что ему́ ме́ньше.

2 – Почему́ ты всегда́ хо́дишь пешко́м?
   – Потому́ что я не люблю́ е́здить на метро́, а е́здить на такси́ сли́шком до́рого.
   – Я то́же не люблю́ е́здить на метро́, поэ́тому я всегда́ е́зжу на велосипе́де. Э́то лу́чше для
   здоро́вья.

Remember that the specific verbs (идти́ and е́хать) are normally used only to talk about one specific journey from a to b.

If you always keep this in mind, you will have no difficulty with the third use of the non-specific verb: to describe <u>how a type of journey or movement is normally made</u>. That is, whether you usually go by train or car, generally drive fast or slowly, etc.

Мой сын уже́ хо́дит.	My son is already walking.
Моя́ до́чка хорошо́ е́здит на велосипе́де.	My daughter rides a bike well.
Он хо́дит о́чень бы́стро.	He walks very quickly.

EXERCISE 13.3
Insert the relevant verb from the brackets in the correct form. For some questions either verb may be possible, depending on what you want to say.

1 Сейча́с они́ _____ в о́фис. (ходи́ть, идти́)
2 Мы _____ в о́фис ка́ждый день. (ходи́ть, идти́)
3 Мы _____ в Москву́ за́втра. (е́здить, е́хать)
4 Он ча́сто _____ в Москву́. (е́здить, е́хать)
5 Куда́ ты _____ сего́дня? (ходи́ть, идти́)
6 Де́ти _____ по па́рку. (ходи́ть, идти́)
7 Де́ти сейча́с _____ в парк. (ходи́ть, идти́)
8 Тури́сты весь день _____ пешко́м. (ходи́ть, идти́)
9 Извини́те, сего́дня магази́н закры́т. У нас _____ ремо́нт. (ходи́ть, идти́)
10 Она́ _____ по па́рку на велосипе́де. (е́здить, е́хать)
11 Он _____ в парк на велосипе́де. (е́здить, е́хать)
12 Вы ско́ро _____ в Петербу́рг? (е́здить, е́хать)
13 Я не хочу́ _____ в Ки́ев за́втра. (е́здить, е́хать)
14 Мой де́душка _____ о́чень ме́дленно. (ходи́ть, идти́)
15 Как ча́сто вы _____ в командиро́вки? (е́здить, е́хать)
16 Я не люблю́ _____ пешко́м. (ходи́ть, идти́)
17 Вы обы́чно _____ на рабо́ту на маши́не? (е́здить, е́хать)
18 В понеде́льник мне на́до _____ в дере́вню. (е́здить, е́хать)
19 Опа́сно _____ на мотоци́кле без шле́ма. (е́здить, е́хать)
20 Он лю́бит _____ на такси́. (е́здить, е́хать)
21 Когда́ ты _____ домо́й сего́дня? (ходи́ть, идти́)

DIALOGUE 13.5

– Скажи́те, пожа́луйста, э́тот авто́бус идёт до метро́?
– Нет, э́тот авто́бус туда́ не хо́дит. Вам ну́жен трина́дцатый.

Although **éхать** and **éздить** are used for journeys by transport, if you are talking about scheduled journeys (e.g. by train, by bus), the actual mode of transport itself (i.e. the train or the bus) usually goes on foot.

Э́тот авто́бус идёт до метро́?   Is this bus going to the metro station?

It is not wrong to use **éхать** in these sentences, so don't worry about this too much.

DIALOGUES 13.6

1 – Ла́ра, тебе́ нра́вится моё но́вое пла́тье?
   – Коне́чно, нра́вится. Оно́ тебе́ о́чень идёт.

2 – Ты не зна́ешь, что сейча́с идёт в кино́?
   – А что тебя́ интересу́ет?
   – Что́-нибу́дь для дете́й. Уже́ три дня идёт дождь, и им о́чень ску́чно. А музе́й закры́т, там идёт ремо́нт.

As in English, verbs of motion in Russian have a number of figurative (i.e. non-literal) meanings. **Идти́** (but <u>not</u> **ходи́ть**) has three particularly useful ones:

Э́ти брю́ки ему́ иду́т.   These trousers suit him. (*note dative case for 'him'*)
Идёт дождь.   It is raining.
Что сего́дня идёт в теа́тре?   What is on at the theatre today?

To put expressions of this kind in the past, use the irregular past tense of **идти́**:

m.	f.	n.	pl.
шёл	шла	шло	шли

Вчера́ шёл снег.   It was snowing yesterday.

You will find more information about the past tense of **идти́** on p. 398 of the Grammar Supplement, and the topic is covered in full in *Russian made clear Book 2*. For the moment the important thing to remember is that **шёл** etc. is very rarely used to translate the English 'went'.

VERBS OF MOTION
SUMMARY

Remember: Use идти́ and е́хать only when you are talking about <u>a specific journey from a to b</u>. If you are describing other types of journey, you will not usually use these verbs.

DIALOGUE 13.7

Read the dialogue paying attention to the use of ходи́ть, идти́, е́здить and е́хать.

– Ната́ша, <u>что с тобо́й</u>? Мы опа́здываем, ты не мо́жешь идти́ быстре́е?	what's the matter with you
– Не могу́! Вчера́ я весь день ходи́ла по го́роду, и сего́дня у меня́ ужа́сно боля́т но́ги.	
– А почему́ ты ходи́ла весь день, а не е́здила на маши́не, как все норма́льные лю́ди?	
– Мои́ англи́йские друзья́ бы́ли у меня́ в гостя́х, а они́ <u>обожа́ют</u> ходи́ть пешко́м. Говоря́т, э́то <u>поле́зно для здоро́вья</u>.	adore good for the health
– Ну, э́то поня́тно: все тури́сты обы́чно хо́дят пешко́м, так лу́чше смотре́ть го́род. А в А́нглии они́, наве́рное, всегда́ и <u>везде́</u> е́здят на маши́не…	everywhere
– По-мо́ему, они́ всегда́ и <u>везде́</u> е́здят на велосипе́де – говоря́т, на За́паде э́то сейча́с о́чень мо́дно.	
– Ну, э́та мо́да не для нас! <u>Представля́ешь</u>, е́здить на велосипе́де по Москве́?! Да э́то опа́сно для жи́зни!!	can you imagine
– Да, по Москве́ лу́чше е́здить на метро́…	

EXERCISE 13.4
Translate into Russian.

1 Why do you always walk so slowly? 2 Why are you walking so slowly? 3 I don't like to go by car around Moscow. 4 He rides a bike very well. 5 What's on at the cinema tonight? 6 He is riding a bike. 7 We are going to Spain in the summer. 8 We are driving around Spain. 9 Please tell me, does this bus go to the metro? 10 We never go to Spain in the summer. 11 Does your daughter already go to school? 12 The children are going to school. 13 Yesterday it rained all day. 14 – Why are you walking around the room? – Because I'm thinking. 15 It's dangerous to ride a bike in Moscow. 16 The tourists are walking around London. 17 The tourists are walking along Oxford Street. 18 Your new glasses suit you very much.

DIALOGUES 13.8

1
– Лéна, ты не хóчешь в суббóту пойти в гóсти к Сергéю?

– К сожалéнию, не могу́. Мы éдем зá город.

– Куда́?

– В Зеленогра́д, к ба́бушке.

– О́чень жаль.

2
– Где вы бы́ли вчера́ ве́чером?

– Мы ходи́ли в гóсти.

– К кому́?

– К Ири́не.

For places and events, you use **в** or **на** with the accusative case to convey direction:

Вчера́ мы ходи́ли в рестора́н.	Yesterday we went to a restaurant.
Она́ идёт на рабо́ту.	She is going to work.
Мы éдем в Москву́.	We are going to Moscow.
Они́ éздили на мóре.	They went to the sea.

In the first and last examples above, don't forget the use of **ходи́л** and **éздил** in the past tense to convey the sense of 'went' meaning 'was there' (look back to Lesson 7 for more on this).

If you want to say that you are going to a <u>person</u> rather than a place, <u>use к + the dative</u> (sometimes used with **в гóсти** for visiting):

Мы ходи́ли в гóсти к Мари́не.	We went to visit Marina.
Я иду́ к ба́бушке.	I'm going to [my] grandmother's.
Он éдет к сестре́.	He's going to [his] sister's.

EXERCISE 13.5
Insert the correct preposition in the following sentences.

1 Мы éдем (в, на, к, по) А́фрику.

2 За́втра я иду́ (в, на, к, по) ма́ме.

3 В суббóту они́ иду́т (в, на, к, по) футбóл.

4 Они́ хóдят (в, на, к, по) гóроду.

5 Мне на́до идти́ (в, на, к, по) врачу́.

6 Почему́ ты идёшь (в, на, к, по) домóй?

7 Они́ éздили (в, на, к, по) мóре.

8 Вчера́ мы ходи́ли (в, на, к, по) теа́тр.

9 Она́ идёт (в, на, к, по) вокза́л.

10 Мы идём в гóсти (в, на, к, по) Ли́дии.

11 Я чита́ю о его́ поéздке (в, на, к, по) Ира́ку.

12 Пéрвого ма́я я éду (в, на, к, по) Москву́.

13 Тури́сты éздили (в, на, к, по) Росси́и.

14 Ты ча́сто хóдишь в гóсти (в, на, к, по) бра́ту?

ГДЕ? КУДА́? ОТКУ́ДА? (2)
WHERE? WHERE TO? WHERE FROM?

The table below revises the possible preposition and case combinations for going to and from somewhere/someone. Note particularly the following:

If you use в (+ prepositional) for position, you will use в (+ accusative) for direction.

If you use на (+ prepositional) for position, you will use на (+ accusative) for direction.

If you are <u>at</u> a <u>person's</u> house/office (the doctor, a friend's house), use у + gen.

If you go <u>to</u> a <u>person's</u> house/office (the doctor, a friend's house) use к + dat.

The opposite of в is из.   в ⇄ из

The opposite of на is с.   на ⇄ с

The opposite of к is от.   к ⇄ от

	где?	куда?	откуда?
place	в Ло́ндоне	в Ло́ндон	из Ло́ндона
	на столе́	на стол	со стола́
event	на уро́ке	на уро́к	с уро́ка
person	у врача́	к врачу́	от врача́

Remember the phrases for visiting:

быть в гостя́х у + gen. (position)   Вчера́ мы бы́ли в гостя́х у Тама́ры.
идти́/ходи́ть в го́сти к + dat. (direction)   Вчера́ мы ходи́ли в го́сти к Тама́ре.

EXERCISE 13.6

In this exercise you are given a preposition and noun combination that would fit into the где column of the table above. You should write out the other two combinations for the same word.

в Москве́   →   в Москву́, из Москвы́
у бра́та   →   к бра́ту, от бра́та

1 у Бори́са	4 на конце́рте	7 у Мари́и
2 на вокза́ле	5 у И́горя	8 в Узбекиста́не
3 в Брази́лии	6 в Москве́	9 на Ку́бе

Note these three exceptions:

где?	куда?	откуда?
до́ма	домо́й	из до́ма
здесь	сюда́	отсю́да
там	туда́	отту́да

EXERCISE 13.7
Create new sentences replacing 'to' with 'from'.

Я иду́ в рестора́н. → Я иду́ из рестора́на.

1 Мы е́дем в Москву́.
2 Студе́нты иду́т на уро́к.
3 Я е́ду в Пари́ж.
4 Он идёт на конце́рт.
5 Я е́ду в дере́вню.
6 Мы е́дем к ба́бушке.

7 Мы е́дем в Нью-Йорк на встре́чу.
8 Де́ти иду́т в шко́лу.
9 Вы идёте к врачу́?
10 Куда́ ты идёшь?
11 Мы идём на по́чту.
12 Она́ идёт домо́й.

EXERCISE 13.8
Replace ходи́ть/е́здить in the past with the past tense of быть + the relevant preposition, and vice-versa.

Мы ходи́ли к бра́ту. → Мы бы́ли у бра́та.
Она́ была́ в Я́лте. → Она́ е́здила в Я́лту.

1 Я е́здил в го́сти к сестре́.
2 Ты ходи́л к врачу́?
3 Они́ ходи́ли в о́фис к адвока́ту.
4 Я ходи́ла к Ка́те.
5 Секрета́рь была́ в кабине́те у нача́льника.
6 Журнали́сты ходи́ли на пресс-конфере́нцию к президе́нту.
7 Мы бы́ли в больни́це у врача́.
8 Я был в Москве́ в гостя́х у дру́га.
9 Мы бы́ли в дере́вне у ба́бушки.
10 У кого́ ты был?

EXERCISE 13.9
Translate into Russian.

1 Where are you from? **2** I was at the doctor's. **3** We went to Natasha's. **4** Come here! **5** Is Lana at home? **6** From Russia with love (с любо́вью). **7** We're going there tomorrow. **8** Who did you visit yesterday? **9** An email from work. **10** Products from the market. **11** A ticket to Minsk. **12** Cigars from Cuba. **13** Let's go home. **14** Who is this postcard from? **15** A postcard from New York. **16** A letter from Ivan.

EXERCISE 13.10
Create sentences using the present tense of **идти́** and **éхать** to say where someone is going from and to.

Он идёт с по́чты в библиоте́ку.
Он éдет из до́ма в о́фис.

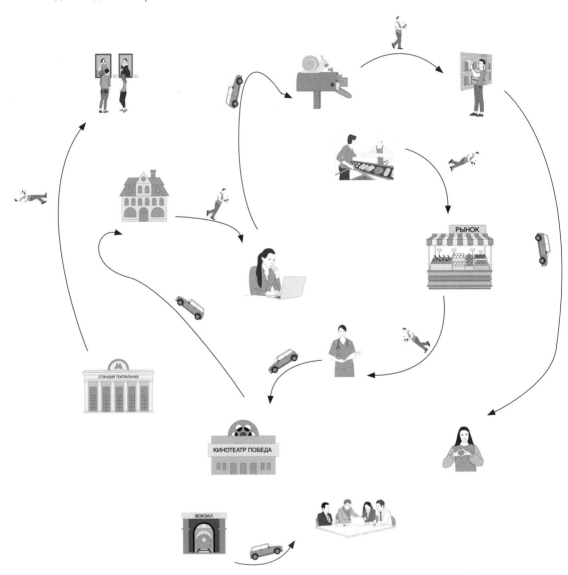

метро́, дом, вы́ставка, по́чта, о́фис, библиоте́ка, ры́нок, магази́н, вокза́л, врач, подру́га, кино́, встре́ча

DIALOGUES 13. 9

1 – Ты не хо́чешь пойти́ на футбо́л в суббо́ту?
 – Я не про́тив, но у меня́ есть друга́я, бо́лее интере́сная иде́я.
 – Не понима́ю, что мо́жет быть интере́снее футбо́ла.
 – Дава́й пойдём на конце́рт в Гайд-па́рке.

2 – Э́то пра́вда, что ле́том в Москве́ жа́рче, чем в Ло́ндоне?
 – Пра́вда. В Москве́ бо́лее континента́льный кли́мат. Ле́том там жа́рче, а зимо́й намно́го холодне́е, чем в Ло́ндоне.

A comparative is the form you use to say something is <u>more</u> beautiful/difficult/interesting etc. than something else. Russian has two types of comparative, a long form and a short form.

The most common form in conversation is the short form. It is normally formed by adding the ending -**ee** to the stem of the adjective:

ва́жный	→	важне́е
краси́вый	→	краси́вее

If the adjective has two syllables, the stress in the short form comparative will normally shift to the first -**e** of the ending; otherwise it will not move (though note **весёлый**):

бе́дный	→	бедне́е
интере́сный	→	интере́снее
весёлый	→	веселе́е

The long form comparative is formed by adding the word **бо́лее** before the adjective:

бо́лее краси́вый го́род	a more beautiful town
бо́лее интере́сная кни́га	a more interesting book

Note that although English also has long and short comparatives (quick, quicker; comfortable, more comfortable) there is no correlation between English and Russian. Most Russian adjectives can have both long and short form comparatives.

IRREGULAR COMPARATIVES

A number of common adjectives, however, have an irregular comparative form. These need to be learnt by heart.

бли́зкий	→	бли́же	лёгкий	→	ле́гче
далёкий	→	да́льше	хоро́ший	→	лу́чше
бога́тый	→	бога́че	плохо́й	→	ху́же
большо́й	→	бо́льше	жа́ркий	→	жа́рче
ма́ленький	→	ме́ньше	молодо́й	→	моло́же
дорого́й	→	доро́же	ста́рый	→	ста́рше (for people)
дешёвый	→	деше́вле		→	старе́е (for things)

EXERCISE 13.11
Complete the conversations between two competitive people according to the model. Note the use of ещё with a comparative to mean '<u>even</u> richer/better/smaller etc.'

– У меня́ о́чень бога́тый дя́дя.

– А мой дя́дя ещё бога́че.

1 – У меня́ о́чень ма́ленькая кварти́ра.
   – _____ .

2 – У меня́ о́чень плохи́е студе́нты.
   – _____ .

3 – У нас о́чень ста́рый дом.
   – _____ .

4 У меня́ о́чень дешёвая маши́на.
   – _____ .

5 – Э́тот рестора́н о́чень дорого́й.
   – _____ .

6 – Сего́дня о́чень хоро́шая пого́да.
   – А за́втра _____ .

LONG OR SHORT COMPARATIVE?

There is a simple rule governing which comparative to use:

If the comparative comes before a noun – e.g. 'a bigger house' – use the long form (бо́лее + adjective).

If the comparative comes after the noun (and, in English, the verb 'to be') – e.g. 'this house is bigger' – use the short form:

Москва́ бо́лее краси́вый го́род, чем Ло́ндон. Moscow is a more beautiful city than London.
Москва́ краси́вее, чем Ло́ндон. Moscow is more beautiful than London.

THAN

There are two ways to convey the English 'than': first, simply use the word чем (as above). With the short form comparative, you can also convey 'than' by putting the word in the second part of the comparison into the genitive case:

Москва́ краси́вее, чем Ло́ндон. Moscow is more beautiful than London.
Москва́ краси́вее Ло́ндона.

EXERCISE 13.12

Follow the model: swap the subject of the sentence, replace the adjective with its opposite, and replace **чем** with the genitive case.

Анто́н умне́е, чем Леони́д. → Леони́д глупе́е Анто́на.

1 Ви́ктор ста́рше, чем Ива́н.
2 Икра́ доро́же, чем колбаса́.
3 Банки́р бога́че, чем студе́нт.

4 Пого́да зимо́й ху́же, чем пого́да ле́том.
5 Петербу́рг ме́ньше, чем Москва́.
6 Со́лнце да́льше, чем Луна́.

COMPARATIVE ADVERBS

The comparative of adverbs is exactly the same as the short form comparative adjective:

Она́ краси́вее, чем ты (краси́вее тебя́). She is more beautiful than you.
Она́ поёт краси́вее, чем ты. She sings more beautifully than you.
Он говори́т по-ру́сски лу́чше, чем по-неме́цки. He speaks Russian better than German.

EXERCISE 13.13

Answer the questions using a comparative adjective or adverb as appropriate.

1 Что бо́льше: Фра́нция и́ли Ита́лия?
2 Что доро́же: маши́на и́ли велосипе́д?
3 Где ле́том жа́рче: в Норве́гии и́ли в Ту́рции?
4 Что деше́вле: биле́т на авто́бус и́ли биле́т на метро́?
5 Где доро́же жить: в го́роде и́ли в дере́вне?
6 Что ле́гче изуча́ть: матема́тику и́ли исто́рию?
7 Что интере́снее: футбо́л или бале́т?
8 Что интере́снее: смотре́ть телеви́зор и́ли гуля́ть в па́рке?

EXERCISE 13.14

Each question below contains a pair of words. Choose a suitable adjective to create two sentences comparing each pair, one using a short comparative, the other a long comparative + noun.

Москва́, Петербу́рг → Москва́ старе́е, чем Петербу́рг.
 → Москва́ – бо́лее ста́рый го́род, чем Петербу́рг.

1 Ло́ндон, Пари́ж
2 «Война́ и мир», «А́нна Каре́нина»
3 Дми́трий Медве́дев, Влади́мир Пу́тин
4 Ру́сская во́дка, англи́йский джин

5 ГУМ, Ха́рродс
6 «Макдо́нальдс», «Пи́цца Хат»
7 Домоде́дово, Шереме́тьево
8 Во́лга, Те́мза

DIALOGUES 13.10

1
– Кто ста́рше, ты или Ви́ктор?
– Ви́ктор ста́рше меня́.
– На ско́лько?
– На два го́да.

2
– Како́й го́род доро́же, Москва́ или Петербу́рг?
– Москва́ намно́го доро́же, чем Петербу́рг.

If you want to say 'by how much' something is more expensive, bigger, older, etc., use the comparative followed by на + the accusative case:

ста́рше на три го́да	three years' older
деше́вле на сто рубле́й	100 roubles' cheaper

To ask 'by how much', use на ско́лько. To say 'by a lot' (i.e. 'much' older etc.) use намно́го or, in colloquial speech, гора́здо:

На ско́лько он ста́рше тебя́?	How much older is he than you?
Она́ намно́го (гора́здо) бога́че меня́.	She's much richer than me.

EXERCISE 13.15
Create questions and answers according to the models to compare the three items in the groups below.

Ми́ша моло́же Ма́рка на три́дцать три го́да.
– Како́й го́род да́льше от Москвы́, Ирку́тск и́ли Петрозаво́дск?
– Ирку́тск на четы́ре ты́сячи киломе́тров да́льше от Москвы́, чем Петрозаво́дск.

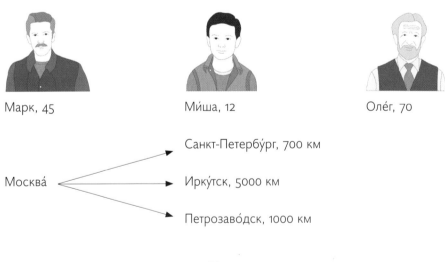

Марк, 45   Ми́ша, 12   Оле́г, 70

Москва́

Санкт-Петербу́рг, 700 км

Ирку́тск, 5000 км

Петрозаво́дск, 1000 км

Килогра́мм мя́са, 350 р.

Килогра́мм ма́сла, 440 р.

Кило́грамм сы́ра, 620 р.

EXERISE 13.16

Create comparisons between the pairs of nouns or phrases below using the adjectives given. Expand the comparisons into dialogues expressing agreement or disagreement.

– Москва́ бо́льше Ло́ндона.   – Да, я согла́сен. Москва́ намно́го бо́льше, чем Ло́ндон.

                                            – Нет, по-мо́ему Ло́ндон бо́льше Москвы́.

                                            – Нет, я ду́маю, Москва́ ме́ньше Ло́ндона.

1	теа́тр, кино́	трудный, лёгкий
2	Пари́ж, Мадри́д	молодо́й, ста́рый
3	футбо́л, бейсбо́л	дорого́й, дешёвый
4	бале́т, о́пера	большо́й, ма́ленький
5	Ди́ккенс, Шекспи́р	интере́сный, ску́чный
6	Москва́-река́, Нева́	плохо́й, хоро́ший
7	поли́тика, эконо́мика	глу́пый, у́мный
8	о́тпуск в Лас-Ве́гасе, о́тпуск в Уэ́льсе	вку́сный
9	пи́цца, борщ	дли́нный
10	изуча́ть ру́сский язы́к, изуча́ть матема́тику	краси́вый
11	жить в го́роде, жить в дере́вне	
12	Хо́лмс, Ва́тсон	

EXERCISE 13.17

Translate the following into Russian.

1 Igor is cleverer than Ivan. **2** Caviar is much more expensive than vodka. **3** It is always hotter in Kazakhstan. **4** At the moment it is colder in London than in Moscow. **5** I speak Russian worse than my wife. **6** Vladivostok is 1000 kilometres further from here than Irkutsk. **7** People in America are richer than in Europe. **8** *War and Peace* is more interesting than *Anna Karenina*. **9** Fyodor is poorer than Tanya. **10** It is more interesting to play football than to watch. **11** I like red wine more than white. **12** Speak more slowly, please. **13** My sister is five years' older than I am. **14** It is cheaper to buy computers in America than in London. **15** He walks faster than I do. **16** My hat is more beautiful than yours.

DIALOGUE 13.11

– Скажи́те, у вас есть биле́ты на «Дя́дю Ва́ню»?

– На како́е число́?

– На пятна́дцатое октября́.

– Нет, на суббо́ту биле́тов уже́ нет. Éсли хоти́те, есть биле́ты на два́дцать тре́тье
октября́, э́то пя́тница.

– А места́ хоро́шие?

– Есть два́дцать пе́рвый ряд в <u>парте́ре</u> и второ́й ряд в <u>амфитеа́тре</u>.   stalls; circle

– А что лу́чше?

– Парте́р лу́чше, но доро́же.

– Намно́го?

– На пятьсо́т рубле́й.

– Зна́чит, два биле́та бу́дут сто́ить на ты́сячу рубле́й бо́льше? Э́то сли́шком
до́рого. Лу́чше амфитеа́тр.

ORDINAL NUMBERS
FIRST, SECOND, THIRD

DIALOGUES 13.12

1
– Вы не ска́жете, три́ста со́рок пе́рвый авто́бус идёт в центр?
– Нет, три́ста со́рок пе́рвый идёт то́лько до больни́цы. Вам ну́жен шестьдеся́т четвёртый.
– А где его́ остано́вка?
– Немно́го да́льше.

2
– Покажи́те, пожа́луйста, ваш биле́т.
– Пожа́луйста.
– Парте́р, ле́вая сторона́, двена́дцатый ряд. Ва́ше ме́сто пря́мо и нале́во.

Ordinal numbers are numbers like 'first', 'second', 'fifth', etc. (as opposed to cardinal numbers, 'one', 'two', 'five', etc.). In Russian ordinal numbers behave like adjectives, and agree with the noun they accompany.

The table below gives the nominative case, singular and plural, for first, second and third. Note the irregular forms of **тре́тий**, third.

masc.	fem.	neut.	pl.
пе́рвый	пе́рвая	пе́рвое	пе́рвые
второ́й	втора́я	второ́е	вторы́е
тре́тий	тре́тья	тре́тье	тре́тьи

The ordinal numbers 1st to 8th need to be learnt carefully. From 9th to 30th simply replace the soft sign of the cardinal number with an adjectival ending: e.g. **двена́дцать → двена́дцатый**. Fortieth to one hundredth are less regular, but also less common.

Note how you write '5th' etc. (as opposed to 'fifth'), using the last letter of the relevant ending:

5-й   5-я   5-е

1-й	пе́рвый	11-й	оди́ннадцатый	21-й	два́дцать пе́рвый
2-й	второ́й	12-й	двена́дцатый	22-й	два́дцать второ́й etc.
3-й	тре́тий	13-й	трина́дцатый	30-й	тридца́тый
4-й	четвёртый	14-й	четы́рнадцатый	40-й	сороково́й
5-й	пя́тый	15-й	пятна́дцатый	50-й	пятидеся́тый
6-й	шесто́й	16-й	шестна́дцатый	60-й	шестидеся́тый
7-й	седьмо́й	17-й	семна́дцатый	70-й	семидеся́тый
8-й	восьмо́й	18-й	восемна́дцатый	80-й	восьмидеся́тый
9-й	девя́тый	19-й	девятна́дцатый	90-й	девяно́стый
10-й	деся́тый	20-й	двадца́тый	100-й	со́тый

EXERCISE 13.18
Translate the following into English.

1 Шестóй автóбус.
2 Трéтий канáл.
3 Вторáя бутьілка.
4 Пéрвая любóвь.
5 Двадцáтый век.
6 Тринáдцатый ряд.
7 Двéсти вóсемьдесят девя́тая страни́ца.

8 Седьмóй континéнт.
9 Четвёртый этáж.
10 Восьмóе мáрта.
11 Двенáдцатый том.
12 Двáдцать пя́тый урóк.
13 Тридцáтая олимпиáда.

EXERCISE 13.19
Translate the following into Russian.

1 My first time. 2 Second World (мировóй) War. 3 The Third Man. 4 Fourth place.
5 Channel 5. 6 The sixth day. 7 The seventh floor. 8 The eighth lesson. 9 The ninth symphony.
10 The tenth planet.

EXERCISE 13.20
Match the name with the number and the royal picture.

а
б
в

г
д
е

ё
ж
з

Карл
Пётр
Екатери́на
Алексáндр
Ивáн
Гéнрих
Геóрг
Людóвик
Гéнрих

I
II
III
IV (Грóзный)
V
VI
VIII
XII
XIV

MONTHS REVISION

Remember that the months in Russian are all masculine. The genitive case therefore ends in -a if the month ends in a consonant, or -я if it ends in a soft sign or -й:

янва́рь	→	января́
май	→	ма́я
а́вгуст	→	а́вгуста

Try to remember that for the months from September through to February, the genitive case is stressed on the final -я. For the other months the genitive is stressed on the same syllable as the nominative.

| октя́брь | → | октября́ |
| а́вгуст | → | а́вгуста |

КАКО́Е СЕГО́ДНЯ ЧИСЛО́?
WHAT IS THE DATE TODAY?

DIALOGUE 13.13

– А́ня, ты по́мнишь, како́е сего́дня число́?
– Коне́чно, по́мню. Сего́дня 2-е ма́рта. А что?
– Да ничего́. Про́сто я ду́мал, что сего́дня 3-е.

Како́е сего́дня число́? means 'what is the date today?'

In order to give the date in Russian you use the neuter form of the ordinal number (the reason for this is that it matches the implied neuter word число́, meaning 'number' or 'date'), followed by the month in the genitive:

пе́рвое ма́я	the first of May
пятна́дцатое декабря́	the fifteenth of December
тре́тье ию́ля	the third of July

Note that the neuter form of all the ordinal numbers ends in -ое apart from тре́тий, which has a neuter form тре́тье.

РОССИ́ЙСКИЕ ПРА́ЗДНИКИ
RUSSIAN HOLIDAYS

EXERCISE 13.21
The list below gives all the current Russian national holidays and the date on which they occur. Write out sentences according to the model.

Пе́рвое января́ – Но́вый год.

1 01/01 – Но́вый год.
2 07/01 – Рождество́.
3 14/01 – Ста́рый Но́вый год.
4 23/02 – День защи́тника Оте́чества.
5 08/03 – Междунаро́дный же́нский день.
6 01/05 – Пра́здник весны́ и труда́.
7 09/05 – День Побе́ды.
8 12/06 – День Росси́и.
9 04/11 – День наро́дного еди́нства.

DIALOGUE 13.14

– И́ра, когда́ у тебя́ день рожде́ния?

– В ноябре́.

– А како́го числа́?

– 3-го ноября́.

To say 'on such-and-such a date', use the genitive of the ordinal (with the month also in the genitive). The genitive of all the ordinals ends in -ого apart from тре́тий, which goes тре́тьего:

пе́рвого ма́я	on the first of May
пятна́дцатого декабря́	on the fifteenth of December
тре́тьего ию́ля	on the third of July

To write 'on the 5th' (i.e. with numbers), use the following abbreviated form:

3-го ноября	on the 3rd of November

EXERCISE 13.22
Answer the following questions using the dates in brackets.

1 Како́го числа́ вы пое́дете в Рим? (22/02)

2 Когда́ у нас бу́дет сле́дующий уро́к? (31/10)

3 Како́го числа́ он бу́дет в Ло́ндоне? (03/01)

4 Когда́ у вас день рожде́ния? (13/11)

5 Како́го числа́ начина́ется но́вый семе́стр? (28/05)

6 Како́го числа́ у тебя́ экза́мен? (04/08)

EXERCISE 13.23
Translate the following into Russian.

1 The fifth of November. 2 On the fifth of November. 3 On the tenth of August. 4 The seventh of September. 5 On the third of May. 6 The twenty-third of April. 7 On the thirtieth of January. 8 The sixth of June. 9 On the fourth of July. 10 After the fifteenth of January.

TEXT 13.1
Now read the text on national holidays and answer the questions. Note the short way of writing the dates. The words underlined are given in the vocabulary beneath.

Национа́льные пра́здники в Росси́и о́чень ра́зные – есть ста́рые, кото́рые лю́ди отмеча́ют уже́ мно́го веко́в, а есть и бо́лее но́вые, кото́рые роди́лись в сове́тское вре́мя. Са́мые молоды́е пра́здники – э́то День Росси́и, кото́рый отмеча́ют 12-го ию́ня, и 4-е ноября́ – День наро́дного еди́нства. Наве́рное, са́мый люби́мый пра́здник в Росси́и – э́то Но́вый год. Как и везде́ в ми́ре, в Росси́и Но́вый год отмеча́ют 1-го января́, хотя́ до Петра́ Пе́рвого на Руси́ но́вый год начина́лся 1-го сентября́.

А вот Рождество́ в Росси́и – и ста́рый, и но́вый пра́здник. В Сове́тском Сою́зе Рождество́, как и други́е религио́зные пра́здники, не отмеча́ли, но по́сле Перестро́йки э́тот пра́здник верну́лся на своё традицио́нное ме́сто в календаре́. То́лько отмеча́ют его́ в Росси́и 7-го января́, а не 25-го декабря́, как в други́х стра́нах. Почему́? Потому́ что до револю́ции в Росси́и испо́льзовали юлиа́нский календа́рь, а в э́том календаре́ все да́ты на 2 неде́ли по́зже, чем в григориа́нском календаре́. И сего́дня Ру́сская правосла́вная це́рковь продолжа́ет испо́льзовать юлиа́нский календа́рь, как и ра́ньше. Коне́чно, э́то как-то стра́нно – отмеча́ть Рождество́ по́сле Но́вого го́да, но зато́ то́лько в Росси́и мо́жно отмеча́ть Но́вый год 2 ра́за: 1-го января́ и 14-го января́. 14-е января́ – э́то Ста́рый Но́вый год. Коне́чно, Ста́рый Но́вый год – э́то не официа́льный пра́здник, и в э́тот день на́до рабо́тать, но всё равно́ лю́ди отмеча́ют э́тот день, гото́вят пра́здничный у́жин, хо́дят в го́сти и да́рят пода́рки.

Ещё оди́н популя́рный пра́здник – э́то 8-е ма́рта, Междунаро́дный же́нский день. 8-е ма́рта э́то выходно́й день, когда́ отдыха́ют все – и мужчи́ны, и же́нщины, но всё-таки э́то же́нский пра́здник, поэ́тому же́нщины весь день ничего́ не де́лают, а мужчи́ны да́рят им цветы́, гото́вят пра́здничный обе́д и де́лают сюрпри́зы.

А вот 23-е февраля́ – э́то мужско́й день, и хотя́ официа́льно он называ́ется День защи́тника Оте́чества, все мужчи́ны 23-го февраля́ получа́ют пода́рки и поздравле́ния.

Ещё два пра́здника отмеча́ют в ма́е: 1-е ма́я и 9-е ма́я. 1-е ма́я – э́то Пра́здник весны́ и труда́. Ра́ньше 1-го ма́я лю́ди ходи́ли на первома́йские демонстра́ции и пара́ды, но в на́ше вре́мя э́то семе́йный пра́здник, и е́сли пого́да хоро́шая – а э́то ча́сто быва́ет в нача́ле ма́я – то мно́гие е́дут на да́чу и́ли на пикни́к, про́сто гуля́ют по го́роду и́ли по па́рку.

И после́дний, и о́чень ва́жный в Росси́и, пра́здник – э́то 9-е ма́я, День Побе́ды. 9-го ма́я лю́ди хо́дят на пра́здничные демонстра́ции, а по телеви́зору пока́зывают традицио́нный Пара́д Побе́ды на Кра́сной пло́щади в Москве́, а та́кже фи́льмы и переда́чи о войне́.

быва́ть	to happen, to be	пара́д	parade
век	century	переда́ча	(TV) programme
верну́ться	to return	побе́да	victory
всё-таки	nonetheless	поздравле́ния pl.	congratulations
выходно́й день	day off	по́зже	later
дари́ть (дарю́, да́ришь)/ подари́ть	to present	после́дний	last
		правосла́вный	Orthodox
демонстра́ция	demonstration	пра́здник	holiday
зато́	then, on the other hand	пра́здничный	holiday adj.
		продолжа́ть (продолжа́ю)/ продо́лжить	to continue
защи́тник	defender		
оте́чество	fatherland	Русь f.	Rus'
испо́льзовать (испо́льзую, испо́льзуешь)	to use	свой	one's own (i.e. belonging to the subject)
как-то	somehow		
мужско́й	male, man's	семе́йный	family adj.
наро́дное еди́нство	national unity	сюрпри́з	surprise
отмеча́ть	to celebrate	та́кже	also
официа́льный	official	традицио́нный	traditional
перестро́йка	perestroika (1980s Soviet policy of reform)	труд	labour
		хотя́	although

EXERCISE 13.24
Answer the questions based on the text.

1 Каки́е пра́здники отмеча́ют в Росси́и?
2 Когда́ в Росси́и отмеча́ют Но́вый год?
3 Како́го числа́ в Росси́и отмеча́ют Рождество́? Почему́?
4 Каки́е пра́здники отмеча́ют 8-го ма́рта и 23-го февраля́?
5 Что лю́ди обы́чно де́лают 1-го ма́я?
6 Расскажи́те, каки́е пра́здники и когда́ отмеча́ют в ва́шей стране́.
7 Како́й ваш са́мый люби́мый пра́здник?
8 Как вы его́ отмеча́ете?

EXERCISE 13.25

Look at the calendar below. Create sentences based on the model to describe what you will be doing on various dates.

Двена́дцатого ма́рта у меня́ командиро́вка в Ло́ндон.

2022

Янва́рь

Пн	Вт	Ср	Чт	Пт	Сб	Вс
3	4	5	6	7	1	2
10	11	12	13	14	8	9
17	18	19	20	21	15	16
24	25	26	27	28	22	23
31					29	30

— Москва́ (11)

Февра́ль

Пн	Вт	Ср	Чт	Пт	Сб	Вс
7	1	2	3	4	5	6
14	8	9	10	11	12	13
21	15	16	17	18	19	20
28	22	23	24	25	26	27
	29					

Март

Пн	Вт	Ср	Чт	Пт	Сб	Вс
6	7	1	2	3	4	5
13	14	8	9	10	11	12
20	21	15	16	17	18	19
27	28	22	23	24	25	26
		29	30	31		

— Командиро́вка в Ло́ндон (12)

Апре́ль

Пн	Вт	Ср	Чт	Пт	Сб	Вс
3	4	5	6	7	1	2
10	11	12	13	14	8	9
17	18	19	20	21	15	16
24	25	26	27	28	22	23
					29	30

— Конфере́нция (17)

Май

Пн	Вт	Ср	Чт	Пт	Сб	Вс
1	2	3	4	5	6	7
8	9	10	11	12	13	14
15	16	17	18	19	20	21
22	23	24	25	26	27	28
29	30	31				

Июнь

Пн	Вт	Ср	Чт	Пт	Сб	Вс
5	6	7	1	2	3	4
12	13	14	8	9	10	11
19	20	21	15	16	17	18
26	27	28	22	23	24	25
			29	30		

— Пра́здник

Июль

Пн	Вт	Ср	Чт	Пт	Сб	Вс
3	4	5	6	7	1	2
10	11	12	13	14	8	9
17	18	19	20	21	15	16
24	25	26	27	28	22	23
31					29	30

День рожде́ния — (1)

А́вгуст

Пн	Вт	Ср	Чт	Пт	Сб	Вс
7	1	2	3	4	5	6
14	8	9	10	11	12	13
21	15	16	17	18	19	20
28	22	23	24	25	26	27
	29	30	31			

Сентя́брь

Пн	Вт	Ср	Чт	Пт	Сб	Вс
4	5	6	7	1	2	3
11	12	13	14	8	9	10
18	19	20	21	15	16	17
25	26	27	28	22	23	24
				29	30	

— Переговоры в Новосиби́рске (25)

Октя́брь

Пн	Вт	Ср	Чт	Пт	Сб	Вс
2	3	4	5	6	7	1
9	10	11	12	13	14	8
16	17	18	19	20	21	15
23	24	25	26	27	28	22
30	31					29

Ноя́брь

Пн	Вт	Ср	Чт	Пт	Сб	Вс
6	7	1	2	3	4	5
13	14	8	9	10	11	12
20	21	15	16	17	18	19
27	28	22	23	24	25	26
		29	30			

Дека́брь

Пн	Вт	Ср	Чт	Пт	Сб	Вс
4	5	6	7	1	2	3
11	12	13	14	8	9	10
18	19	20	21	15	16	17
25	26	27	28	22	23	24
				29	30	31

— Приём в Кремле́

О́тпуск (Ноя́брь 7) — Барба́дос (Дека́брь 20)

EXERCISE 13.26

Write a short account of your plans for the next year. You should include 8–10 events and dates. Use the expressions я бу́ду, я пое́ду, у меня́ бу́дет.

EXERCISE 13.27
Translate into Russian.

1 I am going to Moscow on the first of May. **2** When is your birthday? **3** My birthday is on the fifteenth of August **4** What date are you going to France? **5** – What's the date today? – The seventh of October. **6** On 25 August Peter will be at a conference in Rome. **7** You don't know what the date is today, do you? The fourth or the fifth? **8** Why do they celebrate Christmas on 7 January in Russia? **9** The eighth of March is my favourite holiday! **10** – Excuse me, which floor is this? The fourth? – No, the third.

EXERCISE 13.28
Create a possible first line for these dialogues.

1 – ▬▬▬?
   – 2-е ию́ня.

2 – ▬▬▬?
   – 2-го ию́ня.

3 – ▬▬▬?
   – Нет, доро́же.

4 – ▬▬▬?
   – Да, намно́го.

5 – ▬▬▬?
   – В Аме́рику.

6 – ▬▬▬?
   – Нет, я пое́ду туда́ в пе́рвый раз.

7 – ▬▬▬?
   – Нет, ста́рше.

8 – ▬▬▬?
   – На три го́да.

9 – ▬▬▬?
   – Потому́ что у меня́ боли́т зуб.

10 – ▬▬▬?
   – Обы́чно ле́том мы е́здим в Испа́нию.

11 – ▬▬▬?
   – Нет, у бра́та.

12 – ▬▬▬?
   – К бра́ту.

13 – ▬▬▬?
   – В бассе́йн? Да, ча́сто – три ра́за в неде́лю.

14 – ▬▬▬?
   – Я не про́тив.

15 – ▬▬▬?
   – С по́чты.

16 – ▬▬▬?
   – Да, идёт.

EXERCISE 13.29
Translate into Russian.

1 Where does the number 2 bus stop? **2** When I went to Russia for the first time, I didn't speak any Russian at all. **3** Do you always go to the Crimea in September? **4** Their son is already walking, and he's only 9 months' old. **5** We're going to Sasha's this evening. **6** – Why do you always drive so fast? Don't you know it's dangerous? – But it's much more dangerous to ride a bike. **7** – What did you do on Saturday? – In the morning I walked around the Kremlin. **8** What date will you be in New York? **9** My brother is three years' older than me. **10** On 22 November we're going to Raisa's for her birthday. **11** – Where were you last night? I called you, but no one answered. – I was at a friend's. It was her birthday. **12** What's on at the cinema tomorrow? **13** I'm on my way from a lecture to lunch. **14** – Did you go to the doctor? – Yes, he said I needed to work less and rest more. **15** – Who is that postcard from? – From Dasha in Cuba. **16** That dress suits you. **17** – Where are you going on holiday this summer? – I'm going to my grandmother's in the countryside. You? – Unfortunately I'll have to work all summer. But I'm going to the seaside at the beginning of October. **18** – This exercise is much more difficult than the exercise in lesson 11. – But it's more interesting. – I disagree. I think this is a much more boring exercise. **19** – What do you think of the weather here? – It's much better than in England. I'm from Manchester, it always rains there. **20** – What's the date today? – It's the eighth of March, International Women's Day.

Глава́ XIII
Пи́тер на проспе́кте Верна́дского

Пи́тер сиди́т в но́мере в гости́нице, ду́мает и не́рвно ест шокола́д. Он не мо́жет реши́ть, что де́лать. Дома́шний телефо́н у Мари́ны за́нят. Он звони́т ей на моби́льный телефо́н, но там то́лько автоотве́тчик: «Здра́вствуйте, э́то Мари́на. Пожа́луйста, оста́вьте сообще́ние по́сле сигна́ла, и я вам перезвоню́». Пи́тер реша́ет позвони́ть Ива́ну, но он не зна́ет его́ но́мер. Пи́тер и́щет бума́жник в карма́не. Там у него́ не́сколько визи́ток с конфере́нции. Вот визи́тка Ива́на с его́ но́мером. Пи́тер звони́т Ива́ну, но там то́же автоотве́тчик: «Приве́т! К сожале́нию, я не могу́ отве́тить. Оста́вьте сообще́ние по́сле гудка́. Пока́».

За́втра Пи́тер до́лжен опя́ть чита́ть докла́д на конфере́нции. Сего́дня он хоте́л гото́вить докла́д, но тепе́рь ему́ на́до е́хать к Мари́не. Мо́жет быть, с ней что́-то случи́лось.

Пи́тер выхо́дит из гости́ницы и идёт к метро́. Он смо́трит на часы́. Уже́ по́здно. Метро́, наве́рное, уже́ закры́то. Пи́тер остана́вливается, стои́т на у́лице. Ему́ о́чень хо́лодно. Он забы́л в но́мере ша́пку и перча́тки. На у́лице ти́хо. В тако́е вре́мя по Москве́ хо́дят то́лько бомжи́ и пья́ницы. Вот бе́дная стару́шка. «Молодо́й челове́к! – говори́т она́. – Почему́ вы хо́дите без ша́пки? Вам не хо́лодно?» Пи́тер реша́ет пойма́ть такси́. Он остана́вливает маши́ну.

– Куда́? – спра́шивает води́тель.

– На проспе́кт Верна́дского.

– Нет. Я е́ду в Шереме́тьево.

Пи́тер ждёт. Ему́ всё холодне́е и холодне́е. Вот остана́вливается друга́я маши́на.

– Вам куда́? – спра́шивает води́тель.

– На проспе́кт Верна́дского.

– За ско́лько?

– Я не зна́ю. Ско́лько вы хоти́те?

– Ско́лько не жа́лко.

Пи́тер не понима́ет.

– Извини́те, я не о́чень хорошо́ понима́ю ва́шу систе́му. Я могу́ вам дать пятьсо́т рубле́й.

– Ла́дно. Пое́хали.

Пи́тер е́дет на проспе́кт Верна́дского.

– Отку́да вы? – спра́шивает води́тель.

– Я америка́нец, из Бо́стона.

– А зимо́й в Бо́стоне всегда́ хо́дят без ша́пки? Там, наве́рное, тепле́е, чем здесь?

Пи́тер смеётся.

– Коне́чно, нет. Я про́сто забы́л ша́пку в гости́нице. А вы из Москвы́?

– Нет, я из Петербу́рга. Жизнь в Москве́ о́чень дорога́я, поэ́тому днём я рабо́таю на фа́брике, а ве́чером е́зжу по го́роду, рабо́таю такси́стом. Я о́чень люблю́ е́здить по Москве́, осо́бенно но́чью, когда́ движе́ние небольшо́е и мо́жно е́здить бы́стро.

– А Москва́ доро́же Петербу́рга? – спра́шивает Пи́тер.

– Да, да. Петербу́рг деше́вле Москвы́, но бедне́е. Петербу́рг, коне́чно, бо́лее краси́вый го́род, чем Москва́. Но жить здесь интере́снее, веселе́е. А скажи́те, почему́ вы е́дете на проспе́кт Верна́дского в тако́е вре́мя? Из-за де́вушки, наве́рное?

Пи́тер красне́ет.

– Не совсе́м, – говори́т он.

– Вы давно́ в Москве́? – спра́шивает води́тель.

– Нет. Я прие́хал неде́лю наза́д – двадца́того февраля́.

– И до́лго вы бу́дете в Москве́?

– Нет, не до́лго. Я е́ду домо́й че́рез де́сять дней, восьмо́го ма́рта.

– Восьмо́го ма́рта?! А вы зна́ете, что восьмо́е ма́рта – Междунаро́дный же́нский день? На́до купи́ть де́вушке цветы́!

Пи́тер опя́ть красне́ет.

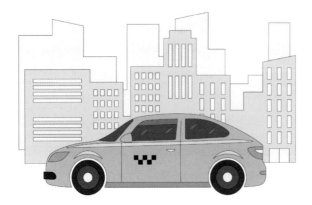

Наконе́ц они́ прие́хали на проспе́кт Верна́дского. Пи́тер дал води́телю пятьсо́т рубле́й, сказа́л ему́: «Спаси́бо» – и вы́шел из маши́ны. Он стоя́л на у́лице и чита́л а́дрес Мари́ны: «Пр-т Верна́дского, дом 30, корп. 3, 6-й подъе́зд, кв. 98 (10-й эта́ж)». Пи́тер посмотре́л вокру́г и уви́дел дом 30. Но дом был о́чень большо́й, у него́ бы́ло не́сколько корпусо́в, кото́рые стоя́ли вокру́г небольшо́го двора́. Где же ко́рпус 3? Пи́тер до́лго ходи́л по двору́ и иска́л тре́тий ко́рпус. Наконе́ц он уви́дел «30/3». «Это, наве́рное, дом три́дцать, ко́рпус три, – поду́мал Пи́тер. – А где шесто́й подъе́зд? Ага́, вот он!»

Пи́тер вошёл в дверь. Она́ была́ откры́та. «Стра́нно», – поду́мал он. Лифт не рабо́тал, и Пи́теру на́до бы́ло идти́ наве́рх пешко́м. На деся́том этаже́ он уви́дел, что дверь в кварти́ру Мари́ны то́же откры́та. «О́чень стра́нно», – поду́мал Пи́тер.

Пи́тер осторо́жно и ме́дленно вошёл в кварти́ру. «Мари́на! Ты до́ма?» – спроси́л он. Отве́та не́ было. Пи́тер вошёл в большу́ю ко́мнату. Там, каза́лось, всё бы́ло в поря́дке. Телефо́н стоя́л на ме́сте. Вдруг Пи́тер уви́дел на полу́ паке́т Мари́ны и ря́дом проду́кты, кото́рые она́ купи́ла на ры́нке. «Почему́ проду́кты лежа́т на полу́?» – поду́мал Пи́тер.

Пи́тер не знал, что де́лать. Он посмотре́л в окно́. На у́лице бы́ло темно́, ти́хо и хо́лодно. В тако́е вре́мя но́чи во дворе́ никого́ не́ было. Но вдруг далеко́ внизу́ Пи́тер уви́дел, что два челове́ка ме́дленно иду́т че́рез двор. Ему́ показа́лось, что э́то молодо́й челове́к с де́вушкой. Маши́на ждала́ их на у́лице. Вдруг они́ останови́лись под фонарём. Де́вушка посмотре́ла наза́д. Каза́лось, она́ смо́трит на деся́тый эта́ж, на Пи́тера. Вдруг Пи́тер уви́дел, что э́то Мари́на! Он ви́дел, что она́ что-то ему́ кричи́т, но окно́ бы́ло закры́то, и Пи́тер ничего́ не услы́шал.

Пи́тер сиде́л в кварти́ре Мари́ны и ду́мал, когда́ вдруг позвони́л Ива́н. Он взял тру́бку.

– Слу́шаю вас, – сказа́л Пи́тер.

– Прошу́ проще́ния. Я, наве́рное, оши́бся но́мером. Я хоте́л поговори́ть с Мари́ной.

– Ива́н, э́то ты? Это Пи́тер.

– Пи́тер? Извини́те, я не знал... я не ду́мал... – удиви́лся Иван.

– Слу́шай, Ива́н, как хорошо́, что ты позвони́л! Что-то ужа́сное случи́лось с Мари́ной.

– С Мари́ной? Что ты име́ешь в виду́?

– Сего́дня ве́чером мы с Мари́ной бы́ли в ба́ре. По́сле ба́ра мы пошли́ домо́й. То есть я пошёл в гости́ницу, а Мари́на пошла́ домо́й. Когда́ я пришёл в гости́ницу, я реши́л ей позвони́ть. Мари́на отве́тила, сказа́ла, что бои́тся, потому́ что ей ка́жется, что кто-то шёл за ней от метро́. А когда́ мы разгова́ривали, она́ неожи́данно бро́сила тру́бку. Я звал её, но она́ не отвеча́ла, и я реши́л, что мне на́до пое́хать к ней. Но когда́ я прие́хал сюда́, я уви́дел, что дверь кварти́ры откры́та, а Мари́ны нет. Пото́м я посмотре́л в окно́ и уви́дел её внизу́. Она́ то́же уви́дела меня́ и закрича́ла что-то, но её втолкну́ли в маши́ну.

– Слу́шай, Пи́тер, жди там, в кварти́ре. Я сейча́с прие́ду, и мы реши́м, что де́лать.

адвока́т	lawyer, barrister
амфитеа́тр	circle (in theatre)
архитекту́ра	architecture
архитекту́рный	architectural
А́фрика	Africa
бе́дный	poor
бли́же	nearer
бога́че	richer
бо́лее + *adj.*	more + *adj.*
бомж	homeless person
броса́ть (броса́ю)/бро́сить	to throw (down)
брю́ки *pl.*	trousers
бума́жник	wallet
быва́ть *imp.*	to happen, happen to be
везде́	everywhere
век	century
верну́ться *pf.* (верну́сь, вернёшься)	to return
внизу́	below (*position*)
восемна́дцатый	eighteenth
восьмидеся́тый	eightieth
восьмо́й	eighth
всё-таки	nonetheless
вта́лкивать (вта́лкиваю)/вто́лкну́ть	to push into
выходно́й день	day off
гора́здо + *comparative*	much (more)
гость *m.*	guest
идти́ в го́сти к + *dat.*	to visit someone (*direction*)
быть в гостя́х у + *gen.*	to visit someone (*position*)
гудо́к	beep
дари́ть (дарю́, да́ришь)/подари́ть	to present
да́та	date
двадца́тый	twentieth
двена́дцатый	twelfth
движе́ние	movement, traffic
девяно́стый	ninetieth
девятна́дцатый	nineteenth
девя́тый	ninth
демонстра́ция	demonstration
дере́вня	village
дешёвый	cheap
дешёвле	cheaper
джин	gin
дли́нный	long
доро́же	more expensive
еди́нство	unity
жа́рче	hotter
же́нский	woman's
зато́	then, on the other hand
защи́тник	defender
из-за + *gen.*	because of
испо́льзовать (испо́льзую, испо́льзуешь) *imp. and pf.*	to use
исто́рия	history, story
ка́к-то	somehow
кли́мат	climate
командиро́вка	business trip
контине́нт	continent
крича́ть (кричу́, кричи́шь, крича́т)/кри́кнуть	to shout
ле́вый	left
ле́гче	easier
луна́	moon
междунаро́дный	international
мирово́й	world *adj.*
мно́гие	many
мо́дный	fashionable
моло́же	younger
мотоци́кл	motorbike
наве́рх	upstairs, up (*direction*)
намно́го	much, by far (*with comparative*)
наро́дный	national, folk
национа́льный	national
неожи́данно	unexpectedly
не́рвно	nervously
норма́льный	normal
обожа́ть (обожа́ю) *imp.*	to adore
оди́ннадцатый	eleventh
олимпиа́да	olympiad
опа́сный	dangerous
остана́вливать (остана́вливаю)/останови́ть	to stop (*something*)
остана́вливаться/останови́ться	to stop (*intransitive; i.e. oneself*)
остано́вка	stop (*bus etc.*)
оте́чество	fatherland
отмеча́ть (отмеча́ю) *imp.*	to celebrate
официа́льный	official
ошиба́ться (ошиба́юсь)/ошиби́ться	to make a mistake
он оши́бся но́мером	he's got the wrong number
пара́д	parade
парте́р	stalls (theatre)
первома́йский	First of May *adj.*
переда́ча	(TV) programme
Перестро́йка	perestroika
пикни́к	picnic
пла́вание	swimming
пляж	beach
побе́да	victory
под + *inst.*	under
поздравле́ния *pl.*	congratulations
по́зже	later
пое́хали!	let's go
пойма́ть *pf.*	to catch (taxi)
пол	floor
на полу́	on the floor
поле́зный	useful
поря́док	order
всё в поря́дке	everything's in order, fine
правосла́вный	Orthodox
пра́здник	holiday
пра́здничный	holiday *adj.*
представля́ть	to present, represent, imagine
представля́ешь?	can you imagine?

прéсс-конферéнция	press conference
приём	reception
прогýлка	walk
продолжáть (продолжáю)/ продóлжить	to continue
прóтив + *gen.*	against
я не прóтив	I'm not against it
прошý прощéния	I beg your pardon
путеводи́тель *m.*	guidebook
пья́ница	drunkard
пятидеся́тый	fiftieth
пятнáдцатый	fifteenth
пя́тый	fifth
религиóзный	religious
ремóнт	repairs
решáть (решáю)/ реши́ть	to decide, solve (problem)
росси́йский	Russian (of state, not nationality)
Русь *f.*	Rus'
свой	one's own (*i.e. belonging to the subject*)
седьмóй	seventh
семидеся́тый	seventieth
семнáдцатый	seventeenth
сигнáл	signal
скóлько не жáлко	e.g. with money, 'as much as you can' (*lit. 'as much as you won't regret'*)
сороковóй	fortieth
сóтый	hundredth
сою́з	union
Совéтский Сою́з	Soviet Union
старýшка	old woman
старéе	older (*of things*)
стáрше	older (*of people*)
сторонá	side
странá	country
тáкже	also
такси́ст	taxi driver
тридцáтый	thirtieth
тринáдцатый	thirteenth
труд	labour, work
Тýрция	Turkey
удивля́ться (удивля́юсь)/ удиви́ться	to be surprised
ужáсный	terrible
Узбекистáн	Uzbekistan
Уэ́льс	Wales
фонáрь	street-lamp
хотя́	although
хýже	worse
чáще	more often
четы́рнадцатый	fourteenth
числó	number, date
чтó-то	something
шестнáдцатый	sixteenth
шестидеся́тый	sixtieth
шестóй	sixth
шлем	helmet

УРО́К ЧЕТЫ́РНАДЦАТЬ
Lesson 14

Lesson 14 introduces the last of the six forms of Russian nouns, the instrumental case. You'll be able to combine two nouns ('tea with sugar'), say what you're interested/involved in, and wish people happy birthday and new year. You'll also learn to talk about what and where you study.

The lesson ends with a revision of all the prepositions ('in', 'near', 'under' etc.) you have met so far, and the forms that follow them.

«Да́ма с соба́чкой»

А. П. Че́хов (1899)

«Дом с мезони́ном»

А. П. Че́хов (1896)

DIALOGUES 14.1

1
— Приве́т, Макси́м. Что ты де́лаешь за́втра у́тром?
— У меня́ бу́дет встре́ча с нача́льником.
— А ве́чером?
— Ве́чером мы с жено́й пойдём в кино́.

2
— С днём рожде́ния, О́ля!
— Спаси́бо, дорога́я.
— Каки́е у тебя́ пла́ны на сего́дня?
— Мы с Ла́рой и Макси́мом идём в бар. Хо́чешь пойти́ с на́ми?
— С удово́льствием.
— Тогда́ до ве́чера!

You have already met several examples of the instrumental case for saying 'at a time of day' and 'in a season':

у́тро	morning	у́тром	in the morning
день	day	днём	in the daytime/afternoon
ве́чер	evening	ве́чером	in the evening
ночь	night	но́чью	at night
весна́	spring	весно́й	in spring
ле́то	summer	ле́том	in summer
о́сень	autumn	о́сенью	in autumn
зима́	winter	зимо́й	in winter

	question words		masc.		fem.			neut.
nom.	кто	что	са́хар	И́горь	Ни́на	Та́ня	любо́вь	молоко́
inst.	кем	чем	са́харом	И́горем	Ни́ной	Та́ней	любо́вью	молоко́м

Note that the instrumental of <u>feminine</u> soft sign nouns ends in -ью (see любо́вью, но́чью and о́сенью above).

INSTRUMENTAL CASE AFTER C, 'WITH'

In addition to time expressions (in the morning, etc.), the most common use of the instrumental case is after the preposition **с**, meaning 'with':

Ко́фе с са́харом.	Coffee with sugar.
Встре́ча с Ни́ной.	A meeting with Nina.
Чай с молоко́м.	Tea with milk.
Из Росси́и с любо́вью.	From Russia with Love.

When you want to wish someone a happy birthday, happy new year, etc. you also use the instrumental case after the preposition **с**. This is short for saying **поздравля́ю вас с...**, literally 'I congratulate you with...' but in conversation it is common to leave out **поздравля́ю вас**:

(Поздравля́ю вас) с днём рожде́ния!	Happy Birthday!
С Рождество́м!	Happy Christmas!
С Но́вым го́дом!	Happy New Year!
С прие́здом!	Literally 'On your arrival', to someone who has just arrived (usually from a distance).
С пра́здником!	Happy Holiday (on a public holiday).

EXERCISE 14.1
Put the words in brackets into the instrumental case.

1 Чай с (лимо́н).
2 Ко́фе с (молоко́).
3 Но́мер с (балко́н).
4 Соси́ски с (ке́тчуп).
5 Пельме́ни со (смета́на).
6 С (Но́вый год)!
7 Встре́ча с (клие́нт).
8 У́жин с (друг).

9 Бутербро́д с (колбаса́).
10 Джин с (то́ник).
11 С (пра́здник)!
12 Во́дка с (сок).
13 Вода́ с (газ).
14 Из Росси́и с (любо́вь).
15 Пирожо́к с (капу́ста).
16 Разгово́р с (подру́га).

EXERCISE 14.2
Answer the following questions according to the pictures. Note the the instrumental case of **кто – кем** – in the questions.

1 С кем вы игра́ете в те́ннис?
2 С кем вы рабо́таете?
3 С кем вы гуля́ли в па́рке?
4 С кем вы бы́ли в Москве́?
5 С кем вы живёте?

6 С кем вы говори́те по-ру́сски?
7 С кем вы обе́дали вчера́?
8 С кем вы бы́ли в теа́тре?
9 С кем у вас встре́ча сего́дня?
10 С кем вы бу́дете смотре́ть фильм?

И́горь

Светла́на

Ива́н

Ири́на

О́льга

Михаи́л

Мари́я

Пётр

Макси́м

Ю́ля

EXERCISE 14.3

Beside the menu below, you will find the ingredients for each of the dishes. Create dialogues according to the model to find out the ingredients of the dishes on the menu.

– Скажи́те, пожа́луйста, что тако́е «уха́»?

– Уха́? Э́то суп с ры́бой.

MEHЮ́	
Бутербро́д	100
Пироги́ «Белару́сь»	200
Щи	150
Уха́	175
Котле́та по-ки́евски	450
Макаро́ны по-фло́тски	380
Блины́ по-ру́сски	750
Чай по-ру́сски	90
Ко́фе по-туре́цки	120
Вода́ «Нарза́н»	140

ку́рица
хлеб
чай
ко́фе
макаро́ны
блины́
суп
пироги́
мя́со
вода́

са́хар
карто́шка
икра́
ма́сло
лимо́н
капу́ста
колбаса́
мя́со
смета́на
рис
со́ус
гарни́р
газ
ры́ба

INSTRUMENTAL CASE OF PRONOUNS

nom.	кто	что	я	ты	он	она́	мы	вы	они́
inst.	кем	чем	мной	тобо́й	(н)им	(н)ей	на́ми	ва́ми	(н)и́ми

Note that the instrumental case of the pronouns он, она́ and они́ begins with an н <u>if preceded by a preposition</u> (there are uses of the instrumental case that do not require a preposition, in which case you do not add the н. You will meet examples of this later in the lesson).

Note also that before мной you use the longer form of the preposition со:

Они́ рабо́тают со мной.   They work with me.

EXERCISE 14.4

Answer the following questions according to the model, using a relevant pronoun.

Ты рабо́таешь с Ни́ной?   →   Да, я рабо́таю с ней.

1 Ты рабо́таешь с Ве́рой?
2 Ты е́здил на конфере́нцию с Ви́ктором?
3 Ты бу́дешь рабо́тать с на́ми?
4 Он живёт с подру́гой?
5 Он говори́л с тобо́й?
6 Вы е́дете в Москву́ с сестро́й?
7 Ты смотре́ла фильм с му́жем?

8 Ты пойдёшь со мной в кино́?
9 У нас встре́ча с дире́ктором?
10 Вы бу́дете у́жинать с Ле́ной?
11 Вы гуля́ли с Оле́гом?
12 Она́ разгова́ривает с колле́гой?
13 Она́ обе́дала с роди́телями?
14 Мари́на пойдёт с ва́ми на конце́рт?

EXERCISE 14.5
Pronoun review. Put the pronoun in brackets into the correct form.

1 У ▒▒▒ есть кни́га. (я)
2 ▒▒▒ нра́вится му́зыка. (я)
3 Ты понима́ешь ▒▒▒? (я)
4 Что он сказа́л обо ▒▒▒? (я)
5 Ты хо́чешь поу́жинать со ▒▒▒? (я)
6 Как ▒▒▒ зову́т? (ты)
7 Ско́лько ▒▒▒ лет? (ты)
8 У ▒▒▒ есть соба́ка? (ты)
9 Я не хочу́ говори́ть с ▒▒▒! (ты)
10 Он спра́шивал о ▒▒▒. (ты)
11 Кто ▒▒▒? (он)
12 ▒▒▒ нельзя́ кури́ть. (он)
13 Я ви́дел ▒▒▒ вчера́. (он)
14 Мы не мо́жем нача́ть без ▒▒▒. (он)
15 Что вы зна́ете о ▒▒▒? (он)
16 Ты давно́ зна́ешь ▒▒▒? (он)
17 Мы ча́сто говори́м с ▒▒▒. (она́)

18 ▒▒▒ ему́ нра́вится. (она́)
19 Ты лю́бишь ▒▒▒? (она́)
20 Почему́ ты купи́л ▒▒▒ цветы́? (она́)
21 Мы говори́ли о ▒▒▒. (она́)
22 Я жду ▒▒▒. (вы)
23 ▒▒▒ ну́жен биле́т? (вы)
24 Я приглаша́ю ▒▒▒ в го́сти. (вы)
25 Вот письмо́ для ▒▒▒. (вы)
26 Она́ бу́дет рабо́тать с ▒▒▒. (вы)
27 ▒▒▒ студе́нт? (вы)
28 ▒▒▒ ску́чно. (они́)
29 ▒▒▒ о́чень ску́чные. (они́)
30 Я получи́ла письмо́ от ▒▒▒. (они́)
31 Как ▒▒▒ зову́т? (они́)
32 ▒▒▒ тру́дно рабо́тать с ▒▒▒? (ты) (они́)
33 Все газе́ты пи́шут о ▒▒▒. (они́)
34 Ты написа́л ▒▒▒? (они́)

МЫ С МУ́ЖЕМ
MY HUSBAND AND I

DIALOGUE 14.2

– Где живёт ва́ша семья́?

– Мы с бра́том живём в Москве́, а сестра́ в Калу́ге.

– А ва́ши роди́тели?

– Они́ с ба́бушкой живу́т в дере́вне под Москво́й.

Russian has a special construction for expressions of the type 'my brother and I' and 'my wife and I', when there are effectively two subjects of a verb. In these examples literally you say 'we with brother' or 'we with wife', and then use the мы form of the verb. A similar construction can be used with вы and они́. Look at the following examples:

Мы с жено́й живём в Ло́ндоне.	My wife and I live in London.
Вы с бра́том ра́ньше рабо́тали в Москве́?	Did you and your brother work in Moscow?
Они́ с Оле́гом ходи́ли в кино́.	He [or 'she'] and Oleg went to the cinema.

EXERCISE 14.6
Translate the following into Russian.

1 My sister and I went to the theatre. 2 My friend and I like football. 3 Have you and Lena been to Paris? 4 She and her sister had dinner in the hotel. 5 Did you and your wife enjoy the film? 6 I saw him and his wife in the shop.

There are six prepositions of position that take the instrumental case. They are given below.

над	под	пе́ред	за	ме́жду	ря́дом с

EXERCISE 14.7
Now look at the room below and create sentences using the above prepositions with the instrumental case.

1 ла́мпа, стол

2 бизнесме́н, стол

3 стол, дверь, окно́

4 стол, ла́мпа

5 цветы́, стол

6 ко́шка, стол

7 стол, бизнесме́н

8 дива́н, окно́

9 соба́ка, дверь

10 ма́льчик, дива́н

EXERCISE 14.8
Translate into Russian.

1 I live behind the chemist. 2 He was standing in front of the door. 3 Between you and me (=us), it's not true. 4 Who will sit next to you? 5 I'll have meat in (=under) sauce. 6 All your life is in front of you. 7 Their new flat is above a shop. 8 Why are you sitting under the table? 9 The childen must sit at (=behind) the table. 10 He and his brother work in Paris.

EXERCISE 14.9

Read the sentences below. The clues should give you enough information to work out what is behind each window in the building. When you have done this, answer the questions in exercise 14.10.

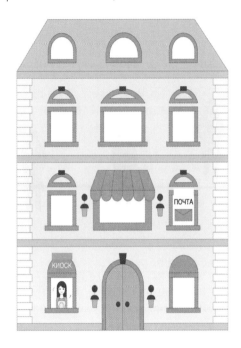

1 Дом кни́ги нахо́дится над по́чтой.
2 Рестора́н нахо́дится под магази́ном.
3 Апте́ка нахо́дится ря́дом с рестора́ном.
4 Бар нахо́дится над до́мом кни́ги.
5 О́фис нахо́дится ме́жду ба́ром и казино́.
6 Банк нахо́дится над апте́кой.
7 Кио́ск нахо́дится под апте́кой.

EXERCISE 14.10

Answer the questions using the preposition in brackets.

– Где нахо́дится о́фис? (над)

– О́фис нахо́дится над...

1 Где нахо́дится банк? (ря́дом с)
2 Где нахо́дится бассе́йн? (под)
3 Где нахо́дится казино́? (над)
4 Где нахо́дится рестора́н? (под)
5 Где нахо́дится магази́н? (ме́жду)

EXERCISE 14.11

Translate the text into Russian.

'Where were you on Monday morning?'

'We were playing in the park next to the station.'

'We? Who were you playing with?'

'With (my) sister.'

'And do you remember who else was in the park?'

'I saw a woman with a dog, and an old man was sleeping under a newspaper.'

'Is that all?'

'No. Two people were standing near the road – between the entrance and the kiosk where they sell ice-cream.'

'Men?'

'No, a man and a woman.'

'What was he like?'

'I'm not sure. Big. With a cigar in his hand.'

'And what was he doing?'

'He was talking with the woman.'

DIALOGUES 14.3

Read the dialogues, looking out for expressions with the instrumental case.

1   – Ка́тя, ты не зна́ешь, что с Никола́ем? Я уже́ сто лет не ви́дела его́!

    – Да, зна́ю. Я говори́ла с ним неда́вно. Он купи́л дом <u>под</u>   outside Moscow
<u>Москво́й</u>, и тепе́рь они́ с жено́й и сы́ном живу́т там.

    – <u>Ты серьёзно</u>? И что, им нра́вится жить за го́родом?   are you serious

    – Коне́чно, а <u>почему́ бы и нет</u>? <u>Све́жий во́здух</u>, све́жие о́вощи и   why not?; fresh; air
фру́кты, <u>тишина́</u>…   quiet

    – Ты <u>смеёшься надо мной</u>? Никола́й абсолю́тно <u>городско́й</u>   are you laughing at me?;
челове́к, он никогда́ не люби́л тишину́.   town

    – Ме́жду на́ми, мне э́то то́же немно́го стра́нно. Но э́то пра́вда –
с ребёнком лу́чше жить за го́родом.

    – А как же с рабо́той?

    – Он е́здит в Москву́ два-три ра́за в неде́лю, а <u>остально́е вре́мя</u>   the rest of the time
рабо́тает до́ма.

    – Ну, не зна́ю… Я понима́ю жить за го́родом ле́том, но зимо́й и
о́сенью – э́то, по-мо́ему, сли́шком!

    – Да, <u>че́стно говоря́</u>, я то́же <u>с трудо́м э́то представля́ю</u>…   to be honest; can hardly
                                                       imagine it; with horror

    – А я представля́ю, но не с трудо́м, а <u>с у́жасом</u>! Наде́юсь, что че́рез
год они́ <u>переду́мают</u> и <u>верну́тся</u> в Москву́.   think again; return

    – <u>Поживём – уви́дим</u>…   let's wait and see

2   – Ю́ля, ты знако́ма с Ири́ной?

    – Коне́чно, мы с ней <u>дру́жим</u> уже́ мно́го лет… А что?   have been friends

    – Говоря́т, она́ тепе́рь бу́дет рабо́тать <u>за грани́цей</u>, в Испа́нии.   abroad

    – Да, она́ е́дет в Мадри́д.

    – И как до́лго она́ бу́дет рабо́тать там?

    – Два́ с полови́ной го́да.

    – А что бу́дет с её соба́кой? Она́ <u>собира́ется</u> взять её <u>с собо́й</u>?   intends to; with her

    – Да, <u>со вре́менем</u>. А пока́ у Ири́ны нет кварти́ры в Мадри́де,   in time, in due course
её сестра́ Ле́на бу́дет <u>смотре́ть за</u> соба́кой. А почему́ тебя́ э́то   look after
интересу́ет?

    – Да так. Е́сли на́до, я то́же с удово́льствием бу́ду помога́ть ей с
соба́кой, наприме́р ходи́ть с ней гуля́ть у́тром и́ли ве́чером. Мне
ужа́сно нра́вятся <u>лабрадо́ры</u>!   labradors

    – Тогда́ почему́ ты не покупа́ешь соба́ку?

    – Ну, одно́ де́ло помога́ть смотре́ть за соба́кой,
а друго́е – взять её навсегда́. Э́то сли́шком
больша́я <u>отве́тственность</u>! Да и пото́м, я так   responsibility
ча́сто е́зжу в командиро́вки…

3   – Ви́ктор, приве́т! Куда́ ты идёшь?

    – В магази́н, за молоко́м.

    – Далеко́?

    – Да нет, у нас тут есть ма́ленький магази́н за угло́м, там всегда́
продаю́т све́жее молоко́.

There are a large number of expressions that use the instrumental case and a preposition. Here are some of the most useful:

Что с ...?	What is the matter with..., what's happened to...?
с удово́льствием	with pleasure (a common way of expressing consent)
с трудо́м	with difficulty
с у́жасом	with horror
знако́м/а/ы с	acquainted with
дружи́ть с	to be friends with
со вре́менем	in time
два (три) с полови́ной	two (three, etc.) and a half
смотре́ть за (e.g. ребёнком)	to look after (e.g. a child)
идти́ за (e.g. молоко́м)	to go and fetch (e.g. milk)
пе́ред (e.g. уро́ком)	just before (e.g. the lesson)
за го́родом	outside the city, in the countryside
за грани́цей	abroad
за угло́м	around the corner
под (e.g. Москво́й)	near, just outside (e.g. Moscow)
смея́ться над	to laugh at

EXERCISE 14.12
Translate the following expressions into Russian. All of them can be found in the dialogues.

1 What's up with Nina? 2 Lena will look after her cat. 3 He and his wife and son live there. 4 That's between you and me [=us]. 5 Do you live in the country [=out of town]? 6 She thought about the meeting with horror. 7 Do you know Ira? (= 'are you acquainted with') 8 With pleasure. 9 They live abroad. 10 I find it hard to imagine why. 11 There's a shop round the corner. 12 Two and a half hours. 13 What will happen to her cat? 14 They bought a house just outside London. 15 She took the dog with her. 16 I've been friends with her for many years. 17 Why does he always laugh at me? 18 I'm going to get some milk.

EXERCISE 14.13
Translate the parts of the sentences in brackets, and write out the sentences in full.

1 (In the summer my husband and I) бу́дем отдыха́ть на да́че (near Moscow).
2 Она́ опозда́ла на рабо́ту, потому́ что (in the morning) о́чень до́лго сиде́ла (in front of the mirror).
3 – Ты хо́чешь (a cabbage pie)? – Спаси́бо, (with pleasure).
4 (Lena and I) собира́емся пойти́ в кино́ (this evening). Ты не хо́чешь (to go with us)?
5 – (With whom) ты е́здил на конфере́нцию? – (With Dmitri).
6 Ко́шка сиде́ла (under the table) и е́ла мышь.
7 Кака́я ра́зница (between a town and a village)?
8 – Куда́ ты идёшь? – В магази́н (for some bread).
9 – (What's the matter with you)? Почему́ ты ничего́ не ешь? – Что зна́чит ничего́? Я уже́ съел (two and a half sandwiches).
10 Почему́ он всё вре́мя хо́дит (after you)?
11 – Ты зна́ешь челове́ка, кото́рый живёт (above you)? – Да, (he and I are acquainted). Он музыка́нт и игра́ет на гита́ре (morning, afternoon and evening). И иногда́ (at night).
12 Я (with difficulty) понима́ю тебя́, когда́ ты говори́шь так бы́стро.
13 – (Do you know Olga?) – Да, (she and I) ста́рые друзья́.
14 (Happy birthday!)

« Алёну Ива́новну и сестри́цу и́хнюю, Лизаве́ту
Ива́новну, я... уби́л... топоро́м. »

Ф.М. Достое́вский. *Преступле́ние и наказа́ние. Гл. 6*

INSTRUMENTAL CASE WITHOUT A PREPOSITION (1)
'THE INSTRUMENT'

There are a number of uses of the instrumental case that do not involve prepositions. The first of these explains where the name 'instrumental' comes from. You use the instrumental case to convey 'the instrument': that is, the thing by or with which you do something. For example:

Он написа́л письмо́ карандашо́м.	He wrote the letter with a pencil.
Она́ ест ви́лкой.	She eats with a fork.

Note that although we use 'with' in English, the Russian does not use **с**. This is because you are not saying 'with' in the sense of 'together with' or 'in the company of'. Compare:

Она́ рисова́ла карандашо́м.	She drew with a pencil. (no **с**)
Она́ рисова́ла с дру́гом.	She drew with her friend. (**с**)

The use of the instrumental to convey 'the instrument' is particularly common after passive verbs, in sentences such as '*Anna Karenina* was written <u>by</u> Tolstoy'. For the moment, though, you need only be aware of this for recognition purposes. The passive is covered in Book 2 of *Russian made clear*.

Аме́рика была́ откры́та Колу́мбом.	America was discovered (opened) by Columbus.

EXERCISE 14.14
Put the words in brackets into the correct form. Make sure you understand the use of the instrumental case.

1 – Почему́ ты всегда́ пи́шешь _____ ? – Потому́ что мне не нра́вится писа́ть _____ . (каранда́ш) (ру́чка)

2 Моя́ подру́га рису́ет прекра́сные карти́ны _____ . (ма́сло)

3 – Ты мо́жешь откры́ть буты́лку? – Чем? _____ ? Не могу́. Мне ну́жен што́пор. (рука́)

4 Э́то пра́вда, что англича́не едя́т торт _____ , а ру́сские – _____ ? (ви́лка) (ло́жка)

5 Ты зна́ешь, когда́ лю́ди на́чали есть мя́со _____ и _____ ? (нож) (ви́лка)

6 – Э́тот футболи́ст прекра́сно игра́ет _____ . – А _____ он ду́мает? (голова́) (что)

7 «Что напи́сано _____ , того́ не вы́рубишь _____ » – ру́сская посло́вица. (перо́) (топо́р)
(lit. 'what is written with a pen you will not cut down with an axe' ≈ 'the pen is mightier than the sword')

INSTRUMENTAL CASE WITHOUT A PREPOSITION (2)
AFTER СТАНОВИ́ТЬСЯ/СТАТЬ, БЫТЬ, РАБО́ТАТЬ

1 – Когда́ я был студе́нтом, я хо́тел стать космона́втом.

   – А я хоте́ла стать актри́сой.

   – А где ты рабо́таешь сейча́с?

   – В о́фисе.

   – Я то́же.

2 – Что ты изуча́л в университе́те?

   – В университе́те я изуча́л матема́тику.

   – И кем ты сейча́с рабо́таешь?

   – Я рабо́таю экономи́стом.

Станови́ться (imp.)/стать (pf.) means 'to become'. It is followed by the instrumental:

Она́ ста́ла спортсме́нкой.	She became a sportswoman.
В шко́ле он хоте́л стать космона́втом.	At school he wanted to become an astronaut.

You should also use the instrumental after **рабо́тать** when you want to say 'works as something':

Мой брат рабо́тает адвока́том.	My brother works as a barrister.
Её па́па рабо́тал врачо́м.	Her father worked as a doctor.

The instrumental is also normally used after the verb **быть** in the past and future:

Когда́ я был студе́нтом, я жил в общежи́тии.	When I was a student I lived in a hostel.
Она́ бу́дет писа́телем.	She will be a writer.

Note that this use does not apply to the present tense (when no verb is used):

Я студе́нт.	I am a student.
Она́ писа́тель.	She is a writer.

EXERCISE 14.15

Put the words in brackets into the correct form.

1 Мой брат (матема́тик), мой оте́ц был (матема́тик), а я не хочу́ быть (матема́тик), я бу́ду (актёр).

2 Моя́ подру́га – (балери́на). В де́тстве я то́же хоте́ла стать (балери́на), но мои́ роди́тели бы́ли про́тив.

3 Ты зна́ешь, что в мо́лодости Толсто́й был (офице́р), и то́лько пото́м стал (писа́тель)?

4 – Когда́ вы реши́ли стать (банки́р)? – Ещё когда́ я был (шко́льник).

5 – Ваш брат – (юри́ст)? – Нет, он (стажёр), но наде́ется ско́ро стать (юри́ст).

6 Ва́ша дочь так хорошо́ рису́ет! Она́ хо́чет быть (худо́жница*)?

7 Ра́ньше Ви́льям был (актёр), а тепе́рь рабо́тает (администра́тор).

8 Ви́ктор – (инжене́р), но по́сле рабо́ты он рабо́тает (такси́ст).

9 – (Кто) хо́чет быть твой сын? – (Футболи́ст)

10 Когда́ я учи́лась в шко́ле, я хоте́ла стать (учи́тельница*), но тепе́рь я хочу́ быть (дире́ктор).

* Note that feminine nouns ending in **-ца** have an instrumental case that ends **-цей**.

EXERCISE 14.16
Ask each other what you wanted to become as a child, and what you do now.

– Кем вы хоте́ли стать в де́тстве?
– В де́тстве я хоте́л стать космона́втом.

– Кем вы рабо́таете сейча́с?
– Сейча́с я рабо́таю учи́телем.

INSTRUMENTAL CASE WITHOUT A PREPOSITION (3)
AFTER ЗАНИМА́ТЬСЯ AND ИНТЕРЕСОВА́ТЬСЯ

DIALOGUE 14.5

– Ма́ша, ты интересу́ешься би́знесом?
– Не о́чень. Когда́ я была́ студе́нткой, я занима́лась эконо́микой, но тепе́рь я бо́льше интересу́юсь поли́тикой. А ты?
– Я не интересу́юсь ни поли́тикой, ни эконо́микой. Я хочу́ стать музыка́нтом.

The reflexive verbs занима́ться, 'to be engaged, involved in, to do, to study' and интересова́ться, 'to be interested in', are both followed by the instrumental case:

Чем она́ занима́ется?	What is she engaged in (now), or, what does she do?
Она́ занима́ется марке́тингом.	She is in marketing.
Ты интересу́ешься поли́тикой?	Are you interested in politics?
В шко́ле он интересова́лся фи́зикой.	At school he was interested in physics.

EXERCISE 14.17
Put the words in brackets in the instrumental case where appropriate.

Ра́ньше он интересова́лся матема́тикой, но пото́м стал худо́жником.

1 Ра́ньше он занима́лся _____, но пото́м он стал _____. (фи́зика) (матема́тик)
2 Ра́ньше он был _____, а тепе́рь занима́ется _____. (солда́т) (эконо́мика)
3 В де́тстве он хоте́л стать _____, но пото́м стал _____. (космона́вт) (почтальо́н)
4 Сейча́с она́ занима́ется _____, но в Москве́ она́ бу́дет занима́ться _____. (поли́тика) (би́знес)
5 Ра́ньше она́ была́ _____, а тепе́рь рабо́тает _____. (спортсме́нка) (бухга́лтер)
6 В де́тстве я писа́л _____, а тепе́рь я пишу́ _____. (каранда́ш) (ру́чка)
7 Ра́ньше я интересова́лась _____, а тепе́рь бо́льше интересу́юсь _____. (литерату́ра) (му́зыка)
8 В шко́ле они́ занима́лись _____, а в университе́те на́чали занима́ться _____. (исто́рия*) (филосо́фия*)
9 Сейча́с я рабо́таю _____, но ско́ро я бу́ду _____. (администра́тор) (нача́льник)
10 Когда́ я был _____, я интересова́лся _____. (студе́нт) (тео́рия* коммуни́зма)

 * Note that feminine nouns ending in -ия have an instrumental case that ends -ией.

REFLEXIVE VERBS
FORMS

DIALOGUES 14.6

1 – Вы не ска́жете, чем сейча́с занима́ется ваш колле́га профе́ссор
  Орло́в? На́ши чита́тели о́чень интересу́ются его́ рабо́той
  и с <u>волне́нием</u> <u>следя́т за</u> ней.
  excitement; following
  artificial
  – Серге́й Ива́нович рабо́тает над пробле́мой <u>иску́сственного</u>
  интелле́кта.
  – Как интере́сно! И что, уже́ есть <u>успе́хи</u>? <u>Мо́жно</u> <u>узна́ть</u> об э́том
  success; find out;
  a bit more
  <u>побо́льше</u>?
  – Коне́чно, <u>мы наде́емся на успе́х</u>, но бою́сь, что пока́ ра́но говори́ть
  we are hoping for
  success
  о результа́те.

2 – Я про́сто не понима́ю, что случи́лось с ребёнком!
  – А в чём де́ло?
  – С ним ста́ло совсе́м невозмо́жно говори́ть! Он весь ве́чер сиди́т
  пе́ред компью́тером и́ли говори́т по телефо́ну, пло́хо у́чится, не
  де́лает дома́шнее зада́ние...
  – Не волну́йся, ничего́ стра́шного с ним не бу́дет. Экза́мены
  начина́ются че́рез две с полови́ной неде́ли, у него́ ещё есть вре́мя.

3 – Ле́на, мы с И́рой собира́емся за́втра пойти́ на вы́ставку
  импрессиони́стов. Ты не хо́чешь пойти́ с на́ми?
  – С удово́льствием! Я слы́шала, что вы́ставка о́чень интере́сная,
  да и вообще́ мне нра́вятся импрессиони́сты. А во ско́лько вы
  встреча́етесь?
  – И́ра конча́ет рабо́тать в 16:00, поэ́тому мы собира́лись встре́титься
  в 16:30 о́коло вхо́да в Пу́шкинский музе́й. Но е́сли ты хо́чешь, мы с
  тобо́й мо́жем встре́титься пора́ньше и вы́пить ко́фе.
  – Отли́чно, договори́лись! И спаси́бо за приглаше́ние.

Reflexive verbs have the same endings as other verbs, but they add a suffix, either -сь or -ся.
The suffix -ся is added to forms that end in a consonant (including the soft sign).
The suffix -сь is added to forms that end in a vowel.
Look at the forms of the verb **занима́ться**, 'to be involved in, to study'.

infinitive	present tense	past tense
занима́ться	я занима́юсь	занима́лся (m.)
	ты занима́ешься	занима́лась (f.)
	он/она́ занима́ется	занима́лось (n.)
	мы занима́емся	занима́лись (pl.)
	вы занима́етесь	
	они́ занима́ются	

These common verbs are all reflexive. Remember, their forms are just like non-reflexive verbs, but with a suffix added: -ся after a consonant, -сь after a vowel.

учи́ться (учу́сь, у́чишься)	to study (where)
боя́ться (бою́сь, бои́шься)/ побоя́ться	to be afraid (of + gen.)
смея́ться (смею́сь, смеёшься)/ засмея́ться	to laugh
волнова́ться (волну́юсь, волну́ешься)/ разволнова́ться	to be worried
интересова́ться (интересу́юсь, интересу́ешься)/ заинтересова́ться	to be interested in (+ inst.)
наде́яться (наде́юсь, наде́ешься)/ понаде́яться	to hope
собира́ться (собира́юсь, собира́ешься)/ собра́ться	to be about to, to intend to
стара́ться (стара́юсь, стара́ешься)/ постара́ться	to try

EXERCISE 14.18
Put these verbs into the right form in the present tense.

1 Я _____ (боя́ться)
2 Он _____ (учи́ться)
3 Мы _____ (волнова́ться)
4 Вы _____ (интересова́ться)
5 Они́ _____ (наде́яться)
6 Ты _____ (занима́ться)

7 Я _____ (интересова́ться)
8 Мы _____ (боя́ться)
9 Вы _____ (волнова́ться)
10 Я _____ (смея́ться)
11 Она́ _____ (стара́ться)
12 Ты _____ (учи́ться)

EXERCISE 14.19
Put the verbs in the present tense into the past and vice-versa.

1 Он _____ (боя́лся)
2 Она́ _____ (у́чится)
3 Мы _____ (стара́лись)
4 Вы _____ (интересу́етесь)
5 Они́ _____ (собира́ются)
6 Я _____ (занима́лся)

7 Она́ _____ (интересу́ется)
8 Мы _____ (боя́лись)
9 Ты _____ (волнова́лась)
10 Я _____ (смею́сь)
11 Она́ _____ (наде́ялась)
12 Ты _____ (у́чишься)

EXERCISE 14.20
Put the reflexive verb in brackets into the correct form. Sentences with [p] should go in the past tense.

1 Чем вы _____? (занима́ться)
2 Где она́ _____? (роди́ться) [p]
3 Кремль _____ в це́нтре Москвы́. (находи́ться)
4 Осторо́жно, две́ри _____! (закрыва́ться)
5 Моя́ ма́ма всегда́ _____ обо мне. (волнова́ться)
6 _____, пожа́луйста! (сади́ться)
7 Дава́й _____ в семь. (встре́титься)
8 Мне _____, что ты да́же не _____! (каза́ться, стара́ться)
9 Как вам _____ фильм вчера́? (понра́виться) [p]
10 Она́ всё вре́мя _____ на́до мной. (смея́ться)
11 Где вы _____ с ним? (познако́миться) [p]
12 Сейча́с мы _____ в университе́те. (учи́ться)
13 Что _____? (случи́ться) [p]
14 Чего́ ты _____? (боя́ться)
15 _____! (договори́ться) [p]
16 Я _____ перевести́ текст, но не смогла́. (стара́ться) [p]
17 «Глаза́ _____, а ру́ки де́лают!» (боя́ться) (*ру́сская посло́вица*)
18 Что ты _____ де́лать за́втра? (собира́ться)
19 На что ты _____? (наде́яться) [p]
20 Я ничего́ не _____. (боя́ться)

TEXT 14.1
Read the following three jokes.

1 – Па́па, – спроси́л Ми́ша, – ты ничего́-ничего́ не бои́шься?
   – Ничего́.
   – Тогда́ прочита́й, что тебе́ учи́тельница написа́ла обо мне.

2 Молодо́й дирижёр говори́т молодо́му ко́мику:
   – Не понима́ю, почему́ вы смеётесь на мои́х конце́ртах. Я же не смею́сь на ва́ших коме́диях!

3 – Ты зна́ешь, что де́лают баскетболи́сты, когда́ не игра́ют в баскетбо́л?
   – Что?
   – Они́ хо́дят в кино́ и садя́тся обяза́тельно пе́редо мной.

EXERCISE 14.21
Translate into Russian.

1 – Did he like the film? – I hope so. (= 'I hope that yes') 2 Where was his grandmother's house situated? 3 Are they interested in architecture? 4 How did you like the song? 5 I'm afraid that they are laughing at you. 6 What time does the concert begin? 7 What's happened? 8 Where did you meet? 9 Where was she born? 10 Do you know where his daughter is studying? 11 It seems they are worried about the weather. 12 I'm not afraid of you. 13 Agreed! 14 They are studying in Petersburg.

DIALOGUE 14.7

– Где вы с Анто́ном познако́мились?

– Мы учи́лись вме́сте в университе́те.

– А что вы изуча́ли?

– Я изуча́ла матема́тику, а Анто́н изуча́л фи́зику.

There are two main verbs in Russian for study, and it can sometimes be difficult to choose which to use. The simplest distinction to make is to use учи́ться to say <u>where</u> you study (school, institute, etc.) and изуча́ть to say <u>what</u> you study.

Although both verbs have perfectives, the imperfective is much more common, because study is normally an extended process.

В шко́ле я изуча́л фи́зику.	In school I studied physics.
Я бу́ду учи́ться в Москве́.	I am going to study in Moscow.

EXERCISE 14.22
Select the correct verb from изуча́ть and учи́ться; put in the correct form in the past or present tense.

1 Ты _____ в университе́те? Что ты _____ ?

2 – Где вы рабо́таете? – Я ещё не рабо́таю, я то́лько _____ .

3 Где вы _____ ру́сский язы́к?

4 – Ты так хорошо́ поёшь! – Я _____ в консервато́рии.

5 – Как _____ ва́ша дочь? – О́чень хорошо́.

6 Вы _____ фи́зику в шко́ле?

EXERCISE 14.23
Ask each other where and what you studied.

EXERCISE 14.24
Insert a possible reflexive verb from the list below into these dialogues.

1 – Где вы _____ ?

    – Мы _____ в Москве́, когда́ я был студе́нтом в МГУ.

2 – Во ско́лько _____ спекта́кль?

    – Он _____ в 7:30.

    – Тогда́ дава́й _____ у ка́ссы в 7 часо́в.

    – Хорошо́, _____ ! До встре́чи.

3 – Я ничего́ не ви́жу. Что _____ ?

    – Я не зна́ю. _____ , они́ вы́ключили электри́чество.

встреча́ться/встре́титься, начина́ться/нача́ться, догова́риваться/договори́ться, каза́ться/показа́ться, знако́миться/познако́миться, случа́ться/случи́ться.

TEXT 14.2
Read the following text, paying attention to the reflexive verbs.

Вчера́ мне позвони́ла моя́ подру́га де́тства, О́ля. Мы о́ба роди́ли́сь в Ту́ле и учи́лись в одно́й
шко́ле. Когда́ мы познако́мились, она́ мне сра́зу понра́вилась. Пото́м мы учи́лись вме́сте в
университе́те в Москве́, О́ля изуча́ла матема́тику, а я – фи́зику. Мы хоте́ли быть всегда́ вме́сте,
но пото́м что́-то случи́лось. Она́ верну́лась обра́тно в Ту́лу, а я стал бизнесме́ном в Москве́.
Типи́чная исто́рия.

– Приве́т, Анто́н! Ско́лько лет, ско́лько зим! Я в Москве́. Я о́чень хочу́ тебя́ ви́деть.

– О́ля! Как я рад тебя́ слы́шать! Хо́чешь пойти́ со мной в теа́тр сего́дня ве́чером? – спроси́л я.

Ей всегда́ нра́вился теа́тр.

– Коне́чно, – сказа́ла она́. – В како́й?

– Ты по́мнишь, где нахо́дится теа́тр МХАТ?

Мы ча́сто ходи́ли туда́, когда́ бы́ли студе́нтами.

– Коне́чно. В Камерге́рском переу́лке. Что там сего́дня идёт?

– Ка́жется, что́-то но́вое. Спекта́кль называ́ется «Чёрный мона́х». Начина́ется в 7 часо́в.

– Отли́чно! Дава́й встре́тимся в ба́ре на второ́м этаже́.

– Договори́лись!

Я рабо́таю в магази́не. Магази́н обы́чно закрыва́ется в семь, но сего́дня я боя́лся опозда́ть и
закры́л его́ в шесть.

Такси́ остана́вливается пе́ред теа́тром. Я поднима́юсь по ле́стнице. Она́ стои́т у ба́ра с
мужчи́ной. Она́ смеётся. Он смеётся.

– Анто́н, приве́т! Ско́лько лет, ско́лько зим! Познако́мьтесь, пожа́луйста. Э́то мой муж. А э́то
мой ста́рый друг Анто́н.

Спекта́кль был не о́чень интере́сный. Я верну́лся домо́й оди́н.

EXERCISE 14.25
Answer the questions on the text.

1 Отку́да О́ля?
2 Где роди́лся а́втор?
3 Где нахо́дится университе́т, в кото́ром они́ учи́лись?
4 Кем стал а́втор по́сле университе́та?
5 Куда́ а́втор пригласи́л О́лю?
6 Они́ ча́сто ходи́ли в теа́тр, когда́ бы́ли студе́нтами?
7 Как называ́ется спекта́кль, кото́рый они́ реши́ли посмотре́ть?
8 Во ско́лько начина́лся спекта́кль?
9 Что де́лали О́ля с незнако́мым мужчи́ной в теа́тре?
10 Кем был э́тот челове́к?
11 Анто́н верну́лся домо́й с О́лей?

Я всегда́ закрыва́ю дверь на ключ.   Осторо́жно, две́ри закрыва́ются!

Reflexive verbs generally describe actions that you do to one another ('we met' – i.e. we met each other), or actions that you do to yourself ('to be interested in' – i.e. to interest yourself in).

Sometimes, though, there is no clear reason why a particular verb is reflexive – e.g., 'to smile', 'to laugh', 'to hope'.

All reflexive verbs, however, have one thing in common: they cannot have a direct object. Compare the two pairs of sentences below: the first has an ordinary, non-reflexive verb; the second has its reflexive equivalent.

Я встре́тила его́ на вокза́ле.	I met him at the station.
Мы встре́тились на вокза́ле.	We met at the station.
Я всегда́ закрыва́ю дверь на ключ.	I always close the door with a key.
Две́ри закрыва́ются!	The doors are closing.

Not all reflexive verbs have direct non-reflexive equivalents in this way, but three common ones that do are 'to begin/start', 'to continue' and 'to finish'. Compare these three pairs of sentences:

Мы всегда́ начина́ем уро́к в шесть три́дцать.	We always begin the lesson at six thirty.
Наш уро́к всегда́ начина́ется в шесть три́дцать.	Our lesson always begins at six thirty.
Мы продолжа́ем переговоры.	We are continuing (our) meeting.
Переговоры продолжа́ются.	The meeting is continuing.
Во ско́лько ты ко́нчил рабо́ту?	What time did you finish the work?
Когда́ ко́нчился семе́стр?	When did the term finish?

Note that the non-reflexive verbs above (начина́ть/нача́ть, продолжа́ть/продо́лжить, конча́ть/ко́нчить) can be followed by a noun or a verb in the infinitive. If you are following them with a verb, you should always use the imperfective infinitive:

Я на́чал гото́вить у́жин в семь часо́в.	I began to cook dinner at seven.

EXERCISE 14.26
Select the correct form from the brackets.

1   Когда́ обы́чно _____ уро́к? (начина́ет, начина́ется)
2   Во ско́лько вы _____ рабо́тать сего́дня у́тром? (на́чали, начали́сь)
3   Когда́ _____ дождь, мы пошли́ домо́й и _____ игра́ть в ша́хматы. (на́чал, нача́лся) (на́чали, начали́сь)
4   Фильм _____ два часа́. (продолжа́ет, продолжа́ется)
5   Когда́ вы _____ изуча́ть ру́сский язы́к? (на́чали, начали́сь)
6   Ско́ро у дете́й _____ кани́кулы. (начина́ют, начина́ются)
7   Уже́ ию́нь, а ле́то ещё не _____ . (нача́ло, начало́сь)
8   Ско́лько вре́мени _____ ваш уро́к? (продолжа́ет, продолжа́ется)

EXERCISE 14.27
Repeat questions 1, 2, 6, selecting from конча́ть/ко́нчить or конча́ться/ко́нчиться

EXERCISE 14.28
Create sentences according to the model, using a past or present tense.

прое́кт, ию́нь, коне́ц ме́сяца   →
Прое́кт начина́ется (на́чался) в ию́не и конча́ется (ко́нчился) в конце́ ме́сяца.

1 фильм, 7:15, 9:30
2 семе́стр, сентя́брь, дека́брь
3 о́тпуск, понеде́льник, суббо́та

4 уро́к, 9:30, 11
5 командиро́вка, понеде́льник, коне́ц неде́ли
6 семина́р, у́тром, по́сле обе́да

EXERCISE 14.29
Translate the following into Russian.

1 The rain stopped at 6:30, and we began work at 7. 2 How long is the film going on (=continuing for)? 3 The show begins at 7.15 and finishes at 9.40. 4 What time did you start this morning? 5 The lesson starts in ten minutes. 6 The rain continued for two hours. 7 At last I began to understand. 8 Has the film already started? 9 The war has not ended yet. 10 He finished reading and went to the shop. 11 What time do you usually finish work? 12 We continued the conversation after the lesson.

PREPOSITION REVISION

The table below gives all the prepositions you have met so far with their meanings and the cases they take.

case	Russian	English
acc.	в	into
	на	onto
	че́рез	through, across, in (of time)
gen.	без	without
	вме́сто	instead of
	вокру́г	around
	для	for
	до	until, before
	из	from
	и́з-за	because of
	кро́ме	apart from
	напро́тив	opposite
	недалеко́ от	not far from
	о́коло	near
	от	from
	с	from
	у	by, at
	во вре́мя	during
	по́сле	after

case	Russian	English
dat.	к	towards
	по	around, according to, along
inst.	с	with
	над	above
	под	below
	пе́ред	in front of
	за	behind
	ме́жду	in between
prep.	в	in, at
	на	on, at
	о, об, обо	about (concerning)

When trying to remember which case goes with which preposition, you may find these guidelines helpful (note they are not comprehensive rules):

1. The prepositional is used after **в**, **на**, **о**.

2. The instrumental follows **с** ('with') and five prepositions of position ('above', 'below', 'in front of', 'behind', 'between').

3. Not many prepositions are followed by the dative or accusative, so:

4. If in doubt – choose the genitive.

EXERCISE 14.30
Select the correct preposition from the brackets.

1 Мы не ходи́ли _____ парк _____ пого́ды. (в/к) (и́з-за/с/по)
2 Гости́ница нахо́дится _____ апте́ки. (ря́дом с/напро́тив)
3 Она́ е́здила _____ Кипр _____ му́жа. (на/к) (без/с)
4 Дава́йте пойдём в бар _____ рабо́ты. (по́сле/на)
5 Мы живём _____ вокза́ла и па́рка. (ме́жду/о́коло)
6 Она́ живёт _____ гости́ницей и универма́гом. (ме́жду/о́коло/в)
7 Вчера́ мы ходи́ли _____ па́рку. (в/по)
8 Вчера́ мы ходи́ли _____ парк. (в/по)
9 Мы прие́дем _____ неде́лю. (по́сле/че́рез)
10 Она́ положи́ла газе́ту _____ стол. (на/над)
11 Он рабо́тает _____ прое́ктом. (над/на)
12 Они́ разгова́ривали _____ му́зыке. (от/о)
13 Они́ разгова́ривали _____ Аме́рике. (от/о/об)
14 Она́ пришла́ _____ рабо́ты. (с/из)
15 Ско́лько _____ меня́? (с/к/о)
16 Я зна́ю всех, _____ Ма́ши. (кро́ме/с/о)
17 Я зна́ю всё _____ Ма́ше. (кро́ме/с/о)
18 Она́ пое́хала _____ Оренбу́рг _____ университе́та. (в/на/к) (по́сле/из/в)
19 Она́ пошла́ _____ подру́ге. (в/у/к)
20 Э́то _____ вас. (для/к)

EXERCISE 14.31
Translate the following into Russian.

1 About Russia. **2** Above the river. **3** After school. **4** Around town. **5** At (=behind) the table. **6** At the station. **7** At work. **8** Because of the weather. **9** Before the revolution. **10** During the war. **11** No one apart from me. **12** From (my) brother. **13** From the station. **14** I am from London. **15** In an hour. **16** From the lesson. **17** In front of the house. **18** In Petersburg. **19** Instead of you. **20** It's between you and me (=us). **21** Near the entrance. **22** At the window. **23** Not far from Moscow. **24** Opposite the park. **25** Outside (= on the street). **26** This is for you. **27** To Moscow. **28** To the doctor. **29** To work. **30** Under the table. **31** With milk. **32** Without sugar.

EXERCISE 14.32
Answer the questions using the short answers to ex. 14.31. Try to use each answer only once.

1 Куда́ ты идёшь?
2 Куда́ вы е́дете в суббо́ту?
3 Кто хо́чет переры́в?
4 Почему́ ты не ходи́л в парк?
5 Где па́па?
6 Когда́ ты бу́дешь до́ма?
7 От кого́ ты получи́л де́ньги?
8 Вме́сто кого́ ты рабо́тал вчера́?
9 Где нахо́дится магази́н?
10 Где Эрмита́ж?
11 Когда́ де́ти хо́дят в бассе́йн?
12 Где стои́т ла́мпа?
13 Где ты оста́вил маши́ну?
14 Куда́ пошёл больно́й?
15 Как англича́не пьют чай?
16 Откуда вы идёте?

17 Где гуля́ли тури́сты?
18 Отку́да вы?
19 Когда́ в Росси́и бы́ли цари́?
20 Сего́дня така́я хоро́шая пого́да. Где бу́дем обе́дать?
21 Э́то для кого́?
22 Как ты пьёшь ко́фе?
23 Кто зна́ет об э́том?
24 Когда́ Че́рчилль был премье́р-мини́стром?
25 Где ты оста́вил бага́ж?
26 О чём ты чита́ешь?
27 Где сиди́т соба́ка?
28 Отку́да ты идёшь?
29 Где нахо́дится Су́здаль?
30 Где мост?
31 Где сидя́т де́ти?
32 Где ты бу́дешь ждать меня́?

EXERCISE 14.33
Answer the questions using the underlined word.

Анто́н

1 Кто написа́л э́то письмо́?
2 Кому́ вы написа́ли письмо́?
3 Чья э́то фотогра́фия?
4 На кого́ вы похо́жи?
5 О ком вы ду́маете?
6 У кого́ вы бы́ли в суббо́ту?
7 С кем вы говори́ли?
8 От кого́ э́то письмо́?
9 К кому́ вы идёте сего́дня ве́чером?

Ле́на

1 Кому́ ты ча́сто звони́шь?
2 О ко́м ты говори́ла?
3 Кто тебе́ сего́дня звони́л?
4 Кого́ ты встре́тила на у́лице?
5 У кого́ ты была́ вчера́?
6 Кому́ ты купи́ла пода́рок?
7 С кем ты пойдёшь в кино́?
8 На ком он же́нится?
9 На кого́ ты смо́тришь?

Remind yourself of all the forms of the pronouns **кто** and **что**.

nom.	что	кто
acc.	что	кого́
gen.	чего́	кого́
dat.	чему́	кому́
inst.	чем	кем
prep.	чём	ком

EXERCISE 14.34
Form questions for the following answers. The underlined word is the one about which the question should be asked.

Вчера́ мы у́жинали с <u>Влади́миром</u>.　　→　　С кем вы у́жинали вчера́?

1　Я чита́ю о <u>Москве́</u>.

2　Вчера́ мы бы́ли в гостя́х у <u>Ве́ры</u>.

3　Он звони́т <u>ма́ме</u> ка́ждый день.

4　Я хочу́ <u>ко́фе</u>.

5　Я интересу́юсь <u>му́зыкой</u>.

6　Они́ показа́ли <u>Са́ше</u> письмо́.

7　Я получи́л пода́рок от <u>Михаи́ла</u>.

8　Нельзя́ пое́хать в Росси́ю без <u>ви́зы</u>.

9　Мы занима́емся <u>ру́сской поли́тикой</u>.

10　Они́ встре́тились с <u>на́ми</u> вчера́.

11　На уро́ке мы говори́ли о <u>Толсто́м</u>.

12　Я э́то сде́лал для <u>неё</u>.

13　Я люблю́ <u>Ни́ну</u>.

14　Де́ло не в <u>э́том</u>.

15　В о́фисе нет <u>рестора́на</u>.

16　Я пое́ду в Эдинбу́рг на <u>по́езде</u>.

EXERCISE 14.35
Insert the pronoun **кто** in the correct form with a suitable preposition if necessary.

1　_____ ты звони́л вчера́ ве́чером?

2　_____ вы ду́маете?

3　_____ э́то письмо́?

4　_____ есть э́та кни́га?

5　_____ вы говори́ли?

6　_____ вы пойдёте сего́дня ве́чером?

7　_____ он стал по́сле университе́та?

8　_____ вы бы́ли в воскресе́нье?

9　_____ ты бу́дешь танцева́ть?

10　_____ есть вопро́сы?

11　_____ э́та кни́га?

12　_____ ты купи́л э́ти конфе́ты?

13　_____ она́ рабо́тает?

14　_____ ты смеёшься?

15　_____ нра́вится бале́т?

16　_____ она́?

17　_____ она́ лю́бит?

18　_____ здесь говори́т по-ру́сски?

19　_____ тебе́ нра́вится?

20　_____ она́ интересу́ется?

EXERCISE 14.36
Insert **что** in the correct form with a relevant preposition if necessary.

1　_____ вы занима́етесь?

2　_____ э́та кни́га?

3　_____ он рабо́тает?

4　_____ ты прие́хал?

5　_____ вы не мо́жете жить?

6　_____ тебе́ нужна́ э́та кни́га?

7　_____ тебе́ не нра́вится?

8　_____ де́ло?

9　_____ ты бу́дешь пить чай?

10　_____ у тебя́ нет?

EXERCISE 14.37
Create a possible question as the first line for these dialogues.

1 – _____?
– Врачо́м.

2 – _____?
– За молоко́м.

3 – _____?
– За грани́цей.

4 – _____?
– С трудо́м. А ты?

5 – _____?
– С Лёной.

6 – _____?
– Поживём – уви́дим.

7 – _____?
– С удово́льствием!

8 – _____?
– С са́харом.

9 – _____?
– Под Москво́й.

10 – _____?
– Матема́тику и фи́зику.

11 – _____?
– Матема́тикой и фи́зикой.

12 – _____?
– Да, в университе́те.

13 – _____?
– Ничего́!

14 – _____?
– Да, о́чень понра́вилась.

15 – _____?
– Пе́ред вхо́дом.

16 – _____?
– Пе́ред концéртом.

17 – _____?
– Да, с ним.

18 – _____?
– Он хо́чет стать актёром.

19 – _____?
– Нет, ещё не начала́сь.

20 – _____?
– Карандашо́м.

EXERCISE 14.38
Translate into Russian.

1 I don't understand why you want to live abroad. 2 – Who will look after her dog? – No one. She's planning to take it with her. 3 Katya and I waited for two and a half hours. 4 He stood round the corner and repeated 'Happy Christmas!' I think he had drunk too much. 5 Why are you always laughing at me? 6 What's the matter with you? What are you afraid of? 7 I understood her with difficulty. 8 I'm trying to decide what to do. 9 In the autumn we live in our dacha out of town. 10 She stood in front of the shop and thought. 11 Then she said 'I'm going to get some milk.' 12 He put the telephone on the table and looked at me in horror. 13 There is a garage under his house, and a swimming pool above the bedroom. 14 What time did you finish working last night? 15 – Has the film begun yet? – No, it begins in twenty minutes. 16 Please continue. I'm listening to you. 17 In childhood my uncle wanted to be a musician, but he became an engineer. 18 Why do you always write with a pencil, and not with a pen? 19 I wonder what Igor is up to at the moment. Is he studying or working? 20 It seems to me that your new friend is only interested in football! 21 – Do you know Yulia? – Yes, we've met many times. 22 Do you know who your children are friends with at school?

Глава́ XIV
Пи́тер с Ива́ном и́щут Мари́ну

Че́рез два́дцать мину́т Ива́н уже́ был в кварти́ре Мари́ны. Они́ с Пи́тером обсужда́ли ситуа́цию.

– Не понима́ю, что они́ хоте́ли от неё. Почему́ они́ не тро́нули ничего́, кро́ме паке́та с проду́ктами?

– Ты зна́ешь, Ива́н, мне ка́жется, что я зна́ю челове́ка, кото́рый втолкну́л Мари́ну в маши́ну. Я ду́маю, что я его́ уже́ где́-то ви́дел… Да, то́чно! Он сиде́л ря́дом с на́ми в ба́ре. И к тому́ же э́то был не пе́рвый раз, когда́ я ви́дел его́ лицо́. Два дня наза́д, когда́ я сиде́л в ба́ре в гости́нице, там случи́лось что-то о́чень стра́нное. Како́й-то молодо́й челове́к в костю́ме сиде́л ря́дом со мной, всё вре́мя на меня́ смотре́л и что-то писа́л в блокно́те. Когда́ он вы́шел из ба́ра, он оста́вил блокно́т на столе́. Я взял его́ и прочита́л. Он писа́л обо мне – где я был, кого́ ви́дел, с кем обе́дал, с кем разгова́ривал.

В э́тот моме́нт Пи́тер неожи́данно чихну́л.

– Апчхи!

– Будь здоро́в! – сказа́л Ива́н.

Пи́тер поиска́л в карма́не носово́й плато́к, но нашёл салфе́тку.

– Смотри́! – сказа́л он. – Вот салфе́тка, на кото́рую я переписа́л то, что бы́ло в блокно́те. Ви́дишь?

Пи́тер показа́л Ива́ну салфе́тку. Ива́н взял её и прочита́л: «ВДНХ. Пав. 2003, 3-й эт. 321-6459».

– Как ты ду́маешь, Ива́н, что э́то зна́чит? Что тако́е «ВДНХ»? И что тако́е «Пав.»?

– «ВДНХ» – э́то большо́й вы́ставочный ко́мплекс, ра́ньше там демонстри́ровали всё са́мое лу́чшее в Сове́тском Сою́зе, а сейча́с э́то про́сто большо́й парк, где мно́го павильо́нов и мо́жно купи́ть всё, что хо́чешь. Он нахо́дится напро́тив гости́ницы «Ко́смос» на се́вере Москвы́.

ВЫСТАВКА ДОСТИЖЕНИЙ НАРОДНОГО ХОЗЯЙСТВА

– Мно́го павильо́нов?! – воскли́кнул Пи́тер. – Как интере́сно! Ты зна́ешь, Ива́н, у меня́ есть иде́я. Наве́рное, «Пав.» зна́чит «Павильо́н».

– Коне́чно! Како́й я дура́к! – воскли́кнул Ива́н. – На́до неме́дленно пое́хать туда́! Пое́хали!

Пи́тер с Ива́ном вы́шли из кварти́ры Мари́ны, спусти́лись по ле́стнице и вы́шли на у́лицу. Маши́на Ива́на стоя́ла ря́дом со вхо́дом. «Сади́сь!» – сказа́л Ива́н.

В э́то вре́мя но́чи на у́лицах Москвы́ бы́ло ма́ло маши́н, и Пи́тер и Ива́н е́хали по Ле́нинскому проспе́кту о́чень бы́стро. Пи́тер немно́го боя́лся, но он ничего́ не говори́л. Он с волне́нием ду́мал о Мари́не: «Что мы бу́дем де́лать, е́сли найдём её? И что бу́дем де́лать, е́сли не найдём?»

– Пи́тер, ты давно́ интересу́ешься ико́нами? – спроси́л Ива́н.

– С де́тства. То есть, когда́ я был студе́нтом, я интересова́лся иску́сством, карти́нами. Ря́дом с мои́м университе́том была́ правосла́вная це́рковь, и одна́жды я вошёл туда́ по́сле ле́кции. Я так удиви́лся! Таки́е краси́вые карти́ны, но таки́е непоня́тные. Я о́чень хоте́л поня́ть, о чём э́ти карти́ны, и реши́л занима́ться ико́нами. В како́й-то моме́нт я да́же реши́л, что хочу́ стать свяще́нником, но на са́мом де́ле я интересова́лся то́лько религио́зными карти́нами, а не иде́ями.

– О́чень интере́сно, – сказа́л Ива́н. – А я в де́тстве в це́рковь не ходи́л. Это бы́ло невозмо́жно. Посмотри́ туда́! Вот пло́щадь Гага́рина. Ты ви́дишь э́ту огро́мную коло́нну? Это па́мятник Ю́рию Гага́рину, пе́рвому сове́тскому космона́вту. У нас не́ было ико́н. У нас бы́ли сове́тские геро́и.

Пи́тер и Ива́н всё ещё е́хали че́рез центр Москвы́.

– Ещё далеко́ до ВДНХ? – спроси́л Пи́тер.

– Не о́чень. Мину́т де́сять, не бо́льше.

– А что мы бу́дем де́лать, когда́ прие́дем? Слу́шай, Ива́н, ты не ду́маешь, что лу́чше бы́ло бы позвони́ть в поли́цию?

– В поли́цию? – Ива́н засмея́лся. – А что они́ бу́дут де́лать? Как объясни́ть им, что случи́лось? Ты наде́ешься, что поли́ция пове́рит в твою́ салфе́тку?

Пи́тер молча́л.

– Нет, – сказа́л Ива́н. – Лу́чше без поли́ции. Я бою́сь, что они́ нам не помо́гут.

– Тогда́ что мы бу́дем де́лать?

– Снача́ла нам на́до узна́ть, где Мари́на, с кем она́, ско́лько их. Пото́м реши́м, что де́лать. Кста́ти, Пи́тер, по́мнишь, ты мне расска́зывал о молодо́м челове́ке в ло́бби-ба́ре в гости́нице? Как ты ду́маешь, почему́ он следи́л за тобо́й? Почему́ он запи́сывал всё, что ты де́лаешь, куда́ ты хо́дишь? Мо́жет быть, э́то помо́жет нам поня́ть, что случи́лось с Мари́ной.

Пи́тер поду́мал немно́го и вдруг с удивле́нием сказа́л:

– И сего́дня ве́чером он то́же был в ба́ре! Мы, коне́чно, не обраща́ли на него́ внима́ния, но я уве́рен, что э́то был он. И к тому́ же я его́ ви́дел, когда́ мы вы́шли из ба́ра. Ты по́мнишь, Ива́н, что на полу́ в кварти́ре Мари́ны лежа́л паке́т с проду́ктами? Ико́на должна́ была́ быть в э́том паке́те. Я попроси́л Мари́ну взять ико́ну с собо́й, потому́ что за́втра она́ пойдёт в галере́ю и смо́жет переда́ть её колле́гам.

– Подожди! – воскликнул Иван. – Икона? Какая икона?

– Это очень ценная икона, которую мы нашли на рынке Измайлово. Купили её за двести долларов. Я хотел её передать галерее. Она называется Розовая Мадонна. Это очень известная болгарская икона.

– И Марина взяла её с собой?

– Нет. В последний момент она сказала, что не хочет брать такую ценную картину в метро, и отдала её мне.

– А ты не думаешь, что, может быть, этот молодой человек не видел, как она отдала тебе икону, и, значит, он думал, что икона у неё?

– Вполне возможно, – ответил Питер.

Питер с Иваном приехали на ВДНХ. Это было очень странное место: грандиозное, но тихое и пустое. Даже немного мёртвое, как показалось Питеру. Вокруг них было много павильонов. Везде было темно и тихо, и только в одном павильоне горел свет и были слышны голоса. Очень медленно, тихо и осторожно Питер с Иваном подошли к нему. Дверь была открыта. Внутри павильона стояли три человека. Питер сразу узнал молодого человека в костюме. Рядом с ним стоял высокий человек в очках, с короткими волосами. Питеру показалось, что он не русский. Ему даже показалось, что они разговаривают не по-русски. Да, точно, не русский – это известный английский арт-дилер Руперт Диксон. А где же Марина?

– Владимир Владимирович, что вы сделали с девушкой?

– Мистер Диксон, давайте не будем это обсуждать. Вам лучше ничего не знать об этом. Но я обещаю вам, что она нам больше не будет мешать.

– Ты что?! Что ты говоришь? А как мы без неё сможем убедить этого глупого американца отдать нам икону?

– Апчхи! – Питер неожиданно чихнул и в этот момент почувствовал, что кто-то стоит за ним. Питер повернулся. Потом только темнота.

LESSON 14 VOCABULARY

апчхи́!	atishoo!	и так да́лее	and so on
баскетбо́л	basketball	импрессиони́ст	impressionist
баскетболи́ст	basketball player	интелле́кт	intellect, intelligence
Белару́сь f.	Belarus	интересова́ться (интересу́юсь,	
би́знес	business	интересу́ешься)/	
будь здоро́в!	bless you!	заинтересова́ться + inst.	to be interested in
ве́рить (ве́рю, ве́ришь)/		иску́сственный	artificial
пове́рить + dat.	to believe	и́хний (old-fashioned)	their
вме́сто + gen.	instead of	к тому́ же	what's more
внима́ние	attention	казино́	casino
обраща́ть (обраща́ю)/		како́й-то	some kind of
обрати́ть внима́ние на + acc.	to pay attention to	кани́кулы pl.	(school) holidays
внутри́ + gen.	inside	ке́тчуп	ketchup
возвраща́ться	to return	коло́нна	column
(возвраща́юсь)/верну́ться		коме́дия	comedy
во́здух	air	ко́мик	comic
волне́ние	concern	коммуни́зм	communism
во́лосы pl.	hair	ко́мплекс	complex
восклица́ть (восклица́ю)/		консервато́рия	conservatory
воскли́кнуть	to exclaim	конча́ться (конча́ется)/	
вполне́	entirely	ко́нчиться	to finish
вре́мя	time	коро́ткий	short
со вре́менем	over time	космона́вт	cosmonaut
выключа́ть (выключа́ю)/		лабрадо́р	labrador
вы́ключить	to switch off	лу́чше бы́ло бы	it would be (have been) better
выруба́ть (выруба́ю)/			
вы́рубить	to cut down	макаро́ны pl.	macaroni, pasta
вы́ставочный	exhibition adj.	марке́тинг	marketing
где́-то	somewhere	матема́тик	mathematician
горе́ть (горю́, гори́шь)/		МГУ	MGU, Moscow State University
сгоре́ть	to burn, be alight		
го́род	city	ме́жду + inst.	between
за го́родом	in the country, out of town (position)	мезони́н	attic
		мёртвый	dead
городско́й	town adj.	мо́лодость f.	youth
грандио́зный	grandiose	мона́х	monk
грани́ца	border	мышь f.	mouse
за грани́цей	abroad (position)	навсегда́	for ever
демонстри́ровать		над + inst.	above
(демонстри́рую) imp.	to demonstrate, show	наказа́ние	punishment
дирижёр	conductor	начина́ться (начина́ется)/	
догова́риваться		нача́ться	to begin
(догова́риваюсь)/		невозмо́жно	impossible
договори́ться	to reach agreement	неда́вно	recently
дружи́ть (дружу́, дру́жишь)		незнако́мый	unfamiliar
с + inst.	to be friends with	неме́дленно	immediately
занима́ться (занима́юсь)/		непоня́тный	incomprehensible
заня́ться + inst.	to be involved in, study	носово́й плато́к	handkerchief
запи́сывать/записа́ть	to write down	о́ба m., о́бе f.	both
знако́м, -а, -ы с + inst.	acquainted with	обсужда́ть (обсужда́ю)/	to discuss
знако́миться (знако́млюсь,		обсуди́ть	
знако́мишься)/		общежи́тие	student hall of residence
познако́миться с + inst.	to become acquainted with		

объясня́ть (объясня́ю)/ объясни́ть	to explain
огро́мный	huge
остально́й	the rest, remaining adj.
отве́тственность f.	responsibility
отдава́ть (отдаю́, отдаёшь)/ отда́ть	to give away, back
оте́ц	father
павильо́н	pavilion
па́мятник	statue, memorial
пе́ред + inst.	in front of
передумывать (передумываю)/ передумать	to think again, change one's mind
переписывать (переписываю)/ переписа́ть	to rewrite
переры́в	break (e.g. in lesson)
перо́	pen, quill
побо́льше	a bit more
повора́чиваться (повора́чиваюсь)/ поверну́ться	to turn round
подходи́ть (подхожу́, подхо́дишь)/подойти́ к + dat.	to walk up to
поживём-увидим	we'll see!
поздравля́ю!	congratulations!
поли́ция	the police
пора́ньше	a little earlier
похо́ж, -а, -и на + acc.	similar to
почтальо́н	postman
преступле́ние	crime
прие́зд	arrival
с прие́здом!	(congratulations) on your arrival!
приезжа́ть (приезжа́ю)/ прие́хать	to arrive (by transport)
продолжа́ться (продолжа́ется)/ продо́лжиться	to continue
прое́кт	project, draft
профе́ссор	professor
разгово́р	conversation
ра́зница	difference
расска́зывать (расска́зываю)/ рассказа́ть	to tell, relate
результа́т	result
све́жий	fresh
свет	light
свяще́нник	priest

сестри́ца (old-fashioned)	sister
ситуа́ция	situation
следи́ть (слежу́, следи́шь) за + inst. imp.	to track, follow
соба́чка	(little) dog
собира́ться (собира́юсь)/ собра́ться	to intend, be about to
солда́т	soldier
соси́ска	sausage
спортсме́нка	sportswoman
спуска́ться (спуска́юсь)/ спусти́ться	to go down
стажёр	trainee
станови́ться (становлю́сь, стано́вишься)/стать + inst.	to become
стара́ться (стара́юсь)/ постара́ться	to try
темнота́	darkness
тео́рия	theory
тишина́	quiet noun
то́ник	tonic
топо́р	axe
тро́гать (тро́гаю)/тро́нуть	to touch
труд	labour
с трудо́м	with difficulty
тут	here
убежда́ть (убежда́ю)/убеди́ть	to convince
убива́ть (убива́ю)/уби́ть	to kill
уве́рен, -а, -ы	certain, sure
удивля́ться (удивля́юсь)/ удиви́ться	to be amazed, surprised
у́жас	horror
с у́жасом	with horror
узнава́ть (узнаю́, узнаёшь)/ узна́ть	to recognise, find out
успе́х	success
уха́	fish soup
учи́тельница	(female) teacher
учи́ться (учу́сь, у́чишься) imp.	to study
фи́зика	physics
филосо́фия	philosophy
хи́мик	chemist
худо́жница	(female) artist
че́стный	honest
че́стно говоря́	to be honest, honestly
чиха́ть (чиха́ю)/ чихну́ть	to sneeze
што́пор	corkscrew
электри́чество	electricity

УРÓК ПЯТНÁДЦАТЬ
Lesson 15

Lesson 15 looks at the second way of talking about future actions in Russian – the perfective future. You'll learn the difference between asking a question and asking for something (a request). You'll learn to say how long you will do – or have been doing – something, and how to form sentences with 'if'.

The lesson includes a text about the putsch that brought about the end of the Soviet Union in 1991, as well as an adapted version of a short story for children. And you'll learn the words to a song from a famous film shown on Russian TV every New Year.

DIALOGUES 15.1

1
   – Ты уже́ купи́л биле́ты в кино́?
   – Нет ещё, но обяза́тельно куплю́.

2
   – Что ты бу́дешь де́лать сего́дня ве́чером?
   – Наве́рное, бу́ду чита́ть но́вый рома́н. Хочу́ прочита́ть его́ до понеде́льника.
   – Дашь его́ мне, когда́ прочита́ешь?
   – Коне́чно, дам.

3
   – Ты слы́шала, Никола́й тепе́рь бу́дет рабо́тать в на́шем отде́ле!
   – Пра́вда? Зна́чит, ты бу́дешь ви́деть его́ ка́ждый день?
   – Ду́маю, что да.
   – Отли́чно. Когда́ уви́дишь его́ в сле́дующий раз, переда́й приве́т от меня́.
   – Коне́чно, переда́м.

4
   – Когда́ мы, наконе́ц, ку́пим но́вый телеви́зор?
   – Когда́ я получу́ большо́й бо́нус.

Perfective verbs in Russian have <u>no present tense</u>. The form that looks like the present tense is in fact future:

Imperfective present	Perfective future
я чита́ю	я прочита́ю
I read, I am reading	I will read

The imperfective future is formed from the verb **быть** (**бу́ду, бу́дешь,** etc.) with the infinitive of the imperfective verb:

я бу́ду чита́ть	I will read
она́ бу́дет писа́ть	she will write

The table below gives the three tenses of the verb 'to read' in both aspects:

	imperfective	perfective
infinitive	чита́ть	прочита́ть
present	я чита́ю	-
future	я бу́ду чита́ть	я прочита́ю
past	я чита́л(а)	я прочита́л(а)

VERB ASPECTS
IMPERFECTIVE VS PERFECTIVE FUTURE

The differences between imperfective and perfective verbs in the future are generally the same as those between imperfective and perfective verbs in the past.

imperfective	perfective
regular, repeated	one-off
Я бу́ду покупа́ть газе́ты ка́ждое у́тро.	Я куплю́ газе́ты.
process (how long)	complete
Он бу́дет гото́вить у́жин весь день.	Он пригото́вит у́жин по́сле рабо́ты.
an action that will take place at some point in the future (no interest in result)	result
Что вы бу́дете де́лать в суббо́ту?	Когда́ вы сде́лаете ремо́нт?
simultaneous actions	consecutive actions
Ве́чером я бу́ду у́жинать и смотре́ть телеви́зор.	Ве́чером я поу́жинаю и посмотрю́ фильм.

Note how two future verbs in Russian can be conveyed in English by a future and present perfect ('have done' etc.):

Я тебе́ позвоню́, когда́ сде́лаю дома́шнее зда́ние.   I'll call you when I've done my homework.

EXERCISE 15.1
Translate into English and explain the use of different aspects.

1   Я бу́ду ча́сто звони́ть тебе́.
2   Я позвоню́ тебе́ за́втра.
3   Когда́ ты бу́дешь за́втракать?
4   В университе́те я бу́ду три го́да изуча́ть испа́нский язы́к. Когда́ я изучу́ испа́нский язы́к, я бу́ду рабо́тать перево́дчиком.
5   Когда́ ты мне отве́тишь?
6   Что ты бу́дешь де́лать в воскресе́нье?
7   Когда́ придёшь домо́й, позвони́ мне, пожа́луйста.

EXERCISE 15.2

Choose the correct aspect from the brackets (the imperfective is always given first). Some sentences are in the past, some in the future. Note the similarities between the imperfective future and imperfective past, and the perfective future and perfective past.

1 Са́ша _____ кни́гу 2 часа́. (чита́л/прочита́л)

2 Ско́лько вре́мени вы _____ э́тот журна́л? (бу́дете чита́ть/прочита́ете)

3 Друг всегда́ _____ мне. (помога́л/помо́г)

4 Когда́ я _____ газе́ту, я _____ её тебе́. (бу́ду чита́ть/прочита́ю) (бу́ду дава́ть/дам)

5 Мы _____ ру́сский язы́к три го́да. (бу́дем изуча́ть/изу́чим)

6 Я иногда́ _____ подру́гу по́сле рабо́ты. (ждал/подожда́л)

7 Мы _____ телеви́зор и пойдём спать. (бу́дем смотре́ть/посмо́трим)

8 Ма́рта до́лго _____ нам об Эквадо́ре. (расска́зывала/рассказа́ла)

9 Я _____ дома́шнее зада́ние 30 мину́т. (де́лал/сде́лал)

10 Я _____ дома́шнее зада́ние, а пото́м _____ тебе́. (бу́ду де́лать/сде́лаю) (бу́ду звони́ть/позвоню́)

11 Я _____ тебе́ ча́сто. (бу́ду звони́ть/позвоню́)

12 Ви́ктор _____ но́вый фильм и _____ нам о нём. (смотре́л/посмотре́л) (расска́зывал/рассказа́л)

13 Ты уже́ _____, где бу́дешь отдыха́ть ле́том? (реша́ла/реши́ла)

14 – Вы́учите э́ти но́вые слова́! – Обяза́тельно _____. (бу́ду учи́ть/вы́учу)

15 Я ча́сто _____ его́ в метро́. (встреча́л/встре́тил)

16 Я ду́маю, что Са́ша отли́чно _____ дикта́нт. (бу́дет писа́ть/напи́шет)

17 На уро́ке мы _____ дикта́нт. (бу́дем писа́ть/напи́шем)

18 Когда́ я _____ но́вую кварти́ру, я _____ вас всех на новосе́лье. (бу́ду покупа́ть/куплю́) (бу́ду приглаша́ть/приглашу́)

19 – Переда́йте, пожа́луйста, что звони́л Пи́тер. – Коне́чно, _____ (бу́ду передава́ть/переда́м)

20 Я _____ тебе́, но то́лько оди́н раз! (бу́ду помога́ть/помогу́)

FORMATION OF PERFECTIVE ASPECT

For many people the difficulty of verb aspects is not so much the theory of when to use the imperfective or the perfective; it is learning two often similar-looking verbs and remembering which one is imperfective, which perfective.

As you may remember from the introduction to aspects in the past (Lesson 11), there are four main ways in which a perfective verb is formed from an imperfective verb. Unfortunately, it is impossible to guess which of the four ways will apply to any given imperfective verb.

However, if you learn the four ways a perfective verb can be formed, this should help you remember which verb in a pair is imperfective, and which perfective.

1. Adding a prefix
This is the most common way of forming a perfective verb; a variety of prefixes can be used. So if one verb in a pair has a prefix and the other doesn't, the verb with the prefix will almost always be the perfective:

imperfective	perfective
де́лать	сде́лать
писа́ть	написа́ть

2. Changing the conjugation of a verb
If one verb in an imperfective and perfective pair ends in -ать (first conjugation), the other -ить (second conjugation), the verb ending in -ить will invariably be the perfective:

imperfective	perfective
изуча́ть	изучи́ть
встреча́ть	встре́тить

3. Shortening the verb
Some verbs form their perfective by shortening the stem (often from -авать (imp.) to -ать (pf.), but other shortenings are possible). So you can normally say the shorter of two verbs of a pair is the perfective:

imperfective	perfective
продава́ть	прода́ть
закрыва́ть	закры́ть

4. Using a completely different root
For a small number of verbs the imperfective and perfective are unrelated. You just have to learn these!

imperfective	perfective
говори́ть	сказа́ть
брать	взять

EXERCISE 15.3

Match the pairs of imperfective (left) and perfective verbs (right). Write down the meaning of any verbs you don't know.

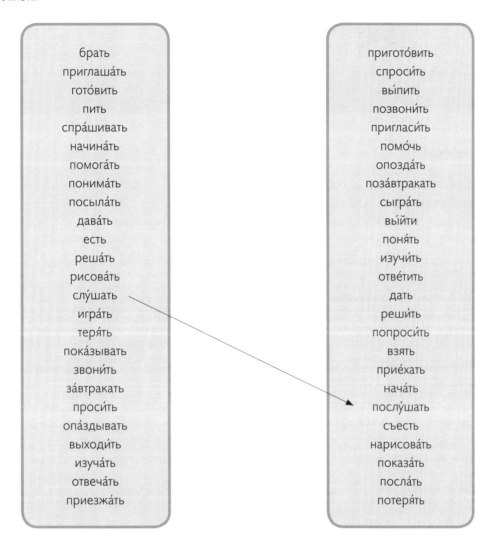

брать	пригото́вить
приглаша́ть	спроси́ть
гото́вить	вы́пить
пить	позвони́ть
спра́шивать	пригласи́ть
начина́ть	помо́чь
помога́ть	опозда́ть
понима́ть	поза́втракать
посыла́ть	сыгра́ть
дава́ть	вы́йти
есть	поня́ть
реша́ть	изучи́ть
рисова́ть	отве́тить
слу́шать	дать
игра́ть	реши́ть
теря́ть	попроси́ть
пока́зывать	взять
звони́ть	прие́хать
за́втракать	нача́ть
проси́ть	послу́шать
опа́здывать	съесть
выходи́ть	нарисова́ть
изуча́ть	показа́ть
отвеча́ть	посла́ть
приезжа́ть	потеря́ть

FORMATION OF PERFECTIVE (1)
ADD A PREFIX

писа́ть   →      →   написа́ть

DIALOGUES 15.2

1 – Кто бу́дет гото́вить у́жин сего́дня – ты и́ли я?

  – Дава́й я бу́ду гото́вить у́жин, а ты бу́дешь мне помога́ть.

  – Нет, лу́чше я сама́ пригото́влю у́жин, а ты сде́лаешь нам кокте́йли.

2 – Ната́ша, Ви́ктор приглаша́ет нас на вечери́нку в суббо́ту ве́чером. Ты пойдёшь?

  – Пока́ не зна́ю. Я поду́маю.

  – И до́лго ты бу́дешь ду́мать?

  – Недо́лго. Я позвоню́ тебе́ сего́дня ве́чером и скажу́, пойду́ я и́ли нет.

Some of the most common verbs that form their perfective by adding a prefix are given below and on the next page.

Note that these verbs are fairly straightforward, because apart from a couple of small changes in stress shown below, the conjugation (endings) of the perfective verb is exactly the same as the imperfective.

ви́деть (ви́жу, ви́дишь) уви́деть	каза́ться (ка́жется) показа́ться
гото́вить (гото́влю, гото́вишь) пригото́вить	мочь (могу́, мо́жешь, мо́гут) смочь
де́лать (де́лаю, де́лаешь) сде́лать	нра́виться (нра́вится, нра́вятся) понра́виться
ду́мать (ду́маю, ду́маешь) поду́мать	обе́дать (обе́даю, обе́даешь) пообе́дать
есть (ем, ешь, ест, еди́м, еди́те, едя́т) съесть	писа́ть (пишу́, пи́шешь) написа́ть
ждать (жду, ждёшь) подожда́ть	пить (пью, пьёшь) вы́пить (вы́пью, вы́пьешь)
за́втракать (за́втракаю, за́втракаешь) поза́втракать	про́бовать (про́бую, про́буешь) попро́бовать
звони́ть (звоню́, звони́шь) позвони́ть	рисова́ть (рису́ю, рису́ешь) нарисова́ть

слу́шать (слу́шаю, слу́шаешь)
послу́шать

стро́ить (стро́ю, стро́ишь)
постро́ить

слы́шать (слы́шу, слы́шишь)
услы́шать

у́жинать (у́жинаю, у́жинаешь)
поу́жинать

смотре́ть (смотрю́, смо́тришь)
посмотре́ть

учи́ть (учу́, у́чишь)
вы́учить (вы́учу, вы́учишь)

стара́ться (стара́юсь, стара́ешься)
постара́ться

хоте́ть (хочу́, хо́чешь, хо́чет, хоти́м, хоти́те, хотя́т)
захоте́ть

чита́ть (чита́ю, чита́ешь)
прочита́ть

EXERCISE 15.4
Replace the perfective future with an imperfective present.

1 Мы нарису́ем
2 Он сде́лает
3 Вы уви́дите
4 Она подождёт
5 Они́ поду́мают
6 Я съем
7 Я смогу́

8 Вы попро́буете
9 Ты услы́шишь
10 Ты вы́пьешь
11 Мы постара́емся
12 Он захо́чет
13 Они́ посмо́трят
14 Я вы́учу

EXERCISE 15.5
Replace the imperfective (present) with a perfective future verb.

1 Мы гото́вим у́жин.
2 Он ест я́блоко.
3 Я у́жинаю в 8 часо́в.
4 Ле́на чита́ет но́вый рома́н.
5 Вы рису́ете его́ портре́т?
6 Я ви́жу его́ в о́фисе.
7 Мы смо́трим кино́.

8 Вы пи́шете письмо́?
9 Я ду́маю.
10 Ты слы́шишь меня́?
11 Куда́ вы е́дете отдыха́ть?
12 Она́ звони́т ра́но у́тром.
13 Я жду тебя́.
14 Мы де́лаем дома́шнее зада́ние.

EXERCISE 15.6
Read the following sentences. Mark whether the verb is imperfective (imp.) or perfective (pf.), and translate into English.

1 Ви́ктор смо́трит телеви́зор.
2 Джон пи́шет письмо́.
3 По́сле обе́да Анто́н напи́шет отве́т.
4 Я звоню́ бра́ту.
5 Я позвоню́ тебе́.
6 Она́ пригото́вит у́жин по́сле рабо́ты.
7 Что ты де́лаешь?
8 Я подожду́.

9 Кого́ ты ждёшь?
10 Она́ ду́мает о рабо́те.
11 Я поду́маю об э́том.
12 Куда́ ты идёшь?
13 За́втра мы пойдём в теа́тр.
14 Я всегда́ гото́влю у́жин в воскресе́нье ве́чером.
15 Я всё сде́лаю сам.
16 Посмо́трим!

FORMATION OF PERFECTIVE (2)
CHANGE CONJUGATION

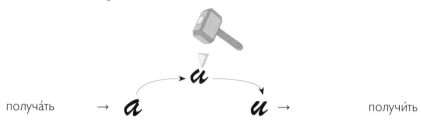

получа́ть → **а** ↦ **и** → получи́ть

DIALOGUES 15.3

1 – Когда́ ты пригласи́шь меня́ в го́сти?
   – Когда́ я куплю́ но́вую кварти́ру.

2 – Джон, вы уже́ отве́тили клие́нту на его́ письмо́?
   – Ещё нет. Сего́дня мы с колле́гой бу́дем обсужда́ть его́ предложе́ние. Когда́ всё обсу́дим, я ему́ сра́зу отве́чу.

3 – Что твой сын бу́дет изуча́ть в университе́те?
   – Исто́рию.
   – И что он бу́дет де́лать, когда́ всё изу́чит?
   – Кто зна́ет?

The imperfectives of the verbs below are all first conjugation, and they follow the forms of **рабо́тать**. The perfective verbs are 2nd conjugation (i.e. follow the pattern of **говори́ть**). When learning these verbs, you may find it helpful to remember that the verb with the <u>shorter endings</u> (e.g. **-ишь** as opposed to **-аешь**) is the perfective verb:

imperfective	изуча́ть	изуча́ю	изуча́ешь	изуча́ют
perfective	изучи́ть	изучу́	изу́чишь	изу́чат

встреча́ть (встреча́ю, встреча́ешь)
встре́тить (встре́чу, встре́тишь)

изуча́ть (изуча́ю, изуча́ешь)
изучи́ть (изучу́, изу́чишь)

конча́ть (конча́ю, конча́ешь)
ко́нчить (ко́нчу, ко́нчишь)

обсужда́ть (обсужда́ю, обсужда́ешь)
обсуди́ть (обсужу́, обсу́дишь)

объясня́ть (объясня́ю, объясня́ешь)
объясни́ть (объясню́, объясни́шь)

отвеча́ть (отвеча́ю, отвеча́ешь)
отве́тить (отве́чу, отве́тишь)

покупа́ть (покупа́ю, покупа́ешь)
купи́ть (куплю́, ку́пишь)

повторя́ть (повторя́ю, повторя́ешь)
повтори́ть (повторю́, повтори́шь)

получа́ть (получа́ю, получа́ешь)
получи́ть (получу́, полу́чишь)

приглаша́ть (приглаша́ю, приглаша́ешь)
пригласи́ть (приглашу́, пригласи́шь)

продолжа́ть (продолжа́ю, продолжа́ешь)
продо́лжить (продо́лжу, продо́лжишь)

реша́ть (реша́ю, реша́ешь)
реши́ть (решу́, реши́шь)

EXERCISE 15.7

Replace the present tenses with perfective future tenses.

1 Я встреча́ю
2 Мы отвеча́ем
3 Вы изуча́ете
4 Он объясня́ет

5 Они́ конча́ют
6 Она́ покупа́ет
7 Ты повторя́ешь
8 Я получа́ю

EXERCISE 15.8

Replace the past tenses with future tenses of the same aspect.

| я реша́л | → | я бу́ду реша́ть |
| я реши́л | → | я решу́ |

1 Мы изуча́ли непра́вильные глаго́лы.
2 Он встре́тил нас на вокза́ле.
3 Он встреча́л её по́сле рабо́ты.
4 Они́ получи́ли приглаше́ние.
5 Я не приглаша́л госте́й.
6 Он всё объясни́л.

7 Ско́лько вре́мени вы обсужда́ли их предложе́ние?
8 По́сле у́жина мы продо́лжили перегово́ры.
9 Ты получа́л пи́сьма из Москвы́?
10 Он отве́тил на на́ше письмо́.
11 На уро́ке де́ти реша́ли зада́чу.

EXERCISE 15.9

Choose the correct aspect from the brackets.

1 Тебе́ не на́до идти́ в магази́н, я сам (бу́ду покупа́ть/куплю́) проду́кты.
   Ря́дом со мной откры́ли но́вый магази́н, и тепе́рь я (бу́ду покупа́ть/куплю́) проду́кты там.
2 Ты ча́сто (встреча́ешь/встре́тишь) Анто́на?
   Сего́дня у́тром я неожи́данно (встреча́л/встре́тил) Ма́шу в метро́.
3 Михаи́л начина́ет рабо́тать в на́шем о́фисе, и тепе́рь я (бу́ду встреча́ть/встре́чу) его́ ча́ще.
   Сего́дня ве́чером я (бу́ду встреча́ть/встре́чу) тебя́ по́сле рабо́ты.
4 Студе́нты (бу́дут изуча́ть/изу́чат) э́ту те́му две неде́ли. Когда́ они́ (бу́дут изуча́ть/изу́чат) э́ту
   те́му, они́ (бу́дут начина́ть/начну́т) чита́ть текст.
5 Я ре́дко (получа́ю/получу́) пи́сьма. Когда́ я (бу́ду получа́ть/получу́) письмо́, я сра́зу (бу́ду
   звони́ть/позвоню́) тебе́.
6 – Почему́ ты не (отвеча́ешь/отве́тишь?) – Потому́ что я ещё не зна́ю отве́т. Я (бу́ду
   отвеча́ть/отве́чу) тебе́ за́втра.
7 Ты уже́ зна́ешь, кого́ ты (бу́дешь приглаша́ть/пригласи́шь) на день рожде́ния?
   Когда́ у меня́ бу́дет но́вая кварти́ра, я ча́сто (бу́ду приглаша́ть/приглашу́) вас в го́сти.
8 – Когда́ ты (бу́дешь реша́ть/реши́шь) э́ту зада́чу, объясни́ мне, пожа́луйста. – Я не (бу́ду
   реша́ть/решу́) э́ту зада́чу, мне э́то неинтере́сно.
9 – Извини́, я не (понима́ла/поняла́), что ты (говори́л/сказа́л). – Ничего́ стра́шного, я (бу́ду
   повторя́ть/повторю́).

TEXT 15.1
Read the following text. Note the use of imperfective and perfective verbs. New vocabulary is given opposite.

Август 1991

Я спал, когда позвонила мама. «Когда ты вернёшься в Лондон?» – спросила она, и я подумал, что это странный вопрос. «Не знаю», – ответил я. «Ты слышал новости? Читал газеты?» – спросила она. «Нет, не слышал». – «Значит, ты не знаешь, что Горбачёв больше не президент? Заболел, как говорят. У нас думают, что это путч».

Мама попросила меня вернуться домой как можно скорее.

Я не знал, что делать. В тот день у меня в квартире выключили электричество. Я не думал, что это странно – тогда в Советском Союзе довольно часто выключали электричество или горячую воду. Я жил в Ясеневе, на юге Москвы. Это был спокойный район далеко от центра города. Я посмотрел в окно, но не увидел ничего особенного. Люди гуляли, покупали продукты, дети играли во дворе: нормальный день.

Но без электричества радио не работало, а я хотел понять, что происходит. Мне надо было купить батарейки. «Наверное, я смогу найти их в валютном магазине», – подумал я и решил поехать в центр города. Я взял ключи, закрыл дверь и пошёл к метро. В центре я купил батарейки и газету, и когда я выходил из магазина, я вдруг увидел двенадцать танков. Они громко и медленно ехали по Садовому кольцу, и мне было страшно. В детстве мы иногда смотрели телевизор, когда показывали майский парад на Красной площади: танки, ракеты, солдаты, коммунисты. Всё это были наши враги, и вот они едут мимо меня.

Я вернулся домой, и когда я начал слушать радио, я понял ситуацию. Всё было так, как сказала мама: это был путч. Я сидел дома и ждал. Что делать? Я не хотел звонить моим русским друзьям: если на самом деле это конец перестройки и горбачёвских реформ, может быть, им нельзя общаться с иностранцами и, если я позвоню им, у них будут проблемы.

Я приготовил обед, пообедал и начал писать письмо. Когда я писал письмо, позвонил мой брат из Лондона. «Что ты делаешь? Что там происходит?» – «Ничего, – ответил я. – Сижу дома». – «Ты что?! – сказал он. – Ты сейчас находишься в Москве, в центре исторических событий, и ты сидишь дома? Ты дурак! Тебе надо немедленно поехать в центр города! То, что ты там увидишь и услышишь, скоро станет историей».

Я уже́ собира́лся вы́йти из кварти́ры, когда́ вдруг позвони́ла моя́ подру́га Све́та. «Ты слы́шал но́вости?» – спроси́ла она́. «Да, слы́шал». «Ты зна́ешь, что э́то всё? Э́то коне́ц». Я не знал, что ей сказа́ть. «Зна́ешь, что? Е́сли хо́чешь, пое́дем в центр, посмо́трим, что там происхо́дит». Она́ поду́мала и сказа́ла: «Хочу́. Где мы встре́тимся?» «Дава́й встре́тимся на ста́нции «Пло́щадь револю́ции» че́рез час». «Договори́лись». Я ко́нчил писа́ть письмо́ и пое́хал в центр.

Све́та сказа́ла, что э́то коне́ц, но мы не зна́ли тогда́, что э́то бу́дет коне́ц СССР.

New vocabulary

батаре́йка	battery
валю́тный магази́н	hard currency shop (shops in the USSR where foreign currency could be used)
враг	enemy
выключа́ть (выключа́ю)/ выключить (вы́ключу, вы́ключишь)	to turn off
иностра́нец	foreigner
обща́ться с + *inst.* (обща́юсь, обща́ешься)	to mix with
неме́дленно	immediately
ничего́ осо́бенного	nothing special
происходи́ть (происхо́дит)/ произойти́ (произойдёт)	to happen, to be going on
путч	putsch
райо́н	region, area
раке́та	missile
рефо́рма	reform
собы́тие	event
споко́йный	calm, peaceful
электри́чество	electricity

EXERCISE 15.10
Answer the questions on the text.

1 Что де́лал а́втор, когда́ позвони́ла его́ ма́ма?
2 Что спроси́ла у а́втора его́ ма́ма?
3 Почему́ она́ попроси́ла его́ верну́ться домо́й?
4 Почему́ ра́дио в кварти́ре в э́тот день не рабо́тало?
5 Что уви́дел а́втор, когда́ он посмотре́л в окно́?
6 Почему́ он реши́л пое́хать в центр го́рода?
7 Что он уви́дел, когда́ выходи́л из магази́на?
8 Что он сде́лал, когда́ верну́лся домо́й?
9 Почему́ а́втор не хоте́л звони́ть ру́сским друзья́м?
10 Что он де́лал, когда́ позвони́л его́ брат?
11 Почему́ брат назва́л а́втора дурако́м?
12 Что он посове́товал ему́?
13 Что ду́мала Све́та о ситуа́ции в стране́?
14 Что реши́ли сде́лать а́втор и его́ подру́га?

СПРА́ШИВАТЬ/СПРОСИ́ТЬ VS ПРОСИ́ТЬ/ПОПРОСИ́ТЬ
QUESTION VS REQUEST

Russian distinguishes between asking a question and asking someone to do something (a request). The verb **спра́шивать/спроси́ть** relates to <u>questions</u>, while the verb **проси́ть/попроси́ть**, relates to <u>requests</u>.

Question	Request
Я спроси́л его́: «Где́ метро́?»	Я попроси́л его́ показа́ть мне, где метро́.
I asked him, 'Where is the metro?'	I asked him to show me where the metro was.

Проси́ть/попроси́ть can also be used with a noun to request something from someone. Use у + gen. for the person you ask:

Он попроси́л у меня́ де́ньги.   He asked me for money. (i.e. 'money from me')

	question		request	
	imperfective	perfective	imperfective	perfective
infinitive	спра́шивать	спроси́ть	проси́ть	попроси́ть
я	спра́шиваю	спрошу́	прошу́	попрошу́
ты	спра́шиваешь	спро́сишь	про́сишь	попро́сишь
они́	спра́шивают	спро́сят	про́сят	попро́сят

EXERCISE 15.11
Insert either **спра́шивать** or **спроси́ть** in the correct form.

1 Он всегда́ _____ меня́ о тебе́.
2 Я не зна́ю, во ско́лько бу́дет уро́к. Я _____ А́нну.
3 Вы никогда́ не _____ её о её семье́?
4 Учи́тельница вошла́ в класс и _____, где Во́ва.
5 Что ты отве́тишь, когда́ роди́тели _____ тебя́ об экза́мене?

EXERCISE 15.12
Insert either **проси́ть** or **попроси́ть** in the correct form.

1 Когда́ Ле́на не мо́жет реши́ть зада́чу, она́ _____ па́пу сде́лать э́то для неё.
2 Ско́лько раз я _____ вас не опа́здывать!
3 Я позвони́л дру́гу и _____ его́ прие́хать.
4 Я никогда́ не _____ тебя́ помо́чь, но сейча́с _____!
5 Е́сли у меня́ бу́дут пробле́мы, я _____ тебя́ помо́чь мне.

EXERCISE 15.13
Choose the correct verb from the brackets.

1 Ка́ждое у́тро он _____ меня́: «Как дела́?» (спра́шивает/про́сит)

2 В Росси́и неве́жливо _____ же́нщину, ско́лько ей лет. (спра́шивать/проси́ть)

3 Меня́ _____ посла́ть докуме́нты. (спроси́ли/попроси́ли)

4 Я _____ её позвони́ть в семь. (спрошу́/попрошу́)

5 Вы уже́ _____ меню́? (спроси́ли/попроси́ли)

6 Я _____ его́: «Где метро́?» (спроси́л/попроси́л)

7 Мы _____, как туда́ дое́хать. (спро́сим/попро́сим)

8 Мы _____ её откры́ть окно́. (спроси́ли/попроси́ли)

9 Они́ _____: «Когда́ мы начнём?» (спроси́ли/попроси́ли)

10 Мы _____ вас не забыва́ть свои́ ве́щи. (спра́шиваем/про́сим)

11 Он _____ у меня́ ру́чку. (спроси́л/попроси́л)

12 – Вы уже́ _____, когда́ у нас бу́дут экза́мены? – Нет, я _____ за́втра.
    (спроси́ли/попроси́ли) (спрошу́/попрошу́)

13 Е́сли он придёт ра́но, я _____ его́ подожда́ть. (спрошу́/попрошу́)

14 Почему́ ты никогда́ не _____ его́ помо́чь? (спра́шиваешь/про́сишь)

DIALOGUES 15.4

1 – Вы пое́дете на конфере́нцию?
   – Да, пое́дем, е́сли во́время полу́чим ви́зу.

2 – Ле́на, я вы́йду ненадо́лго, ла́дно?
   – Ла́дно. А что сказа́ть шефу, е́сли он спро́сит, где ты?
   – Про́сто скажи́, что я вы́шла на мину́тку и ско́ро приду́.

3 – Ты ду́маешь, они́ встре́тят нас в аэропорту́?
   – Ду́маю, что встре́тят, е́сли мы их попро́сим.

Conditional clauses are parts of sentences that begin with е́сли, 'if'. Whereas in English you normally follow 'if' with a present tense, in Russian as a rule you use a future tense:

| If I see him I will give him your letter. | Е́сли я его́ уви́жу, я ему́ переда́м ва́ше письмо́. |
| present   future | future   future |

| If I am at home, I will watch television. | Е́сли я бу́ду до́ма, я бу́ду смотре́ть телеви́зор. |
| present   future | future   future |

There are occasions when е́сли can be followed by a present tense. These are normally statements of a general nature, where in English you have two present tenses:

| If you don't understand, you must ask. | Е́сли ты не понима́ешь, ты до́лжен спроси́ть. |

The verb хоте́ть is also often used in the present tense after е́сли, if you are talking about something you want now:

| If you want, we can go to the cinema. | Е́сли ты хо́чешь, мы мо́жем пойти́ в кино́. |

TEXT 15.2

Read the following joke, paying attention to the tenses used with **если**.

Учи́тельница:

– Пэт, е́сли у тебя́ есть до́ллар и ты попро́сишь у бра́та ещё оди́н до́ллар, ско́лько у тебя́ бу́дет де́нег?

– Оди́н до́ллар, мисс.

– Ты пло́хо зна́ешь матема́тику.

– Э́то вы пло́хо зна́ете моего́ бра́та.

EXERCISE 15.14

Answer the questions according to the model. Use the verb in the question in column 1 with an adverb from column 2, followed by **если** and a verb or expressions from column 3 (there are more possible answers than questions).

Мы пое́дем в Аме́рику? – Да, коне́чно пое́дем, е́сли полу́чим ви́зу
                   (2)   (1)   (3)

(1)	(2)	(3)
1 Ты ку́пишь но́вую маши́ну?	коне́чно	смочь
2 Вы пойдёте в кино́?	обяза́тельно	вы́играть в лотере́ю
3 Он нарису́ет мой портре́т?	наве́рное	попроси́ть
4 Ты ду́маешь, они́ отве́тят до среды́?	мо́жет быть	пригласи́ть
5 Он реши́т э́ту зада́чу?	возмо́жно	купи́ть биле́т
6 Ты пойдёшь к ней на день рожде́ния?		сде́лать дома́шнюю рабо́ту
7 Ты пригото́вишь у́жин?		получи́ть письмо́ во́время
8 Она́ напи́шет дикта́нт?		купи́ть проду́кты
		захоте́ть
		вы́учить но́вые слова́

EXERCISE 15.15

Complete the sentences with a suitable verb/expression.

1 Е́сли я смогу́, ...

2 Е́сли он прие́дет в Ло́ндон, ...

3 Е́сли мы попро́сим, ...

4 Е́сли они́ не отве́тят, ...

5 Е́сли ты пригото́вишь у́жин, ...

6 Е́сли вы спро́сите, ...

7 Е́сли они́ позвоня́т, ...

8 Е́сли ты поду́маешь, ...

EXERCISE 15.16

Translate into Russian.

1 What will you say if she calls? 2 If you meet Anton, please say hi to him from me. 3 What will you reply if she invites you to her birthday? 4 What will happen (=be) if you don't get (=receive) this contract? 5 I'll call you tomorrow if I can. 6 If I see the book, I'll buy it straight away. 7 If we don't resolve the problem, we won't be able to continue the work. 8 If you enjoy the film, tell me and I'll also watch it.

TEXT 15.3
See page 360 for the lyrics of a famous song from the classic film "Иро́ния судьбы́, или с лёгким па́ром!"
The song contains numerous examples of *е́сли*.

FORMATION OF PERFECTIVE (3)
SHORTEN STEM

встава́ть →  → встать

DIALOGUES 15.5

1
– Ви́ка, ты уже́ заказа́ла гости́ницу?
– Пока́ нет, ведь до о́тпуска ещё ме́сяц!
– По-мо́ему, лу́чше не ждать. <u>Ли́чно</u> я всегда́ зака́зываю гости́ницу | personally
и биле́ты <u>зара́нее</u>. | in advance
– Ну хорошо́, я закажу́ всё за́втра.
– То́лько <u>не забу́дь</u>: когда́ бу́дешь зака́зывать гости́ницу, попроси́ | don't forget
но́мер с <u>ви́дом</u> на мо́ре. | view

2
– Когда́ ты, наконе́ц, расска́жешь нам об о́тпуске и пока́жешь
фотогра́фии?
– Там <u>со́тни</u> фотогра́фий, я не хочу́ пока́зывать все. Я пошлю́ вам | hundreds
са́мые интере́сные.

3
– Как ты ду́маешь, кто вы́играет за́втра – «Спарта́к» и́ли «Зени́т»?
– Коне́чно, «Зени́т» вы́играет, он всегда́ выи́грывает у «Спарта́ка»!
– А я счита́ю, что в э́тот раз «Зени́т» проигра́ет! «Спарта́к» сейча́с в
о́чень хоро́шей <u>фо́рме</u>... | form

4
– Когда́ вы пошлёте нам <u>оконча́тельный</u> <u>вариа́нт</u> <u>договóра</u>? | final; version; contract
– Наде́юсь, что че́рез два-три дня. Но снача́ла мы пока́жем его́
на́шим юри́стам.
– Хорошо́. Мы дади́м вам ещё два дня, но не бо́льше.

5
– Ю́ля, ты закро́ешь дверь?
– Коне́чно, закро́ю, е́сли ты дашь мне ключ.

6
– Ви́ктор, ты помо́жешь мне купи́ть но́вый компью́тер?
– Коне́чно, помогу́, е́сли смогу́.

A number of verbs form their perfectives by shortening the stem. The verbs in the list below are not given in alphabetical order, but where applicable are grouped together by root. Pay particular attention to the conjugation of **дать**.

давáть (даю́, даёшь)
дать (дам, дашь, даст, дади́м, дади́те, даду́т)

передавáть (передаю́, передаёшь)
передáть (передáм etc. – see дать above)

продавáть (продаю́, продаёшь)
продáть (продáм etc. – see дать above)

вставáть (встаю́, встаёшь)
встать (встáну, встáнешь)

выи́грывать (выи́грываю, выи́грываешь)
вы́играть (вы́играю, вы́играешь)

прои́грывать (прои́грываю, прои́грываешь)
проигрáть (проигрáю, проигрáешь)

закáзывать (закáзываю, закáзываешь)
заказáть (закажу́, закáжешь)

покáзывать (покáзываю, покáзываешь)
показáть (покажу́, покáжешь)

расскáзывать (расскáзываю, расскáзываешь)
рассказáть (расскажу́, расскáжешь)

закрывáть (закрывáю, закрывáешь)
закры́ть (закрóю, закрóешь)

открывáть (открывáю, открывáешь)
откры́ть (открóю, открóешь)

забывáть (забывáю, забывáешь)
забы́ть (забу́ду, забу́дешь)

начинáть (начинáю, начинáешь)
начáть (начну́, начнёшь)

опáздывать (опáздываю, опáздываешь)
опоздáть (опоздáю, опоздáешь)

помогáть (помогáю, помогáешь)
помóчь (помогу́, помóжешь)

понимáть (понимáю, понимáешь)
поня́ть (пойму́, поймёшь)

посылáть (посылáю, посылáешь)
послáть (пошлю́, пошлёшь)

спрáшивать (спрáшиваю, спрáшиваешь)
спроси́ть (спрошу́, спрóсишь)

Some perfective verbs can seem difficult because they have unusual infinitives (e.g. **закры́ть**), or a common infinitive but an unusual stem (e.g. **начáть**). Remember, though, that with the obvious exception of **дать** the forms of the future perfective follow exactly the same rules as the present tense:

(1) the vowel in the **ты** form (-ешь, -ёшь, -ишь) remains constant in the **он/а**, **мы** and **вы** forms

(2) -ешь and -ёшь verbs go -ют in the **они** form, or -ут if the preceding letter is a consonant

(3) -ишь verbs go -ят in the **они** form, or -ат after the letters ж, ч, ш, щ

So remember that if you learn the я and ты forms, the rest of the forms will follow.

EXERCISE 15.17

The verbs below are a mixture of perfective and imperfective. Replace the present imperfective with the relevant perfective future and vice-versa. In each case write down whether your answer is perfective (pf.) or imperfective (imp.).

| он прода́ст | → | он продаёт (imp.) |
| мы закрыва́ем | → | мы закро́ем (pf.) |

1 Ты открыва́ешь
2 Он проигра́ет
3 Я забыва́ю
4 Я даю́
5 Они́ встаю́т

6 Мы начнём
7 Он продаёт
8 Я опозда́ю
9 Мы помога́ем
10 Вы передаёте

EXERCISE 15.18

Change these sentences into the perfective future.

1 Мы встаём в 8 часо́в.
2 Он пока́зывает мне Ло́ндон.
3 Она́ спра́шивает о тебе́.
4 Вы понима́ете его́?
5 Они́ зака́зывают у́жин в но́мер.
6 Он не помога́ет нам.

7 Мы закрыва́ем окно́.
8 Они́ посыла́ют письмо́.
9 Гид пока́зывает нам го́род.
10 Они́ начина́ют рабо́тать ра́но.
11 Я понима́ю тебя́.
12 Он расска́зывает о себе́.

EXERCISE 15.19

In this exercise each question contains a perfective verb in the past. Answer the questions based on the model: you should begin your anwer with 'ещё нет', 'not yet', and a perfective verb in the future. Note the use of the word 'обяза́тельно', 'definitely'.

| Ты прочита́л текст? | → | Ещё нет, но обяза́тельно прочита́ю. |
| Have you read the text? | → | Not yet, but I definitely will (read it). |

1 Ты заказа́ла гости́ницу?
2 Вы на́чали чита́ть но́вый рома́н?
3 Ты посла́л ему́ письмо́?
4 Он показа́л вам свои́ фотогра́фии?
5 Она́ дала́ тебе́ ключ?

6 Ты закры́ла окно́?
7 Вы отве́тили клие́нту?
8 Ты переда́л ему́ приве́т от меня́?
9 Он по́нял, что ты сказа́л?
10 Они́ прода́ли свой дом?

FORMATION OF PERFECTIVE (4)
OTHER VERBS

DIALOGUES 15.6

1
– Твоя́ сестра́ прода́ст маши́ну?
– Да, прода́ст, е́сли найдёт <u>покупа́теля</u>.

buyer

2
– Ну что, Па́вел, уже́ уезжа́ешь?
– Да, пора́. Спаси́бо вам за всё!
– Да <u>не́ за что</u>! Когда́ прие́дешь в Москву́, обяза́тельно позвони́, ла́дно?

don't mention it

– Коне́чно, и́ли позвоню́, и́ли пошлю́ вам СМС.
– А когда́ ты прие́дешь в сле́дующий раз?
– Ду́маю, с э́тим но́вым клие́нтом я тепе́рь бу́ду ча́сто к вам приезжа́ть.
– Ну отли́чно! Бу́дем ждать. <u>Счастли́вого пути́</u>!

bon voyage

3
– Ма́ма, ты возьмёшь меня́ с собо́й в го́сти?
– Посмо́трим.
– Ну, пожа́луйста, во́зьми! Вот тётя Ма́ша всегда́ берёт Ка́тю с собо́й, а ты меня́ – никогда́.
– Ну хорошо́, возьму́. И когда́ мы войдём, <u>не забу́дь</u> сказа́ть «Здра́вствуйте».

don't forget

– Скажу́, скажу́! Ты что, ду́маешь, я совсе́м ма́ленькая?!

A few verbs form their perfectives by using a completely different root, or pairing with a different verb.

Verbs of motion with prefixes (arrive, enter, etc.) may also be considered part of this group. Some of these are given below, along with **находи́ть/найти́**, which has nothing to do with going, and means 'to find'.

брать (беру́, берёшь)
взять (возьму́, возьмёшь)

говори́ть (говорю́, говори́шь)
сказа́ть (скажу́, ска́жешь)

находи́ть (нахожу́, нахо́дишь)
найти́ (найду́, найдёшь)

приходи́ть (прихожу́, прихо́дишь)
прийти́ (приду́, придёшь)

уходи́ть (ухожу́, ухо́дишь)
уйти́ (уйду́, уйдёшь)

входи́ть (вхожу́, вхо́дишь)
войти́ (войду́, войдёшь)

выходи́ть (выхожу́, выхо́дишь)
вы́йти (вы́йду, вы́йдешь)

приезжа́ть (приезжа́ю, приезжа́ешь)
прие́хать (прие́ду, прие́дешь)

уезжа́ть (уезжа́ю, уезжа́ешь)
уе́хать (уе́ду, уе́дешь)

EXERCISE 15.20
Replace the word in brackets with the right verb in an appropriate tense and aspect (imperfective or perfective).

1 Ты уже́ реши́л, что ты (take) на десе́рт?
2 На десе́рт я всегда́ (take) моро́женое.
3 В де́тстве я ча́сто (take) кни́ги в библиоте́ке.
4 Неда́вно мы (find) хоро́ший рестора́н недалеко́ от до́ма.
5 Он (come) в Москву́ че́рез неде́лю?
6 Обы́чно я (leave) с рабо́ты в 6 часо́в, но сего́дня ве́чером я (leave) в 5.
7 – Ле́на в о́фисе? – Нет, она́ (leave) 5 мину́т наза́д.
8 Ты не зна́ешь, кто (take) мой биле́т? Я нигде́ не могу́ его́ (find).
9 Е́сли я (find) его́, я тебе́ обяза́тельно (tell).
10 Он (will come) в Москву́ ка́ждый ме́сяц.

EXERCISE 15.21
Change the verb in the following sentences from the present imperfective into the future perfective.

Когда́ ты конча́ешь рабо́тать?   →   Когда́ ты ко́нчишь рабо́тать?

1 Ната́ша пи́шет письмо́.
2 Мы покупа́ем проду́кты в суперма́ркете.
3 Я чита́ю но́вый журна́л.
4 Де́ти реша́ют зада́чу на уро́ке.
5 Мы начина́ем рабо́тать в 9 часо́в.
6 Куда́ вы е́дете отдыха́ть?
7 Я за́втракаю до́ма.
8 Вы обе́даете в рестора́не?
9 Он звони́т мне ра́но у́тром.
10 Что он говори́т?
11 С кем ты у́жинаешь сего́дня ве́чером?
12 Она́ не отвеча́ет.
13 Ты берёшь э́ту кни́гу?
14 Де́ти спра́шивают учи́теля.
15 Я ви́жу Анто́на в о́фисе.
16 Гид пока́зывает нам го́род.
17 Вы смо́трите но́вый фильм?
18 Мы встреча́ем её в аэропорту́.
19 Я жду тебя́.

20 Он гото́вит у́жин.
21 Они́ расска́зывают о Москве́.
22 Он приглаша́ет нас в го́сти.
23 Я понима́ю тебя́.
24 Мы изуча́ем э́тот вопро́с.
25 Она́ даёт конце́рт в Ло́ндоне.
26 Во ско́лько вы встаёте?
27 Она́ получа́ет мно́го пи́сем.
28 Э́тот конце́рт передаю́т по ра́дио.
29 Он помога́ет тебе́?
30 Я де́лаю дома́шнее зада́ние.
31 Мы у́чим но́вые слова́.
32 Они́ продаю́т кварти́ру.
33 Она́ расска́зывает об о́тпуске.
34 Когда́ он приезжа́ет?
35 Я не слы́шу вас.
36 Мы ви́дим.
37 Магази́н открыва́ют в 9 часо́в утра́.
38 Во ско́лько вы выхо́дите из до́ма?

EXERCISE 15.22
Read the following text, then retell, replacing all the perfective past tenses with perfective futures.

За́втра я вста́ну в 7 часо́в, …

Вчера́ я встал в 7 часо́в, вы́пил ча́шку ко́фе, съел бана́н и вы́шел из до́ма. В метро́ я купи́л газе́ту и прочита́л её по доро́ге. О́коло вхо́да в о́фис я уви́дел колле́гу и спроси́л его́, как дела́. Он отве́тил, что всё прекра́сно, и мы вме́сте вошли́ в зда́ние. В коридо́ре мы встре́тили нача́льника, кото́рый пригласи́л нас на ча́шку ко́фе. Коне́чно, мы сказа́ли «да». Нача́льник рассказа́л нам о но́вом прое́кте и показа́л письмо́ от клие́нта. В 9 часо́в я наконе́ц на́чал рабо́тать. Снача́ла я прочита́л все име́йлы, написа́л не́сколько отве́тов, пото́м позвони́л клие́нту и пригото́вил материа́лы для встре́чи. В 13 часо́в мы с дру́гом вы́шли из о́фиса, купи́ли ко́фе и сэ́ндвичи и пообе́дали в па́рке недалеко́ от о́фиса. По́сле обе́да я сде́лал ещё не́сколько звонко́в, изучи́л докуме́нты и посла́л име́йл в Москву́. Я ко́нчил рабо́тать в 17:30, закры́л дверь и вы́шел из о́фиса. Я пришёл домо́й, поу́жинал, позвони́л подру́ге, посмотре́л фильм по телеви́зору и пошёл спать.

Now retell the text replacing all the perfective past tenses with present tenses.

Ка́ждый день я встаю́ в 7 часо́в, …

HOW LONG AN ACTION LASTS
ACCUSATIVE, NO PREPOSITION

DIALOGUES 15.7

1
– У меня́ так боли́т голова́!
– Почему́? Похме́лье?
– Нет. Я всю ночь не спала́, писа́ла отчёт.

2
– Ле́на, ты где? Что случи́лось? Я жду тебя́ уже́ 20 мину́т!
– Извини́. Я уже́ полчаса́ стою́ в про́бке!
– Ты не забы́ла, что нам на́до ещё пригото́вить заку́ски и напи́тки?
– Да-да, по́мню. Не волну́йся, сейча́с я прие́ду, и мы всё сде́лаем.

To say how long an action lasted or will last, use the accusative case without any preposition:

Я рабо́тал неде́лю.	I worked for a week.
Она́ отдыха́ет весь день.	She rests all day.
Я бу́ду спать два часа́.	I will sleep for two hours.

Note that if you want to say how long you have been doing something <u>which you are still doing</u>, you use a present tense in Russian:

Я рабо́таю в Казахста́не де́сять лет.	I have been working in Kazakhstan for ten years. (and I still am)
Я рабо́тала в Казахста́не де́сять лет.	I worked in Kazakhstan for ten years. (but don't any more)

Sometimes this kind of sentence is strengthened with the word уже́ (not normally translated):

Она́ живёт в Ло́ндоне уже́ пять лет.	She has been living in London for 5 years. (and still is)

With all sentences like those above, whether past, present or future, you will tend to use an imperfective verb, because you are highlighting the duration of the action, i.e. you are interested in the <u>process</u>, not the <u>result</u>.

EXERCISE 15.23
Translate into Russian.

1 I worked in India for five years.
2 I will be at university for four years.
3 I have been living in Moscow for three months.
4 They have been working all day.
5 We sat for three hours.
6 She will be living at her dacha all summer.
7 They have been writing the book for more than ten years.
8 Will you be on holiday in Italy for a long time?
9 We walked around the city for two hours.
10 How long have you been waiting for me?

HOW LONG AN ACTION TAKES TO COMPLETE
ЗА + ACCUSATIVE

DIALOGUES 15.8

1 – Как до́лго ты чита́л э́тот текст?
   – Я чита́л его́ два часа́. А ты?
   – А я прочита́л его́ за 30 мину́т.

2 – Э́то пра́вда, что Гончаро́в писа́л о́чень ме́дленно?
   – Да, за всю свою́ жизнь он написа́л то́лько три рома́на.

3 – Как ты ду́маешь, мо́жно изучи́ть ру́сский язы́к за 10 дней?
   – Ты шу́тишь? Мы уже́ два ме́сяца изуча́ем ви́ды глаго́ла, и ещё не всё изучи́ли!

You use **за** + the accusative to say how long it will take (took) for an action to be completed. Compare the two sentences below. The first says how long an action went on for. The second says how long it took for the action to be completed. This roughly corresponds to the English 'in' or 'within'.

Мы смотре́ли го́род три дня.	We looked at the town for three days.
Мы посмотре́ли весь го́род за три дня.	We saw the whole town in three days.

Sentences that say how long an action lasts (i.e. without **за**) will invariably use an imperfective verb. Sentences that say how long it takes to complete an action (i.e. with **за**) <u>always have a perfective verb</u>.

Мы де́лали дома́шнее зада́ние три часа́.	We did our homework for three hours. [how long = imp.]
Мы сде́лали дома́шнее зада́ние за три часа́.	We did our homework in three hours. [how long to finish = pf.]

You can use the construction with **за** in the past or future:

Он бу́дет чита́ть э́ту кни́гу четы́ре дня.	He will be reading this book for four days. [how long = imp.]
Он прочита́ет э́ту кни́гу за четы́ре дня.	He will read this book in four days. [how long to finish = pf.]

EXERCISE 15.24

Complete these sentences selecting **за** or no preposition at all from the brackets.

1 Я изуча́л но́вые слова́ (за/–) два часа́.
2 Я изучи́л но́вые слова́ (за/–) два часа́.
3 Я бу́ду де́лать дома́шнее зада́ние (за/–) час.
4 Я сде́лаю дома́шнее зада́ние (за/–) час.
5 Кремль постро́или (за/–) две́сти лет.
6 Моско́вский Кремль стро́или (за/–) две́сти лет.
7 Он рабо́тал ювели́ром (за/–) всю жизнь.
8 Они́ реша́т все пробле́мы (за/–) полтора́ часа́.
9 Вы (за/–) до́лго жда́ли меня́?
10 Я получи́л все отве́ты на моё приглаше́ние (за/–) неде́лю.
11 Профе́ссор отве́тил на все на́ши вопро́сы (за/–) два́дцать мину́т.
12 Мы бу́дем слу́шать конце́рт (за/–) три часа́.

TEXT 15.4

Оди́н <u>бога́ч</u> заказа́л изве́стному худо́жнику <u>рису́нок</u> для свое́й <u>колле́кции</u>. Худо́жник тут же сде́лал рису́нок и попроси́л за рабо́ту де́сять ты́сяч рубле́й.
– Как! Вы рисова́ли то́лько пять мину́т и про́сите за рабо́ту де́сять ты́сяч рубле́й – воскли́кнул бога́ч.
– А почему́ бы и нет? Что́бы сде́лать тако́й рису́нок за пять мину́т, я учи́лся 25 лет.

rich man; drawing collection

Встреча́ются два студе́нта пе́ред экза́меном:
– Ну что, ты гото́в к экза́мену?
– Вчера́ до трёх часо́в но́чи учи́л.
– Ничего́ себе! Наве́рное, за э́то вре́мя ты всё вы́учил?
– Да нет, я на́чал учи́ть то́лько в два…

HOW LONG ARE YOU GOING FOR?
НА + ACCUSATIVE

DIALOGUE 15.9

– Э́то пра́вда, что Михаи́л уезжа́ет в Вашингто́н?
– Да, пра́вда.
– И надо́лго?
– На четы́ре го́да.

There is one useful addition to the rule of using the accusative to say how long an action lasts. If you are talking not about how long an action lasts, but how long the <u>result</u> of that action lasts, use на + accusative.

Он дал мне кни́гу на три дня.	He gave me a book for three days.

So in the example above he did not spend three days giving me the book – it was the result of the action (i.e. me having the book) that lasted for three days.

This kind of construction is particularly common after verbs of motion, when you want to say <u>for how long</u> you are going somewhere (as opposed to how long it will take you to get there).

Они́ е́дут в Во́логду на неде́лю.	They are going to Vologda for a week.

EXERCISE 15.25

Choose whether these sentences should contain на or just the accusative case without a preposition.

1 Вале́рий взял маши́ну (на/-) три дня.
2 Я ждал тебя́ (на/-) полчаса́.
3 Они́ пое́дут на мо́ре (на/-) неде́лю.
4 Мы бу́дем е́хать на транссиби́рском экспре́ссе (на/-) 10 дней.
5 Мы е́дем в Сиби́рь (на/-) 10 дней.
6 Мы бу́дем отдыха́ть там (на/-) неде́лю.

PAST AND FUTURE IMPERFECTIVE AND PERFECTIVE REVISION EXERCISES

DIALOGUE 15.10

– Пе́тя, ты сде́лал дома́шнее зада́ние?
– Не совсе́м. Я вы́учил исто́рию и написа́л упражне́ние. Но зада́чи ещё не реши́л.
– Почему́ же нет?
– Не зна́ю, па́па. Я реша́ю их уже́ 2 часа́, но <u>ничего́ не получа́ется</u>.   *it's not working out*
– Хо́чешь, я тебе́ помогу́?
– Коне́чно, хочу́! А у тебя́ есть вре́мя?
– Да. Но снача́ла мне на́до написа́ть и посла́ть два име́йла. Сейча́с я их пошлю́, а пото́м помогу́ тебе́.
– То́лько не на́до <u>реша́ть за меня́</u>, ла́дно? Я хочу́ сам поня́ть, <u>в чём тут де́ло</u>...   *do (solve) it for me*   *what it's about*
– Хорошо́, я ничего́ не бу́ду реша́ть. Про́сто покажу́ тебе́ <u>при́нцип</u> реше́ния, и когда́ ты поймёшь, то всё реши́шь сам.   *principle*

EXERCISE 15.26
Replace the past tense with a future tense. Keep the aspect in the new sentence the same as in the original.

Я чита́л газе́ту.	→	Я бу́ду чита́ть газе́ту.
Я прочита́л газе́ту.	→	Я прочита́ю газе́ту.

1 Джон учи́л но́вые слова́ весь день.
2 Джон вы́учил но́вые слова́ за два часа́.
3 Де́ти за́втракали и разгова́ривали.
4 Де́ти поза́втракали и пошли́ гуля́ть.
5 Ве́чером мы смотре́ли телеви́зор.
6 Мы посмотре́ли телеви́зор и на́чали у́жинать.
7 Я гуля́л по Москве́ 3 часа́.
8 Я погуля́л в па́рке и пошёл домо́й.
9 Ка́ждое воскресе́нье Ната́ша писа́ла письмо́ ба́бушке.
10 Ната́ша написа́ла письмо́ за де́сять мину́т.
11 Во ско́лько вы начина́ли рабо́тать ра́ньше?
12 Во ско́лько вы на́чали рабо́тать сего́дня у́тром?
13 Ка́ждое у́тро Ни́на дава́ла де́тям молоко́.
14 Сего́дня у́тром Ни́на дала́ де́тям молоко́.

EXERCISE 15.27
Translate into Russian.

1 Yesterday I watched TV for two hours. 2 I'll read the book and give it to you. 3 Have you already decided where you are going to go on holiday? 4 When I've bought a flat I'll invite you round. 5 I'll call you often. 6 Please wait, I'll be ready soon. 7 – Please tell him that there won't be a lesson tomorrow. – I'll definitely tell him. 8 We'll see! 9 What will you have for dessert? 10 Will you give him your telephone? 11 I don't think he will understand. 12 What are you going to do on Saturday? 13 Soon they will open a new office. 14 If I can, I'll call you this evening. 15 He asked me for a dictionary. 16 I can get dinner ready in half an hour. 17 Will you be coming to Moscow often? 18 If I don't forget, I'll ask Maria about the excursion. 19 My friends are going to Italy for three weeks. 20 I'll call you when I buy a new phone.

TEXT 15.5

This text is an adapted version of a short story by Viktor Dragunsky, one of a series he
wrote for children in the 1960s and 70s under the title **Дени́скины расска́зы**, or Denis's
Tales. When you read it, pay particular attention to the use of different aspects.

Он <u>живо́й</u> и <u>све́тится</u>...	alive; gleam
Одна́жды ве́чером я сиде́л во дворе́, о́коло <u>песка́</u>, и ждал ма́му. Она́,	sand
наве́рное, <u>заде́рживалась</u> в институ́те, и́ли в магази́не, и́ли, мо́жет быть, до́лго	was delayed
стоя́ла на авто́бусной остано́вке. Не зна́ю. То́лько все роди́тели на́шего двора́	
уже́ пришли́, и все ребя́та пошли́ с ни́ми домо́й и уже́, наве́рное, пи́ли чай	
с <u>бу́бликами</u> и сы́ром, а мое́й ма́мы всё ещё не́ было...	type of bagel
И в э́то вре́мя во двор вы́шел Ми́шка. Он сказа́л:	
– Приве́т!	
И я сказа́л:	
– Приве́т!	
Ми́шка сел со мной и взял в ру́ки маши́ну.	
– Ого́! – сказа́л Ми́шка. – Где <u>доста́л</u>? А она́ сама́ е́здит? Не сама́? Да? А <u>ру́чка</u>?	get hold of; handle
Для чего́ она́? Ого́! Дашь мне её домо́й?	
Я сказа́л:	
– Нет, не дам. Пода́рок. Па́па подари́л пе́ред <u>отъе́здом</u>.	departure
Ми́шка <u>замолча́л</u>. На дворе́ ста́ло ещё темне́е.	fell silent
Я смотре́л на <u>воро́та</u>, что́бы уви́деть, когда́ придёт ма́ма, но её не́ было.	gates
Наве́рное, она́ встре́тила тётю Ро́зу, и они́ стоя́т и разгова́ривают и да́же не	
ду́мают обо мне.	
Тут Ми́шка говори́т:	
– Не дашь маши́ну?	
– Уйди́, Ми́шка.	
Тогда́ Ми́шка говори́т:	
– Я тебе́ за неё могу́ дать одну́ <u>Гватема́лу</u> и два <u>Барба́доса</u>!	(i.e. stamps)
Я говорю́:	
– <u>Сравни́л</u> Барба́дос с маши́ной...	how can you compare
И Ми́шка опя́ть замолча́л. А пото́м говори́т:	
– Ну ла́дно. Знай мою́ доброту́! На!	
И он дал мне <u>коробо́к спи́чек</u>. Я взял его́ в ру́ки.	box of matches
– Ты откро́й его́, – сказа́л Ми́шка, – тогда́ уви́дишь!	
Я откры́л коробо́к и снача́ла ничего́ не уви́дел, а пото́м уви́дел ма́ленький	
све́тло-зелёный <u>огонёк</u>, как бу́дто где́-то далеко́-далеко́ от меня́ <u>горе́ла</u>	flame; burn
ма́ленькая <u>звёздочка</u>, и в то же вре́мя я сам держа́л её сейча́с в рука́х.	little star

– Что это, Мишка, – спросил я шёпотом, – что это такое?

– Это светлячок, – сказал Мишка. – Что, хорош? Он живой.

firefly

– Мишка, – сказал я, – бери мою машину, хочешь? Навсегда бери, насовсём! А мне отдай эту звёздочку, я её домой возьму...

for keeps

И Мишка взял мою машину и пошёл домой. А я остался со своим светлячком, смотрел на него, смотрел: какой он зелёный, как в сказке, и как он хотя и близко, на ладони, а светит, как будто издалека...

remained

fairy-tale

palm; as if; from afar

И я долго так сидел, очень долго. И никого не было вокруг. И я забыл обо всём на свете.

Но тут пришла мама, и я был очень рад, и мы пошли домой. А когда начали пить чай с бубликами и сыром, мама спросила:

– Ну как твоя машина?

А я сказал:

– Я, мама, обменял её.

swapped

Мама сказала:

– Интересно! А на что?

Я ответил:

– На светлячка! Вот он, в коробке живёт. Выключи свет!

И мама выключила свет, и в комнате стало темно, и мы начали вместе смотреть на бледно-зелёную звёздочку.

pale

Потом мама включила свет.

– Да, – сказала она, – это волшебство! Но всё-таки как ты решил отдать такую ценную вещь за этого червячка?

magic; all the same

worm

– Я так долго ждал тебя, – сказал я, – и мне было так скучно, а этот светлячок, он лучше любой машины на свете.

Мама внимательно посмотрела на меня и спросила:

– А чем же, чем же именно он лучше?

exactly

Я сказал:

– Да как же ты не понимаешь?! Ведь он живой! И светится!..

Виктор Драгунский

EX. 15.28

Answer the questions on the text.

1 Почему Дениска сидел во дворе один?
2 Как он себя чувствовал?
3 О чём разговаривали Мишка с Дениской?
4 Почему Дениска не хотел дать Мишке машину?
5 Что увидел Дениска, когда открыл коробок?
6 Почему Дениска решил обменять машину на светлячка?

The table below gives the singular forms of the most common type of Russian nouns, so-called 'hard nouns'.

A hard masculine noun is one that ends in a consonant (a soft masculine noun ends -ь or -й);

A hard feminine noun is one that ends in -a (a soft feminine noun ends -ь or -я);

A hard neuter noun is one that ends in -o (a soft neuter noun ends -e).

	masc.	fem.	neut.
nom.	стол	газе́та	сло́во
acc.	стол	газе́ту	сло́во
gen.	стола́	газе́ты	сло́ва
dat.	столу́	газе́те	сло́ву
inst.	столо́м	газе́той	сло́вом
prep.	столе́	газе́те	сло́ве

EXERCISE 15.29
Insert the word at the head of each section in the correct form.

1 маши́на
   (a) Мы пое́дем туда́ на ▮▮▮▮▮.
   (b) Они́ покупа́ют ▮▮▮▮▮.
   (c) У нас нет ▮▮▮▮▮.
   (d) Она́ ходи́ла вокру́г ▮▮▮▮▮.
   (e) Они́ стоя́ли пе́ред ▮▮▮▮▮.
   (f) Э́той ▮▮▮▮▮ ну́жен ремо́нт.

2 Ки́ев
   (a) За́втра я пое́ду в ▮▮▮▮▮.
   (b) Наш о́фис в ▮▮▮▮▮.
   (c) Моя́ ба́бушка живёт под ▮▮▮▮▮.
   (d) Ты хорошо́ зна́ешь ▮▮▮▮▮?
   (e) Она́ из ▮▮▮▮▮.
   (f) Тури́сты гуля́ли по ▮▮▮▮▮.

3 окно́
   (a) Посмотри́ в ▮▮▮▮▮.
   (b) Стол стои́т пе́ред ▮▮▮▮▮.
   (c) Из ▮▮▮▮▮ я ви́жу ре́ку.
   (d) Му́ха сиди́т на ▮▮▮▮▮.
   (e) Мы стои́м у ▮▮▮▮▮.
   (f) Радиа́тор нахо́дится под ▮▮▮▮▮.

4 друг
   (a) У неё нет ▮▮▮▮▮.
   (b) Где ваш ▮▮▮▮▮?
   (c) Я ду́маю о ▮▮▮▮▮.
   (d) Мне на́до позвони́ть ▮▮▮▮▮.
   (e) Ле́том я пое́ду к ▮▮▮▮▮.
   (f) Я давно́ не ви́дел ▮▮▮▮▮.
   (g) Я бу́ду у́жинать с ▮▮▮▮▮.
   (h) Она́ помогла́ ▮▮▮▮▮ найти́ рабо́ту.

CASE REVISION
SOFT NOUNS

A soft masculine noun ends -ь or -й;

A soft feminine noun ends -ь or -я;

A soft neuter noun ends -e.

	masc.		fem.		neut.	
nom.	рубль	чай	Таня	Мария	мо́ре	зда́ние
acc.	рубль	чай	Та́ню	Мари́ю	мо́ре	зда́ние
gen.	рубля́	ча́я	Та́ни	Мари́и	мо́ря	зда́ния
dat.	рублю́	ча́ю	Та́не	Мари́и	мо́рю	зда́нию
inst.	рублём	ча́ем	Та́ней	Мари́ей	мо́рем	зда́нием
prep.	рубле́	ча́е	Та́не	Мари́и	мо́ре	зда́нии

The instrumental of soft masculine and neuter nouns will be **-ем** or **-ём** depending on whether the ending is unstressed (**-ем**) or stressed (**-ём**).

Note that feminine nouns that end in **-ия** go **-ии** in the dative and prepositional (not **-ие**):

| поéздка по Росси́и | a journey around Russia |
| óфис в Росси́и | an office in Russia |

Neuter nouns that end in **-ие** go **-ии** in the prepositional (not **-ие**):

| кварти́ра в зда́нии | a flat in the building |

EXERCISE 15.30
Insert the word at the head of each section in the correct form.

1 лéкция
   (a) Я иду́ на _____.
   (b) Нельзя́ говори́ть во вре́мя _____.
   (c) Ве́ра была́ на _____.
   (d) Сего́дня у нас нет _____.
   (e) У меня́ мно́го пробле́м с _____.
   (f) – Отку́да ты идёшь? – Я иду́ с _____.

2 зда́ние Парла́мента
   (a) Кто постро́ил _____?
   (b) В _____ нет ли́фта.
   (c) Наш о́фис недалеко́ от _____.
   (d) Тури́сты ходи́ли по _____.
   (e) Под _____ есть гара́ж?
   (f) Я мно́го зна́ю о _____.

3 музе́й
   (a) Дава́й встре́тимся о́коло _____.
   (b) Пе́ред _____ есть небольшо́е кафе́.
   (c) В э́том го́роде нет _____.
   (d) Вы ча́сто хо́дите в _____?
   (e) Вчера́ мы бы́ли в _____.
   (f) Как дое́хать до _____?

4 Ка́тя
   (a) Ты хорошо́ зна́ешь _____?
   (b) Ра́ньше я ча́сто встреча́лась с _____.
   (c) У _____ есть муж?
   (d) Ты зна́ешь, ско́лько _____ лет?
   (e) Он всегда́ говори́т о _____.
   (f) Все, кро́ме _____, зна́ют э́то.

EXERCISE 15.31
Many Russian first names are soft. Translate the following short text about 8 friends into Russian.

Та́ня, И́горь, Дми́трий, Алексе́й, Ю́лия, Вале́рий, А́ня, Да́рья

Dmitrii lives with Anya, opposite Alexei and Yulia. They live next door to Igor. Igor's brother Valerii lives in Darya's flat, but Darya doesn't like Valerii very much. Alexei hasn't met Darya, but he knows about her from Tanya. Tanya used to be Dmitrii's girlfriend before Anya. Tanya calls Yulia every day, because they're old friends. Dmitrii sees Igor on the bus every morning, but he doesn't know Darya, so he doesn't know that Igor's brother lives in her flat.

CASE REVISION
FEMININE NOUNS ENDING IN A SOFT SIGN

A large number of abstract nouns are feminine and end in a soft sign.

Soft feminine nouns have their own completely different set of endings.

The forms are easy to remember (there are only three of them):

(1) gen., dat., prep. all go -и.

(2) inst. goes -ью; think of о́сенью, 'in the autumn', and но́чью 'at night'.

	fem.
nom.	ночь
acc.	ночь
gen.	но́чи
dat.	но́чи
inst.	но́чью
prep.	но́чи

EXERCISE 15.32
Translate into Russian.

1 I can't sleep at night. 2 We're talking about his life. 3 We're going to Spain in the autumn.
4 We met on Gagarin Square. 5 That's a very interesting role! 6 It's from Igor with love. 7 He was standing behind the door. 8 They came out of the church. 9 Without salt, please. 10 Why are you standing by the door?

EXERCISE 15.33
Read the text, translating the words in brackets into Russian.

Мы сиди́м (in the kitchen) и говори́м (about politics). (On the table) стоя́т ча́шки и таре́лки, ва́за (with a rose), лежа́т ви́лки и ло́жки... (Next to me) сиди́т мой ста́рый друг Йгорь. (Igor and I) дру́жим ещё (since childhood). Йгорь ра́ньше был (an actor), а тепе́рь он рабо́тает (as an administrator) в о́фисе. Коне́чно, э́то не так интере́сно, как быть (an actor), но (for this work) хорошо́ пла́тят. А (for Igor) э́то ва́жно, потому́ что он хо́чет жени́ться. По его́ пла́ну (in two years' time) он смо́жет купи́ть кварти́ру, и тогда́ же́нится (to Tanya).

Та́ня – на́ша ста́рая шко́льная подру́га, она́ рабо́тает (as a secretary) в университе́те. Сейча́с она́ сиди́т (opposite Igor), пьёт чай (with lemon) и да́же не смо́трит (at him). Потому́ что (between Tanya and Igor) сиди́т Андре́й. (Andrei already has) кварти́ра в це́нтре го́рода, (not far from the river), и е́сли Андре́й захо́чет жени́ться, (he won't need) ждать два го́да. Но он не захо́чет. Все, (apart from Tanya), понима́ют э́то. (For Andrei) гла́вное (in life) – э́то его́ би́знес. Вот и сейча́с (in front of him) (on the table) лежи́т его́ моби́льный телефо́н и он всё вре́мя то звони́т, то отвеча́ет на звонки́. О́чень делово́й челове́к э́тот Андре́й.

Я пригласи́ла его́ то́лько (because of Tanya), но уже́ жале́ю об э́том. (Without him at the table) <u>бы́ло бы веселе́е</u>.

жени́ться на + prep.	to marry, of a man to a woman
выходи́ть/вы́йти за́муж за + acc.	to marry, of a woman to a man
бы́ло бы веселе́е	it would have been more fun

EXERCISE 15.34
Translate the following into Russian.

1 – What do you think of the film? – I think you'll like it. 2 He usually listens to the programme about sport. 3 They will come to London in the spring. 4 If I see Irina's brother, I'll ask him about her. 5 I haven't got any time. 6 – Will you give me your old computer? – Unfortunately I've already promised it to Ivan. 7 Will you send your sister a postcard? 8 He went to the concert with Marina. 9 Aren't you cold? 10 Unfortunately we must work on Saturday. 11 My son still eats everything with a spoon. 12 They went to Moscow by train. 13 She is going to Spain for two years. 14 He is older than his brother. 15 There isn't a restaurant or a post office in the hotel. 16 A year ago I received my first letter from her. 17 Tanya's brother will become a footballer. 18 Have you been sitting in front of the TV all day? 19 How many years have you been working here? 20 Tamara had to do sport every day at school. 21 It's time for Igor to go home. 22 You can't smoke in the restaurant, but there's a park opposite. 23 We waited for the bus for twenty minutes. 24 Let's speak without an interpreter. 25 Is she interested in history? 26 What are you laughing at?

EXERCISE 15.35
Create a possible question as the first line for these dialogues.

1 – _____?
– Да, до́лго.

2 – _____?
– Обяза́тельно помогу́.

3 – _____?
– Да, пошлёт.

4 – _____?
– Пять дней.

5 – _____?
– Нет, не спра́шивал.

6 – _____?
– Я постара́юсь.

7 – _____?
– Да, смо́трим.

8 – _____?
– Посмо́трим.

9 – _____?
– Когда́ прочита́ю.

10 – _____?
– Нет, ре́дко.

11 – _____?
– Éсли смогу́.

12 – _____?
– За пять дней.

13 – _____.
– Счастли́вого пути́!

14 – _____.
– Не за что!

15 – _____?
– Обяза́тельно!

16 – _____?
– Хорошо́, спрошу́.

17 – _____?
– На пять дней.

18 – _____?
– Ещё нет.

19 – _____?
– Коне́чно не забу́ду!

20 – _____?
– Скажи́ ему́, что я ско́ро верну́сь.

21 – _____?
– Смотре́ть телеви́зор и́ли чита́ть.

22 – _____?
– Когда́ вы́играю в лотере́ю.

TEXT 15.3

Below are the lyrics of a song from a famous 1975 film **Иро́ния судьбы́, и́ли с лёгким па́ром!**, which is shown regularly on Russian TV, particularly over New Year. You can listen to the song on youtube.

Е́сли у вас не́ту† до́ма,
Пожа́ры ему́ не страшны́,   fires; threaten
И жена́ не уйдёт к друго́му,   another (someone else)
Е́сли у вас, е́сли у вас,
Е́сли у вас нет жены́,
Не́ту жены́.

Е́сли у вас нет соба́ки,
Её не отра́вит сосе́д,   poison; neighbour
И с дру́гом не бу́дет дра́ки,   fight
Е́сли у вас, е́сли у вас,
Е́сли у вас дру́га нет,
Дру́га нет.

Оркéстр греми́т баса́ми,   rumble; bass
труба́ч выдува́ет медь.   trumpeter; blow; brass
Ду́майте са́ми, реша́йте са́ми,
Имéть и́ли не имéть.   to have

Е́сли у вас не́ту тёти,
То* вам её не потеря́ть,
И éсли вы не живёте,
То* вам и не, то вам и не,
То* вам и не умира́ть,
Не умира́ть.

† **Не́ту** is a colloquial form of **нет** in the sense of 'there is not' or in the expression **у меня́** (etc.) **нет**.

* Note the use of **то** in the second half of the condition. This is similar to the English 'then', and is optional:

Éсли ты мне не позвони́шь, то я не приду́.   If you don't call me, then I won't come.

Глава XV
Питер приходит в себя

Питер пришёл в себя и сразу почувствовал, что кто-то стоит около него. У Питера сильно болела голова. Он медленно открыл глаза. Рядом с ним стояла Марина в длинном красном платье. Она смотрела на него с тревогой.

– Марина, это ты? Что случилось? У тебя всё в порядке? Где мы находимся? И где Иван?

– Питер, ты задаёшь слишком много вопросов. Я сама не знаю, где Иван. Мы найдём его потом. А сейчас тебе надо отдохнуть. Мы отдохнём, выпьем кофе, а потом я всё тебе расскажу. Я всё объясню, но сначала я хочу тебе что-то сказать. Я уже несколько дней хотела это сказать, но не могла. О Питер! Мне было так страшно! Когда я думала, что я тебя потеряла, я поняла, что я тебя люблю!

Марина замолчала. Питер не мог поверить своим ушам. Он не знал, что сказать. Он закрыл глаза. Ему казалось, что он в раю.

– Ты меня любишь? – спросил Питер. – Но как это может быть? Ты такая красивая, такая умная!

– Да, я тебя люблю! – ответила Марина.

– И я тебя тоже люблю. Но что мы будем делать? Нам надо уехать отсюда! Нам нельзя оставаться в Москве! Они нас найдут. Поедем ко мне домой, в Америку. Ты поедешь со мной? Завтра я куплю билеты. Мы начнём новую жизнь. Будем жить вместе, работать вместе!

– Питер, Питер! Не волнуйся! Мы будем жить. Проживём длинный, длинный ряд дней, долгих вечеров...

Питер посмотрел на Марину. Ему казалось, что это самая красивая девушка на свете. Питер хотел её поцеловать, обнять её. Он попробовал встать, но не смог. Что-то ему мешало. Его руки не двигались.

– Марина! – сказал Питер отчаянно. – Марина!...

Вдруг Питер услышал другой голос: «Ребята, смотрите! Наш гость пришёл в себя. Кажется, он зовёт Марину!»

Питер открыл глаза и посмотрел вокруг. Он сидел в старом грязном кресле. Кресло стояло в углу большой тёмной, мрачной комнаты. Казалось, что это какой-то склад: возле стен стояли коробки – телевизоры, плееры, компьютеры. И везде картины – известные шедевры, старые и современные, русские, советские и европейские.

Перед Питером стояли три человека: знакомый молодой парень в костюме, высокий аккуратный бизнесмен в очках и маленький толстый мужчина с бородой. У него было очень неприятное выражение лица.

Толстый мужчина спросил: «Как ты нас нашёл? Ты пришёл один? Я очень сомневаюсь, что ты мог нас найти сам».

– Где Марина? – спросил Питер.

– Ах, да, конечно! – ответил толстяк. – Твоя любимая Марина, с которой ты хочешь начать новую жизнь! – Все засмеялись. – Знаешь что? Я тебе скажу, где Марина, как только ты мне скажешь, сколько человек знает обо всём этом, – он показал на комнату. – Я тебе покажу твою Марину, как только ты мне покажешь мою икону. Если нет, ты больше её никогда не увидишь.

Продолжение следует.

авто́бусный	bus *adj.*	жале́ть (жале́ю, жале́ешь)/	
аккура́тный	neat	пожале́ть	to pity; to regret, be sorry about
бас	bass	живо́й	alive
батаре́йка	battery	зада́ча	task, problem
бле́дный	pale	заде́рживаться	
бога́ч	rich man	(заде́рживаюсь)/	
бо́нус	bonus	задержа́ться (задержу́сь,	
борода́	beard	задержи́шься)	to be delayed
бу́блик	bread roll, bagel	звёздочка	little star
ва́за	vase	издалека́	from afar
валю́тный магази́н	hard currency shop (*USSR shops where only foreign currency could be used*)	изуча́ть (изуча́ю)/ изучи́ть (изучу́, изу́чишь)	to study, learn
вариа́нт	version	и́менно	namely, exactly, really
ведь	indeed, you see (*often untranslated*)	иностра́нец	foreigner
		иро́ния	irony
вид	view	Казахста́н	Kazakhstan
включа́ть (включа́ю)/		как бу́дто	as if
включи́ть (включу́,		коктейль *m.*	cocktail
включи́шь)	to turn on	колле́кция	collection
во́время	on time	коммуни́ст	communist
во́зле + *gen.*	alongside	коро́бка	box
волшебство́	magic	коробо́к спи́чек	box of matches
воро́та *pl.*	gates	ладо́нь *f.*	palm (of hand)
враг	enemy	ли́чно	personally
выдува́ть/вы́дуть	to blow (*of instrument*)	лотере́я	lottery
выи́грывать (выи́грываю)/		любо́й	any
вы́играть (вы́играю)	to win	ма́йский	May *adj.*
выраже́ние	expression	материа́л	material
выходи́ть (выхожу́,		медь *f.*	brass
выхо́дишь)/вы́йти (вы́йду,		молча́ть (молчу́, молчи́шь)/	
вы́йдешь) за́муж за + *acc.*	to marry (*of woman to man*)	замолча́ть	to be/fall silent
		мра́чный	gloomy
гара́ж	garage	му́ха	fly (insect)
глаго́л	verb	надо́лго	for a long time
ви́ды глаго́ла	verb aspects	называ́ть (называ́ю)/	
греме́ть *imp.*	to thunder, rumble	назва́ть (назову́, назовёшь)	to call, name
гря́зный	dirty	насовсе́м	for good, for keeps
дви́гаться (дви́гаюсь)/		не́ за что	don't mention it
дви́нуться (дви́нусь,		неве́жливо	(it is) impolite, rude
дви́нешься)	to move	недо́лго	not for long
делово́й	business *adj.*; business-like	ненадо́лго	not for long
		неприя́тный	unpleasant
держа́ть (держу́, де́ржишь) *imp.*	to hold	нигде́	nowhere
		новосе́лье	housewarming
доброта́	kindness	обме́нивать (обме́ниваю)/	
догово́р	agreement, contract	обменя́ть (обменя́ю)	to exchange
доезжа́ть (доезжа́ю)/		обнима́ть (обнима́ю)/	
дое́хать (дое́ду, дое́дешь)	to reach (*by transport*)	обня́ть (обниму́, обни́мешь)	to embrace
до́лгий	long (*of time*)		
достава́ть (достаю́, достаёшь)/доста́ть (доста́ну, доста́нешь)	to get hold of	обща́ться (обща́юсь, обща́ешься) с + *inst.*	to mix with (people)
дра́ка	fight	огонёк	small light
европе́йский	European	оконча́тельный	final
		орке́стр	orchestra

осо́бенный — special, particular
   ничего́ осо́бенного — nothing special, in particular

остава́ться (остаю́сь, остаёшься)/оста́ться (оста́нусь, оста́нешься) — to remain
отде́л — department
отрави́ть *pf.* — to poison
отча́янно — desperately
отчёт — report
отъе́зд — departure (*by transport*)
пар — steam
па́рень *m.* — guy, lad
передава́ть (передаю́, передаёшь)/переда́ть (переда́м, переда́шь) — to convey, pass on
песо́к — sand
плати́ть (плачу́, пла́тишь)/ заплати́ть — to pay
пле́ер — (CD) player
повторя́ть (повторя́ю)/ повтори́ть (повторю́, повтори́шь) — to repeat
пожа́р — fire
покупа́тель *m.* — buyer
получа́ться/получи́ться — to result, work out
   ничего́ не получа́ется — nothing works out
предложе́ние — proposal, suggestion
при́нцип — principle
приходи́ть в себя́ (прихожу́, прихо́дишь)/прийти́ в себя́ (приду́, придёшь) — to come to, regain consciousness
про́бка — traffic jam
продолже́ние — continuation
   продолже́ние сле́дует — to be continued…
прожи́ть — to live (through)
прои́грывать (прои́грываю)/ проигра́ть (проигра́ю) — to lose
происходи́ть (происхо́дит)/ произойти́ (произойдёт) произошло́ (*past*) — to happen, to be going on
путч — putsch
путь *m.* — way, journey
   счастли́вого пути́ — bon voyage
рай, в раю́ — paradise
радиа́тор — radiator
раке́та — missile
ребя́та *pl.* — boys, lads
рефо́рма — reform
реша́ть (реша́ю)/реши́ть (решу́, реши́шь) — to decide; solve (*problem*)
реше́ние — decision, solution (*to problem*)

рису́нок — drawing
ру́чка — handle
свети́ться (свечу́сь, свети́шься) — to shine, gleam
све́тло-зелёный — light green
светлячо́к — firefly
ска́зка — fairy tale
склад — warehouse
собы́тие — event
сомнева́ться (сомнева́юсь)/ засомнева́ться — to doubt
сосе́д — neighbour
сосе́дний — neighbouring
со́тни — hundreds
спи́чка — match (*light*)
сра́внивать (сра́вниваю)/ сравни́ть (сравню́, сравни́шь) — to compare
сто́лько — so many
стро́ить (стро́ю, стро́ишь)/ постро́ить — to build
судьба́ — fate
танк — tank
таре́лка — plate
то́лстый — fat
толстя́к — fat man
транссиби́рский экспре́сс — Trans-Siberian Express
трево́га — worry, alarm
труба́ч — trumpeter
тут же — there and then
уезжа́ть (уезжа́ю)/уе́хать (уе́ду, уе́дешь) — to leave, depart (*by transport*)
умира́ть (умира́ю)/умере́ть (умру́, умрёшь) — to die
уходи́ть (ухожу́, ухо́дишь)/ уйти́ (уйду́, уйдёшь) — to leave, depart (*on foot*)
учи́ть (учу́, у́чишь)/вы́учить (вы́учу, вы́учишь) — to learn
фо́рма — form, shape
   в хоро́шей фо́рме — on good form, in good shape
хоть — if only
целова́ть (целу́ю, целу́ешь)/ поцелова́ть — to kiss
червячо́к — little worm
что́бы — in order to, so that
шеде́вр — masterpiece
шко́льный — school *adj.*
Эквадо́р — Ecuador
ювели́р — jeweller

СПРЯЖЕ́НИЕ ГЛАГО́ЛОВ
VERB APPENDIX

VERB APPENDIX

This appendix contains all the verbs from the textbook. The main purpose of the appendix is as a reference tool, so that you can check the conjugation (forms) of any verb you meet. To help you use the appendix, please note the following:

The imperfective verb is always given first. If a verb exists in only the imperfective or perfective, or if one form covers both aspects, this is indicated.

Verbs of motion are given with the non-specific verb then specific verb (both imperfective), separated by a vertical stroke; as with other verbs, the perfective is given on the next line.

The я and ты forms are given for all verbs. Other irregularities are also shown (see e.g. мочь).

For verbs that are only used in a particular form (e.g. называться), this form only is given.

The past tense is given only if irregular (e.g. умирать/умереть).

The endings of perfective verbs are not given if the perfective is the same as the imperfective, but with a prefix added.

The number after each verb refers to the lesson in which it first appears. This may only be in one form: e.g. извинять/извинить appears in Lesson 1, but only in the imperative form извините.

Although not intended primarily as a learning tool, verbs marked with a dagger (†) are those you should aim to know in full.

арендовáть (арендýю, арендýешь) *imp., pf.* to rent 10	† вѝдеть (вѝжу, вѝдишь) увѝдеть to see 5
бéгать (бéгаю, бéгаешь) | бежáть (бегý, бежѝшь, бегýт) побежáть to run 9	включáть (включáю, включáешь) включѝть (включý, включѝшь) to turn on 15
† болéть (болéю, болéешь) заболéть to fall ill 12	возѝть (вожý, вóзишь) | везтѝ (везý, везёшь) повезтѝ to carry (by transport) 12
† болéть (болѝт, боля́т) заболéть to hurt, ache 12	возвращáться (воврашáюсь, возвращáешься) вернýться (вернýсь, вернёшься) to return 13
† боя́ться (бою́сь, боѝшься) побоя́ться to be afraid of 10	волновáться (волнýюсь, волнýешься) разволновáться to be worried 12
† брать (берý, берёшь) взять (возьмý, возьмёшь) to take 6	восклицáть (восклицáю, восклицáешь) восклѝкнуть (восклѝкну, восклѝкнешь) to exclaim 14
бросáть (бросáю, бросáешь) брóсить (брóшу, брóсишь) to throw, give up 13	вспоминáть (вспоминáю, вспоминáешь) вспóмнить (вспóмню, вспóмнишь) to recall 11
бывáть (бывáю, бывáешь) *imp.* to happen, happen to be 13	† вставáть (встаю́, встаёшь) встать (встáну, встáнешь) to get up 6
† быть (бýду, бýдешь) *future tense* to be 3	† встречáть (встречáю, встречáешь) встрéтить (встрéчу, встрéтишь) to meet 3
† вéрить (вéрю, вéришь) повéрить to believe 14	встречáться (встречáюсь, встречáешься) встрéтиться (встрéчусь, встрéтишься) to meet (*intransitive*) 4

втáлкивать (втáлкиваю, втáлкиваешь)
втолкнýть (втолкнý, втолкнёшь)
to push into   13

† входи́ть (вхожý, вхо́дишь)
войти́ (войдý, войдёшь; *past* вошёл, вошла́)
to enter (*on foot*)   11

выбира́ть (выбира́ю, выбира́ешь)
вы́брать (вы́беру, вы́берешь)
to choose   7

выдува́ть (выдува́ю, выдува́ешь)
вы́дуть (вы́дую, вы́дуешь)
to blow out   15

выи́грывать (выи́грываю, выи́грываешь)
вы́играть (вы́играю, вы́играешь)
to win   15

выключа́ть (выключа́ю, выключа́ешь)
вы́ключить (вы́ключу, вы́ключишь)
to turn off   14

выпива́ть (выпива́ю, выпива́ешь)
вы́пить (вы́пью, вы́пьешь)
to drink up   10

выруба́ть (выруба́ю, выруба́ешь)
вы́рубить (вы́рублю, вы́рубишь)
to chop down   14

† выходи́ть (выхожý, выхо́дишь)
вы́йти (вы́йду, вы́йдешь; *past* вы́шел, вы́шла)
to exit (*on foot*)   11

† говори́ть (говорю́, говори́шь)
поговори́ть (поговорю́, поговори́шь)
to speak   1

† говори́ть (говорю́, говори́шь)
сказа́ть (скажý, ска́жешь)
to say   1

горе́ть (горю́, гори́шь)
сгоре́ть
to burn   14

† гото́вить (гото́влю, гото́вишь)
пригото́вить
to prepare, cook   7

греме́ть (греми́т) *imp.*
to thunder, roar   15

† гуля́ть (гуля́ю, гуля́ешь)
погуля́ть
to walk, stroll   4

† дава́ть (даю́, даёшь)
дать (дам, дашь, даст, дади́м, дади́те, дадýт)
to give   6

дари́ть (дарю́, да́ришь)
подари́ть
to present, give as a present   13

дви́гаться (дви́гаюсь, дви́гаешься)
дви́нуться (дви́нусь, дви́нешься)
to move (*intransitive*)   15

† де́лать (де́лаю, де́лаешь)
сде́лать
to do, make   3

демонстри́ровать (демонстри́рую, демонстри́руешь)
продемонстри́ровать
to demonstrate, show   14

† держа́ть (держý, де́ржишь) *imp.*
to hold   15

добавля́ть (добавля́ю, добавля́ешь)
доба́вить (доба́влю, доба́вишь)
to add   9

догова́риваться (догова́риваюсь, догова́риваешься)
договори́ться (договорю́сь, договори́шься)
to agree   4

доезжа́ть (доезжа́ю, доезжа́ешь)
дое́хать (дое́ду, дое́дешь)
to reach (*by transport*)   15

достава́ть (достаю́, достаёшь)
доста́ть (доста́ну, доста́нешь)
to get hold of   15

доходи́ть (дохожý, дохо́дишь)
дойти́ (дойдý, дойдёшь; *past* дошёл, дошла́)
to reach (*on foot*)   10

дружи́ть (дружý, дрýжишь) *imp.*
to become friends   14

† дýмать (дýмаю, дýмаешь)
подýмать
to think   4

дуть (дýю, дýешь)
подýть
to blow   8

† е́здить (е́зжу, е́здишь) | е́хать (е́ду, е́дешь)
пое́хать (пое́ду, пое́дешь)
to go (*by transport*)   7

† есть (ем, ешь, ест, еди́м, еди́те, едя́т; *past* ел, е́ла,
е́ли)
съесть
to eat   6

жале́ть (жале́ю, жале́ешь)
пожале́ть
to feel sorry, pity, regret   15

† ждать (жду, ждёшь)
подожда́ть
to wait   6

† жени́ться, (женю́сь, же́нишься)
пожени́ться
to get married (*of couple, both aspects; of man to
woman,* жени́ться *only*)   14

† жить (живу́, живёшь) *imp.*
to live 4

† забыва́ть (забыва́ю, забыва́ешь)
забы́ть (забу́ду, забу́дешь)
to forget 7

† за́втракать (за́втракаю, за́втракаешь)
поза́втракать
to have breakfast 4

задава́ть (задаю́, задаёшь)
зада́ть (зада́м *etc. see* дать)
to set, pose (*questions, tasks*) 6

заде́рживаться (заде́рживаюсь, заде́рживаешься)
задержа́ться (задержу́сь, заде́ржишься)
to be delayed 15

зака́зывать (зака́зываю, зака́зываешь)
заказа́ть (закажу́, зака́жешь)
to order, reserve 10

† закрыва́ть (закрыва́ю, закрыва́ешь)
закры́ть (закро́ю, закро́ешь)
to close 12

закрыва́ться (закрыва́ется, закрыва́ются)
закры́ться (закро́ется, закро́ются)
to close (*intransitive*) 9

заменя́ть (заменя́ю, заменя́ешь)
замени́ть (заменю́, заме́нишь)
to replace 12

замеча́ть (замеча́ю, замеча́ешь)
заме́тить (заме́чу, заме́тишь)
to notice 8

† занима́ться (занима́юсь, занима́ешься)
заня́ться (займу́сь, займёшься)
to study, be involved in 14

запи́сывать (запи́сываю, запи́сываешь)
записа́ть (запишу́, запи́шешь)
to note, write down 14

звать (зову́, зовёшь)
позва́ть
to call 1

† звони́ть (звоню́, звони́шь)
позвони́ть
to phone 4

† знако́миться (знако́млюсь, знако́мишься)
познако́миться
to become acquainted with 5

† знать (зна́ю, зна́ешь) *imp.*
to know 1

† зна́чить (зна́чит) *imp.*
to mean 6

† игра́ть (игра́ю, игра́ешь)
сыгра́ть
to play 4

извиня́ть (извиня́ю, извиня́ешь)
извини́ть (извиню́, извини́шь)
to excuse 1

† изуча́ть (изуча́ю, изуча́ешь)
изучи́ть (изучу́, изу́чишь)
to study 4

име́ть (име́ю, име́ешь) *imp.*
to have (*only in certain phrases*) 10

интересова́ть (интересу́ю, интересу́ешь)
заинтересова́ть
to interest 9

† интересова́ться (интересу́юсь, интересу́ешься)
заинтересова́ться
to be interested in 14

иска́ть (ищу́, и́щешь)
поиска́ть
to look for 12

испо́льзовать (испо́льзую, испо́льзуешь) *imp., pf.*
to use 13

† каза́ться (ка́жется)
показа́ться
to seem 9

ката́ться (ката́юсь, ката́ешься)
поката́ться
to roll, ride (*horse etc.*) 8

класть (кладу́, кладёшь)
положи́ть (положу́, поло́жишь)
to put 10

† конча́ть (конча́ю, конча́ешь)
ко́нчить (ко́нчу, ко́нчишь)
to finish (*transitive*) 12

† конча́ться (конча́ется, конча́ются)
ко́нчиться (ко́нчится, ко́нчатся)
to finish (*intransitive*) 14

красне́ть (красне́ю, красне́ешь)
покрасне́ть
to blush 9

крича́ть (кричу́, кричи́шь)
кри́кнуть (кри́кну, кри́кнешь)
to shout 13

кури́ть (курю́, ку́ришь)
покури́ть
to smoke 5

лежа́ть (лежу́, лежи́шь)
полежа́ть
to lie, be lying down 8

ловить (ловлю́, ло́вишь)
пойма́ть (пойма́ю, пойма́ешь)
to catch 13

ложи́ться (ложу́сь, ложи́шься)
лечь (ля́гу, ля́жешь, ля́гут; *past* лёг, легла́, легли́)
to lie down; go to bed (*with* спать) 12

† люби́ть (люблю́, лю́бишь)
полюби́ть
to love 5

† меша́ть (меша́ю, меша́ешь)
помеша́ть
to hinder, prevent 12

† молча́ть (молчу́, молчи́шь)
замолча́ть
to be silent 10

† мочь (могу́, мо́жешь, мо́гут; *past* мог, могла́, могло́, могли́)
смочь
to be able, can 6

мыть (мо́ю, мо́ешь)
помы́ть (помо́ю, помо́ешь)
to wash 12

набира́ть (набира́ю, набира́ешь)
набра́ть (наберу́, наберёшь)
to dial 11

надева́ть (надева́ю, надева́ешь)
наде́ть (наде́ну, наде́нешь)
to put on (*clothes*) 12

† наде́яться (наде́юсь, наде́ешься)
понаде́яться
to hope 10

называ́ть (называ́ю, называ́ешь)
назва́ть (назову́, назовёшь)
to call (*of things*) 15

† называ́ться (называ́ется, называ́ются)
to be called 2

† находи́ть (нахожу́, нахо́дишь)
найти́ (найду́, найдёшь; *past* нашёл, нашла́, нашли́)
to find 9

† находи́ться (нахожу́сь, нахо́дишься) *imp.*
to be situated 4

† начина́ть (начина́ю, начина́ешь)
нача́ть (начну́, начнёшь)
to begin (*transitive*) 11

† начина́ться (начина́ется)
нача́ться (начнётся)
to begin (*intransitive*) 5

† нра́виться (нра́вится, нра́вятся)
понра́виться
to please, enjoy 12

† обе́дать (обе́даю, обе́даешь)
пообе́дать
to have lunch 4

† обеща́ть (обеща́ю, обеща́ешь)
пообеща́ть
to promise 12

обме́нивать (обме́ниваю, обме́ниваешь)
обменя́ть (обменя́ю, обменя́ешь)
to exchange 15

обнима́ть (обнима́ю, обнима́ешь)
обня́ть (обниму́, обни́мешь)
to embrace 15

обожа́ть (обожа́ю, обожа́ешь) *imp.*
to adore 13

обраща́ть (обраща́ю, обраща́ешь) внима́ние
обрати́ть (обращу́, обрати́шь)
to pay attention 14

обсужда́ть (обсужда́ю, обсужда́ешь)
обсуди́ть (обсужу́, обсу́дишь)
to discuss 14

обща́ться (обща́юсь, обща́ешься) *imp.*
to mix with, socialise 15

† объясня́ть (объясня́ю, объясня́ешь)
объясни́ть (объясню́, объясни́шь)
to explain 14

ока́зываться (ока́зываюсь, ока́зываешься)
оказа́ться (окажу́сь, ока́жешься)
to turn out (to be) 11

опа́здывать (опа́здываю, опа́здываешь)
опозда́ть (опозда́ю, опозда́ешь)
to be late 7

остава́ться (остаю́сь, остаёшься)
оста́ться (оста́нусь, оста́нешься)
to remain 15

оставля́ть (оставля́ю, оставля́ешь)
оста́вить (оста́влю, оста́вишь)
to leave (behind) (*transitive*) 11

остана́вливать (остана́вливаю, остана́вливаешь)
останови́ть (остановлю́, остано́вишь)
to stop (*transitive*) 13

остана́вливаться (остана́вливаюсь, остана́вливаешься)
останови́ться (остановлю́сь, остано́вишься)
to stop (*intransitive*) 13

† отвеча́ть (отвеча́ю, отвеча́ешь)
отве́тить (отве́чу, отве́тишь)
to reply 6

отдава́ть (отдаю́, отдаёшь)
отда́ть (отда́м *etc. see* дать)
to give away 14

† отдыха́ть (отдыха́ю, отдыха́ешь)
отдохну́ть (отдохну́, отдохнёшь)
to rest, holiday   4

† открыва́ть (открыва́ю, открыва́ешь)
откры́ть (откро́ю, откро́ешь)
to open   12

отмеча́ть (отмеча́ю, отмеча́ешь)
отме́тить (отме́чу, отме́тишь)
to note, celebrate   13

отравля́ть (отравля́ю, отравля́ешь)
отрави́ть (отравлю́, отра́вишь)
to poison   15

ошиба́ться (ошиба́юсь, ошиба́ешься)
ошиби́ться (ошибу́сь, ошибёшься; *past* оши́бся,
оши́блась, оши́блись)
to be mistaken   13

† переводи́ть (перевожу́, перево́дишь)
перевести́ (переведу́, переведёшь)
to translate   10

передава́ть (передаю́, передаёшь)
переда́ть (переда́м *etc. see* дать)
to convey, pass on   8

переду́мывать (переду́мываю, переду́мываешь)
переду́мать (переду́маю, переду́маешь)
to rethink, change one's mind   14

перезва́нивать (перезва́ниваю, перезва́ниваешь)
перезвони́ть (перезвоню́, перезвони́шь)
to call back   8

переписывать (перепи́сываю, перепи́сываешь)
переписа́ть (перепишу́, перепи́шешь)
to rewrite   14

петь (пою́, поёшь)
спеть
to sing   11

† писа́ть (пишу́, пи́шешь)
написа́ть
to write   2

† пить (пью, пьёшь)
вы́пить (вы́пью, вы́пьешь)
to drink   5

пла́вать (пла́ваю, пла́ваешь) | плыть (плыву́,
плывёшь)
попльі́ть
to swim   6

† плати́ть (плачу́, пла́тишь)
заплати́ть
to pay   15

повора́чиваться (повора́чиваюсь,
повора́чиваешься)
поверну́ться (поверну́сь, повернёшься)
to turn (round)   14

† повторя́ть (повторя́ю, повторя́ешь)
повтори́ть (повторю́, повтори́шь)
to repeat   2

поднима́ться (поднима́юсь, поднима́ешься)
подня́ться (подниму́сь, подни́мешься)
to go up   12

подходи́ть (подхожу́, подхо́дишь)
подойти́ (подойду́, подойдёшь; *past* подошёл,
подошла́, подошли́)
to walk up to   14

поздравля́ть (поздравля́ю, поздравля́ешь)
поздра́вить (поздра́влю, поздра́вишь)
to congratulate   14

† пока́зывать (пока́зываю, пока́зываешь)
показа́ть (покажу́, пока́жешь)
to show   9

† покупа́ть (покупа́ю, покупа́ешь)
купи́ть (куплю́, ку́пишь)
to buy   9

† получа́ть (получа́ю, получа́ешь)
получи́ть (получу́, полу́чишь)
to receive   6

получа́ться (получа́ется)
получи́ться (полу́чится)
to result, work out, turn out to be   15

† по́мнить (по́мню, по́мнишь) *imp.*
to remember   8

† помога́ть (помога́ю, помога́ешь)
помо́чь (помогу́, помо́жешь; *past* помо́г, помогла́,
помогло́, помогли́)
to help   12

† понима́ть (понима́ю, понима́ешь)
поня́ть (пойму́, поймёшь)
to understand   1

† посыла́ть (посыла́ю, посыла́ешь)
посла́ть (пошлю́, пошлёшь)
to send   11

представля́ть (представля́ю, представля́ешь)
предста́вить (предста́влю, предста́вишь)
to present; to imagine   8

приглаша́ть (приглаша́ю, приглаша́ешь)
пригласи́ть (приглашу́, пригласи́шь)
to invite   8

† приезжа́ть (приезжа́ю, приезжа́ешь)
прие́хать (прие́ду, прие́дешь)
to arrive (*by transport*)   14

принима́ть (принима́ю, принима́ешь)
приня́ть (приму́, при́мешь)
to take (*medicine etc.*)   12

приноси́ть (приношу́, прино́сишь)
принести́ (принесу́, принесёшь; *past* принёс,
принесла́, принесли́)
to bring (*on foot*)   6

† приходи́ть (прихожу́, прихо́дишь)
прийти́ (приду́, придёшь; *past* пришёл, пришла́,
пришли́)
to arrive (*on foot*)   12

про́бовать (про́бую, про́буешь)
попро́бовать
to try, taste   6

проводи́ть (провожу́, прово́дишь)
провести́ (проведу́, проведёшь; *past* провёл,
провела́, провели́)
to spend (*of time*)   11

продава́ть (продаю́, продаёшь)
прода́ть (прода́м *etc. see* дать)
to sell   8

† продолжа́ть (продолжа́ю, продолжа́ешь)
продо́лжить (продо́лжу, продо́лжишь)
to continue (*transitive*)   13

† продолжа́ться (продолжа́ется)
продо́лжиться (продо́лжится)
to continue, last (*intransitive*)   14

прожива́ть (прожива́ю, прожива́ешь)
прожи́ть (проживу́, проживёшь)
to live (through)   15

прои́грывать (прои́грываю, прои́грываешь)
проигра́ть (проигра́ю, проигра́ешь)
to lose (game etc.)   15

происходи́ть (происхо́дит)
произойти́ (произойдёт)
to happen, take place   15

† проси́ть (прошу́, про́сишь)
попроси́ть
to ask, request   12

† рабо́тать (рабо́таю, рабо́таешь)
порабо́тать
to work   4

разгова́ривать (разгова́риваю, разгова́риваешь)
imp.
to converse   5

† расска́зывать (расска́зываю, расска́зываешь)
рассказа́ть (расскажу́, расска́жешь)
to tell, relate   5

рекомендова́ть (рекомендо́ю, рекомендо́ешь)
порекомендова́ть
to recommend   6

† реша́ть (реша́ю, реша́ешь)
реши́ть (решу́, реши́шь)
to decide, solve   8

рисова́ть (рису́ю, рису́ешь)
нарисова́ть
to draw   6

рожда́ться (рожда́юсь, рожда́ешься)
роди́ться (роди́тся, родя́тся)
to be born   6

† сади́ться (сажу́сь, сади́шься)
сесть (ся́ду, ся́дешь)
to sit down   12

свети́ть (све́тит) *imp.*
to shine   8

свети́ться (све́тится) *imp.*
to gleam   15

† сиде́ть (сижу́, сиди́шь)
посиде́ть
to sit, be seated   5

следи́ть (слежу́, следи́шь) *imp.*
to track, follow   14

† случа́ться (случа́ется)
случи́ться (случи́тся)
to happen   12

† слу́шать (слу́шаю, слу́шаешь)
послу́шать
to listen to   4

† слы́шать (слы́шу, слы́шишь)
услы́шать
to hear   6

† смея́ться (смею́сь, смеёшься)
засмея́ться
to laugh   9

† смотре́ть (смотрю́, смо́тришь)
посмотре́ть
to look at, watch   5

собира́ться (собира́юсь, собира́ешься)
собра́ться (соберу́сь, соберёшься)
to intend, be about to   14

† сове́товать (сове́тую, сове́туешь)
посове́товать
to advise   12

сомнева́ться (сомнева́юсь, сомнева́ешься) *imp.*
to doubt   15

† спать (сплю, спишь)
поспа́ть
to sleep   6

† спра́шивать (спра́шиваю, спра́шиваешь)
спроси́ть (спрошу́, спро́сишь)
to ask   4

спуска́ться (спуска́юсь, спуска́ешься)
спусти́ться (спущу́сь, спу́стишься)
to go down, descend 14

сра́внивать (сра́вниваю, сра́вниваешь)
сравни́ть (сравню́, сравни́шь)
to compare 15

† станови́ться (становлю́сь, стано́вишься)
стать (ста́ну, ста́нешь)
to become 12

стара́ться (стара́юсь, стара́ешься)
постара́ться
to try 14

† сто́ить (сто́ит, сто́ят) imp.
to cost 9

† стоя́ть (стою́, стои́шь)
постоя́ть
to stand, be standing 8

стро́ить (стро́ю, стро́ишь)
постро́ить
to build 15

счита́ть (счита́ю, счита́ешь) imp.
to consider, count 10

танцева́ть (танцу́ю, танцу́ешь)
потанцева́ть
to dance 5

† теря́ть (теря́ю, теря́ешь)
потеря́ть
to lose (misplace) 12

тро́гать (тро́гаю, тро́гаешь)
тро́нуть (тро́ну, тро́нешь)
to touch 14

убежда́ть (убежда́ю, убежда́ешь)
убеди́ть (no я form, убеди́шь)
to convince 14

убива́ть (убива́ю, убива́ешь)
уби́ть (убью́, убьёшь)
to kill 14

убира́ть (убира́ю, убира́ешь)
убра́ть (уберу́, уберёшь)
to remove, take away, tidy 12

удивля́ть (удивля́ю, удивля́ешь)
удиви́ть (удивлю́, удиви́шь)
to amaze, surprise 11

удивля́ться (удивля́юсь, удивля́ешься)
удиви́ться (удивлю́сь, удиви́шься)
to be amazed, surprised 13

† уезжа́ть (уезжа́ю, уезжа́ешь)
уе́хать (уе́ду, уе́дешь)
to depart (by transport) 15

† у́жинать (у́жинаю, у́жинаешь)
поу́жинать
to have dinner 4

узнава́ть (узнаю́, узнаёшь)
узна́ть (узна́ю, узна́ешь)
to recognise, find out 14

улыба́ться (улыба́юсь, улыба́ешься)
улыбну́ться (улыбну́сь, улыбнёшься)
to smile 12

† умира́ть (умира́ю, умира́ешь)
умере́ть (умру́, умрёшь; past у́мер, умерла́, у́мерли)
to die 10

† уходи́ть (ухожу́, ухо́дишь)
уйти́ (уйду́, уйдёшь; past ушёл, ушла́, ушли́)
to depart (on foot) 8

† учи́ть (учу́, у́чишь)
вы́учить
to learn 15

† учи́ться (учу́сь, у́чишься) imp.
to study (where) 14

† ходи́ть (хожу́, хо́дишь) | идти́ (иду́, идёшь; past шёл, шла, шли)
пойти́ (пойду́, пойдёшь; past пошёл, пошла́, пошли́)
to go (on foot) 2

† хоте́ть (хочу́, хо́чешь, хо́чет, хоти́м, хоти́те, хотя́т)
захоте́ть
to want 5

целова́ть (целу́ю, целу́ешь)
поцелова́ть
to kiss 15

† чита́ть (чита́ю, чита́ешь)
прочита́ть
to read 4

чиха́ть (чиха́ю, чиха́ешь)
чихну́ть (чихну́, чихнёшь)
to sneeze 14

† чу́вствовать (чу́вствую, чу́вствуешь)
почу́вствовать
to feel 6

шепта́ть (шепчу́, ше́пчешь)
шепну́ть (шепну́, шепнёшь)
to whisper 11

шути́ть (шучу́, шу́тишь)
пошути́ть
to joke 10

ГРАММАТИ́ЧЕСКОЕ ПРИЛОЖЕ́НИЕ
GRAMMAR SUPPLEMENT

1. MASCULINE NOUNS

The table below gives the forms for the principal types of masculine noun:

Masculine nouns ending in a consonant other than -й (стол).
Masculine nouns ending in -й (музе́й).
Masculine nouns ending in a soft sign (слова́рь).

	singular			plural		
nom.	стол	музе́й	слова́рь	столы́	музе́и	словари́
acc.	стол	музе́й	слова́рь	столы́	музе́и	словари́
gen.	стола́	музе́я	словаря́	столо́в	музе́ев	словаре́й
dat.	столу́	музе́ю	словарю́	стола́м	музе́ям	словаря́м
inst.	столо́м	музе́ем	словарём	стола́ми	музе́ями	словаря́ми
prep.	столе́	музе́е	словаре́	стола́х	музе́ях	словаря́х

2 FEMININE NOUNS

The tables below give the forms for the principal types of feminine noun:

Feminine nouns ending in -а (газе́та)
Feminine nouns ending in -я (неде́ля)
Feminine nouns ending in -ия (фами́лия)
Feminine nouns ending in a soft sign (пло́щадь)

	singular			
nom.	газе́та	неде́ля	фами́лия	пло́щадь
acc.	газе́ту	неде́лю	фами́лию	пло́щадь
gen.	газе́ты	неде́ли	фами́лии	пло́щади
dat.	газе́те	неде́ле	фами́лии	пло́щади
inst.	газе́той	неде́лей	фами́лией	пло́щадью
prep.	газе́те	неде́ле	фами́лии	пло́щади

	plural			
nom.	газе́ты	неде́ли	фами́лии	пло́щади
acc.	газе́ты	неде́ли	фами́лии	пло́щади
gen.	газе́т	неде́ль	фами́лий	площаде́й
dat.	газе́там	неде́лям	фами́лиям	площадя́м
inst.	газе́тами	неде́лями	фами́лиями	площадя́ми
prep.	газе́тах	неде́лях	фами́лиях	площадя́х

3 NEUTER NOUNS

The table below gives the forms for the principal types of neuter noun:

Neuter nouns ending in -о (сло́во).
Neuter nouns ending in -е (мо́ре).
Neuter nouns ending in -ие (зда́ние).
Neuter nouns ending in -мя (и́мя).

	singular			
nom.	сло́во	мо́ре	зда́ние	и́мя
acc.	сло́во	мо́ре	зда́ние	и́мя
gen.	сло́ва	мо́ря	зда́ния	и́мени
dat.	сло́ву	мо́рю	зда́нию	и́мени
inst.	сло́вом	мо́рем	зда́нием	и́менем
prep.	сло́ве	мо́ре	зда́нии	и́мени

	plural			
nom.	слова́	моря́	зда́ния	имена́
acc.	слова́	моря́	зда́ния	имена́
gen.	слов	море́й	зда́ний	имён
dat.	слова́м	моря́м	зда́ниям	имена́м
inst.	слова́ми	моря́ми	зда́ниями	имена́ми
prep.	слова́х	моря́х	зда́ниях	имена́х

NOMINATIVE CASE

1 BASIC USE OF THE NOMINATIVE CASE: THE SUBJECT

The nominative is used for the <u>subject</u> of a sentence (the person or thing performing the action):

Студе́нт чита́ет.	The student is reading.
А́нна рабо́тает.	Anna is working.

2 NOMINATIVE CASE AFTER 'TO BE' IN THE PRESENT

When you have two nouns (or pronouns) connected by the English verb 'to be' in the present tense, both go in the nominative. In Russian the verb is omitted or sometimes replaced by a dash.

Моя́ маши́на – «Ла́да».	My car is a Lada.
Дми́трий учи́тель.	Dmitri is a teacher.
Кто ваш друг?	Who is your friend?

The nominative is also used after э́то and вот:

Э́то магази́н.	This is the (a) shop.
Вот вокза́л.	Here's the station.

3 NOMINATIVE CASE AFTER THE NUMBER 1

The nominative is used after the number 1 and any subsequent number ending in 1 (but not 11)

Одна́ соба́ка.	One dog.
Сто три́дцать оди́н рубль.	131 roubles.

4 OTHER USES OF THE NOMINATIVE CASE

The nominative is used in the special construction with **что за...**, often to express surprise:

Что он **за челове́к**?	What kind of a man is he?
Что э́то **за кни́га**?	What kind of a book is that?

5 IRREGULAR NOMINATIVE PLURALS

A number of nouns have an irregular nominative plural. Other cases in the plural will normally follow the patterns of regular nouns.

а́дрес	адреса́	addresses
англича́нин	англича́не	Englishmen, English people
брат	бра́тья	brothers
ве́чер	вечера́	evenings
вре́мя	времена́	times
глаз	глаза́	eyes
го́лос	голоса́	voices
го́род	города́	towns
господи́н	господа́	Mr (*sing.*), gentlemen (*pl., as in 'ladies and gentlemen'*)
де́рево	дере́вья	trees
до́ктор	доктора́	doctors
дом	дома́	houses
дочь	до́чери	daughters
друг	друзья́	friends
и́мя	имена́	(first) names
лес	леса́	woods
мать	ма́тери	mothers
муж	мужья́	husbands
но́мер	номера́	rooms/numbers
па́спорт	паспорта́	passports
по́езд	поезда́	trains
ребёнок	де́ти	children
сестра́	сёстры	sisters
стул	сту́лья	chairs
сын	сыновья́	sons
у́хо	у́ши	ears
цвет	цвета́	colours
цвето́к	цветы́	flowers
челове́к	лю́ди	people
я́блоко	я́блоки	apples

1 BASIC USE OF THE ACCUSATIVE CASE

The accusative is used for the <u>direct object</u> of a verb. The direct object is the person or thing that you do something directly to: 'I broke the <u>glass</u>', 'he likes his <u>brother</u>'.

А́нна смо́трит **телеви́зор**.	Anna watches television.
Ви́ктор чита́ет **газе́ту**.	Viktor is reading the newspaper.

2 ANIMATE VS INANIMATE ACCUSATIVE

Animate nouns refer to people and animals. The accusative singular of a masculine <u>animate</u> noun is the same as the genitive. The accusative singular of a masculine <u>inanimate</u> noun is the same as the nominative:

Я откры́л **шкаф**. (*inanimate*)	I opened the cupboard.
Она́ ви́дит **дру́га**. (*animate*)	She sees her friend.

The animate/inanimate distinction does not apply to feminine nouns:

Мари́я ви́дит **подру́гу**.	Maria sees her (girl) friend.
Я пью **во́ду**.	I am drinking water.

In the plural the animate/inanimate distinction applies to <u>both</u> masculine and feminine nouns:

Они́ всегда́ слу́шают **учителе́й**.	They always listen to their teachers.
Она́ лю́бит **соба́к**.	She loves dogs.
Я чита́ю **кни́ги** и **журна́лы**.	I read books and magazines.

3 ACCUSATIVE CASE IN EXPRESSIONS OF TIME

3.1 HOW LONG?

If you want to say how long you do (will do, have done) something for, the time period generally goes in the accusative case, without a preposition:

Мы в Москве́ уже́ **неде́лю**.	We have been in Moscow for a week.
Мы бу́дем говори́ть по-ру́сски **це́лый час**.	We'll speak Russian for a whole hour.

When the time does not refer to how long <u>the action actually lasts</u>, but rather to how long <u>the result of the action will last</u>, you use **на** + accusative:

Я дам ему́ кни́гу **на неде́лю**.	I'll give him the book for a week.

(i.e. the <u>action</u> of giving won't last a week, but the <u>result</u> of the giving will.)

3.2 HOW OFTEN?

Use the accusative without a preposition (often with **ка́ждый**) to say how often something happens:

Ка́ждую неде́лю я хожу́ в парк.	Every week I go to the park.

Note also the expression for 'x times a ...', which uses accusative followed by **в** + accusative:

Я хожу́ в спортза́л **раз в неде́лю**.	I go to the gym once a week.

3.3 ON WHAT DAY?

Use в + accusative to say <u>on what day</u>:

В понеде́льник.	On Monday.
В сре́ду.	On Wednesday.

3.4 AT WHAT TIME?

Use в + accusative to say <u>at what time</u>:

В тот моме́нт.	At that moment.
В три часа́.	At three o'clock.

3.5 OTHER PREPOSITIONS OF TIME

The accusative is also used with the following prepositions of time:

че́рез	in (a certain length of time)
Она́ придёт **че́рез мину́ту**.	She'll come in a minute.
за	over (a period)
За э́тот год он сде́лал о́чень мно́го.	He has achieved a great deal over the year.
с + gen. ... по + acc.	from ... to (inclusive)
С понеде́льника **по пя́тницу**.	From Monday to Friday.
наза́д	ago (always follows the noun)
Она́ начала́ изуча́ть ру́сский язы́к **год наза́д**.	She started studying Russian a year ago.

4 ACCUSATIVE CASE TO EXPRESS MOTION TOWARDS

The accusative with the prepositions в and на is often used for the direction of an action or a verb of motion:

Положи́те кни́ги **на по́лку**!	Put the books on the shelf.
Мы е́здили **в Москву́**.	We went to Moscow.
Я прие́хал **в Ло́ндон**.	I arrived in London.

Note that в and на cannot be used for motion towards <u>people</u>, in which case к is used with the dative case.

5 OTHER PREPOSITIONS WITH THE ACCUSATIVE

The following prepositions can also be followed by the accusative:

за	for, after verbs of thanking and excusing
Спаси́бо **за письмо́**.	Thank you for the letter.
Извини́те **за оши́бку**.	Sorry for the mistake.
несмотря́ на	despite
Несмотря́ на пого́ду, мы е́здили на мо́ре.	Despite the weather we went to the sea.

1 BASIC USE OF THE GENITIVE CASE: POSSESSION (TO MEAN 'OF')

The basic use of the genitive is to convey possession, often (but not always) translating the English 'of'. It is also used to convey quantity (e.g. 'a pint of beer').

Брат Ива́на.	Ivan's brother.
Стака́н молока́.	A glass of milk.
Кусо́к хле́ба.	A piece of bread.
Полови́на я́блока.	Half an apple (i.e. half of).

2 GENITIVE CASE AFTER NUMBERS

2.1 AFTER 2, 3 AND 4

The genitive singular is used after the numbers 2, 3 and 4, and any subsequent number ending 2, 3 or 4 (but not 12, 13, 14).

Два стака́на.	Two glasses.
Со́рок четы́ре страни́цы.	Forty-four pages.
Три́ста шестьдеся́т три письма́.	Three hundred and sixty-three letters.

2.2 AFTER MORE THAN 5

The genitive plural is used after the numbers 5–20, and any number whose last digit is zero or 5–9 (e.g. 5, 28, 110, 2457)

Пять журна́лов.	Five magazines.
Девятна́дцать этаже́й.	Nineteen floors.

2.3 AMOUNT VS NUMBER

The genitive is used after мно́го, ма́ло, сто́лько, ско́лько, не́сколько. The genitive singular is used with words that generally only exist in the singular ('uncountable nouns'), to say an amount (e.g. 'a lot of work'); the genitive plural is used to say a number (e.g. 'a lot of eggs'):

Мно́го карти́н.	Many pictures. (number; gen. pl.)
Мно́го сы́ра.	A lot of cheese. (amount; gen. sing.)
Ма́ло друзе́й.	Few friends. (number; gen. pl.)
Ма́ло рабо́ты.	Little work. (amount; gen. sing.)

3 GENITIVE CASE IN THE EXPRESSION FOR 'TO HAVE'

The preposition у ('by', 'at', 'belonging to') is used with the genitive in the construction for 'to have'. Note that in the past and future, the verb 'to be' agrees with what is possessed (in the present есть, if used, can go with both a singular and plural noun):

У меня́ есть газе́та.	I have a newspaper.
У него́ есть сигаре́ты.	He has some cigarettes.
У сестры́ была́ соба́ка.	(My) sister had a dog.
У нас бу́дут перегово́ры.	We will have a meeting (discussions, pl.).

4 GENITIVE CASE AFTER NEGATIVES

4.1 AFTER НЕТ

The genitive is associated with the negative. It is used after **нет** to mean 'there is not' and in the negative 'have' construction:

В гости́нице нет **рестора́на**.	There is no restaurant in the hotel.
В Москве́ не́ было **сне́га**.	There was no snow in Moscow.
У нас не бу́дет **уро́ка** за́втра.	We won't have a lesson tomorrow.

4.2 AFTER VERBS IN THE NEGATIVE

After a verb in the negative the direct object can go in the genitive, often to add emphasis:

Мы не ви́дели **сце́ны**.	We couldn't see the stage. (*i.e. at all*)
Ви́ктор не услы́шал **звонка́**.	Viktor didn't hear the bell. (*i.e. at all*)

5 GENITIVE CASE TO EXPRESS THE CONCEPT OF 'SOME'

You can use the genitive to convey the sense of a certain amount of something (e.g. 'some water' or 'some cheese'). This use is most common with food and drink.

Принеси́те, пожа́луйста, **воды́**.	Please bring me some water.
Хоти́те **сала́та**?	Would you like some salad?

6 GENITIVE CASE TO SAY ON WHAT DATE?

To give the date <u>on which</u> something happens, use the ordinal numeral (first, second, etc.) in the genitive; the month will also go in the genitive, similar to the English 'on the 21st <u>of</u> July':

Я роди́лся **пе́рвого ию́ня**.	I was born on the first of June.
Премье́ра бу́дет **двадца́того сентября́**.	The premiere will be on 20th September.

7 GENITIVE CASE IN DATES WITH MONTH AND YEAR

If you want to give a date with a month followed by a year, you put the year in the genitive.

Ви́ктор око́нчил университе́т в ию́ле ты́сяча девятьсо́т во́семьдесят **пя́того го́да**.
Viktor graduated in July 1985.

So if you want to say on a day of a month of a year, all three elements will go in the genitive:

Ви́ктор око́нчил университе́т **двадца́того ию́ля** ты́сяча девятьсо́т во́семьдесят **пя́того го́да**.
Viktor graduated on 20th July 1985.

Note that if you simply give the year (e.g. 'in 1985') you use the prepositional case:

Ви́ктор око́нчил университе́т в ты́сяча девятьсо́т во́семьдесят **пя́том году́**.
Viktor graduated in 1985.

8 GENITIVE CASE FOR THE OBJECT OF COMPARISON INSTEAD OF 'THAN'

After a short form comparative (one without **бо́лее**), the object of comparison (i.e. the second noun) can go in the genitive:

Авто́бус бо́льше **маши́ны**.	A bus is bigger than a car.
Сестра́ ста́рше **бра́та**.	The sister is older than (her) brother.

Чем + the nominative must be used after long form comparatives (with **бо́лее**):

Пра́га бо́лее краси́вый го́род, чем Со́фия.	Prague is a more beautiful city than Sofia.

9 GENITIVE CASE AFTER PREPOSITIONS

The genitive case also follows a large number of prepositions. Many of these are to do with place and position; others are connected to time.

без
Дéвочка вы́шла из дóма **без шáпки**.

without
The girl left the house without a hat.

вмéсто
Мои́ коллéги приду́т **вмéсто меня́**.

instead of
My colleagues will come instead of me.

вокру́г
Вокру́г свéта за вóсемьдесят дней.

around
Around the World in 80 Days.

для
Ты сдéлаешь э́то **для меня́**?

for (the benefit of)
Will you do this for me?

до
Как дойти́ **до пáрка**?
До обéда тури́сты гуля́ли по гóроду.

as far as, until, before
How do I get to the park?
The tourists walked around town before lunch.

из
Мать вы́шла **из универмáга**.

out of, from
Mother came out of the department store.

из-за
Из-за дождя́ я сидéл дóма.

because of
Because of the rain I sat at home.

крóме
Он не ел ничегó, **крóме хлéба**.

except, apart from
He ate nothing apart from bread.

ми́мо
Маши́на éдет **ми́мо пóчты**.

past
The car is driving past the post office.

напрóтив
Напрóтив вокзáла есть кафé.

opposite
There is a café opposite the station.

недалекó от
Мы живём **недалекó от стадиóна**.

not far from
We live not far from the stadium.

óколо
Ви́ктор ждал её **óколо вхóда**.

near
Victor waited for her near the entrance.

от
Я получи́л письмó **от дрýга**.
Вéра откры́ла рот **от удивлéния**.

from (particularly from a person)
I received a letter from my friend.
Vera opened her mouth in (from) amazement.

рáди
Рáди Бóга, останови́тесь!

for the sake of
For God's sake stop!

с
Он взял кни́гу **с пóлки**.
Студéнты иду́т **с урóка**.

from, off
He took the book from the shelf.
The students are on their way from the lesson.

с
Я ничегó не ел **с утрá**!

since
I haven't eaten anything since morning!

среди́
Среди́ них бы́ли интерéсные лю́ди.

among
Among them there were interesting people.

у
Онá ждалá **у вхóда**.

by, near, at
She was waiting by the entrance.

во врéмя
Во врéмя мáтча он потеря́л часы́.

during
He lost his watch during the match.

пóсле
Пóсле зáвтрака онá вы́шла из кóмнаты.

after
She left the room after breakfast.

1 BASIC USE OF THE DATIVE CASE: THE RECIPIENT OF AN ACTION

The dative case is used for the recipient of an action (giving, explaining, showing, saying etc.), most commonly done in English with 'to' or 'for'.

Я пишу́ письмо́ **отцу́**.	I am writing a letter to (my) father.
Она́ **вам** объясни́т ситуа́цию.	She will explain the situation to you.
Ма́ма чита́ет **ребёнку** кни́гу.	The mother is reading a book to (her) child.
Ба́бушка дала́ **вну́ку** 50 рубле́й.	Grandma gave her grandson 50 roubles.
Я сказа́л **ему́** пра́вду.	I told him the truth.

The words for 'to promise' (**обеща́ть/пообеща́ть**) and 'to advise' (**сове́товать/посове́товать**) also take the dative in Russian, although are not used with 'to' in English.

Я обеща́ю **вам**, что всё бу́дет хорошо́.	I promise you that everything will be fine.
Что ты сове́туешь **мне** сде́лать?	What do you advise me to do?

Some other verbs in Russian are followed by the dative even though there is no explicit sense of conveying. Two of the most useful are **звони́ть/позвони́ть**, 'to telephone' and **помога́ть/помо́чь**, 'to help':

Он помо́г сестре́.	He helped his sister.
Я ей всегда́ помога́ю.	I always help her.
Кто мне звони́л?	Who called me?

Note that the dative is *not* used after two verbs of asking:

Он спроси́л **меня́**: «Где метро́?».	He asked me, 'Where is the metro?'
Колле́га попроси́л у **Бори́са** сигаре́ту.	(His) colleague asked Boris for a cigarette.

2 DATIVE CASE IN IMPERSONAL CONSTRUCTIONS

2.1 TO CONVEY A STATE OR FEELING

The dative is used for a person experiencing a condition or feeling ('I'm cold', etc.).

Петру́ стра́шно.	Peter is terrified.
Мне бы́ло хо́лодно.	I was cold.
Де́вушке ве́село.	The girl is happy.

2.2 NECESSITY AND OBLIGATION

The dative is used for some expressions of necessity or obligation:

Нам на́до рабо́тать.	We need to work.
Вам нельзя́ кури́ть.	You mustn't smoke.
Мне ну́жен биле́т.	I need a ticket.
Ле́не пора́ идти́.	It's time for Lena to go.

2.3 WITH REFLEXIVE VERBS

The dative is used with some impersonal reflexive verbs:

Анто́ну нра́вится э́тот костю́м.	Anton likes this suit.
А́нне понра́вился э́тот фильм.	Anna enjoyed this film.
Мне каза́лось, что я уже́ была́ там ра́ньше.	It seemed to me that I had been there before.

3 DATIVE CASE TO GIVE SOMEONE'S AGE

A dative construction is used to express age:

Мне четы́рнадцать лет, а бра́ту пятна́дцать.	I'm fourteen, and my brother's fifteen.
Татья́не два́дцать четы́ре го́да.	Tatiana is twenty-four.

4 DATIVE CASE AFTER PREPOSITIONS

There are only a small number of prepositions that take the dative; the two most common (к and по) have several uses:

к	towards, to (people); by (of time)
Вчера́ Ви́ктор ходи́л к врачу́.	Yesterday Viktor went to the doctor.
К ве́черу де́ти уста́ли.	By evening the children were tired.
по	along, around, about, according to
Мы до́лго гуля́ли по го́роду.	We walked around the town for a long time.
Он шёл по у́лице.	He was walking along the street.
Моя́ сестра́ лю́бит говори́ть по телефо́ну.	My sister likes to talk on the telephone.
Я смотре́л конце́рт по телеви́зору.	I watched the concert on television.
По́езд идёт по расписа́нию.	The train is running according to the timetable.
Ле́кция по матема́тике.	A lecture in mathematics.
По моему́ мне́нию.	In my opinion.

INSTRUMENTAL CASE

1 BASIC USE OF THE INSTRUMENTAL CASE: THE INSTRUMENT

The instrumental case is used for the thing <u>by</u> or <u>with which</u> you do something (the 'instrument'):

Я пишу́ карандашо́м.	I write with a pencil.

The instrumental can also be used for the manner in which something is done:

Они́ разгова́ривали шёпотом.	They were speaking in a whisper.

The instrumental is also used after боле́ть/заболе́ть to say what you are suffering from:

Степа́н боле́л гри́ппом.	Stepan was sick with flu.

2 INSTRUMENTAL CASE AFTER VERBS

2.1 AFTER 'БЫТЬ'

When a noun or adjective is used after быть, it normally goes in the instrumental.

Я бу́ду перево́дчиком.	I will be an interpreter.
Гага́рин был космона́втом.	Gagarin was an astronaut.
Кем ты хо́чешь быть?	What do you want to be?

Note that this does not apply in the present when there is no verb for 'to be':

Я перево́дчик.	I am an interpreter.

2.2 AFTER OTHER VERBS

A number of verbs are followed by the instrumental case. Some of the most useful are:

стать	to become
Андрей хо́чет стать инжене́ром.	Andrei wants to become an engineer.
интересова́ться	to be interested in
Пётр интересу́ется му́зыкой.	Piotr is interested in music.
занима́ться	to be involved in, engaged in
Вы должны́ занима́ться спо́ртом.	You must do sport.

After the verb рабо́тать, if you work 'as' something, you use the instrumental:

Ка́тя рабо́тает врачо́м.	Katia works as a doctor.

3 INSTRUMENTAL CASE WITH SEASONS AND TIMES OF DAY

The instrumental is used to say in a season or in (at) a time of day:

У́тром мы за́втракаем.	We have breakfast in the morning.
Но́чью мы спим.	We sleep at night.
Зимо́й мы лю́бим ката́ться на лы́жах.	We like to go skiing in winter.
О́сенью ча́сто идёт дождь.	It often rains in autumn.

4 INSTRUMENTAL CASE AFTER PREPOSITIONS

4.1 THE PREPOSITION 'C', MEANING 'WITH'

The instrumental is used after c to indicate two things or people accompanying each other:

Я люблю́ ко́фе с са́харом.	I like coffee with sugar.
Мы с му́жем ходи́ли в кино́.	My husband and I went to the cinema.

N.B. the preposition c with the genitive means 'from' or 'since':

Де́ти иду́т с уро́ка.	The children are walking from the lesson.

4.2 OTHER PREPOSITIONS

The following prepositions are also followed by the instrumental when they are used to describe position.

над	above, over
Карти́на виси́т над дива́ном.	The picture is hanging above the sofa.
под	below, under, beneath
Под кни́гой лежа́ло письмо́.	There was a letter under the book.
пе́ред	in front of, before
Такси́ останови́лось пе́ред до́мом.	The taxi stopped in front of the house.
за	behind; also to convey the sense of 'fetch'
За до́мом был большо́й сад.	There was a big garden behind the house.
Мне на́до идти́ за молоко́м.	I need to go and get some milk
ме́жду	between
Апте́ка нахо́дится ме́жду кафе́ и магази́ном.	The chemist is between a cafe and a shop.
ря́дом с	next to
Наш о́фис нахо́дится ря́дом с па́рком.	Our office is next to a park.

1 BASIC USE OF THE PREPOSITIONAL CASE

The prepositional has no basic use; as the name suggests, it is used only after certain prepositions.

2 PREPOSITIONAL CASE AFTER В AND НА

The prepositional is used after в (in, at) and на (on, at) to indicate <u>position</u> or <u>place</u> (but <u>not direction</u> – see accusative):

Цветы́ стоя́т **в** ва́зе.	The flowers are (standing) in the vase.
Ва́за стои́т **на** столе́.	The vase is (standing) on the table.
Мы бы́ли **в** теа́тре.	We were at the theatre.
Они́ бы́ли **на** конце́рте.	They were at a concert.

3 WHEN TO USE В OR НА

3.1 IN VS ON

When you are referring to physical position, the basic distinction is straightforward: в corresponds to 'in' and на to 'on':

В до́ме	In the house
В ко́мнате	In the room
На столе́	On the table
На по́лке	On the shelf

3.2 COUNTRIES, CITIES, ETC.

As in English, в is also used for cities, countries and continents (but not islands):

В Москве́	In Moscow
В А́нглии	In England
В А́фрике	In Africa
На Ку́бе	On (in) Cuba

But note the following exceptions:

На Ура́ле	In the Urals
На Кавка́зе	In the Caucasus

3.3 STREETS, ETC.

Again similar to English, на is used with streets, squares, avenues:

На Тверско́й у́лице	On Tverskaya Street
На Кра́сной пло́щади	On (in) Red Square
На Не́вском проспе́кте	On Nevsky Prospect

But note the following exception:

В переу́лке	In a lane

3.4 AT A PLACE VS. AT AN EVENT

As a general rule, you use **в** when you are at a <u>place</u> (building, etc.), and **на** when you are at an <u>event</u>.

В шко́ле	At school	На уро́ке	At a lesson
В теа́тре	At the theatre	На конце́рте	At a concert
В о́фисе	At the office	На рабо́те	At work

But note the following exceptions:

На ры́нке	At the market	На по́чте	At the post office
На стадио́не	At the stadium	На ста́нции	At the (metro) station
На заво́де	At the factory	На вокза́ле	At the (mainline) station
На фа́брике	At the factory		

3.5 POINTS OF THE COMPASS

Use **на** for compass directions:

На се́вере	In the north
На ю́го-восто́ке	In the south-east

4 PREPOSITIONAL CASE AFTER 'O'

The preposition **o** means 'about' (i.e. 'concerning'); however, note that some verbs in Russian are followed by **o** + prepositional when in English we wouldn't necessarily say 'about':

Мы говори́м о футбо́ле.	We are talking about football.
Серге́й лю́бит расска́зывать о Ло́ндоне.	Sergei loves to talk about London.
Они́ ча́сто вспомина́ют о Москве́.	They often remember Moscow.

If the following word begins with one of the vowels **а, э, о, у, и, ы**, use the alternative form **об**.

А́нна ду́мает об о́тпуске.	Anna is thinking about her holiday.

5 PREPOSITIONAL CASE ENDING IN -У

Certain masculine nouns end in **-у** in the prepositional singular, but only after **в** and **на**. Most of these words have one syllable:

Сад	В саду́	In the garden
Лес	В лесу́	In the wood
Мост	На мосту́	On the bridge
Порт	В порту́	In the port
Шкаф	В шкафу́	In the cupboard
У́гол	В углу́	In the corner
Пол	На полу́	On the floor
Год	В э́том году́	This year
Бе́рег	На берегу́	On the shore
Аэропо́рт	В аэропорту́	At the airport

This special form is not used after **o**:

Мы сиде́ли в саду́.	We were sitting in the garden.
Мы разгова́ривали о са́де.	We were talking about the garden.

ADJECTIVES

1 TYPES OF ADJECTIVE

Adjectives can be classified as <u>hard</u>, <u>mixed</u> or <u>soft</u>.

The majority of adjectives are hard, meaning the stem ends in a hard consonant. You can recognise hard adjectives because the masculine nominative singular ends in -ый (or -ой if stressed; see below).

A mixed adjective is essentially a hard adjective to which one of the four spelling rules applies (see page 404). For example, where но́вый has endings containing -ы- (но́вым, но́вых etc.) the equivalent endings of the mixed adjective ти́хий (ти́хим, ти́хих) contain -и-, because of the spelling rule that ы cannot follow г, ж, к, х, ч, ш, щ.

A small number of adjectives ending in -ний are <u>soft</u> and follow the pattern of си́ний below.

Тре́тий, 'third', has its own irregular soft forms. A few other rare adjectives (mostly relating to animals, e.g. медве́жий, 'bearlike') follow this pattern.

Most adjectives are stressed on the stem. A small number are stressed on the endings. You can easily recognise these because the masculine singular ends in -ой (e.g. дорого́й, большо́й).

2 HARD ADJECTIVES (UNSTRESSED ENDINGS)

	masc.	fem.	neut.	plur.
nom.	но́вый	но́вая	но́вое	но́вые
acc.	но́вый	но́вую	но́вое	но́вые
	но́вого*			но́вых*
gen.	но́вого	но́вой	но́вого	но́вых
dat.	но́вому	но́вой	но́вому	но́вым
inst.	но́вым	но́вой	но́вым	но́выми
prep.	но́вом	но́вой	но́вом	но́вых

3 HARD ADJECTIVES (STRESSED ENDINGS)

	masc.	fem.	neut.	plur.
nom.	молодо́й	молода́я	молодо́е	молоды́е
acc.	молодо́й	молоду́ю	молодо́е	молоды́е
	молодо́го*			молоды́х*
gen.	молодо́го	молодо́й	молодо́го	молоды́х
dat.	молодо́му	молодо́й	молодо́му	молоды́м
inst.	молоды́м	молодо́й	молоды́м	молоды́ми
prep.	молодо́м	молодо́й	молодо́м	молоды́х

4 MIXED ADJECTIVES (UNSTRESSED ENDINGS AFTER Г, К, Х)

	masc.	fem.	neut.	plur.
nom.	ти́хий	ти́хая	ти́хое	ти́хие
acc.	ти́хий	ти́хую	ти́хое	ти́хие
	ти́хого*			ти́хих*
gen.	ти́хого	ти́хой	ти́хого	ти́хих
dat.	ти́хому	ти́хой	ти́хому	ти́хим
inst.	ти́хим	ти́хой	ти́хим	ти́хими
prep.	ти́хом	ти́хой	ти́хом	ти́хих

5 MIXED ADJECTIVES (UNSTRESSED ENDINGS AFTER Ж, Ч, Ш, Щ)

	masc.	fem.	neut.	plur.
nom.	хоро́ший	хоро́шая	хоро́шее	хоро́шие
acc.	хоро́ший	хоро́шую	хоро́шее	хоро́шие
	хоро́шего*			хоро́ших*
gen.	хоро́шего	хоро́шей	хоро́шего	хоро́ших
dat.	хоро́шему	хоро́шей	хоро́шему	хоро́шим
inst.	хоро́шим	хоро́шей	хоро́шим	хоро́шими
prep.	хоро́шем	хоро́шей	хоро́шем	хоро́ших

6 MIXED ADJECTIVES (STRESSED ENDINGS AFTER Г, Ж, К, Х, Ч, Ш, Щ)

	masc.	fem.	neut.	plur.
nom.	большо́й	больша́я	большо́е	больши́е
acc.	большо́й	большу́ю	большо́е	больши́е
	большо́го*			больши́х*
gen.	большо́го	большо́й	большо́го	больши́х
dat.	большо́му	большо́й	большо́му	больши́м
inst.	больши́м	большо́й	больши́м	больши́ми
prep.	большо́м	большо́й	большо́м	больши́х

7 SOFT ADJECTIVES

	masc.	fem.	neut.	plur.
nom.	си́ний	си́няя	си́нее	си́ние
acc.	си́ний	си́нюю	си́нее	си́ние
	си́него*			си́них*
gen.	си́него	си́ней	си́него	си́них
dat.	си́нему	си́ней	си́нему	си́ним
inst.	си́ним	си́ней	си́ним	си́ними
prep.	си́нем	си́ней	си́нем	си́них

	masc.	fem.	neut.	plur.
nom.	тре́тий	тре́тья	тре́тье	тре́тьи
acc.	тре́тий	тре́тью	тре́тье	тре́тьи
	тре́тьего*			тре́тьих*
gen.	тре́тьего	тре́тьей	тре́тьего	тре́тьих
dat.	тре́тьему	тре́тьей	тре́тьему	тре́тьим
inst.	тре́тьим	тре́тьей	тре́тьим	тре́тьими
prep.	тре́тьем	тре́тьей	тре́тьем	тре́тьих

* The form of the masculine accusative singular and the accusative plural will depend on whether the adjective is describing an animate or an inanimate noun. For inanimate nouns, the accusative is the same as the nominative; for animate nouns the accusative is the same as the genitive.

1 WHAT IS AN ADJECTIVE?

Adjectives denote the qualities or properties of objects ('big', 'blue' 'Russian', etc.). Most Russian adjectives have two forms: the long form and the short form.

2 LONG FORM OF ADJECTIVES

The long form of an adjective needs to match the gender, case and number of the noun it describes:

Мы живём в ста́ром до́ме.	We live in an old house. (masc. prep. sing.)
Я люблю́ ру́сскую му́зыку.	I like Russian music. (fem. acc. sing.)

3 SHORT FORM OF ADJECTIVES

The short form exists in the nominative case only and has four forms: masculine, feminine, neuter and plural. For most adjectives, to get the masculine short form knock off the last two letters of the masculine long form; then add -a for feminine, -o for neuter and -ы for plural:

Мой брат счастли́вый челове́к.	My brother is a happy person. (long form)
Бори́с сего́дня был сча́стлив.	Boris was happy today.
Мари́я сего́дня сча́стлива.	Maria is happy today.
Мы сча́стливы.	We are happy.

The short form adjective can only be used on its own after a noun (and part of the verb 'to be' if used).

If an adjective is part of an adjective + noun combination (see the first example above), then you must use the long form.

Long form adjectives generally convey a <u>permanent characteristic</u>, short form adjectives generally convey a <u>temporary state</u>.

4 COMPARATIVE OF ADJECTIVES

A comparative adjective is used to compare two nouns (i.e. say something is 'bigger', 'more interesting', 'less beautiful' etc. than something else). There are two types of comparative – a long form and a short form.

4.1 LONG FORM COMPARATIVES

The long form comparative is formed by putting бо́лее (more) or ме́нее (less) in front of the long form adjective in the appropriate case. Use the long form comparative when it comes <u>before</u> the noun:

Москва́ бо́лее краси́вый го́род, чем Ло́ндон. Moscow is a more beautiful city than London.

4.2 REGULAR SHORT FORM COMPARATIVES

The short form comparative has only one form, made by adding -ee to the stem. Use the short form comparative when it comes <u>after</u> the noun (and part of the verb 'to be' if used).

Ру́сский язы́к трудне́е, чем англи́йский.	Russian is harder than English.
За́втра пого́да бу́дет лу́чше.	The weather will be better tomorrow.

4.3 IRREGULAR SHORT FORM COMPARATIVE ADJECTIVES

There are a number of common adjectives with irregular short form comparatives:

большо́й	big	бо́льше	bigger
ма́ленький	small	ме́ньше	smaller
хоро́ший	good	лу́чше	better
плохо́й	bad	ху́же	worse
высо́кий	tall	вы́ше	taller
ни́зкий	low	ни́же	lower
ста́рый	old	ста́рше	older
молодо́й	young	моло́же	younger
далёкий	far	да́льше	further
бли́зкий	close	бли́же	closer
широ́кий	wide	ши́ре	wider
дорого́й	expensive	доро́же	more expensive
дешёвый	cheap	деше́вле	cheaper
коро́ткий	short	коро́че	shorter
ре́дкий	rare	ре́же	rarer
просто́й	simple	про́ще	simpler
бога́тый	rich	бога́че	richer
гро́мкий	loud	гро́мче	louder
ти́хий	quiet	ти́ше	quieter
лёгкий	light, easy	ле́гче	lighter, easier
чи́стый	clean	чи́ще	cleaner

5 HOW TO SAY 'THAN' AFTER A COMPARATIVE

5.1 ЧЕМ

There are two ways to convey the English 'than': first, simply use **чем** preceded by a comma.

Ло́ндон бо́лее краси́вый го́род, **чем** Лидс.	London is a more beautiful city than Leeds.
В Ита́лии ле́том жа́рче, **чем в Шотла́ндии**.	In Italy it is hotter in summer than in Scotland.

5.2 THE GENITIVE OF COMPARISON

After a short form comparative, the object of comparison can be placed in the genitive, without **чем**.

Моя́ сестра́ ста́рше **меня́**.	My sister is older than I am.
Его́ но́вая маши́на бо́льше **авто́буса**.	His new car is bigger than a bus.

6 SUPERLATIVE OF ADJECTIVES

The superlative is formed with **са́мый** and the long form of the adjective, both declining; this form is used for superlatives both before and after the noun:

Како́й го́род **са́мый краси́вый** в Ита́лии?	Which city is the most beautiful in Italy?
Мы жи́ли **в са́мом дорого́м райо́не** го́рода.	We lived in the most expensive part of town.

1 WHAT IS AN ADVERB?

An adverb describes an action (verb). Adverbs can also describe or modify another adjective or another adverb:

Говори́ть **бы́стро**.	To talk quickly.
О́чень краси́вый дом.	A very beautiful house.
Соверше́нно непоня́тный текст.	A completely incomprehensible text.
Он говори́т **о́чень гро́мко**.	He speaks very loudly.

2 FORMATION OF ADVERBS

Adverbs can be formed from most adjectives simply by adding -о to the stem (i.e. replace the last two letters of the masculine long form with **-о**). Adjectives in **-ский** form adverbs in **-ски**. Adverbs have only one form.

краси́вый	beautiful	**краси́во**	beautifully
плохо́й	bad	**пло́хо**	badly
истори́ческий	historical	**истори́чески**	historically

3 NEGATIVE ADVERBS

When you use a negative adverb ('never', 'nowhere', etc.) the verb also needs to be negative, i.e. with **не**:

Раи́са **никогда́ не** пьёт вино́.	Raisa never drinks wine.
Они́ **нигде́ не** бы́ли в Росси́и, кро́ме Москвы́.	They haven't been anywhere in Russia apart from Moscow.
Вале́рий **никуда́ не** идёт по́сле уро́ка.	Valery isn't going anywhere after the lesson.

The same applies to the negative pronouns **никто́** and **ничего́**

Никто́ не понима́ет, что они́ хотя́т.	No one understands what they want.

4 COMPARATIVE OF ADVERBS

The short form comparative (see Adjectives 4.2 and 4.3) also serves as the comparative of the adverb:

Он игра́ет в те́ннис **лу́чше**, чем я.	He plays tennis better than I do.
Она́ зна́ет **бо́льше** о му́зыке.	She knows more about music.

Note the construction with **как мо́жно** and the comparative adverb to say 'as… as possible'

Вы должны́ зако́нчить **как мо́жно скоре́е**.	You must finish as soon as possible.
Приходи́те **как мо́жно ра́ньше**.	Come as early as you can.

1 WHAT IS A VERB?

Verbs are words that denote an action (e.g. 'read', 'swim'). The basic form of a verb is called the infinitive. This corresponds to the English form 'to read', 'to swim' etc. In dictionaries all verbs are given in the infinitive.

2 VERB TENSE AND ASPECT

2.1 WHAT IS A TENSE?

Tense defines the time of an action. Russian has three tenses: present, future and past:
the present is used for an action that is happening now or happens regularly
the future is used for an action that will happen after now
the past is used for an action that happened before now

2.2 WHAT IS AN ASPECT?

While tense defines the time of an action, aspect defines whether an action is complete (perfective) or incomplete (imperfective). Most Russian verbs come in pairs – the imperfective aspect and the perfective aspect. This means that for most English verbs there are two possible verbs in Russian. The differences between the imperfective and perfective aspects are explained in more detail below. As a rough guideline, however:

imperfective verb	perfective verb
a regular action in any tense	a one-off action in the past or future
a process	a completed action
no interest in the result	a result

2.3 BASIC FORMS OF A VERB

The imperfective verb has three tenses: present, past and future. The perfective verb has only two tenses: the past and the future. There is no present tense of a perfective verb.

	imperfective	perfective
infinitive	чита́ть	прочита́ть
present tense	я чита́ю ты чита́ешь он/а́ чита́ет мы чита́ем вы чита́ете они́ чита́ют	[none]
future tense	я бу́ду чита́ть ты бу́дешь чита́ть он/а́ бу́дет чита́ть мы бу́дем чита́ть вы бу́дете чита́ть они́ бу́дут чита́ть	я прочита́ю ты прочита́ешь он/а́ прочита́ет мы прочита́ем вы прочита́ете они́ прочита́ют
past tense	чита́л чита́ла чита́ло чита́ли	прочита́л прочита́ла прочита́ло прочита́ли

3 PRESENT TENSE OF VERBS

You can only form a present tense from the imperfective verb. The present tense in Russian conveys the English sense of both 'I speak' (i.e. something you do regularly) and 'I am speaking' (i.e. something you are doing now).

3.1 REGULAR PRESENT TENSE

Russian verbs can be divided into two broad groups, or conjugations. The two patterns for the present tense are given below:

1st conjugation читáть (to read)	2nd conjugation говори́ть (to speak)
я читáю	я говорю́
ты читáешь	ты говори́шь
он/á читáет	он/á говори́т
мы читáем	мы говори́м
вы читáете	вы говори́те
они́ читáют	они говоря́т

3.2 IRREGULAR PRESENT TENSE

The following verbs are the most useful among a very small number of irregular verbs:

мочь to be able (can)	есть to eat	хотеть to want
я могу́	я ем	я хочу́
ты мо́жешь	ты ешь	ты хо́чешь
он/á мо́жет	он/á ест	он/á хо́чет
мы мо́жем	мы еди́м	мы хоти́м
вы мо́жете	вы еди́те	вы хоти́те
они́ мо́гут	они́ едя́т	они́ хотя́т

4 PAST TENSE OF VERBS

4.1 FORMATION

The majority of Russian verbs form the past tense by replacing the -ть of the infinitive with four possible endings. The form of the past tense depends on the gender (masculine, feminine or neuter) and the number (singular, plural) of the subject. You can form a past tense from the imperfective and the perfective verb.

	infinitive	masc.	fem.	neut.	plural
imperfective	читáть	читáл	читáла	читáло	читáли
perfective	прочитáть	прочитáл	прочитáла	прочитáло	прочитáли

Ви́ктор **читáл** журнáл.	Viktor was reading the magazine.
Натáша **читáла** кни́гу.	Natasha was reading a book.
Мы **прочитáли** тéкст.	We read the text.

4.2 USE OF THE IMPERFECTIVE AND PERFECTIVE PAST

The table below gives explanations and examples of the main differences between the imperfective and perfective verbs in the past tense.

imperfective past	perfective past
regular or repeated action	one-off action
Она́ ви́дела его́ ка́ждый день. She saw him every day.	Пе́рвый раз она́ уви́дела его́ год наза́д. She saw him for the first time a year ago.
incomplete action (1) interested in how long an action went on for	complete action (1) interested in the fact that the action is finished
Я гото́вил у́жин весь день. I spent the whole day preparing dinner.	Ты уже́ пригото́вил у́жин? Have you already made dinner?
incomplete action (2) an action that was in the process of happening	complete action (2) an action that happened
Я писа́л докла́д, когда́ позвони́л мой друг. I was writing a report when my friend called.	Я написа́л письмо́, а пото́м позвони́л домо́й. I wrote a letter and then called home.
an action that took place at some point in the past (no interest in the result)	an action with a result
Вчера́ на уро́ке мы чита́ли статью́. Yesterday at the lesson we read an article.	Вчера́ мы прочита́ли статью́ и обсуди́ли её. Yesterday we read an article and discussed it.
to state the fact of having done something (also no interest in the result)	
Ты чита́л «Войну́ и мир»? Have you read War and Peace?	

5 FUTURE TENSE OF VERBS

5.1 FORMATION OF THE IMPERFECTIVE FUTURE

There are two forms of future tense in Russian. The imperfective future is formed from the verb **быть** and the infinitive of the imperfective verb:

imperfective future
я бу́ду чита́ть
ты бу́дешь чита́ть
он/а́ бу́дет чита́ть
мы бу́дем чита́ть
вы бу́дете чита́ть
они́ бу́дут чита́ть

5.2 FORMATION OF THE PERFECTIVE FUTURE

The perfective future is formed from the perfective infinitive; the endings are the same as those for the present tense of imperfective verbs:

perfective future
я прочита́ю
ты прочита́ешь
он/а́ прочита́ет
мы прочита́ем
вы прочита́ете
они́ прочита́ют

5.3 USE OF IMPERFECTIVE AND PERFECTIVE FUTURE

The differences between imperfective and perfective verbs in <u>the future</u> are generally <u>the same</u> as those between imperfective and perfective verbs in <u>the past</u>.

imperfective future	perfective future
regular, repeated	one-off
Я бу́ду звони́ть тебе́ раз в неде́лю. I'll call you once a week.	Я позвоню́ тебе́ за́втра. I'll call you tomorrow.
process (how long)	complete
Он бу́дет гото́вить у́жин весь день. He'll make (be making) dinner all day.	Он пригото́вит у́жин по́сле рабо́ты. He'll make dinner after work.
process (no interest in result)	result
Что вы бу́дете де́лать в суббо́ту? What will you do on Saturday?	Когда́ вы сде́лаете ремо́нт? When will you do the repairs?
simultaneous actions	consecutive actions
Ве́чером я бу́ду у́жинать и смотре́ть телеви́зор. This evening I'll have dinner and watch TV. (i.e. at the same time)	Ве́чером я поу́жинаю и посмотрю́ фильм. This evening I'll have dinner and watch a film. (i.e. afterwards)

6 USE OF THE IMPERFECTIVE AND PERFECTIVE INFINITIVE

6.1 GENERAL

The normal criteria for whether you use an imperfective or perfective in the past/future also apply to the infinitive:

Бори́с лю́бит **покупа́ть** оде́жду.	Boris likes to buy clothes. (i.e. generally)
Бори́с хо́чет **купи́ть** сви́тер.	Boris wants to buy a sweater. (i.e. once)

6.2 AFTER VERBS OF BEGINNING, FINISHING AND CONTINUING

Only the imperfective infinitive can be used after verbs of beginning, finishing and continuing:

Де́ти на́чали есть фру́кты.	The children began to eat fruit.
Мать ко́нчила гото́вить обе́д.	Mother finished cooking lunch.

6.3 USE OF IMPERFECTIVE AND PERFECTIVE INFINITIVE AFTER НЕЛЬЗЯ́

After нельзя́ the imperfective infinitive is used to express prohibition:

В э́ту ко́мнату нельзя́ входи́ть.	You mustn't go into this room.

After нельзя́ the perfective infinitive is used to denote physical impossibility:

В э́ту ко́мнату нельзя́ войти́. Дверь закры́та.	You can't go into this room. The door's shut.

6.4 OTHER

The imperfective infinitive is used after these negative verbal expressions: не на́до, не хочу́, не сове́тую.

Я не сове́тую вам смотре́ть э́тот спекта́кль.	I don't advise you to watch this show.
Он не хо́чет смотре́ть э́тот фильм.	He doesn't want to watch this film.

7 IMPERATIVE

7.1 WHAT IS AN IMPERATIVE?

The imperative is used to express a command, request or invitation ('sit down!', 'please shut the door', 'let's go!'). The imperative can be formed from the imperfective or perfective verb. The imperative can be singular (used to speak to one person) or plural (used to speak to more than one person or as a polite form to one person).

In Russian the imperative can be a polite way to make a request; its use is not abrupt or impolite as is often the case in English.

7.2 FORMATION OF THE IMPERATIVE

For most verbs you remove the ending of the ты form and add -й, -йте if the last letter is a vowel, or -и, -ите if the last letter is a consonant.

чита́ть	ты чита́ешь	чита-	чита́й, чита́йте
смотре́ть	ты смо́тришь	смотр-	смотри́, смотри́те

7.3 IMPERATIVES: WHICH ASPECT?

Both aspects can be used in the imperative. The imperfective is normally used for a general instruction, while the perfective is used in simple requests, commands, etc. for something to be done:

Чита́йте ме́дленно!	Read slowly!
Прочита́йте текст!	Read the text!

In the negative the imperfective imperative is normally used:

Не волну́йтесь!	Don't worry!
Не разгова́ривайте!	Don't talk!

7.4 THIRD PERSON IMPERATIVE

The third person imperative is used when you want to express an instruction or command to a third person (him, her, them): 'let him do it'; 'let them eat cake'. To form this kind of imperative use the word пусть (or пуска́й) with the relevant form of the present or the perfective future.

Пусть де́лают, что хотя́т.	Let them do what they want.
Пуска́й она́ позвони́т за́втра.	Let her call tomorrow.

7.5 FIRST PERSON IMPERATIVE

The first person imperative is used to say 'let's do something'. Frequently the first person imperative is formed with дава́й or дава́йте followed by either the <u>imperfective infinitive</u>, or the мы form of the <u>perfective</u> verb.

Дава́й смотре́ть телеви́зор.	Let's watch television.
Дава́йте пойдём в кино́.	Let's go to the cinema.

The first person plural of the future tense (perfective) can also be used on its own to form the first person imperative.

Пойдём.	Let's go.
Посмо́трим.	Let's see.

REFLEXIVE VERBS

1 WHAT IS A REFLEXIVE VERB?

Reflexive verbs generally describe actions that you do to yourself ('to get dressed' – i.e. 'to dress yourself') or actions that you do to one another ('we met' – i.e. 'we met each other'); some verbs, meanwhile, are reflexive in form but not obviously in meaning. The infinitives of reflexive verbs add -ся to the end:

интересова́ться	to be interested (i.e. to interest yourself)
знако́миться	to become acquainted
улыба́ться	to smile

2 FORMS OF REFLEXIVE VERBS

Reflexive verbs have the same forms as normal verbs, except that -ся is added to any form ending in a consonant, and -сь to any form ending in a vowel.

infinitive	занима́ться
present tense	я занима́юсь ты занима́ешься он/а́ занима́ется мы занима́емся вы занима́етесь они́ занима́ются
past tense	занима́лся занима́лась занима́лось занима́лись

3 PRINCIPAL MEANINGS OF REFLEXIVE VERBS

3.1 PURE REFLEXIVE

Reflexive verbs can describe an action that is not done to another person or thing, but is directed back to its performer. So in the second example below the reflexive verb is used because the doors effectively close themselves:

Анто́н **закрыва́ет дверь.**	Anton is closing the door. (non-reflexive)
Осторо́жно, **две́ри закрыва́ются.**	Be careful, the doors are closing. (reflexive)

3.2 RECIPROCAL

A reflexive verb can describe an action that is reciprocal; i.e. done to each other:

Я давно́ его́ не **ви́дел.**	I haven't seen him for a long. (non-reflexive)
Мы давно́ не **ви́делись.**	We haven't seen each other for a long time. (reflexive)

4 VERBS THAT ARE ONLY REFLEXIVE

There are many verbs that are only reflexive in form. Some of the most useful are:

наде́яться/понаде́яться	to hope
стара́ться/постара́ться	to try
улыба́ться/улыбну́ться	to smile
остава́ться/оста́ться	to remain
станови́ться/стать	to become (*imperfective only is reflexive*)
боя́ться/побоя́ться	to be afraid of
смея́ться/засмея́ться	to laugh

VERBS OF MOTION

1 WHAT IS A VERB OF MOTION?

A verb of motion is one of a special group of 14 verbs, all of which describe some kind of movement. They behave differently to other verbs. Most verbs have an imperfective and a perfective (e.g. **чита́ть/прочита́ть**). The 14 verbs of motion, however, have two imperfectives (as well as a perfective). One of these imperfectives is called the <u>specific</u> (<u>unidirectional</u>) verb; the other the <u>non-specific</u> (<u>multidirectional</u>) verb. The table below summarises the differences between the two imperfective verbs, and gives the two most important verbs of motion, **идти|ходи́ть** 'to go (on foot)' and **е́хать|е́здить**, 'to go (by transport)'

specific (unidirectional)	non-specific (multidirectional)
a specific one-off movement from a to b	a habitual or repeated movement the physical ability to move a movement in no particular direction a round trip (in the past only)
идти́ (*past* шёл, шла, шло, шли)	ходи́ть
е́хать	е́здить

2 THE FOURTEEN VERBS OF MOTION

The table below gives all 14 verbs of motion. This is for reference only.

specific (unidirectional)	non-specific (multidirectional)	meaning
идти́	ходи́ть	to go on foot, to walk
е́хать	е́здить	to go by transport
бежа́ть	бе́гать	to run
плыть	пла́вать	to swim, to sail
лете́ть	лета́ть	to fly
нести́	носи́ть	to carry
вести́	води́ть	to lead, to take
везти́	вози́ть	to carry by transport, to push, to pull
брести́	броди́ть	to wander, drag oneself along
ползти́	ползать	to crawl
лезть	ла́зить	to climb
тащи́ть	таска́ть	to drag
кати́ть	ката́ть	to roll
гнать	гоня́ть	to drive, to chase

3 USES OF THE SPECIFIC (UNIDIRECTIONAL) VERB OF MOTION

3.1 ONE-OFF MOVEMENT IN A PARTICULAR DIRECTION

Куда́ ты идёшь? — Where are you going?
Я иду́ на рабо́ту. — I am going to work.

3.2 A MOVEMENT TAKING PLACE WHEN SOMETHING ELSE HAPPENED (IMPERFECTIVE PAST ONLY)

Когда́ я шёл в теа́тр, я встре́тил дру́га. — As I was going to the theatre, I met a friend.

3.2 THE BEGINNING OF A MOVEMENT (PERFECTIVE PAST ONLY)

– Где Ива́н? – Он пошёл в магази́н. — Where is Ivan? He's gone to the shop.

4 USES OF THE NON-SPECIFIC (MULTIDIRECTIONAL) VERB OF MOTION

4.1 HABITUAL OR REPEATED MOVEMENT

По воскресе́ньям она́ хо́дит в це́рковь. — On Sundays she goes to church.
Ка́ждое у́тро я е́зжу в о́фис на велосипе́де. — Every morning I go to the office by bike.

4.2 PHYSICAL ABILITY

Мой сын уже́ хо́дит. — My son is already walking.

4.3 MOVEMENT IN NO SPECIFIC DIRECTION

Мы до́лго ходи́ли по го́роду. — We spent a long time walking around the town.

4.4 A ROUND TRIP (IN THE PAST ONLY)

Неда́вно я е́здил в Росси́ю. — Recently I went to Russia.
Вчера́ мы ходи́ли в теа́тр. — Yesterday we went to the theatre.

5 VERBS OF MOTION WITH DIRECTIONAL PREFIXES

5.1 INTRODUCTION

You can impart a particular sense of direction to the 14 basic pairs of verbs of motion by adding various directional prefixes. These prefixes are common to all verbs of motion. Thus, for example, the prefix при- can be added to any verb of motion to indicate arrival:

прийти́	to arrive (on foot)
принести́	to bring

5.2 ASPECTS

When you add a directional prefix to a verb of motion, the distinctions between non-specific and specific no longer apply. Instead you end up with an imperfective/perfective pair of verbs. Add a directional prefix to the non-specific verb (the ходи́ть group) and you get an imperfective verb; add one to the specific verb (the идти́ group) and you get a perfective verb.

non-specific + directional prefix = imperfective	specific + directional prefix = perfective
Она́ всегда́ **прихо́дит** домо́й в семь часо́в.	За́втра она́ **придёт** домо́й в семь часо́в.
She always arrives home at seven.	Tomorrow she will arrive home at seven.
Он всегда́ **приезжа́л** в Ло́ндон ле́том.	Он **прие́хал** в Ло́ндон вчера́.
He always came to London in the summer.	He arrived in London yesterday.

6 FIGURATIVE USES OF ИДТИ́

A number of phrases use **идти́** in a figurative sense:

В на́шем кинотеа́тре **идёт** но́вый фильм.	There is a new film playing in our cinema.
О чём **идёт** речь?	What are (we) talking about? (*lit. 'about what is the speech going'*)
Идёт дождь/снег.	It is raining/snowing.
Ей о́чень **идёт** но́вое пла́тье.	Her new dress suits her very well.

1 PERSONAL PRONOUNS

Personal pronouns are words indicating persons and objects without actually naming them. They correspond to the English 'I', 'you', 'he', 'she', etc. Their forms are given in full below:

	I	you (s.)	he	it	she	we	you (pl.)	they
nom.	я	ты	он	оно́	она́	мы	вы	они́
acc.	меня́	тебя́	его́	его́	её	нас	вас	(н)их
gen.	меня́	тебя́	(н)его́	(н)его́	(н)её	нас	вас	(н)их
dat.	мне	тебе́	(н)ему́	(н)ему́	(н)ей	нам	вам	(н)им
inst.	мной	тобо́й	(н)им	(н)им	(н)ей	на́ми	ва́ми	(н)и́ми
prep.	мне	тебе́	нём	нём	ней	нас	вас	них

Они́ рабо́тают с **на́ми**.	They work with us.
Мы всегда́ ду́маем **о нём**.	We always think about him.

2 KTO AND ЧТО

Like other pronouns, **кто** and **что** must be put into the relevant case:

	КТО	ЧТО
nom.	кто	что
acc.	кого́	что
gen.	кого́	чего́
dat.	кому́	чему́
inst.	кем	чем
prep.	ком	чём

О чём вы говори́те?	What are you talking about?
С кем вы рабо́таете?	Who do you work with?

3 NEGATIVE PRONOUNS НИКТО́ AND НИЧТО́

Никто́ and **ничто́** are used with a verb in the negative to say 'no one' and 'nothing'. **Никто́** and **ничто́** decline like **кто** and **что**.

Никто́ не зна́ет.	No one knows.
Ма́ша ничего́ не ви́дела.	Masha didn't see anything.
Я никому́ не писа́л.	I didn't write to anyone.

When used with prepositions, **никто́** and **ничто́** break up into two parts and the preposition is inserted between the particle **ни** and the relevant part of **кто** or **что**:

Ви́ктор ни о чём не ду́мал.	Viktor wasn't thinking about anything.
Мы ни с кем не разгова́ривали об э́том.	We didn't speak to anyone about this.

4 СЕБЯ́

The reflexive pronoun **себя́** is used for myself, yourself, himself, etc., whenever these refer back to the immediate subject. **Себя́** is never found in the nominative:

nom.	–
acc.	себя́
gen.	себя́
dat.	себе́
inst.	собо́й
prep.	себе́

Я купи́ла себе́ маши́ну.	I bought myself a car.
Она́ ду́мает то́лько о себе́.	She thinks only of herself.

5 САМ

The pronoun сам, сама́, само́, са́ми can be used with another noun for emphasis ('I myself' etc.).

Я **сам** э́то сде́лаю.	I'll do it myself.
Та́ня же **сама́** э́то говори́ла!	Tanya said so herself!
Он **сам** себя́ не понима́ет.	Even he doesn't understand himself.

6 POSSESSIVE PRONOUNS

6.1 МОЙ, ТВОЙ, НАШ, ВАШ

The forms of **твой** follow **мой** below; the forms of **ваш** follow **наш** below:

	masc.	fem.	neut.	plur.	masc.	fem.	neut.	plur.
nom.	мой	моя́	моё	мои́	наш	на́ша	на́ше	на́ши
acc.	мой	мою́	моё	мои́	наш	на́шу	на́ше	на́ши
	моего́*			мои́х*	на́шего*			на́ших*
gen.	моего́	мое́й	моего́	мои́х	на́шего	на́шей	на́шего	на́ших
dat.	моему́	мое́й	моему́	мои́м	на́шему	на́шей	на́шему	на́шим
inst.	мои́м	мое́й	мои́м	мои́ми	на́шим	на́шей	на́шим	на́шими
prep.	моём	мое́й	моём	мои́х	на́шем	на́шей	на́шем	на́ших

The possessive pronouns **мой**, **твой**, **наш**, and **ваш** ('my', 'your', 'our', 'your') behave like adjectives, and match the case and gender of the noun they describe:

Э́то **мой** брат.	This is my brother.
Э́то **моя́** сестра́.	This is my sister.

As with adjectives, the form of the masculine accusative will depend on whether the attached noun is animate or inanimate:

Ты ви́дел **наш** но́вый дом?	Have you seen our new house? (*inanimate*)
Ты зна́ешь **на́шего** но́вого дру́га?	Do you know our new friend? (*animate*)

6.2 ЕГО́, ЕЁ, ИХ

Его́, её, их (his, her, their) do not change, regardless of the gender of the noun they refer to. They are invariable, because they are the genitive case of он, она́, они́ respectively.

Э́то **его́** брат.	This is his brother.
Э́то **его́** сестра́.	This is his sister.

6.4 LEAVING THE POSSESSIVE OUT ALTOGETHER

When there is little doubt about whose possession is involved, especially with relations and parts of the body, it is much more common to leave the possessive pronoun out:

Он лю́бит ма́му.	He loves (his) mother.

* The form of the masculine accusative singular and the accusative plural depends on whether the pronoun is describing an animate or inanimate noun. For inanimate nouns, the accusative is the same as the nominative; for animate nouns the accusative is the same as the genitive.

7 ЧЕЙ

Чей is used with other nouns to ask the question 'whose'?

	masc.	fem.	neut.	plur.
nom.	чей	чья	чьё	чьи
acc.	чей	чью	чьё	чьи
	чьего*			чьих*
gen.	чьего	чьей	чьего	чьих
dat.	чьему	чьей	чьему	чьим
inst.	чьим	чьей	чьим	чьими
prep.	чьём	чьей	чьём	чьих

Чья это ручка?	Whose pen is this?
Чей это дом?	Whose house is this?
Чьи это дети?	Whose are these children?

8 КАКОЙ

Какой declines like an adjective. It can be used to translate the English 'which', 'what kind of' or 'what' with another noun:

Какая у вас машина?	What kind of car do you have?
Какое пиво вы хотите?	Which beer do you want?
На каком этаже вы живёте?	Which floor do you live on?

9 ЭТОТ, ТОТ

The demonstrative pronouns этот and тот correspond to the English 'this' and 'that'. Like adjectives, their form matches the noun they go with. The neuter form это is often used on its own to mean 'it'.

Мы живём в этом доме.	We live in this building.
Та машина лучше, чем эта.	That car is better than this one.
Это меня не интересует.	This (it) doesn't interest me.

	masc.	fem.	neut.	plur.		masc.	fem.	neut.	plur.
nom.	этот	эта	этот	эти		тот	та	то	те
acc.	этот	эту	этот	эти		тот	ту	то	те
	этого*			этих*		того*			тех*
gen.	этого	этой	этого	этих		того	той	того	тех
dat.	этому	этой	этому	этим		тому	той	тому	тем
inst.	этим	этой	этим	этими		тем	той	тем	теми
prep.	этом	этой	этом	этих		том	той	том	тех

* The form of the masculine accusative singular and the accusative plural depends on whether the pronoun is describing an animate or inanimate noun. For inanimate nouns, the accusative is the same as the nominative; for animate nouns the accusative is the same as the genitive.

10 ВЕСЬ

	masc.	fem.	neut.	plur.
nom.	весь	вся	всё	все
acc.	весь	всю	всё	все
	всего*			всех*
gen.	всего́	всей	всего́	всех
dat.	всему́	всей	всему́	всем
inst.	всем	всей	всем	все́ми
prep.	всём	всей	всём	всех

* The form of the masculine accusative singular and the accusative plural depends on whether весь is describing an animate or inanimate noun. For inanimate nouns, the accusative is the same as the nominative; for animate nouns the accusative is the same as the genitive.

10.1 TO MEAN 'THE WHOLE'

Весь (masculine), вся (feminine), всё (neuter) can go with a singular noun to mean 'all' as in 'the whole':

Мы рабо́тали **всю неде́лю**.	We worked all week.
Мы отдыха́ли **всё ле́то**.	We were on holiday the whole summer.

10.2 ВСЕ IN THE PLURAL

Все can go with a plural noun to mean 'all' as in 'every one':

Все мои друзья́ пришли́ на вечери́нку.	All my friends came to the party.

9.3 EVERYONE AND EVERYTHING

The neuter form **всё** can be used on its own to mean 'everything'; similarly, the plural form **все** can be used to mean 'everyone' or 'everybody':

Он зна́ет **всё**.	He knows everything.
Все зна́ют э́то.	Everyone knows this.

11 SOMEONE, SOMETHING, SOMEWHERE, ETC.

11.1 -ТО

The particle -то is added to question words (кто́-то, где́-то, etc.) to say 'someone', 'somewhere' etc. You use it to refer to something specific, i.e. which you know exists, but which you are unfamiliar with or cannot remember.

Я **где́-то** чита́л об э́том.	I read about it somewhere.
Кто́-то мне об э́том уже́ говори́л.	Someone has already told me about it.

11.2 -НИБУ́ДЬ

The particle -нибу́дь is also added to question words. You use it to refer to something which you don't yet know about or don't care about, i.e. which may or may not exist. As a rule, it is used in the future, in questions and after imperatives.

Дай мне **что́-нибу́дь** почита́ть.	Give me something to read.
Хоти́те **что́-нибу́дь** ещё?	Would you like something else?

1 RULE 1

ы cannot follow г, ж, к, х, ч, ш, щ. Use и instead.

Кни́ги (not -ы)	Books
Па́мятники (not -ы)	Monuments

2 RULE 2

Unstressed о cannot follow ж, ц, ч, ш, щ. Use е instead.

С Са́шей (not -ой)	With Sasha
Хоро́шее вино́ (not -ое)	Good wine

3 RULE 3

я cannot follow г, ж, к, х, ц, ч, ш, щ. Use а instead.

Они́ у́чат (not -ят)	They study
Они́ слы́шат (not -ят)	They hear

4 RULE 4

ю cannot follow г, ж, к, х, ц, ч, ш, щ. Use у instead.

Я хочу́ (not -ю)	I want
Они́ пи́шут (not -ют)	They write

РУ́ССКО-АНГЛИ́ЙСКИЙ СЛОВА́РЬ
RUSSIAN-ENGLISH VOCABULARY

А́НГЛО-РУ́ССКИЙ СЛОВА́РЬ
ENGLISH-RUSSIAN VOCABULARY

РУ́ССКО-АНГЛИ́ЙСКИЙ СЛОВА́РЬ
RUSSIAN-ENGLISH VOCABULARY

This vocabulary contains all the words from the book. It is not a dictionary: translations and definitions are kept short, usually only giving the meaning that is used in the book.

The number next to each word indicates the lesson in which it first appears; 0 indicates the alphabet section at the beginning of the book, GS the Grammar Supplement. Words that appear in both the alphabet section and the main part of the book are given the number 0 and the number of the relevant lesson.

In the English-Russian section, if more than one possible Russian translation is given, then more than one number may be shown, indicating the chapter reference for each Russian word.

Verbs are listed under both imperfective and perfective aspects, unless a verb appears in only one aspect in the book, in which case just that aspect is given in the vocabulary. The verb forms are not given; for these you should look in the verb appendix on pages 365–71.

The following abbreviations are used (most of them familiar from the rest of the book):

acc.	accusative	gen.	genitive	n.	neuter
adj.	adjective	m.	masculine	nom.	nominative
adv.	adverb	imp.	imperfective	pf.	perfective
dat.	dative	indecl.	indeclinable	pl.	plural
f.	feminine	inst.	instrumental	prep.	prepositional

А

a	and, but	1
абсолю́тно	absolutely	12
а́вгуст	August	0,7
Австра́лия	Australia	10
А́встрия	Austria	8
авто́бус	bus	0,2
авто́бусный	bus adj.	15
автоотве́тчик	answerphone	11
а́втор	author	14
ага́!	aha!	2
адвока́т	lawyer, barrister	13
администра́тор	administrator	1
администра́ция	administration	0
а́дрес	address	3
академи́ческий	academic adj.	6
аккура́тный	neat	15
актёр	actor	5
актри́са	actress	3
алкого́ль m.	alcohol	12
алкого́льный	alcoholic	7
аллерги́я	allergy	12
алло́	hello (on phone)	8
алфави́т	alphabet	9
альбо́м	album, picture book	12
Аме́рика	America	0,1
америка́нец	American man	1
америка́нка	American woman	3
америка́нский	American adj.	2
амфитеа́тр	circle (in theatre)	13
англи́йский	English	2
по-англи́йски	in English (with говори́ть)	2
англича́нин, англича́нка	Englishman, woman	3
А́нглия	England	0,2
антибио́тик	antibiotic	12
антиква́рный	antique adj.	5
апельси́н	orange	6

апельси́новый	orange adj.	7
аппети́т	appetite	7
прия́тного аппети́та	bon appetit!	7
апре́ль m.	April	0,7
апте́ка	chemist	0,2
апчхи́!	atishoo!	14
Арба́т	Arbat (Moscow street)	2
арендова́ть imp., pf.	to rent	10
ареста́нт	prisoner	8
а́рмия	army	0,9
арт-ди́лер	art dealer	7
арти́стка	female performer	5
а́рфа	harp	11
архитекту́ра	architecture	13
архитекту́рный	architectural	13
аспири́н	aspirin	12
ассисте́нт	assistant	1
аудито́рия	audience	11
А́фрика	Africa	13
ах	ah!	2
аэропо́рт	airport	0,2

Б

ба́бушка	grandmother	3
бага́ж	luggage	0,2
балала́йка	balalaika	5
балери́на	ballerina	5
бале́т	ballet	5
балко́н	balcony	10
Ба́лтика	Baltic Sea	6
бана́н	banana	0,6
банк	bank	0,2
банки́р	banker	12
бар	bar	0,1
бас	bass	15
баскетбо́л	basketball	14

баскетболи́ст	basketball player	14
бассе́йн	swimming-pool	6
батаре́йка	battery	15
бато́н хле́ба	loaf (white)	9
ба́шня	tower	4
бе́дный	poor	13
бежа́ть *imp.*	to run	9
без + *gen.*	without	7
безалкого́льный	non-alcoholic	7
бейсбо́л	baseball	5
Белару́сь *f.*	Belarus	0, 14
бе́лый	white	4
бензи́н	petrol	9
бе́рег	shore	GS
библиоте́ка	library	2
би́знес	business	14
би́знес-центр	business centre	0
би́знес-ланч	business lunch	7
бизнесме́н	businessman	1
биле́т	ticket	0, 1
бистро́	bistro	0
бле́дный	pale	15
бли́же	nearer	13
бли́зкий	near, close	13
бли́зко	(it is) near, close	11
блины́ *pl.*	blinys	7
блокно́т	note pad	6
блю́до	dish, course	7
бога́тый	rich	10
бога́че	richer	13
бога́ч	rich man	15
боеви́к	war film, action film	11
Бог	God	GS
Бо́же мой!	My God!	8
бока́л	glass (*wine*)	10
болга́рский	Bulgarian	5
бо́лее	more + *adj.*	13
боле́ть *imp.* (*pf.* заболе́ть)	to ache, hurt	12
боле́ть *imp.* (*pf.* заболе́ть)	to be ill, fall ill	12
больни́ца	hospital	2
больно́й	patient	12
бо́льше	more	6
большо́й	big	0, 1
бомж	homeless person	13
бо́нус	bonus	15
борода́	beard	15
борщ	borshch (*beetroot soup*)	0, 7
боти́нок, *pl.* боти́нки	low boots	9
боя́ться	to be afraid	10
Брази́лия	Brazil	13
брат, *pl.* бра́тья	brother	0, 3
брать *imp.* (*pf.* взять)	to take	6
брита́нский	British	0
бронено́сец	battleship	4
броса́ть *imp.* (*pf.* бро́сить)	to throw, give up	13
брю́ки	trousers	13
бу́блик	roll, doughnut	15
будь здоро́в!	bless you!	14
бу́дьте добры́	be so kind	8
бу́ква	letter (*of alphabet*)	9
бульва́р	boulevard	2
бума́жник	wallet	13
бу́ргер	burger	0
бутербро́д	sandwich	4
буты́лка	bottle	0, 1
буфе́т	buffet	0, 2
бухга́лтер	book-keeper	8
бухгалте́рия	accounting	12
бюро́	office	0
быва́ть *imp.*	to happen, happen to be	13
бы́стро	quickly	5
бы́стрый	fast	8
быть	to be	3

В

в + *acc.*; + *prep.*	into; in	2
ва́жный	important	7
ва́жно	(it is) important	7
ва́за	vase	15
валю́тный магази́н	hard currency shop (in the USSR)	15
ва́нна	bath	10
ва́нная	bathroom	10
вариа́нт	version	15
ваш, ва́ша, ва́ше, ва́ши	your *pl. or formal*	1
ВДНХ	VDNKh (Soviet-era exhibition centre)	6
вдруг	suddenly	4
вебса́йт	website	11
вегетариа́нец, -а́нка	vegetarian	7
ведь	indeed, you see	15
везде́	everywhere	13
везти́ *imp.*	to carry (*by transport*)	12
(мне) везёт	(I) am lucky	12
век	century	13
вели́кий	great	12
Великобрита́ния	Great Britain	4
велосипе́д	bicycle	8
венге́рский	Hungarian	7
ве́рить *imp.* (*pf.* пове́рить) + *dat.*	to believe	14
вернисáж	exhibition, art fair	8
верну́ться *pf.* (*imp.* возвраща́ться)	to return	13
ве́село	(it is) fun	11
(мне) ве́село	(I) am happy	11
весёлый	jolly, fun	9
весна́	spring	
весно́й	in spring	8
ве́сти *f. pl.* (*old-fashioned*)	news	5
вестибю́ль *m.*	hall, lobby	2
весь, вся, всё, все	all, the whole	6
ве́тер	wind	8
ве́треный	windy	8
ве́трено	(it is) windy	8
ве́чер	evening	2
вечери́нка	party	6
вече́рний, -яя, -ее, -ие	evening *adj.*	5
вещь *f.*	thing	7
взять *pf.* (*imp.* брать)	to take	10
вид	view	15
ви́деть *imp.* (*pf.* уви́деть)	to see	5
ви́део	video	0
ви́за	visa	0, 1
визи́тка	business card	1
ви́лка	fork	10
вино́	wine	0, 2
включа́ть *imp.* (*pf.* включи́ть)	to turn on	15
вкус	taste	0
вку́сный	tasty	6
вку́сно	(it is) tasty	7

Russian	English	Ch.
вме́сте	together	4
вме́сто + *gen.*	instead of	14
внизу́	below *adv.*	13
внима́ние	attention	14
обраща́ть *imp.* (*pf.* обрати́ть)		
внима́ние на + *acc.*	to pay attention to	14
внима́тельно	attentively	10
внук	grandson	10
внутри́ + *gen.*	inside (*position*)	8
вну́чка	granddaughter	10
во́время	on time	15
вода́	water	4
води́тель *m.*	driver	1
води́ть маши́ну	to drive a car	12
во́дка	vodka	0,6
возвраща́ться *imp.*		
(*pf.* верну́ться)	to return	14
во́здух	air	14
во́зле + *gen.*	by	15
возмо́жно	(it is) possible	11
война́	war	4
войти́ *pf.* (*imp.* входи́ть)	to enter (*on foot*)	11
вошёл, вошла́, вошли́	*past tense of* войти́	
вокза́л	station	0,2
вокру́г + *gen.*	around	5
волне́ние	concern, worry	14
волнова́ться *imp.*		
(*pf.* разволнова́ться)	to be worried	12
во́лосы *m. pl.*	hair	14
волшебство́	magic	15
вообще́	in general	12
вопро́с	question	4
воро́та *pl.*	gates	15
восемна́дцатый	eighteenth	13
восемна́дцать	eighteen	3
во́семь	eight	3
во́семьдесят	eighty	9
восемьсо́т	eight hundred	9
восклица́ть *imp.*		
(*pf.* воскли́кнуть)	to exclaim	14
воскресе́нье	Sunday	6
восто́к	east	0,9
восьмидеся́тый	eightieth	13
восьмо́й	eighth	13
вот	here is	1
вполне́	entirely	14
враг	enemy	15
врач	doctor	2
вре́мя	time	2
все	all, everyone	3
всё	all, everything	4
всё равно́	all the same	6
всегда́	always	4
всё-таки	nonetheless	13
вспомина́ть *imp.*		
(*pf.* вспо́мнить)	to remember, recall	11
вспо́мнить *pf.*		
(*imp.* вспомина́ть)	to remember, recall	11
встава́ть *imp.* (*pf.* встать)	to get up, stand up	6
встать *pf.* (*imp.* встава́ть)	to get up, stand up	11
встре́тить *pf.*		
(*imp.* встреча́ть)	to meet	11
встре́тимся	we will meet	4
давай(те) встре́тимся	let's meet	4
встре́ча	meeting	4
встреча́ть *imp.* (*pf.* встре́тить)	to meet	3
вта́лкивать *imp.*		
(*pf.* втолкну́ть)	to push into	13
вто́рник	Tuesday	0,6
второ́й	second	5
вход	entrance	2
входи́ть *imp.* (*pf.* войти́)	to enter (*on foot*)	11
вчера́	yesterday	4
вы	you (*pl. or formal*)	0,1
вы́брать *pf.*	to choose	7
выдува́ть *imp.*	to blow (*of instrument*)	15
выи́грывать *imp.*		
(*pf.* вы́играть)	to win	15
вы́йти *pf.* (*imp.* выходи́ть)	to exit, go out (*on foot*)	11
вы́шел, вы́шла, вы́шли	*past tense of* вы́йти	
выключа́ть *imp.*		
(*pf.* вы́ключить)	to switch off	14
выпива́ть *imp.* (*pf.* вы́пить)	to drink up	10
вы́пить *pf.* (*imp.* выпива́ть)	to drink up	11
выраже́ние	expression	15
вы́рубить *pf.*	to cut down	14
высо́кий	tall, high	12
вы́ставка	exhibition	12
вы́ставочный	exhibition *adj.*	14
вы́учить *pf.* (*imp.* учи́ть)	to learn (by heart)	15
вы́ход	exit	2
выходи́ть *imp.* (*pf.* вы́йти)	to go out, exit (*on foot*)	10
выходи́ть *imp.* (*pf.* вы́йти)		
за́муж за + *acc.*	to marry (*of woman to man*)	15
выходно́й день	day off	13
выходны́е *pl. adj.*	weekend	10

Г

Russian	English	Ch.
га́з	gas	7
без га́за	still (*of water*)	7
с га́зом	sparkling	7
газе́та	newspaper	0,1
галере́я	gallery	1
га́мбургер	hamburger	0
гара́ж	garage	0,15
гардеро́б	cloakroom	6
гарни́р	side dish	7
гастроно́м	food shop	6
где	where	0,2
где́-то	somewhere	14
геогра́фия	geography	4
Герма́ния	Germany	3
герои́ня	heroine	3
геро́й	hero	11
гид	guide	3
гимна́зия	secondary school	9
гита́ра	guitar	5
глава́	chapter	1
гла́вный	main	8
глаго́л	verb	15
глаз, *pl.* глаза́	eye	0,12
глобализа́ция	globalisation	0
глу́пый	stupid	11
говори́ть *imp.*		
(*pf.* поговори́ть)	to speak, talk	1
говори́те *imperative*	speak	2
говори́ть *imp.* (*pf.* сказа́ть)	to say	1
год	year	6
голова́	head	12

го́лос, *pl.* голоса́	voice	9
гольф	golf	5
гора́	mountain	11
гора́здо	much (+ *comparative*; e.g. '*much bigger*')	13
горе́ть *imp.* (*pf.* сгоре́ть)	to burn, be alight	14
го́рло	throat	12
го́род	town, city	2
за́ город	out of town (*direction*)	8
за го́родом	out of town (*position*)	14
городско́й	town *adj.*	14
горя́чий	hot	7
господи́н	mister	2
гости́ная	sitting room	10
гости́ница	hotel	2
гости́ничный	hotel *adj.*	8
гость *m.*	guest	
идти́ *imp.* (*pf.* пойти́) в го́сти к + *dat.*	to (go to) visit sme	12
быть в гостя́х у + *gen.*	to visit sme	13
госуда́рственный	state *adj.*	6
гото́в, -а, -о, -ы	ready	4
гото́вить *imp.* (*pf.* пригото́вить)	to prepare, cook	7
гра́дус	degree	8
граждани́н	citizen	11
грамм	gram	9
грамма́тика	grammar	12
грандио́зный	grandiose	14
грани́ца	border	
за грани́цу	abroad (*direction*)	9
за грани́цей	abroad (*position*)	14
греме́ть *imp.*	to thunder, rumble	15
Гре́ция	Greece	4
гре́ческий	Greek	7
гриб	mushroom	7
Григориа́нский	Grigorian (calendar)	13
грипп	flu	6
гро́зный	threatening	
Ива́н Гро́зный	Ivan the Terrible	3
гро́мкий	loud	12
гро́мче	louder	GS
гро́мко	loudly	12
гру́стно	(it is) sad	9
гру́стный	sad	9
гря́зный	dirty	15
гудо́к	beep	13
гуля́ть *imp.* (*pf.* погуля́ть)	to go for a walk	4
гуля́ш	goulash	7
ГУМ	GUM (*department store in Moscow*)	2

Д

да	yes	0, 1
дава́ть *imp.* (*pf.* дать)	to give	12
да́й(те) *imperative*	give	6
дава́й, дава́йте + *verb*	let's…	3
давно́	long ago	10
даёт	(he, she) gives	0
да́же	even	5
далёкий	far	13
далеко́	(it is) far	2
да́льше	further	6
да́ма	lady	0, 6
дари́ть *imp.* (*pf.* подари́ть)	to present	13

да́та	date	13
да́ча	dacha	5
два	two	2
двадца́тый	twentieth	13
два́дцать	twenty	3
двена́дцатый	twelfth	13
двена́дцать	twelve	3
дверь *f.*	door	1
две́сти	two hundred	9
дви́гаться *imp.* (*pf.* дви́нуться)	to move	15
движе́ние	movement, traffic	13
дви́нуться *pf.* (*imp.* дви́гаться)	to move	15
двор	courtyard	9
дворе́ц	palace	9
де́вочка	young girl	3
де́вушка	girl, girlfriend	3
девяно́сто	ninety	9
девяно́стый	ninetieth	13
девятна́дцатый	nineteenth	13
девятна́дцать	nineteen	3
девя́тый	ninth	13
де́вять	nine	3
дсвятьсо́т	nine hundred	9
де́душка	grandfather	3
де́йствие	action, act (*of a play*)	6
дека́брь *m.*	December	0, 7
декора́ция	scenery (*in theatre*)	0
де́лать *imp.* (*pf.* сде́лать)	to do, make	3
делега́т	delegate	3
делега́ция	delegation	0
де́ло	matter, thing	1
как дела́?	how are things?	1
в чём де́ло?	what's the matter?	6
на са́мом де́ле	in fact	9
делово́й	business *adj.*	15
демонстра́ция	theatre scenery	13
демонстри́ровать *imp.*, *pf.*	to demonstrate, show	14
день *m.*	day	0, 1
де́ньги	money	0, 1
дере́вня	village, countryside	13
де́рево, *pl.* дере́вья	tree	9
держа́ть *imp.*	to hold	15
десе́рт	dessert	7
деся́тый	tenth	12
де́сять	ten	3
детекти́в	thriller (*book or film*)	5
де́ти *pl.*	children	3
де́тство	childhood	10
дешёвый	cheap	13
деше́вле	cheaper	13
джаз	jazz	7
джин	gin	13
джи́нсы *pl.*	jeans	0
диало́г	dialogue	11
дива́н	sofa	8
дие́та	diet	7
диза́йнер	designer	3
дикта́нт	dictation	10
ди́ктор	announcer	9
дире́ктор	director	0, 1
дирижёр	conductor	14
диссерта́ция	dissertation	0
дли́нный	long	13
для + *gen.*	for	2
днём	in the day, afternoon	5

до + *gen.*	before, until	1
до свида́ния	goodbye	1
добавля́ть *imp.*	to add	9
добро́ пожа́ловать	welcome	2
доброта́	kindness	15
до́брый	good, kind	1
дово́льно	fairly, quite	5
догова́риваться *imp.*		
(*pf.* договори́ться)	to agree	14
договори́лись!	agreed!	4
догово́р	agreement, contract	15
дождь *m.*	rain	8
дое́хать *pf.*	to reach, get to (*by transport*)	15
дойти́ *pf.*	to reach, get to (*on foot*)	10
док	dock	0
докла́д	lecture, paper, report	4
до́ктор	doctor	2
докуме́нт	document	3
до́лгий	long (-lasting)	15
до́лго	for a long time	6
до́лжен, должна́, -но́, -ны́	must	6
до́ллар	dollar	9
дом, *pl.* дома́	home, house	0,2
до́ма	at home	0,5
домо́й	home(wards)	7
дома́шний, -яя, -ее, -ие	home, domestic	
дома́шнее зада́ние	homework	6
доро́га	road, way	12
до́рого	(it is) expensive	5
дорого́й	dear, expensive	5
доро́же	more expensive	13
достава́ть *imp.* (*pf.* доста́ть)	to get hold of	15
доста́ть *pf.* (*imp.* достава́ть)	to get hold of	15
достопримеча́тельность *f.*	sight of the city	4
до́чка *diminutive*	daughter	3
дочь *f.*, *pl.* до́чери	daughter	6
дра́ка	fight	15
друг, *pl.* друзья́	friend	0,3
друго́й	another, different	9
дру́жба	friendship	4
дружи́ть *imp.*	to be friends with	14
ду́мать *imp.* (*pf.* поду́мать)	to think	4
дура́к	fool	11
дуть *imp.*	to blow	8
душ	shower	10
ду́шно	(it is) stuffy	8
ду́шный	stuffy	8
дым	smoke	0
дя́дя	uncle	0,3

Е

Евро́па	Europe	0,4
европе́йский	European	15
Еги́пет	Egypt	8
его́	him, his	3
еда́	food	6
еди́нство	unity	13
её	her	3
е́здить | е́хать *imp.*		
(*pf.* пое́хать)	to go (*by transport*)	7
е́сли	if	0,6
есть	there is	4
есть *imp.* (*pf.* съесть)	to eat	6

е́хать | е́здить *imp.*		
(*pf.* пое́хать)	to go (*by transport*)	7
ещё	still, also, yet, else	0,5

Ё

ёж	hedgehog	0
ёлка	Christmas tree	0

Ж

жаке́т	jacket, tunic	0
жале́ть *imp.* (*pf.* пожале́ть)	to pity; to regret, be sorry about	15
жаль	pity	
как жаль!	what a pity!	4
жарго́н	jargon	0
жа́рко	(it is) hot	0,8
жа́ркий	hot	8
жа́рче	hotter	13
ждать *imp.* (*pf.* подожда́ть)	to wait for	6
жёлтый	yellow	9
желу́док	stomach	12
жена́	wife	3
жена́т, -ы	married (*of man or couple*)	9
жени́ться на + *prep.*	to get married (*of man to woman*)	14
же́нский	woman's	13
же́нщина	woman	3
жето́н	token	0
живо́й	alive	15
жизнь *f.*	life	6
жить *imp.*	to live	4
журна́л	magazine	0,1
журнали́ст	journalist	1

З

за + *inst.*	behind	11
забыва́ть *imp.* (*pf.* забы́ть)	to forget	11
забы́ть *pf.* (*imp.* забыва́ть)	to forget	7
заво́д	factory	10
за́втра	tomorrow	3
за́втрак	breakfast	4
за́втракать *imp.*		
(*pf.* поза́втракать)	to have breakfast	4
задава́ть вопро́с *imp.*	to ask a question	6
зада́ние	task	2
зада́ча	task, problem	15
заде́рживаться *imp.*		
(*pf.* задержа́ться)	to be delayed	15
заинтересова́ться *pf.*		
(*imp.* интересова́ться)		
+ *inst.*	to be interested in	14
заказа́ть *pf.* (*imp.* зака́зывать)	to order	10
зака́зывать *imp.* (*pf.* заказа́ть)	to order, book	11
закрыва́ть *imp.* (*pf.* закры́ть)	to close	12
закрыва́ться *imp.*	to close (*intransitive*)	9
закры́т, -а, -о, -ы	closed	10
закры́ть *pf.* (*imp.* закрыва́ть)	to close	12
заку́ски *f. pl.*	starters	7
зал	hall	2
заменя́ть *imp.*	to substitute	12
заме́тить *pf.*	to notice	8
замо́к	lock	12

замолча́ть *pf.* (*imp.* молча́ть)	to fall silent	15
за́мужем	married (*of woman*)	10
занима́ться *imp.*		
(*pf.* заня́ться) + *inst.*	to be involved in, study	14
за́нят, занята́, за́няты	busy	3
за́пад	west	9
запи́сывать *imp.*		
(*pf.* записа́ть)	to write down	14
заплати́ть *pf.* (*imp.* плати́ть)	to pay	15
зара́нее	in advance	11
засмея́ться *pf.*		
(*imp.* смея́ться)	to start laughing	14
зато́	then, on the other hand	13
захоте́ть *pf.* (*imp.* хоте́ть)	to want	15
защи́тник	defender	13
звёздочка	little star	15
звони́ть *imp.* (*pf.* позвони́ть)	to call (phone)	4
звоно́к	call	11
зда́ние	building	5
здесь	here	2
здо́рово	great!	10
здоро́вье	health	
за здоро́вье	cheers!	5
здра́вствуйте	hello	1
зелёный	green	7
земля́	earth, ground	9
зе́ркало	mirror	10
зима́	winter	0, 8
зи́мний	winter *adj.*	8
знако́м, -а, -ы	familiar, acquainted	14
знако́миться *imp.*		
(*pf.* познако́миться)	to become acquainted	14
знать *imp.*	to know	0, 1
зна́чить *imp.*	to mean	6
зову́т	(they) call	1
зо́лото	gold *noun*	7
золото́й	gold *adj.*	9
зо́на	zone	0
зонт	umbrella	8
зуб	tooth	12

И

и	and	1
и так да́лее	and so on	14
игра́ть *imp.*	to play	4
игру́шка	toy	9
иде́я	idea	7
идио́т	idiot	0, 11
идти | ходи́ть *imp.* (*pf.* пойти́)	to go (on foot)	7
иди́(те) *imperative*	go!	2
из + *gen.*	from	6
Изве́стия	Izvestia (newspaper)	2
изве́стный	famous	5
извини́те *imperative*	excuse me	1
издалека́	from afar	15
из-за + *gen.*	because of	13
изуча́ть *imp.* (*pf.* изучи́ть)	to study	4
изучи́ть *pf.* (*imp.* изуча́ть)	to study, learn	15
ико́на	icon	1
икра́	caviare	7
и́ли	or	4
име́йл	email	7
и́менно	namely, exactly, really	15
име́ть	to have	10
име́ть в виду́	to have in mind, mean	10

иммигра́ция	immigration	0
императри́ца	empress	12
импрессиони́ст	impressionist	14
и́мя	first name	2
И́ндия	India	0
инжене́р	engineer	3
иногда́	sometimes	6
иностра́нец	foreigner	15
институ́т	institute	7
интелле́кт	intellect, intelligence	14
интеллиге́нтный	intelligent, cultured	11
интервью́ *n. indecl.*	interview	5
интере́сно	(it is) interesting	1
(мне) интере́сно	(I) wonder	4
интере́сный	interesting	5
интересова́ть *imp.*	to interest	9
интересова́ться *imp.*		
(*pf.* заинтересова́ться) + *inst.*	to be interested in	14
интерне́т	internet	10
информа́ция	information	0, 7
Ира́к	Iraq	13
Ира́н	Iran	4
Ирла́ндия	Ireland	4
иро́ния	irony	15
иска́ть *imp.*	to look for	12
иску́сственный	artificial	14
иску́сство	art	8
испа́нец, испа́нка	Spanish man, woman	3
Испа́ния	Spain	3
испа́нский	Spanish	3
испо́льзовать *imp.*, *pf.*	to use	13
истори́ческий	historical	2
исто́рия	history, story	13
Ита́лия	Italy	3
италья́нец, италья́нка	Italian man, woman	3
италья́нский	Italian	3
их	them, their	3
и́хний (*old-fashioned*)	their	14
ию́ль *m.*	July	0, 8
ию́нь *m.*	June	0, 8
йо́гурт	yoghurt	12

К

к + *dat.*	towards	
к сожале́нию	unfortunately	5
к тому́ же	what's more	14
кабине́т	office	5
Кавка́з	Caucasus	GS
ка́ждый	each, every	6
каза́ться *imp.* (*pf.* показа́ться)	to seem	9
мне ка́жется	it seems to me	11
Казахста́н	Kazakhstan	15
казино́	casino	14
как	how	0, 1
как бу́дто	as if	15
как мо́жно + *comparative*	as … as possible	12
как мо́жно скоре́е	as soon as possible	12
ка́к-то	somehow	13
како́й	which, what kind of	5
како́й-то	some kind of	14
календа́рь *m.*	calendar	6
Кана́да	Canada	4
кана́л	canal, channel	5
кани́кулы *pl.*	(school) holidays	14

ле́стница	stairs	12
ле́то	summer	4
лечь спать	to go to sleep	12
лимо́н	lemon	7
ли́ния	line	8
литерату́ра	literature	7
литерату́рный	literary	9
литр	litre	9
лифт	lift	0, 2
лицо́	face	10
ли́чно	personally	15
ло́жка	spoon	10
лотере́я	lottery	15
лук	onion	0
луна́	moon	0, 13
лу́чше	better	10
лу́чший	best	9
люби́мый	favourite	5
люби́ть *imp.*	to love, like	5
любо́вь *f.*	love	6
любо́й	any	15
лю́ди *pl.*	people	0, 3
люкс	deluxe	0, 8

М

мавзоле́й	mausoleum	4
магази́н	shop	0, 2
май	May	0, 8
ма́йский	May *adj.*	15
макаро́ны *pl.*	macaroni, pasta	14
ма́ленький	small	5
ма́ло	a little	5
ма́льчик	boy	3
ма́ма	mother	0, 3
ма́рка	postage stamp	9
марке́тинг	marketing	14
март	March	0, 8
ма́сло	butter, oil	7
ма́стер	master, craftsman	8
матема́тик	mathematician	14
матема́тика	maths	12
материа́л	material	15
матрёшка	Russian doll	0, 4
матч	match (*sports*)	GS
ма́фия	mafia	0
маши́на	car	2
МГУ	MGU, Moscow State University	14
ме́бель *f.*	furniture	8
ме́дленно	slowly	2
ме́дленный	slow	8
медпу́нкт	first aid post	0
медсестра́	nurse	3
медь *f.*	brass	15
ме́жду + *inst.*	between	14
междунаро́дный	international	13
мезони́н	attic	14
ме́неджер	manager	0
ме́ньше	less	6
меню́	menu	1
мёртвый	dead	14
ме́сто	place	2
ме́сяц	month	8
метр	metre	9
метро́ *n. indecl.*	metro	0, 2

меша́ть *imp.*		
(*pf.* помеша́ть) + *dat.*	to hinder, prevent	12
мили́ция	police (Soviet)	6
ми́мо + *gen.*	past	12
минера́льная вода́	mineral water	7
мини-ба́р	minibar	6
мини́стр	minister	3
ми́нус	minus	3
мину́та	minute	0, 3
мину́тку…	just a minute…	8
мир	peace, world	0, 4
мирово́й	world *adj.*	13
ми́стер	mister	2
мне́ние	opinion	GS
по моему́ мне́нию	in my opinion	GS
мно́гие + *nom. pl.*	many	13
мно́го	many, much, a lot	5
многосери́йный	multi-episode	5
моби́льник (*colloquial*)	mobile phone	11
моби́льный	mobile	3
мо́да	fashion	0, 4
моде́ль *f.*	model	9
мо́дный	fashionable	13
мо́жет быть	perhaps, maybe	4
мо́жно?	is it possible, may I?	7
мой, моя́, моё, мои́	my	2
молоде́ц	well done!	10
молодо́й	young	2
мо́лодость *f.*	youth	14
моло́же	younger	13
молоко́	milk	0, 7
молча́ть *imp.* (*pf.* замолча́ть)	to be quiet, silent	10
моме́нт	moment	10
мона́х	monk	14
моне́та	coin	9
мо́ре	sea	2
моро́женое *n. adj.*	ice-cream	7
моро́з	frost	8
морс	mors (*fruit drink*)	7
Москва́	Moscow	0, 1
моско́вский	Moscow *adj.*	2
мост	bridge	0, 2
мотоци́кл	motorbike	13
мочь *imp.* (*pf.* смочь)	to be able, can	6
мра́чный	gloomy	15
муж	husband	0, 3
мужско́й	male, man's *adj.*	9
мужчи́на	man	3
музе́й	museum	0, 1
му́зыка	music	4
музыка́нт	musician	3
мультфи́льм	cartoon	12
му́ха	fly (*insect*)	15
мы	we	0, 1
мыть *imp.*		
(*pf.* помы́ть) посу́ду	to wash the dishes	12
мышь *f.*	mouse	14
мясно́й	meat *adj.*	7
мя́со	meat	7
мяч	ball	0

Н

на + *acc.*; + *prep.*	onto, to; on, at	1
набира́ть *imp.* (*pf.* набра́ть)	to dial	11
наве́рно, наве́рное	probably	6

Russian	English	
наве́рх	upstairs, up (direction)	13
навсегда́	for ever	14
над + inst.	above	14
надева́ть imp. (pf. наде́ть)	to put on (of clothes)	12
наде́яться	to hope	10
на́до	it is necessary	10
надо́лго	for a long time	15
наза́д	ago, back	11
назва́ние	name	8
называ́ется	(it) is called	2
называ́ть imp. (pf. назва́ть)	to call, name	15
наи́вный	naive	0
найти́ pf. (imp. находи́ть)	to find	9
наказа́ние	punishment	14
наконе́ц	at last	8
нале́во	(to the) left	2
намно́го	much, by far (with comparative)	13
написа́ть pf. (imp. писа́ть)	to write	11
напиши́те imperative	write it down	2
напи́ток	drink	0,6
напра́во	(to the) right	2
наприме́р	for example	8
напро́тив + gen.	opposite	9
нарисова́ть pf. (imp. рисова́ть)	to draw	11
наро́д	people, nation	9
мно́го наро́ду	many people	
наро́дный	national, folk	13
насовсе́м	for good, for keeps	15
нау́ка	science	11
находи́ть imp. (pf. найти́)	to find	11
находи́ться imp.	to be situated	4
национа́льный	national	13
нача́ло	beginning	10
нача́льник	boss	8
начина́ть imp. (pf. нача́ть)	to begin	11
нача́ться pf. (imp. начина́ться)	to begin (intransitive)	14
начина́ться imp. (pf. нача́ться)	to begin (intransitive)	5
наш, на́ша, на́ше, на́ши	our	3
не	not	1
не́ за что	don't mention it	15
небольшо́й	small	8
нева́жно	(it is) unimportant	8
неве́жливо	(it is) impolite, rude	15
невозмо́жно	(it is) impossible	14
неда́вно	recently	14
недалеко́	not far	2
неде́ля	week	5
недо́лго	not for long	15
недорого́й	inexpensive	8
незнако́мый	unfamiliar, unknown	14
неинтере́сный	uninteresting	15
некульту́рный	uncultured, unsophisticated	11
нельзя́	it is forbidden	12
неме́дленно	immediately	14
не́мец, не́мка	German man, woman	3
неме́цкий	German	3
немно́го	a little	2
ненадо́лго	not for long	15
неожи́данно	unexpectedly	13
непло́хо	not bad	1
непоня́тный	incomprehensible	14
непра́вда	(it is) untrue, a lie	6

Russian	English	
непра́вильно	(it is) incorrect	3
неприя́тный	unpleasant	15
не́рвно	nervously	13
не́рвный	nervous	0
не́сколько	several	11
несла́дкий	unsweetened	12
несмотря́ на + acc.	despite	GS
нет	no, there is not	0,1
не́ту colloquial	there is not	15
ни… ни…	neither… nor…	10
нигде́	nowhere	15
никогда́	never	6
никто́	no one	7
ничего́	nothing; also fine, ok	1
ничего́ себе́!	not bad!	10
но	but	0,2
новосе́лье	housewarming	15
но́вости f. pl.	news	5
но́вый	new	2
нога́	leg, foot	12
нож	knife	10
ноль m.	zero	3
но́мер	number, hotel room	3
норма́льно	(it is) fine, ok	1
норма́льный	normal	13
нос	nose	5
носово́й плато́к	handkerchief	14
ноутбу́к	notebook (computer)	0
ночь f.	night	5
но́чью	at night	5
ноя́брь m.	November	0,8
нра́виться imp. (pf. понра́виться)	to enjoy, like	12
ну…	well…	4
ну́жен, нужна́, ну́жно, нужны́	need (is necessary)	12

О

Russian	English	
о, об, обо + prep.	about, concerning	4
о́ба, о́бе	both	14
обе́д	lunch	4
обе́дать imp. (pf. пообе́дать)	to have lunch	4
обеща́ть imp. (pf. пообеща́ть) + dat.	to promise	12
о́блачно	(it is) cloudy	8
о́блачный	cloudy	8
обме́н валю́ты	currency exchange	0
обме́нивать imp. (pf. обменя́ть)	to exchange	15
обменя́ть pf. (imp. обме́нивать)	to exchange	15
обнима́ть imp. (pf. обня́ть)	to embrace	15
обня́ть pf. (imp. обнима́ть)	to embrace	15
обожа́ть imp.	to adore	13
обра́тно	back, backwards (e.g. there and back)	8
обсужда́ть imp. (pf. обсуди́ть)	to discuss	14
о́бувь f.	shoes, footwear	10
обща́ться с + inst. imp.	to mix with (people)	15
общежи́тие	(student) hostel	14
объясня́ть imp. (pf. объясни́ть)	to explain	14
обы́чно	usually	5
обяза́тельно	certainly, definitely	8
о́вощи pl.	vegetables	0,7

огонёк	small light	15
огро́мный	huge	14
оде́жда	clothing	9
оди́н, одна́, одно́	one	1
оди́ннадцатый	eleventh	13
оди́ннадцать	eleven	3
однажды	once (upon a time)	12
одноа́ктный	one-act (*adj., of plays*)	6
о́зеро	lake	8
Лебеди́ное о́зеро	Swan Lake	8
оказа́лось	it turned out	11
окно́	window	1
о́коло + *gen.*	near	10
оконча́тельный	final	15
октя́брь *m.*	October	0,4
олимпиа́да	olympiad	13
омле́т	omelette	7
он	he, it *masc.*	0,1
она́	she, it *fem.*	0,1
они́	they	1
оно́	it *n.*	1
опа́здывать *imp.*		
(*pf.* опозда́ть)	to be late	12
опа́сный	dangerous	13
о́пера	opera	6
опозда́ть *pf.*		
(*imp.* опа́здывать)	to be late	7
опя́ть	again	2
организа́ция	organisation	0
орке́стр	orchestra	0,15
о́сень *f.*	autumn	8
осо́бенно	especially	5
осо́бенный	special, particular	15
ничего́ осо́бенного	nothing special, in particular	15
остава́ться *imp.* (*pf.* оста́ться)	to remain	15
оставля́ть *imp.* (*pf.* оста́вить)	to leave behind (sth)	11
остально́й	the rest, remaining	14
остана́вливать *imp.*		
(*pf.* останови́ть)	to stop (*sth*)	13
остана́вливаться *imp.*		
(*pf.* останови́ться)	to stop (*i.e. oneself*)	13
остано́вка	stop (*bus etc.*)	13
оста́ться *pf.* (*imp.* остава́ться)	to remain	15
осторо́жно	carefully; be careful	9
отве́т	answer	11
отве́тить *pf.* (*imp.* отвеча́ть)	to reply, answer	11
отве́тственность *f.*	responsibility	14
отвеча́ть *imp.* (*pf.* отве́тить)	to reply, answer	6
отгу́л	leave, day off	12
отдава́ть *imp.* (*pf.* отда́ть)	to give away	14
отде́л	department	15
отдохни́!	have a rest!	7
о́тдых	rest	7
отдохну́ть *pf.* (*imp.* отдыха́ть)	to rest	11
отдыха́ть *imp.* (*pf.* отдохну́ть)	to rest	4
оте́ль *m.*	hotel	0,2
оте́ц, *pl.* отцы́	father	14
оте́чество	fatherland	13
открыва́ть *imp.* (*pf.* откры́ть)	to open	12
откры́т, -а, -о, -ы	open	10
откры́тка	postcard	9
отку́да	from where	6
отли́чный	excellent	1
отли́чно	(it is) excellent	1
отмеча́ть *imp.*	to celebrate	13

о́тпуск	leave, holiday	12
отрави́ть *pf.*	to poison	15
отсю́да	from here	10
отту́да	from there	10
отча́янно	desperately	15
отчего́	why	12
отчёт	report	15
отъе́зд	departure	15
о́фис	office	1
офице́р	officer	9
официа́льный	official	13
официа́нт *m.*, -ка *f.*	waiter	6
о́чень	very	1
очки́ *pl.*	glasses	8
ошиба́ться *imp.*		
(*pf.* ошиби́ться)	to make a mistake	13
оши́бка	mistake	GS

П

паб	pub	4
павильо́н	pavilion	14
паке́т	carrier bag	9
пала́та	ward	3
пальто́ *n. indecl*	coat	8
па́мятник	statue, memorial	14
па́па	father	0,3
пар	steam	15
пара́д	parade	13
парацетамо́л	paracetamol	12
па́рень *m.*	guy, lad	15
парк	park	0,2
парла́мент	parliament	5
парте́р	stalls (*theatre*)	13
партнёр	partner	2
па́спорт	passport	0,1
па́спортный контро́ль	passport control	2
пацие́нт	patient	12
певе́ц	singer	3
пельме́ни *m. pl.*	pelmeni (*ravioli*)	7
пенсионе́р	pensioner	3
первома́йский	Mayday *adj.*	13
пе́рвый	first	2
перевести́ *pf.*		
(*imp.* переводи́ть)	to translate	11
переводи́ть *imp.*		
(*pf.* перевести́)	to translate	10
перево́дчик	translator	1
перегово́ры *m. pl.*	negotiations	8
пе́ред + *inst.*	in front of, just before	14
передава́ть *imp.*		
(*pf.* переда́ть)	to convey, pass on	15
переда́йте *imperative*	pass on (*phone message*)	8
переда́ть *pf.*		
(*imp.* передава́ть)	to convey, pass on	8
переда́ча	(TV) programme	13
переду́мывать *imp.*		
(*pf.* переду́мать)	to think again, change one's mind	14
перезвони́те *imperative*	call back	8
перепи́сывать *imp.*		
(*pf.* переписа́ть)	to rewrite	14
переры́в	break (*e.g. in lesson*)	14
Перестро́йка	perestroika	13
переу́лок	lane	2

перехо́д	underpass, subway	0,8	подъе́зд	entrance (to building)	12
пе́рец	pepper	7	по́езд	train	2
перо́	quill, pen	14	пое́здка	trip	7
перча́тки *f. pl.*	gloves	9	пое́хали!	let's go!	13
пе́сня	song	12	пое́хать *pf.* (*imp.* е́хать)	to go (by transport)	8
песо́к	sand	15	пожале́ть *pf.* (*imp.* жале́ть)	to regret, be sorry	
петь *imp.* (*pf.* спеть)	to sing	11		about	15
пешко́м	on foot	4	пожа́луйста	please, you're welcome	1
пиани́но	piano	5	пожа́р	fire	15
пиани́ст	pianist	8	поживём-уви́дим	we'll see!	14
пи́во	beer	2	поза́втракать *pf.*		
пикни́к	picnic	13	(*imp.* за́втракать)	to have breakfast	11
пирами́да	pyramid	4	позавчера́	the day before	
пиро́г	pie	7		yesterday	6
пиро́жное *n.*	pastry, cake	12	позвони́ть *pf.* (*imp.* звони́ть)	to call (phone)	4
пирожо́к, *pl.* пирожки́	(small) pie	7	по́здно	late	6
писа́тель *m.*	writer	3	поздравле́ния *n. pl.*	congratulations	13
писа́ть *imp.* (*pf.* написа́ть)	to write	6	поздравля́ю!	congratulations!	14
пи́сьменный стол	(writing) desk	8	по́зже	later	13
письмо́	letter	2	познако́миться *pf.*		
пить *imp.*	to drink	5	(*imp.* знако́миться)	to become acquainted	14
пла́вание	swimming	13	познако́мьтесь *imperative*	please meet…	
пла́вать *imp.*	to swim	6		(*introducing two people*)	5
плака́т	poster	8	пойдём	let's go	3
план	plan	11	пойма́ть *pf.*	to catch (taxi)	13
плане́та	planet	4	пойти́ *pf.* (*imp.* идти́)	to go (on foot)	8
плати́ть *imp.* (*pf.* заплати́ть)	to pay	15	пока́	see you, 'bye	1
платфо́рма	platform	0, 3	пока́	while, for the moment	12
пла́тье	dress	9	покажи́те *imperative*	show	9
плее́р	(CD) player	15	показа́ть *pf.*		
племя́нник	nephew	9	(*imp.* пока́зывать)	to show	11
племя́нница	niece	9	показа́ться (*pf.*)		
плита́	cooker, stove	10	(*imp.* каза́ться)	to seem	13
пло́хо	badly; (it is) bad	1	пока́зывать *imp.*		
плохо́й	bad	5	(*pf.* показа́ть)	to show	9
площа́дка	(play) ground, area	12	покупа́тель *m.*	buyer	15
пло́щадь *f.*	square	0, 2	покупа́ть *imp.* (*pf.* купи́ть)	to buy	6
плюс	plus	3	пол	floor	13
пляж	beach	13	поле́зный	useful	13
по + *dat.*	according to, along,		поликли́ника	clinic	12
	around	1	поли́тик	politician	3
по-мо́ему	in my opinion	8	поли́тика	politics, policy	6
побе́да	victory	13	полити́ческий	political	6
побо́льше	a bit more	14	поли́ция	the police	14
по́вар	cook	12	по́лка	shelf	10
пове́рить *pf.*			полови́на	half	11
(*imp.* ве́рить) + *dat.*	to believe	14	с полови́ной	… and a half	14
поверни́те *imperative*	turn	4	положи́ть *pf.* (*imp.* класть)	to put	14
повора́чиваться *imp.*			полтора́	one and a half	9
(*pf.* поверну́ться)	to turn round	14	получа́ть *imp.* (*pf.* получи́ть)	to receive	6
повтори́те *imperative*	repeat	2	получи́ть *pf.* (*imp.* получа́ть)	to receive	11
повторя́ть *imp.*			получа́ться *imp.*		
(*pf.* повтори́ть)	to repeat	15	(*pf.* получи́ться)	to result, work out	15
поговори́ть *pf.*			ничего́ не получа́ется	nothing works out	
(*imp.* говори́ть)	to chat, talk (briefly)	13	полчаса́	half an hour	8
пого́да	weather	5	помеша́ть *pf.*		
погуля́ть *pf.* (*imp.* гуля́ть)	to go for a walk	4	(*imp.* меша́ть) + *dat.*	to hinder, prevent	12
под + *inst.*	under	13	по́мнить *imp.*	to remember	8
подари́ть *pf.* (*imp.* дари́ть)	to present	13	помога́ть *imp.* (*pf.* помо́чь)	to help	12
пода́рок	present, gift	10	помо́чь *pf.* (*imp.* помога́ть)	to help	12
поднима́ться *imp.*	to go up	12	по́мощь *f.*	help *noun*	12
подожда́ть *pf.* (*imp.* ждать)	to wait for	11	помы́ть *pf.*		
подойти́ *pf.* (*imp.* подходи́ть)	to walk up to	14	(*imp.* мыть) посу́ду	to wash the dishes	12
подру́га	girlfriend	0, 5	понеде́льник	Monday	6
поду́мать *pf.* (*imp.* ду́мать)	to think	11	понима́ть *imp.* (*pf.* поня́ть)	to understand	1
подходи́ть *imp.* (*pf.* подойти́)	to walk up to	14	понра́виться *pf.*		
			(*imp.* нра́виться)	to enjoy, like	12

поня́тно	understood	2
поня́ть pf. (imp. понима́ть)	to understand	11
пообе́дать pf. (imp. обе́дать)	to have lunch	11
пообеща́ть pf. (imp. обеща́ть) + dat.	to promise	12
поп-му́зыка	pop music	7
попро́бовать pf. (imp. про́бовать)	to try, taste	6
популя́рный	popular	5
пора́	(it's) time	5
пора́ньше	a little earlier	14
порт	port	GS
портре́т	portrait	9
по-ру́сски	(in) Russian, (with говори́ть)	2
поря́док	order	13
всё в поря́дке	everything's ok, in order	
посла́ть pf. (imp. посыла́ть)	to send	11
по́сле + gen.	after	10
после́дний	last	9
послеза́втра	the day after tomorrow	6
посло́вица	proverb	11
послу́шать pf. (imp. слу́шать)	to listen to	11
посмотре́ть pf. (imp. смотре́ть)	to look, watch	11
посыла́ть imp. (pf. посла́ть)	to send	12
пото́м	then	2
потому́ что	because	5
поу́жинать pf. (imp. у́жинать)	to have dinner	11
похме́лье	hangover	12
похо́жий	similar	14
почему́	why	4
по́чта	post office	0,2
почтальо́н	postman	14
почти́	almost	11
поэ́ма	poem	12
поэ́тому	therefore	8
прав, права́, пра́во, пра́вы	right short form adj.	12
пра́вда	truth	0,5
пра́вильно	correct	3
правосла́вный	Orthodox	13
пра́здник	holiday	13
с пра́здником	happy holiday!	
пра́здничный	holiday adj.	13
предложе́ние	proposal	15
представля́ть imp. (pf. предста́вить)	to present, introduce; to imagine	8
представля́ешь!	can you imagine!	13
президе́нт	president	1
прекра́сный	wonderful	6
премье́ра	premiere	5
премье́р-мини́стр	prime minister	1
преподава́тель m.	teacher	12
пре́сс-конфере́нция	press conference	13
преступле́ние	crime	14
приве́т	hi	1
пригласи́ть pf. (imp. приглаша́ть)	to invite	11
приглаша́ть imp. (pf. пригласи́ть)	to invite	8
приглаше́ние	invitation	12
пригото́вить pf. (imp. гото́вить)	to prepare	11
прие́зд	arrival	14
приезжа́ть imp. (pf. прие́хать)	to arrive (by transport)	14
прие́м	reception (party)	13
прила́вок	stall	9
принеси́! imperative	bring	9
принести́ pf.	to bring	6
принима́ть imp. (pf. приня́ть)	to take (e.g. medicine)	12
при́нтер	printer	8
принц	prince	12
принце́сса	princess	3
при́нцип	principle	15
приходи́ть imp. (pf. прийти́)	to arrive (on foot)	12
приходи́ть imp. (pf. прийти́) в себя́	to come to (regain consciousness)	15
прия́тный	pleasant, nice	10
о́чень прия́тно	pleased to meet you	1
про́бка	traffic jam	15
пробле́ма	problem	3
про́бовать imp. (pf. попро́бовать)	to try, attempt, taste	12
проводи́ть imp. (pf. провести́) вре́мя	to spend time	11
програ́мма	programme	5
прогу́лка	walk	13
продава́ть imp. (pf. прода́ть)	to sell	8
прода́ть pf. (imp. продава́ть)	to sell	12
продаве́ц	seller	9
продолжа́ть imp. (pf. продо́лжить)	to continue transitive	13
продолжа́ться imp.	to continue intransitive	14
проду́кты m. pl.	(food) products	0,6
прое́кт	project, draft	14
прожи́ть pf.	to live (through)	15
прои́грывать imp. (pf. проигра́ть)	to lose (e.g. game)	15
происходи́ть imp. (pf. произойти́)	to happen, to be going on	15
проло́г	prologue	6
проси́ть imp. (pf. попроси́ть)	to ask, request	12
прошу́ проще́ния	I beg your pardon	13
проспе́кт	avenue	0,2
просто́й	simple	7
просту́да	a cold	12
про́сьба	request	10
про́тив + gen.	against	13
профе́ссия	profession	2
профе́ссор	professor	0,14
прочита́ть pf. (imp. чита́ть)	to read	11
пря́мо	straight ahead	2
пуска́й, пусть + verb	let + verb (e.g. 'let her come')	GS
пусто́й	empty	12
путеводи́тель m.	guidebook	13
путч	putsch	15
путь m.	journey, path	15
счастли́вого пути́	bon voyage	15
пье́са	a play (theatre)	12
пья́ница	drunkard	13
пюре́ n. indecl.	puree	7
пятидеся́тый	fiftieth	13
пятна́дцатый	fifteenth	13
пятна́дцать	fifteen	3
пя́тница	Friday	6
пя́тый	fifth	13
пять	five	3

пятьдеся́т	fifty	9
пятьсо́т	five hundred	9

Р

рабо́та	work	0, 3
рабо́тать *imp.*	to work	4
рабо́тник	worker	12
рад, -а, -ы	pleased, glad	12
ра́ди + *gen.*	for the sake of	GS
радиа́тор	radiator	15
ра́дио *n. indecl.*	radio	0, 2
раз	time (= *occasion*)	2
разволнова́ться *pf.*		
(*imp.* волнова́ться)	to be worried	12
разгова́ривать *imp.*	to talk, chat	5
разгово́р	conversation	14
ра́зница	difference	14
ра́зный	different (various)	8
рай	paradise	15
райо́н	region	0, 7
раке́та	missile	15
ра́но	early	6
ра́ньше	earlier, formerly	6
расписа́ние	timetable	GS
распрода́жа	sale	12
расска́з	story, tale	11
рассказа́ть *pf.*		
(*imp.* расска́зывать)	to relate, tell	5
расска́зывать *imp.*		
(*pf.* рассказа́ть)	to relate, tell	14
ребёнок, *pl.* де́ти	child	3
ребя́та *pl.*	boys, lads	15
револю́ция	revolution	4
региона́льный	regional	5
регистра́ция	check-in	2
ре́дкий	rare	GS
ре́же	rarer	GS
ре́дко	rarely	6
результа́т	result	14
река́	river	0, 2
рекла́ма	advert	5
рекомендова́ть *imp.*	to recommend	6
религио́зный	religious	13
ремо́нт	repairs	13
репорта́ж	report	5
рестора́н	restaurant	0, 1
рефо́рма	reform	15
реце́пт	recipe, prescription	12
реша́ть *imp.* (*pf.* реши́ть)	to decide, solve (*problem*)	15
реши́ть *pf.* (*imp.* реша́ть)	to decide, solve (*problem*)	8
реше́ние	decision, solution (*to problem*)	15
риба́й стейк	ribeye steak	7
рис	rice	7
рисова́ть *imp.*		
(*pf.* нарисова́ть)	to draw	6
рису́нок	drawing	15
ро́бкий	shy	11
ро́вно	exactly, precisely (*with time, e.g. 'at three o'clock precisely'*)	11
роди́тели *pl.*	parents	3
роди́ться *pf.*	to be born	6

рожде́ние	birth	
день рожде́ния	birthday	8
Рождество́	Christmas	10
ро́за	rose	0
ро́зовый	pink	7
рок-му́зыка	rock music	12
роково́й	fatal	3
роль *f.*	role	10
рома́н	novel	2
росси́йский	Russian (*state, not nationality*)	13
Росси́я	Russia	2
руба́шка	shirt	9
рубль *m.*	rouble	0, 2
рука́	hand, arm	12
рум-се́рвис	room service	11
ру́сский	Russian (*nationality*)	0, 1
Русь *f.*	Rus'	13
ру́чка	pen	1
ру́чка	handle	15
ры́ба	fish	7
ры́нок	market	4
рю́мка	shot glass	9
ряд	row	8
ря́дом	nearby	11
ря́дом с + *inst.*	next to	11

С

с + *inst.*	with	7
с + *gen.*	from	10
сад	garden	0, 6
сади́ться *imp.* (*pf.* сесть)	to sit down	12
сади́тесь! *imperative*	sit down!	12
садо́вый	garden *adj.*	3
сайт	(web) site	10
сала́т	salad	7
салфе́тка	napkin	6
сам, сама́	my/him/herself	11
самова́р	samovar	12
самолёт	aeroplane	0, 5
са́мый	the most	5
сантиме́тр	centimetre	9
са́хар	sugar	0, 7
сва́дьба	wedding	12
све́жий	fresh	14
свет	light *noun*	14
свети́ть *imp.*	to shine	8
свети́ться *imp.*	to glimmer, shine	15
све́тло-зелёный	light green	15
све́тлый	light *adj.*	8
светлячо́к	firefly	15
сви́тер	sweater, jumper	10
свобо́да	freedom	4
свобо́дный	free	7
свой	one's own (*i.e. belonging to the subject*)	13
свяще́нник	priest	14
сда́ча	change (money)	9
сде́лать *pf.* (*imp.* де́лать)	to do, make	11
сде́лка	deal	0
се́вер	north	9
се́веро-восто́к	north-east	9
се́веро-за́пад	north-west	9
сего́дня	today	3
седьмо́й	seventh	13
сейча́с	now, right now	3

секрета́рша	(female) secretary	11
секрета́рь *m.*	secretary	0, 1
секре́тный	secret	6
семе́йный	family *adj.*	5
семе́стр	term, semester	10
семидеся́тый	seventieth	13
семина́р	seminar	6
семна́дцатый	seventeenth	13
семна́дцать	seventeen	3
семь	seven	3
се́мьдесят	seventy	9
семьсо́т	seven hundred	9
семья́	family	3
сентя́брь *m.*	September	0, 8
се́рдце	heart	12
се́рый	grey	8
серьёзный	serious	10
серьёзно?	seriously?	10
сестра́, *pl.* сёстры	sister	0, 3
сестри́ца (*old-fashioned*)	sister	14
Сиби́рь *f.*	Siberia	8
сига́ра	cigar	8
сигаре́та	cigarette	12
сигна́л	signal	13
сиде́ть *imp.*	to sit	5
си́льный	strong	8
симфо́ния	symphony	4
си́ний, -яя, -ее, -ие	blue	8
систе́ма	system	8
ситуа́ция	situation	0, 14
скажи́те *imperative*	tell (me)	2
сказа́ть *pf.* (*imp.* говори́ть)	to say	10
ска́зка	fairy tale	15
сквош	squash (*sport*)	4
склад	warehouse	15
ско́лько	how much, how many	3
во ско́лько?	at what time?	5
ско́лько сейча́с вре́мени?	what is the time?	5
ско́лько не жа́лко	with money, 'as much as you can'	13
скоре́е	more quickly	9
ско́ро	soon	8
скри́пка	violin	5
скро́мный	modest	11
ску́чный	boring	6
ску́чно	(it is) boring	6
сла́дкий	sweet	12
сле́ва	on the left	0, 10
следи́ть за + *inst.*	to track, follow	14
сле́дующий	next	9
сли́шком	too (+ *adj., excessively*)	9
слова́рь *m.*	dictionary	5
сло́во	word	2
сло́жный	complicated	11
случа́ться *imp.* (*pf.* случи́ться)	to happen	12
слу́шать *imp.* (*pf.* послу́шать)	to listen to	4
слы́шать *imp.* (*pf.* услы́шать)	to hear	6
слы́шно	audible	8
смета́на	smetana (sour cream)	7
смея́ться *imp.*		
(*pf.* засмея́ться)	to laugh	9
смотре́ть *imp.*		
(*pf.* посмотре́ть)	to watch, look	5
смочь *pf.* (*imp.* мочь)	to be able to, can	12
СМС	SMS, text message	11
снача́ла	at first	2
снег	snow	8
соба́ка	dog	4
соба́чка	(little) dog	14
собира́ться *imp.*		
(*pf.* собра́ться)	to intend, be about to	14
собо́р	cathedral	2
собы́тие	event	15
соверше́нно	completely	GS
сове́т	advice	12
сове́товать *imp.*		
(*pf.* посове́товать) + *dat.*	to advise	12
сове́тский	Soviet	9
совреме́нный	contemporary	9
совсе́м	completely, at all	12
согла́сен, согла́сна, -ы	(I) agree	8
сожале́ние	regret	5
к сожале́нию	unfortunately	5
сок	juice	7
солда́т	soldier	14
со́лнечно	(it is) sunny	8
со́лнечный	sunny	8
со́лнце	sun	8
соль *f.*	salt	7
сомнева́ться *imp.*		
(*pf.* засомнева́ться)	to doubt	15
сообще́ние	information; message (*on answerphone*)	11
со́рок	forty	5
сороково́й	fortieth	13
сосе́д	neighbour	15
сосе́дний, -яя, -ее, -ие	neighbouring	15
соси́ска	sausage	14
со́тни	hundreds	15
со́тый	hundredth	13
со́ус	sauce	7
сою́з	union	13
спа́льня	bedroom	10
спаси́бо	thank you	1
спать *imp.*	to sleep	6
спекта́кль *m.*	show, spectacle	5
спеть *pf.* (*imp.* петь)	to sing	11
специали́ст	specialist	5
спина́	back	12
спи́сок	list	6
спи́чка	match	15
споко́йно	calmly, peacefully	10
споко́йный	calm, peaceful	10
споко́йной но́чи	goodnight	10
спорт	sport	4
спортза́л	gym	GS
спортсме́нка	sportswoman	14
спра́ва	on the right	10
спра́шивать *imp.*		
(*pf.* спроси́ть)	to ask (a question)	4
спроси́ть *pf.*		
(*imp.* спра́шивать)	to ask (a question)	11
спуска́ться *imp.*		
(*pf.* спусти́ться)	to go down	14
спу́тник	sputnik, satellite	0
сра́внивать *imp.*		
(*pf.* сравни́ть)	to compare	15
сра́зу	immediately	11
среда́	Wednesday	6
среди́ + *gen.*	among	GS
сро́чно	urgently	12
СССР	USSR	0, 15

стадио́н	stadium	10
стажёр	trainee	14
стака́н	glass, tumbler	1
станови́ться *imp.* (*pf.* стать)	to become	14
ста́нция	(metro) station	0, 2
стара́ться *imp.* (*pf.* постара́ться)	to try (*to do sth*)	14
старе́е	older (*of things*)	13
старомо́дный	old-fashioned	10
стару́шка	old woman	13
ста́рше	older (*of people*)	13
ста́рый	old	5
ста́туя	statue	4
стать *pf.* (*imp.* станови́ться)	to become	12
статья́	article	11
стейк	steak	7
стена́	wall	6
стихи́ *m. pl.*	verses, poetry	4
сто	hundred	9
сто́ить *imp.*	to cost	9
стол	table	1
сто́лик	(small) table (*e.g. in restaurant*)	7
столи́ца	capital	3
столо́вый	table *adj.*	7
столо́вая	dining room	10
сто́лько	so many	15
стоп	stop	0
сторона́	side	13
стоя́ть *imp.*	to stand	8
страна́	country	13
страни́ца	page	3
стра́нно	(it is) strange	3
стра́нный	strange	8
страте́гия	strategy	0
стра́шно	(it is) frightening, scary	12
мне стра́шно	I'm scared	12
стра́шный	terrible, frightening	11
ничего́ стра́шного	not to worry!	11
стрела́	arrow	5
стро́ить *imp.* (*pf.* постро́ить)	to build	15
студе́нт *m.*, студе́нтка *f.*	student	0, 1
стул	chair	0, 1
суббо́та	Saturday	6
субти́тры *m. pl.*	subtitles	5
сувени́р	souvenir	8
судьба́	fate	15
сумасше́дший	mad(man)	9
су́мка	bag	1
суп	soup	0, 7
суперма́ркет	supermarket	0, 6
схе́ма	plan, map	8
сце́на	stage (*theatre*)	12
счастли́вый	happy	GS
сча́стье	happiness	11
к сча́стью	fortunately	11
счёт	bill	6
счита́ть *imp.*	to consider, reckon	10
съесть *pf.* (*imp.* есть)	to eat	11
сын	son	0, 3
сыр	cheese	5
сы́рный	cheese *adj.*	7
сэ́ндвич	sandwich	11
сюда́	here (*direction*)	7
сюрпри́з	surprise	10

Т

таба́к	tobacco	0
Таила́нд	Thailand	4
так	so	3
та́кже	also	13
тако́й	such	2
что тако́е	what is a …	2
такси́	taxi	0, 6
такси́ст	taxi driver	13
там	there	0, 2
тамо́жня	customs	2
танк	tank	15
танцева́ть *imp.*	to dance	5
та́нец, *pl.* та́нцы	dance	2
таре́лка	plate	15
твой, твоя́, твоё, твои́	your (s.)	3
теа́тр	theatre	0, 2
текст	text	0, 7
телеви́зор	television	0, 5
телегра́мма	telegram	0, 12
телегра́ф	telegraph	0
телефо́н	telephone	1
те́ло	body	12
те́ма	theme	0, 5
темнота́	darkness	14
темно́	(it is) dark	9
тёмный	dark	9
температу́ра	temperature	8
те́ннис	tennis	5
тенниси́стка	tennis player *f.*	3
тео́рия	theory	14
тепе́рь	now	2
тепло́	(it is) warm	8
тёплый	warm	8
теря́ть *imp.* (*pf.* потеря́ть)	to lose	12
тётя	aunt	0, 2
тигр	tiger	0
типи́чный	typical	5
ти́хий	quiet	10
ти́хо	quietly, (it is) quiet	6
тишина́	quiet *noun*	14
то	then (*in second clause after е́сли*)	15
тогда́	then (at that time)	6
то́же	also	1
то́лстый	fat	15
толстя́к	fat man	15
то́лько	only	2
то́лько что	just (*with verb, as in 'he has just arrived'*)	11
том	tome, volume	13
то́ник	tonic	14
топо́р	axe	14
торт	cake	0, 7
тот, та, то, те	that	0, 2
то́чно	exactly	11
трава́	grass	12
традицио́нный	traditional	9
трамва́й	tram	0, 2
транссиби́рский	Trans-Siberian	15
трево́га	worry, alarm	15
тре́тий	third	12
три	three	3
тридца́тый	thirtieth	13

Russian	English	
три́дцать	thirty	5
трина́дцатый	thirteenth	13
трина́дцать	thirteen	3
три́ста	three hundred	9
тро́гать *imp.* (*pf.* тро́нуть)	to touch	14
трубач́	trumpeter	15
тру́бка	receiver (*phone*)	12
труд	labour, work	13
тру́дно	(it is) difficult	5
тру́дный	difficult	8
туале́т	toilet	0,1
ту́ба	tube, tuba	0
туда́	there (*direction*)	7
тури́ст	tourist	0,1
туристи́ческий	tourist *adj.*	9
Ту́рция	Turkey	13
тут	here	14
тут же	there and then	15
ту́фли *f. pl.*	shoes	9
ты	you *sing.*	0,1
ты́сяча	thousand	9

У

Russian	English	
у + *gen.*	by, at	1
у вас есть	you have	4
убеди́ть *pf.*	to convince	14
убива́ть *imp.* (*pf.* уби́ть)	to kill	14
убира́ть *imp.* (*pf.* убра́ть) ко́мнату	to tidy the room	12
уве́рен, -а, -ы	certain, sure	14
уви́деть *pf.* (*imp.* ви́деть)	to see	11
у́гол	corner	5
удиви́ться *pf.* (*imp.* удивля́ться)	to be amazed, surprised	13
удивле́ние	amazement, surprise	12
удивля́ть *imp.* (*pf.* удиви́ть)	to amaze, surprise	11
удивля́ться *imp.* (*pf.* удиви́ться)	to be amazed, surprised	14
удо́бный	convenient, comfortable	8
удово́льствие	pleasure	6
уезжа́ть *imp.* (*pf.* уе́хать)	to leave (by transport)	15
у́жас	horror	14
ужа́сный	terrible	13
уже́	already	2
у́жин	dinner	0,4
у́жинать *imp.* (*pf.* поу́жинать)	to have dinner	4
Узбекиста́н	Uzbekistan	13
узнава́ть *imp.* (*pf.* узна́ть)	to recognise, find out	14
уйти́ *pf.* (*imp.* уходи́ть)	to leave (on foot)	15
у́лица	street	0,2
улыба́ться *imp.*	to smile	12
умере́ть *pf.* (*imp.* умира́ть)	to die	10
умира́ть *imp.* (*pf.* умере́ть)	to die	15
у́мный	clever	11
универма́г	supermarket	10
университе́т	university	0,7
упражне́ние	exercise	12
уро́к	lesson	1
услы́шать *pf.* (*imp.* слы́шать)	to hear	11
успе́х	success	14
уста́л, -а, -и	tired	6
у́тро	morning	2
уха́	fish soup	14

Russian	English	
у́хо, *pl.* у́ши	ear	12
уходи́ть *imp.* (*pf.* уйти́)	to leave (on foot)	8
уче́бник	textbook	3
учи́тель *m.*	teacher	1
учи́тельница	(female) teacher	14
учи́ть *imp.* (*pf.* вы́учить)	to learn (by heart)	15
учи́ться *imp.*	to study (somewhere)	14
Уэ́льс	Wales	13
ую́тный	cosy	10

Ф

Russian	English	
фа́брика	factory	0,8
фами́лия	surname	0,2
февра́ль *m.*	February	0,8
фестива́ль *m.*	festival	8
фи́зика	physics	14
фило́соф	philosopher	6
филосо́фия	philosophy	14
фильм	film	2
Финля́ндия	Finland	8
фи́рма	firm	2
фи́тнес-центр	gym	10
флаг	flag	8
фона́рь *m.*	street-lamp	13
фонта́н	fountain	10
фо́рма	form, uniform	15
в хоро́шей фо́рме	on good form	15
фортепья́но	piano	6
фо́то	photo	0
фотогра́фия	photograph	1
фра́за	phrase	11
Фра́нция	France	3
францу́з, францу́женка	Frenchman, woman	3
францу́зский	French	3
фру́кты *m. pl.*	fruit	0,4
футбо́л	football	0,4
футболи́ст	footballer	3

Х

Russian	English	
ха́ос	chaos	0
хара́ктер	character	0
хи́мик	chemist	14
хлеб	bread	0,7
хмммм...	hmm...	3
ходи́ть | идти́ *imp.* (*pf.* пойти́)	to go (on foot)	7
хокке́й	(ice) hockey	0,7
холоди́льник	fridge	6
хо́лодно	(it is) cold	8
холо́дный	cold	8
хоро́ший	good	0,4
хорошо́	well; (it is) good	1
хоте́ть *imp.* (*pf.* захоте́ть)	to want	5
хотя́	although	13
худо́жник	artist	3
худо́жница	artist *f.*	14
ху́же	worse	13

Ц

Russian	English	
царь *m.*	tsar	0,3
цвет, *pl.* цвета́	colour	12
цвето́к, *pl.* цветы́	flower	12
це́лый	whole	gs
целова́ть *imp.* (*pf.* поцелова́ть)	to kiss	15

Russian	English	
цена́	price	9
це́нный	valuable	10
центр	centre	0, 2
це́рковь *f.*	church	2
цирк	circus	7
цифрово́й	digital, numeric	9

Ч

Russian	English	
чай	tea	0, 1
час	hour, o'clock	5
часы́ *pl.*	watch, clock	9
ча́сто	often	4
ча́ще	more often	13
ча́шка	cup	0, 1
чей, чьё, чья, чьи	whose	2
чек	cheque, bill	0
челове́к	person, man	2
чем	than	7
чемода́н	suitcase	9
чемпио́н	champion	0
червячо́к	little worm	15
че́рез + *acc.*	in (*of a period of time*)	8
чёрный	black	5
че́стный	honest	14
че́стно говоря́	to be honest, honestly	14
четве́рг	Thursday	6
четвёртый	fourth	13
четы́ре	four	3
четы́реста	four hundred	9
четы́рнадцатый	fourteenth	13
четы́рнадцать	fourteen	3
чи́збургер	cheeseburger	0
чи́кенбургер	chickenburger	0
чи́псы *pl.*	crisps	6
число́	number, date	13
чи́стый	clean	8
чи́ще	cleaner	GS
чита́ть *imp.* (*pf.* прочита́ть)	to read	4
чиха́ть *imp.* (*pf.* чихну́ть)	to sneeze	14
что	what, that	1
что́бы	so that, in order to	15
что́-нибудь	something, anything	7
что́-то	something	13
чу́вствовать себя́	to feel	6
чу́вствовать *imp.* (*pf.* почу́вствовать)	to feel	12
чуде́сный	miraculous, wonderful	8

Ш

Russian	English	
шаг	footstep	12
шампа́нское	champagne	7
ша́пка	hat	0, 9
шарф	scarf	9
ша́хматы *pl.*	chess	5
шашлы́к	kebab	7
Шве́ция	Sweden	10
шеде́вр	masterpiece	15
шёпот	whisper	11
шёпотом	in a whisper	11
шепта́ть *imp.* (*pf.* шепну́ть)	to whisper	11
шестидеся́тый	sixtieth	13
шестна́дцатый	sixteenth	13
шестна́дцать	sixteen	3
шесто́й	sixth	4
шесть	six	3
шестьдеся́т	sixty	9
шестьсо́т	six hundred	9
шеф	chief, boss	11
широ́кий	wide	GS
ши́ре	wider	GS
шкаф	cupboard	10
шко́ла	school	0, 2
шко́льник	schoolboy	3
шко́льный	school *adj.*	15
шлем	helmet	13
шок	shock	0
шокола́д	chocolate	0, 4
шокола́дный	chocolate *adj.*	7
Шотла́ндия	Scotland	4
шпио́н	spy	0
штат	state	9
што́пор	corkscrew	14
штру́дель *m.*	strudel	7
шту́ка	thing, item	9
шути́ть *imp.*	to joke	10

Щ

Russian	English	
щи	cabbage soup	0

Э

Russian	English	
Эквадо́р	Ecuador	15
экза́мен	exam	8
эконо́мика	economics	0, 5
экономи́ст	economist	3
экску́рсия	excursion, tour	6
экспе́рт	expert	1
электри́чество	electricity	14
электри́чка	electric train	0
эпило́г	epilogue	6
Эрмита́ж	Hermitage (museum)	2
эскала́тор	escalator	0
эспре́ссо	espresso	7
эта́ж	floor, storey	0, 5
э́то	this (is), it (is)	0, 1
э́тот, э́та, э́то, э́ти	this, these	2

Ю

Russian	English	
ювели́р	jeweller	15
юг	south	8
ю́го-восто́к	south-east	9
ю́го-за́пад	south-west	9
ю́го-за́падный	south-western	12
Юлиа́нский	Julian (calendar)	13
ю́ность *f.*	youth	11
в ю́ности	in (my) youth	11
юри́ст	lawyer	1

Я

Russian	English	
я	I	0, 1
я́блоко	apple	6
я́блочный	apple *adj.*	7
язы́к	language, tongue	4
яйцо́	egg	7
Я́лта	Yalta	0
янва́рь *m.*	January	0, 8
Япо́ния	Japan	0
я́хта	yacht	0

ENGLISH-RUSSIAN VOCABULARY

A

English	Russian	
about, concerning	о, об, обо + *prep.*	4
above	над + *inst.*	14
abroad (*direction*)	за грани́цу	9
abroad (*place*)	за грани́цей	14
absolutely	абсолю́тно	12
academic *adj.*	академи́ческий	6
according to	по + *dat.*	1
accounting	бухгалте́рия	12
ache, hurt, to	боле́ть *imp.*	
	(*pf.* заболе́ть)	12
acquainted	знако́м, -а, -ы	14
acquainted, to become	знако́миться *imp.*	
	(*pf.* познако́миться)	14
action film	боеви́к	11
action, act (*theatre*)	де́йствие	6
actor	актёр	5
actress	актри́са	3
add, to	добавля́ть *imp.*	9
address	а́дрес	3
administration	администра́ция	0
administrator	администра́тор	1
adore, to	обожа́ть *imp.*	13
advert	рекла́ма	5
advice	сове́т	12
advise, to	сове́товать *imp.* (*pf.*	
	посове́товать) + *dat.*	12
aeroplane	самолёт	0,5
afraid, to be	боя́ться	10
Africa	А́фрика	13
after	по́сле + *gen.*	10
again	опя́ть	2
against	про́тив + *gen.*	13
ago	наза́д	11
(*I etc.*) agree	согла́сен, -а́сна, -а́сны	8
agree, to	догова́риваться *imp.*	
	(*pf.* договори́ться)	14
agreed!	договори́лись!	4
agreement	догово́р	15
ah!	ах	2
aha!	ага́!	2
air	во́здух	14
airport	аэропо́рт	0,2
album	альбо́м	12
alcohol	алкого́ль *m.*	12
alcoholic	алкого́льный	7
alive	живо́й	15
all	весь, вся, всё, все	6
all the same	всё равно́	6
allergy	аллерги́я	12
almost	почти́	11
along	по + *dat.*	13
alphabet	алфави́т	9
already	уже́	2
also	то́же; та́кже	1;13
although	хотя́	13
always	всегда́	4
amaze, to	удивля́ть *imp.*	
	(*pf.* удиви́ть)	11
amazed, to be	удивля́ться *imp.*	
	(*pf.* удиви́ться)	14
amazement	удивле́ние	12
America	Аме́рика	0,1
American *adj.*	америка́нский	2
American man	америка́нец	1
American woman	америка́нка	3
among	среди́ + *gen.*	GS
and	и	1
and so on	и так да́лее	14
and, but	а	1
announcer	ди́ктор	9
answer	отве́т	11
answerphone	автоотве́тчик	11
antibiotic	антибио́тик	12
antique *adj.*	антиква́рный	5
any	любо́й	15
apart from	кро́ме + *gen.*	10
appetite	аппети́т	7
apple	я́блоко	6
apple *adj.*	я́блочный	7
April	апре́ль *m.*	0,7
Arbat (*Moscow street*)	Арба́т	2
architectural	архитекту́рный	13
architecture	архитекту́ра	13
arm	рука́	12
armchair	кре́сло	8
army	а́рмия	0,9
around	вокру́г + *gen.*;	
	по + *dat.*	5;13
arrival	прие́зд	14
arrive, to (*by transport*)	приезжа́ть *imp.*	
	(*pf.* прие́хать)	14
arrive, to (*on foot*)	приходи́ть *imp.*	
	(*pf.* прийти́)	12
arrow	стрела́	5
art	иску́сство	8
art dealer	арт-ди́лер	7
article	статья́	11
artificial	иску́сственный	14
artist	худо́жник	3
artist *female*	худо́жница	14
as … as possible	как мо́жно	
	+ *comparative*	12
as if	как бу́дто	15
ask a question, to	задава́ть вопро́с *imp.*	6
ask, to (*question*)	спра́шивать *imp.*	
	(*pf.* спроси́ть)	4
ask, to (*request*)	проси́ть *imp.*	
	(*pf.* попроси́ть)	12
aspirin	аспири́н	12
assistant	ассисте́нт	1
at (*an event*)	на + *prep.*	1
at last	наконе́ц	8
atishoo!	апчхи́!	14
attention	внима́ние	14
attention, to pay	обраща́ть *imp.* (*pf.*	
	обрати́ть) внима́ние	
	на + *acc.*	14
attentively	внима́тельно	10
attic	мезони́н	14
audible	слы́шно	8
audience	аудито́рия	11
August	а́вгуст	0,7
aunt	тётя	0,2
Australia	Австра́лия	10
Austria	А́встрия	8
author	а́втор	14
autumn	о́сень *f.*	8
avenue	проспе́кт	0,2
axe	топо́р	14

B

English	Russian	
back *noun*	спина́	12
back, backwards	обра́тно; наза́д	8; 11
bad	плохо́й	5
(it is) bad; badly	пло́хо	1
bag	су́мка	1
balalaika	балала́йка	5
balcony	балко́н	10
ball	мяч	0
ballerina	балери́на	5
ballet	бале́т	5
Baltic Sea	Ба́лтика	6
banana	бана́н	0, 6
bank	банк	0, 2
banker	банки́р	12
bar	бар	0, 1
baseball	бейсбо́л	5
basketball	баскетбо́л	14
basketball player	баскетболи́ст	14
bass	бас	15
bath	ва́нна	10
bathroom	ва́нная	10
battery	батаре́йка	15
battleship	бронено́сец	4
be, to	быть	3
beach	пляж	13
beard	борода́	15
beautiful	краси́вый	4
because	потому́ что	5
because of	из-за + *gen.*	13
become, to	станови́ться *imp.*	
	(*pf.* стать)	14
bed	крова́ть *f.*	10
bedroom	спа́льня	10
beep	гудо́к	13
beer	пи́во	2
before	до + *gen.*	1
begin, to (*transitive*)	начина́ть *imp.*	
	(*pf.* нача́ть)	11
begin, to (*intransitive*)	начина́ться *imp.*	
	(*pf.* нача́ться)	5
beginning	нача́ло	10
behind	за + *inst.*	11
Belarus	Белару́сь *f.*	0, 14
believe, to	ве́рить *imp.*	
	(*pf.* пове́рить) + *dat.*	14
below	внизу́	13
best	лу́чший	9
better	лу́чше	10
between	ме́жду + *inst.*	14
bicycle	велосипе́д	8
big	большо́й	0, 1
bill	чек, счёт	0, 6
birth	рожде́ние	8
birthday	день рожде́ния	8
bistro	бистро́	0
black	чёрный	5
bless you!	будь здоро́в!	14
blinys	блины́ *m. pl.*	7
blow, to (*of instrument*)	выдува́ть *imp.*	15
blow, to (*of wind*)	дуть *imp.*	8
blue	си́ний, -яя, -ее, -ие	8
blush, to	красне́ть	9
body	те́ло	12
bon appetit!	прия́тного аппети́та	7

English	Russian	
bon voyage	счастли́вого пути́	15
bonus	бо́нус	15
book	кни́га	0, 1
book *adj.*	кни́жный	10
book-keeper	бухга́лтер	8
boot	боти́нок, *pl.* боти́нки	9
border	грани́ца	9
boring	ску́чный	6
(it is) boring	ску́чно	6
born, to be	роди́ться *pf.*	6
borshch (*beetroot soup*)	борщ	0, 7
boss	нача́льник	8
both	о́ба *m.*, о́бе *f.*	14
bottle	буты́лка	0, 1
boulevard	бульва́р	2
box	коро́бка	15
boy	ма́льчик	3
brass	медь *f.*	15
Brazil	Брази́лия	13
bread	хлеб	0, 7
break (*e.g. in lesson*)	переры́в	14
breakfast	за́втрак	4
breakfast, to have	за́втракать *imp.*	
	(*pf.* поза́втракать)	4
bridge	мост	0, 2
bring, to	принести́ *pf.*	6
bring *imperative*	принеси́те!	9
British	брита́нский	0
brother	брат, *pl.* бра́тья	0, 3
brown	кори́чневый	8
buffet	буфе́т	0, 2
build, to	стро́ить *imp.*	
	(*pf.* постро́ить)	15
building	зда́ние	5
Bulgarian	болга́рский	5
burger	бу́ргер	0
burn, to	горе́ть *imp.*	
	(*pf.* сгоре́ть)	14
bus	авто́бус	0, 2
bus *adj.*	авто́бусный	15
business	би́знес	14
business *adj.*	делово́й	15
business card	визи́тка	1
business centre	би́знес-центр	0
business lunch	би́знес-ланч	7
business trip	командиро́вка	13
businessman	бизнесме́н	1
busy	за́нят, занята́, за́няты	3
but	но	0, 2
butter	ма́сло	7
buy, to	покупа́ть *imp.*	
	(*pf.* купи́ть)	6
buyer	покупа́тель *m.*	15
by	во́зле + *gen.*	15
by, at	у + *gen.*	4
by the way	кста́ти	9

C

English	Russian	
cabbage	капу́ста	7
cabbage soup	щи	0
cafe	кафе́ *n. indecl.*	4
cake	торт	0, 7
calendar	календа́рь *m.*	6
call (*phone*), to	звони́ть *imp.*	
	(*pf.* позвони́ть)	4
call back *imperative*	перезвони́те	8

English	Russian	Ref
call *noun*	звоно́к	11
called, to be	называ́ться	2
(it) is called	называ́ется	2
call (they)	зову́т	1
calm	споко́йный	10
calmly	споко́йно	10
Canada	Кана́да	4
can, to be able	мочь *imp.* (*pf.* смочь)	6
canal	кана́л	5
capital	столи́ца	3
capitalism	капитали́зм	0
car	маши́на	2
cards	ка́рты *pl.*	5
carefully; be careful!	осторо́жно	9
carpet	ковёр	10
carrier bag	паке́т	9
carry, to (*by transport*)	везти́ *imp.*	12
cartoon	мультфи́льм	12
cash-desk, checkout	ка́сса	0,2
casino	казино́	14
cat	ко́шка	5
cat (tom)	кот	5
catch, to (*e.g. taxi*)	пойма́ть *pf.*	13
cathedral	собо́р	2
Caucasus	Кавка́з	GS
caviare	икра́	7
celebrate, to	отмеча́ть *imp.*	13
centimetre	сантиме́тр	9
centre	центр	0,2
century	век	13
certain, sure	уве́рен, -а, -ы	14
certainly	обяза́тельно	8
chair	стул	0,1
champagne	шампа́нское	7
champion	чемпио́н	0
change (*i.e. from purchase*)	сда́ча	9
channel	кана́л	5
chaos	ха́ос	0
chapter	глава́	1
character	хара́ктер	0
chat, talk briefly, to	поговори́ть *pf.* (*imp.* говори́ть)	13
cheap	дешёвый	13
cheaper	деше́вле	13
check-in	регистра́ция	2
cheers!	за здоро́вье!	5
cheese	сыр	5
cheese *adj.*	сы́рный	7
cheeseburger	чи́збургер	0
chemist (*pharmacy*)	апте́ка	0,2
chemist (*scientist*)	хи́мик	14
cheque	чек	0
chess	ша́хматы *pl.*	5
chicken	ку́рица	7
chickenburger	чи́кенбургер	0
chief, boss	шеф	11
child	ребёнок, *pl.* де́ти	3
childhood	де́тство	10
China	Кита́й	11
Chinese	кита́йский	6
chocolate	шокола́д	0,4
chocolate *adj.*	шокола́дный	7
choose, to	вы́брать *pf.*	7
Christmas	Рождество́	10
Christmas tree	ёлка	0
church	це́рковь *f.*	2
cigar	сига́ра	8
cigarette	сигаре́та	12
cinema	кино́; кинотеа́тр	0,7;2
circle (*in theatre*)	амфитеа́тр	13
circus	цирк	7
citizen	граждани́н	11
city	го́род	2
class(room)	класс	11
clean	чи́стый	8
cleaner	чи́ще	GS
clever	у́мный	11
client	клие́нт	0,1
climate	кли́мат	13
clinic	кли́ника; поликли́ника	2;12
cloakroom	гардеро́б	6
clock	часы́ *pl.*	9
close, to	закрыва́ть *imp.* (*pf.* закры́ть)	12
close, to (*intransitive*)	закрыва́ться *imp.*	9
closed	закры́т, -а, -о, -ы	10
clothing	оде́жда	9
cloudy	о́блачный	8
(it is) cloudy	о́блачно	8
club	клуб	0,8
coal	пальто́ *m. indecl.*	8
cocktail	кокте́йль *m.*	15
code	код	0,6
coffee	ко́фе *m. indecl.*	0,1
cognac	конья́к	7
coin	моне́та	9
cold *adj.*	холо́дный	8
(it is) cold	хо́лодно	8
cold (*i.e. sickness*)	просту́да	12
colleague	колле́га	3
collection	колле́кция	15
colour	цвет, *pl.* цвета́	12
column	коло́нна	14
come to, to (*regain consciousness*)	приходи́ть *imp.* (*pf.* прийти́) в себя́	15
comedian	ко́мик	14
comedy	коме́дия	14
comfortable	удо́бный	8
communism	коммуни́зм	14
communist	коммуни́ст	15
compact disc	компакт-ди́ск	9
compare, to	сра́внивать *imp.* (*pf.* сравни́ть)	15
completely	соверше́нно	GS
completely, at all	совсе́м	12
complex *noun*	ко́мплекс	14
complicated	сло́жный	11
composer	компози́тор	3
computer	компью́тер	1
concern	волне́ние	14
concert	конце́рт	4
conductor	дирижёр	14
conference	конфере́нция	3
congratulations	поздравле́ния *pl.*	13
congratulations!	поздравля́ю	14
conservatory	консервато́рия	14
consultant	консульта́нт	3
contemporary	совреме́нный	9
continent	контине́нт	13
continental	континента́льный	8
continue, to (*transitive*)	продолжа́ть *imp.* (*pf.* продо́лжить)	13

English	Russian	
continue, to (*intransitive*)	продолжа́ться *imp.*	14
contract	контра́кт; догово́р	12;15
control	контро́ль *m.*	0
convenient	удо́бный	8
conversation	разгово́р	14
convince, to	убеди́ть *pf.*	14
cook	по́вар	12
cook, to	гото́вить *imp.* (*pf.* приготóвить)	7
cooker	плита́	10
copy	ко́пия	9
corkscrew	што́пор	14
corner	у́гол	5
corpus, block (*in building*)	ко́рпус	3
correct	пра́вильно	3
corridor	коридо́р	0,6
cosmonaut	космона́вт	14
cost, to	сто́ить *imp.*	9
cosy	ую́тный	10
cough	ка́шель *m.*	12
country	страна́	13
countryside	дере́вня	13
courtyard	двор	9
craftsman	ма́стер	8
crime	преступле́ние	14
Crimea	Крым	0,7
crisps	чи́псы *pl.*	6
Cuba	Ку́ба	13
culture	культу́ра	5
cultured	культу́рный, интеллиге́нтный	11
cup	ча́шка	0,1
cupboard	шкаф	10
currency exchange	обме́н валю́ты	0
customs	тамо́жня	2
cut down, to	вы́рубить *pf.*	14
Cyprus	Кипр	11

D

dacha	да́ча	5
dance *noun*	та́нец, та́нцы *pl.*	2
dance, to	танцева́ть *imp.*	5
dangerous	опа́сный	13
dark	тёмный	9
(it is) dark	темно́	9
darkness	темнота́	14
date	да́та	13
date	число́	13
daughter	дочь *f., pl.* до́чери	6
	до́чка *diminutive*	3
day	день *m.*	0,1
in the day, afternoon	днём	5
day off	выходно́й день	13
dead	мёртвый	14
deal	сде́лка	0
dear	дорого́й	5
December	дека́брь *m.*	0,7
decide, to	реша́ть *imp.* (*pf.* реши́ть)	15
decision	реше́ние	15
defender	защи́тник	13
definitely	обяза́тельно	8
degree	гра́дус	8
delayed, to be	заде́рживаться *imp.* (*pf.* задержа́ться)	15

delegate	делега́т	3
delegation	делега́ция	0
deluxe	люкс	0,8
demonstrate, to	демонстри́ровать *imp.*	14
demonstration	демонстра́ция	13
department	отде́л	15
departure	отъе́зд	15
designer	диза́йнер	3
desk	пи́сьменный стол	8
desperately	отча́янно	15
despite	несмотря́ на + *acc.*	GS
dessert	десе́рт	7
dial, to	набира́ть *imp.* (*pf.* набра́ть)	11
dialogue	диало́г	11
dictation	дикта́нт	10
dictionary	слова́рь *m.*	5
die, to	умира́ть *imp.* (*pf.* умере́ть)	15
diet	дие́та	7
difference	ра́зница	14
different (*other*)	друго́й	9
different (*various*)	ра́зный	8
difficult	тру́дный	8
(it is) difficult	тру́дно	5
digital	цифрово́й	9
dining room	столо́вая	10
dinner	у́жин	0,4
dinner, to have	у́жинать *imp.* (*pf.* поу́жинать)	4
director	дире́ктор	0,1
dirty	гря́зный	15
discuss, to	обсужда́ть *imp.* (*pf.* обсуди́ть)	14
dish, course	блю́до	7
dissertation	диссерта́ция	0
do, to	де́лать *imp.* (*pf.* сде́лать)	3
dock	док	0
doctor	врач, до́ктор	2
document	докуме́нт	3
dog	соба́ка	4
(little) dog	соба́чка	14
dollar	до́ллар	9
don't mention it	не́ за что	15
door	дверь *f.*	1
doubt, to	сомнева́ться *imp.* (*pf.* засомнева́ться)	15
draw, to	рисова́ть *imp.* (*pf.* нарисова́ть)	6
drawing	рису́нок	15
dress	пла́тье	9
drink	напи́ток	0,6
drink up, to	выпива́ть *imp.* (*pf.* вы́пить)	10
drink, to	пить *imp.*	5
drive a car, to	води́ть маши́ну	12
driver	води́тель *m.*	1
drunkard	пья́ница	13

E

each, every	ка́ждый	6
ear	у́хо, *pl.* у́ши	12
early	ра́но	6
earlier	ра́ньше	6
a little earlier	пора́ньше	14

earth	земля́	9
east	восто́к	0, 9
easy	лёгкий	8
(it is) easy	легко́	8
easier	ле́гче	13
easily	легко́	8
eat, to	есть *imp.* (*pf.* съесть)	6
economics	эконо́мика	0, 5
economist	экономи́ст	3
Ecuador	Эквадо́р	15
egg	яйцо́	7
Egypt	Еги́пет	8
eight	во́семь	3
eight hundred	восемьсо́т	9
eighteen	восемна́дцать	3
eighteenth	восемна́дцатый	13
eighth	восьмо́й	13
eightieth	восьмидеся́тый	13
eighty	во́семьдесят	9
electric train	электри́чка	0
electricity	электри́чество	14
eleven	оди́ннадцать	3
eleventh	оди́ннадцатый	13
email	име́йл	7
embrace, to	обнима́ть *imp.* (*pf.* обня́ть)	15
empress	императри́ца	12
empty	пусто́й	12
end	коне́ц	6
enemy	враг	15
engineer	инжене́р	3
England	А́нглия	0, 2
English	англи́йский	2
(with говори́ть)	по-англи́йски	2
English woman	англича́нка	3
Englishman	англича́нин	3
enjoy, to	нра́виться *imp.* (*pf.* понра́виться)	12
enter, to (*on foot*)	входи́ть *imp.* (*pf.* войти́)	11
entirely	вполне́	14
entrance	вход	2
entrance (to building)	подъе́зд	12
envelope	конве́рт	11
epilogue	эпило́г	6
escalator	эскала́тор	0
especially	осо́бенно	5
espresso	эспре́ссо	7
Europe	Евро́па	0, 4
European	европе́йский	15
even	да́же	5
evening	ве́чер	2
evening *adj.*	вече́рний, -яя, -ее, -ие	5
event	собы́тие	15
everyone	все	3
everything	всё	4
everywhere	везде́	13
exactly	то́чно; и́менно	11; 15
exam	экза́мен	8
for example	наприме́р	8
excellent	отли́чный	1
(it is) excellent	отли́чно	1
exchange, to	обме́нивать *imp.* (*pf.* обменя́ть)	15
exclaim, to	восклица́ть *imp.* (*pf.* воскли́кнуть)	14
excursion	экску́рсия	6

excuse me *imperative*	извини́те	1
exercise	упражне́ние	12
exhibition	вы́ставка	12
exhibition *adj.*	вы́ставочный	14
exit	вы́ход	2
exit, to (*on foot*)	выходи́ть *imp.* (*pf.* вы́йти)	10
expensive	дорого́й	5
(it is) expensive	до́рого	5
more expensive	доро́же	13
expert	экспе́рт	1
explain, to	объясня́ть *imp.* (*pf.* объясни́ть)	14
expression	выраже́ние	15
eye	глаз, *pl.* глаза́	0, 12

F

face	лицо́	10
in fact	на са́мом де́ле	9
factory	фа́брика, заво́д	0, 8; 10
fairly	дово́льно	5
fairy tale	ска́зка	15
family	семья́	3
family *adj.*	семе́йный	5
famous	изве́стный	5
far	далёкий	13
(it is) far	далеко́	2
fashion	мо́да	0, 4
fashionable	мо́дный	13
fast	бы́стрый	8
faster	скоре́е	9
fat	то́лстый	15
fat man	толстя́к	15
fatal	роково́й	3
fate	судьба́	15
father	оте́ц, *pl.* отцы́	14
father, dad	па́па	0, 3
fatherland	оте́чество	13
favourite	люби́мый	5
February	февра́ль *m.*	0, 8
feel, to	чу́вствовать *imp.* (*pf.* почу́вствовать) себя́	6; 12
festival	фестива́ль *m.*	8
fifteen	пятна́дцать	3
fifteenth	пятна́дцатый	13
fifth	пя́тый	13
fiftieth	пятидеся́тый	13
fifty	пятьдеся́т	9
fight	дра́ка	15
film	фильм	2
final	коне́чный, окончáтельный	8; 15
find out, to	узнава́ть *imp.* (*pf.* узна́ть)	14
find, to	находи́ть *imp.* (*pf.* найти́)	11
fine, ok	ничего́, норма́льно	1
finish, to (*transitive*)	конча́ть *imp.* (*pf.* ко́нчить)	12
finish, to (*intransitive*)	конча́ться *imp.* (*pf.* ко́нчиться)	14
Finland	Финля́ндия	8
fire	пожа́р	15
firefly	светлячо́к	15
firm	фи́рма	2

first	пе́рвый	2
at first	снача́ла	2
first aid post	медпу́нкт	0
first name	и́мя	2
fish	ры́ба	7
fish soup	уха́	14
five	пять	3
five hundred	пятьсо́т	9
flag	флаг	8
flat, apartment	кварти́ра	2
floor	пол	13
floor, storey	эта́ж	0, 5
flower	цвето́к, цветы́ pl.	12
flu	грипп	6
fly (insect)	му́ха	15
food	еда́	6
food products	проду́кты m. pl.	0, 6
food shop	гастроно́м	6
fool	дура́к	11
foot	нога́	12
on foot	пешко́м	4
football	футбо́л	0, 4
footballer	футболи́ст	3
footstep	шаг	12
footwear	о́бувь f.	10
for	для + gen.	2
for a long time	до́лго; надо́лго	6; 15
for ever	навсегда́	14
for good	насовсе́м	15
for the sake of	ра́ди + gen.	GS
(it is) forbidden + verb	нельзя́	12
foreigner	иностра́нец	15
forget, to	забыва́ть imp.	
	(pf. забы́ть)	11
fork	ви́лка	10
fortieth	сороково́й	13
fortunately	к сча́стью	11
forty	со́рок	5
fountain	фонта́н	10
four	четы́ре	3
four hundred	четы́реста	9
fourteen	четы́рнадцать	3
fourteenth	четы́рнадцатый	13
fourth	четвёртый	13
France	Фра́нция	3
free	свобо́дный	7
freedom	свобо́да	4
French	францу́зский	3
french fries	карто́фель фри	7
French woman	францу́женка	3
Frenchman	францу́з	3
fresh	све́жий	14
Friday	пя́тница	6
fridge	холоди́льник	6
friend	друг, pl. друзья́	0, 3
friends, to be	дружи́ть	14
friendship	дру́жба	4
frightening	стра́шный	11
(it is) frightening	стра́шно	12
from	из + gen.	6
from	с + gen.	10
from afar	издалека́	15
frost	моро́з	8
fruit	фру́кты m. pl.	0, 4
(it is) fun	ве́село	11
furniture	ме́бель f.	8
further	да́льше	6

G

gallery	галере́я	1
garage	гара́ж	0, 15
garden	сад	0, 6
garden adj.	садо́вый	3
gas	газ	7
gates	воро́та pl.	15
in general	вообще́	12
geography	геогра́фия	4
German	неме́цкий	3
German man	не́мец	3
German woman	не́мка	3
Germany	Герма́ния	3
get hold of, to	достава́ть imp.	
	(pf. доста́ть)	15
get to, reach, to (by transport)	дое́хать pf.	15
get up, to	встава́ть imp.	
	(pf. встать)	6
gin	джин	13
girl (young)	де́вочка	3
girl, girlfriend	де́вушка	3
girlfriend	подру́га	0, 5
give away, to	отдава́ть imp.	
	(pf. отда́ть)	14
give up, to	броса́ть imp.	
	(pf. бро́сить)	13
give, to	дава́ть imp. (pf. дать)	12
glad	рад, -а, -ы	12
glass (shot)	рю́мка	9
glass (tumbler)	стака́н	1
glass (wine)	бока́л	10
glasses	очки́ pl.	8
glimmer, to	свети́ться imp.	15
globalisation	глобализа́ция	0
gloomy	мра́чный	15
gloves	перча́тки f. pl.	9
go, to (by transport)	е́здить	е́хать imp.	
	(pf. пое́хать)	7
let's go!	пое́хали!	13
go, to (on foot)	ходи́ть	идти́ imp.	
	(pf. пойти́)	7
let's go!	пойдём!	3
go down, to	спуска́ться imp.	
	(pf. спусти́ться)	14
go for a walk, to	гуля́ть imp.	
	(pf. погуля́ть)	4
go to sleep, to	лечь спать	12
go up, to	поднима́ться imp.	12
God	Бог	GS
My God!	Бо́же мой!	8
gold	зо́лото	7
gold adj.	золото́й	9
golf	гольф	5
good	хоро́ший	0, 4
on good form	в хоро́шей фо́рме	15
goodbye	до свида́ния	1
goodbye (informal)	пока́	1
goodnight	споко́йной но́чи	10
goulash	гуля́ш	7
gram	грамм	9
grammar	грамма́тика	12
granddaughter	вну́чка	10
grandfather	де́душка	3
grandiose	грандио́зный	14
grandmother	ба́бушка	3
grandson	внук	10

grass	трава́	12	heroine	герои́ня	3
great	вели́кий	12	hi	приве́т	1
(that's) great!	здо́рово!	10	hinder, to	меша́ть *imp.*	
Great Britain	Великобрита́ния	4		(*pf.* помеша́ть) + *dat.*	12
Greece	Гре́ция	4	his	его́	3
Greek	гре́ческий	7	historical	истори́ческий	2
green	зелёный	7	history	исто́рия	13
grey	се́рый	8	hmm...	хммм...	3
Grigorian (*calendar*)	Григориа́нский	13	hold, to	держа́ть *imp.*	15
guest	гость *m.*		holiday	пра́здник	13
guide	гид	3	holiday *adj.*	пра́здничный	13
guidebook	путеводи́тель *m.*	13	holiday (*leave*)	о́тпуск	12
guitar	гита́ра	5	holidays (*school*)	кани́кулы *pl.*	14
GUM (*department store*)	ГУМ	2	home	дом, *pl.* дома́	0, 2
guy	па́рень *m.*	15	at home	до́ма	0, 5
gym	фи́тнес-центр;		home(wards)	домо́й	7
	спортза́л	10; GS	home, domestic	дома́шний, -яя, -ее, -ие	6
			homeless person	бомж	13
H			homework	дома́шнее зада́ние	6
			honest	че́стный	14
hair	во́лосы *m. pl.*	14	honestly, to be honest	че́стно говоря́	14
half	полови́на	11	hope, to	наде́яться *imp.*	10
... and a half	с полови́ной	14	horror	у́жас	14
half an hour	полчаса́	8	hospital	больни́ца	2
hall	зал	2	hot	горя́чий	7
hamburger	га́мбургер	0	hot (*weather*)	жа́ркий	8
hand	рука́	12	(it is) hot	жа́рко	0, 8
handkerchief	носово́й плато́к	14	hotter	жа́рче	13
handle	ру́чка	15	hotel	оте́ль *m.*; гости́ница	0; 2
hangover	похме́лье	12	hotel *adj.*	гости́ничный	8
happen, happen to be, to	быва́ть *imp.*	13	hotel room	но́мер	3
happen, to	случа́ться *imp.*		hour, o'clock	час	5
	(*pf.* случи́ться)	12	house	дом, *pl.* дома́	0, 2
	происходи́ть *imp.*		housewarming	новосе́лье	15
	(*pf.* произойти́)	15	how	как	0, 1
happiness	сча́стье	11	how much, how many	ско́лько	3
happy	весёлый;		huge	огро́мный	14
	счастли́вый	9; GS	hundred	сто	9
(I am) happy	(мне) ве́село	11	hundreds	со́тни	15
happy holiday!	с пра́здником	13	hundredth	со́тый	13
hard currency shop (in USSR)	валю́тный магази́н	15	Hungarian	венге́рский	7
harp	а́рфа	11	husband	муж	0, 3
hat	ша́пка	0, 9			
have in mind, mean, to	име́ть в виду́	10	**I**		
have, to (*in some expressions*)	име́ть	10			
you have	у вас есть	4	I	я	0, 1
he, it *m.*	он	0, 1	ice hockey	хокке́й	0, 7
head	голова́	12	ice-cream	моро́женое	7
health	здоро́вье	5	icon	ико́на	1
to your health!	за здоро́вье!	5	idea	иде́я	7
hear, to	слы́шать *imp.*		idiot	идио́т	0, 11
	(*pf.* услы́шать)	6	if	е́сли	0, 6
heart	се́рдце	12	ill, to be, fall	боле́ть *imp.*	
hedgehog	ёж	0		(*pf.* заболе́ть)	12
hello	здра́вствуйте	1	imagine, to	представля́ть *imp.*	
hello (*on phone*)	алло́	8		(*pf.* предста́вить)	8
helmet	шлем	13	can you imagine!	представля́ешь!	13
help *noun*	по́мощь *f.*	12	immediately	сра́зу; неме́дленно	11; 14
help, to	помога́ть *imp.*		immigration	иммигра́ция	0
	(*pf.* помо́чь)	12	(it is) impolite, rude	неве́жливо	15
her	её	3	important	ва́жный	7
here	здесь; тут	2; 14	(it is) important	ва́жно	7
here (*direction*)	сюда́	7	(it is) impossible	невозмо́жно	14
from here	отсю́да	10	impressionist	импрессиони́ст	14
here is	вот	1	in	в + *prep.*	2
Hermitage (*museum*)	Эрмита́ж	2	in (*of a period of time*)	че́рез + *acc.*	8
hero	геро́й	11	in advance	зара́нее	11

in front of, just before	пе́ред + *inst.*	14
in order to	что́бы	15
incomprehensible	непоня́тный	14
(it is) incorrect	непра́вильно	3
indeed, you see	ведь	15
India	И́ндия	0
inexpensive	недорого́й	8
information	информа́ция;	
	сообще́ние	0, 7; 11
inside (*position*)	внутри́ + *gen.*	8
instead of	вме́сто + *gen.*	14
institute	институ́т	7
intellect, intelligence	интелле́кт	14
intelligent	интеллиге́нтный	11
intend, be about to, to	собира́ться *imp.*	
	(*pf.* собра́ться)	14
interest, to	интересова́ть *imp.*	9
interested in, to be	интересова́ться *imp.*	
	(*pf.* заинтересова́ться)	
	+ *inst.*	14
interesting	интере́сный	5
(it is) interesting	интере́сно	1
international	междунаро́дный	13
internet	интерне́т	10
interview	интервью́ *n. indecl.*	5
into	в + *acc.*	7
invitation	приглаше́ние	12
invite, to	приглаша́ть *imp.*	
	(*pf.* пригласи́ть)	8
Iran	Ира́н	4
Iraq	Ира́к	13
Ireland	Ирла́ндия	4
irony	иро́ния	15
it *n.*	оно́	1
Italian	италья́нский	3
Italian man	италья́нец	3
Italian woman	италья́нка	3
Italy	Ита́лия	3
Izvestia (newspaper)	Изве́стия	2

J

jacket	жаке́т	0
January	янва́рь *m.*	0, 8
Japan	Япо́ния	0
jargon	жарго́н	0
jazz	джаз	7
jeans	джи́нсы *pl.*	0
jeweller	ювели́р	15
joke, to	шути́ть *imp.*	10
jolly, fun	весёлый	9
journalist	журнали́ст	1
journey	путь *m.*	15
juice	сок	7
Julian (*calendar*)	Юлиа́нский	13
July	ию́ль *m.*	0, 8
June	ию́нь *m.*	0, 8
just (*with verb,*		
as in 'he has just arrived')	то́лько что	11

K

kasha (*porridge*)	ка́ша	7
Kazakhstan	Казахста́н	15
kebab	шашлы́к	7
ketchup	ке́тчуп	14

key	ключ	0, 1
kill, to	убива́ть *imp.*	
	(*pf.* уби́ть)	14
kilogramme	килогра́мм	9
kilometre	киломе́тр	10
kind	до́брый	1
be so kind	бу́дьте добры́	8
kindness	доброта́	15
kiosk	кио́ск	0, 12
kiss, to	целова́ть *imp.*	
	(*pf.* поцелова́ть)	15
kitchen	ку́хня	6
knife	нож	10
know, to	знать *imp.*	0, 1
Kremlin	Кремль *m.*	3
kvass (*fermented drink*)	квас	7

L

labour, work	труд	13
labrador	лабрадо́р	14
lads	ребя́та *pl.*	15
lady	да́ма	0, 6
lake	о́зеро	8
lamp	ла́мпа	0, 8
lane	переу́лок	2
language	язы́к	4
last	после́дний	9
late *adv.*	по́здно	6
later	по́зже	13
late, to be	опа́здывать *imp.*	
	(*pf.* опозда́ть)	12
laugh, to	смея́ться *imp.*	
	(*pf.* засмея́ться)	9
lawyer	юри́ст	1
lawyer (barrister, advocate)	адвока́т	13
lazy	лени́вый	12
learn (by heart), to	учи́ть *imp.*	
	(*pf.* вы́учить)	15
leave, to (*by transport*)	уезжа́ть *imp.*	
	(*pf.* уе́хать)	15
leave, to (*on foot*)	уходи́ть *imp.* (*pf.* уйти́)	8
leave behind (*sth*), to	оставля́ть *imp.*	
	(*pf.* оста́вить)	11
lecture	ле́кция	6
left	ле́вый	13
(to the) left	нале́во	2
(on the) left	сле́ва	0, 10
leg	нога́	12
lemon	лимо́н	7
less	ме́ньше	6
lesson	уро́к	1
let…	пусть, пуска́й + *verb*	GS
let's…	дава́й(те) + *verb*	3
letter	письмо́	2
letter (*of alphabet*)	бу́ква	9
library	библиоте́ка	2
lie, be lying, to	лежа́ть *imp.*	8
life	жизнь *f.*	6
lift	лифт	0, 2
light (*coloured*)	све́тлый	8
light (*weight*)	лёгкий	8
light green	све́тло-зелёный	15
light *noun*	свет	14
like (enjoy), to	нра́виться *imp.*	
	(*pf.* понра́виться)	12

line	ли́ния	8
lion	лев	0
list	спи́сок	6
listen to, to	слу́шать *imp.*	
	(*pf.* послу́шать)	4
literary	литерату́рный	9
literature	литерату́ра	7
litre	литр	9
a little	немно́го; ма́ло	2; 5
live (through), to	прожи́ть *pf.*	15
live, to	жить *imp.*	4
loaf, French stick	бато́н хле́ба	9
lobby	вестибю́ль *m.*	2
lock	замо́к	12
long	дли́нный	13
long (-lasting)	до́лгий	15
long ago	давно́	10
look for, to	иска́ть *imp.*	12
lose, to (*i.e. fail to find*)	теря́ть *imp.*	
	(*pf.* потеря́ть)	12
lose, to (*i.e. not win*)	прои́грывать *imp.*	
	(*pf.* проигра́ть)	15
a lot	мно́го	5
lottery	лотере́я	15
loud	гро́мкий	12
louder	гро́мче	GS
loudly	гро́мко	12
love *noun*	любо́вь *f.*	6
love, like, to	люби́ть *imp.*	5
(I am) lucky	(мне) везёт	12
luggage	бага́ж	0, 2
lunch	обе́д	4
lunch, to have	обе́дать *imp.*	
	(*pf.* пообе́дать)	4

M

macaroni	макаро́ны *pl.*	14
mad(man)	сумасше́дший	9
mafia	ма́фия	0
magazine	журна́л	0, 1
magic	волшебство́	15
main	гла́вный	8
make, to	де́лать *imp.*	
	(*pf.* сде́лать)	3
male, man's *adj.*	мужско́й	9
man	мужчи́на	3
manager	ме́неджер	0
many	мно́го + *gen. pl.*	5
	мно́гие + *nom. pl.*	13
map	ка́рта	0, 1
March	март	0, 8
market	ры́нок	4
marketing	марке́тинг	14
married (*of man or couple*)	жена́т, -ы	9
married (*of woman*)	за́мужем	10
marry, to (*of woman to man*)	выходи́ть *imp.*	
	(*pf.* вы́йти) за́муж	
	за + *acc.*	15
marry, to (*of man to woman*)	жени́ться на + *prep.*	14
masterpiece	шеде́вр	15
match (*e.g. football*)	матч	GS
match	спи́чка	15
matchbox	коробо́к спи́чек	15
material	материа́л	15
mathematician	матема́тик	14
maths	матема́тика	12

matter, thing	де́ло	1
what's the matter?	в чём де́ло?	6
mausoleum	мавзоле́й	4
May	май	0, 8
May *adj.*	ма́йский	15
Mayday *adj.*	первома́йский	13
maybe	мо́жет быть	4
mean, to	зна́чить *imp.*	6
meat	мя́со	7
meat *adj.*	мясно́й	7
medicine	лека́рство	10
meet, to	встреча́ть *imp.*	
	(*pf.* встре́тить)	3
let's meet	дава́й(те) встре́тимся	4
we will meet	встре́тимся	4
please meet…		
(*introducing two people*)	познако́мьтесь	5
meeting	встре́ча	4
menu	меню́	1
message (*on answerphone*)	сообще́ние	11
metre	метр	9
metro	метро́ *n. indecl.*	0, 2
metro station	ста́нция	0, 2
milk	молоко́	0, 7
mineral water	минера́льная вода́	7
minibar	мини-ба́р	6
minister	мини́стр	3
minus	ми́нус	3
minute	мину́та	0, 3
just a minute…	мину́тку…	8
mirror	зе́ркало	10
missile	раке́та	15
mistake	оши́бка	GS
mistake, to make a	ошиба́ться *imp.*	
	(*pf.* ошиби́ться)	13
mister	господи́н, ми́стер	2
mix with, to (*people*)	обща́ться с + *inst. imp.*	15
mobile	моби́льный	3
mobile phone	моби́льник (*colloquial*)	11
model	моде́ль *f.*	9
modest	скро́мный	11
moment	моме́нт	10
Monday	понеде́льник	6
money	де́ньги	0, 1
monk	мона́х	14
month	ме́сяц	8
moon	луна́	0, 13
more	бо́льше	6
a bit more	побо́льше	14
more + *adj.*	бо́лее	13
morning	у́тро	2
mors (*fruit drink*)	морс	7
Moscow	Москва́	0, 1
Moscow *adj.*	моско́вский	2
Moscow State University	МГУ	14
the most + *adj.*	са́мый	5
mother, mum	ма́ма	0, 3
motorbike	мотоци́кл	13
mountain	гора́	11
mouse	мышь *f.*	14
move, to	дви́гаться *imp.*	
	(*pf.* дви́нуться)	15
movement	движе́ние	13
much	мно́го	5
much (+ *comparative*;		
e.g. 'much bigger')	гора́здо, намно́го	13

multi-episode	многосери́йный	5
museum	музе́й	0,1
mushroom	гриб	7
music	му́зыка	4
musician	музыка́нт	3
must	до́лжен, должна́, -но́, -ны́	6
my	мой, моя́, моё, мои́	2

N

naive	наи́вный	0
name (of things)	назва́ние	8
name, to	называ́ть imp. (pf. назва́ть)	15
napkin	салфе́тка	6
national	национа́льный	13
national (folk)	наро́дный	13
near	о́коло + gen.	10
near adj.	бли́зкий	13
(it is) near	бли́зко	11
nearer	бли́же	13
nearby	ря́дом	11
neat	аккура́тный	15
(it is) necessary + verb	на́до	10
necessary	ну́жен, нужна́, ну́жно, нужны́	12
negotiations	переговоры m. pl.	8
neighbour	сосе́д	15
neighbouring	сосе́дний, -яя, -ее, -ие	15
neither… nor…	ни… ни…	10
nephew	племя́нник	9
nervous	не́рвный	0
nervously	не́рвно	13
never	никогда́	6
new	но́вый	2
news	но́вости f. pl.; ве́сти f. pl. (old-fashioned)	5
newspaper	газе́та	0,1
next	сле́дующий	9
next to	ря́дом с + inst.	11
niece	племя́нница	9
night	ночь f.	5
at night	но́чью	5
nine	де́вять	3
nine hundred	девятьсо́т	9
nineteen	девятна́дцать	3
nineteenth	девятна́дцатый	13
ninetieth	девяно́стый	13
ninety	девяно́сто	9
ninth	девя́тый	13
no one	никто́	7
no, there is not	нет	0,1
non-alcoholic	безалкого́льный	7
nonetheless	всё-таки	13
normal	норма́льный	13
north	се́вер	9
north-east	се́веро-восто́к	9
north-west	се́веро-за́пад	9
nose	нос	5
not	не	1
not bad	непло́хо	1
not bad!	ничего́ себе́!	10
not far	недалеко́	2
not for long	недо́лго; ненадо́лго	15

not to worry!	ничего́ стра́шного	11
note pad	блокно́т	6
notebook (computer)	ноутбу́к	0
nothing	ничего́	1
notice, to	заме́тить pf.	8
novel	рома́н	2
November	ноя́брь m.	0,8
now	тепе́рь	2
now, right now	сейча́с	3
nowhere	нигде́	15
number	число́	13
number	но́мер	3
numeric	цифрово́й	9
nurse	медсестра́	3

O

(that's) ok, fine	ла́дно	9
o'clock	час	5
October	октя́брь m.	0,4
of course	коне́чно	3
office	бюро́; о́фис; кабине́т	0;1;5
officer	офице́р	9
official	официа́льный	13
often	ча́сто	4
more often	ча́ще	13
old	ста́рый	5
older (of people)	ста́рше	13
older (of things)	старе́е	13
old woman	стару́шка	13
old-fashioned	старомо́дный	10
olympiad	олимпиа́да	13
omelette	омле́т	7
on	на + prep.	1
once (upon a time)	одна́жды	12
one	оди́н, одна́, одно́	1
one and a half	полтора́	9
one-act (adj., of plays)	одноа́ктный	6
one's own (i.e. belonging to the subject)	свой	13
onion	лук	0
only	то́лько	2
onto, to	на + acc.	1
open	откры́т, -а, -о, -ы	10
open, to	открыва́ть imp. (pf. откры́ть)	12
opera	о́пера	6
opinion	мне́ние	GS
in my opinion	по-мо́ему; по моему́ мне́нию	8; GS
opposite	напро́тив + gen.	9
or	и́ли	4
orange	апельси́н	6
orange adj.	апельси́новый	7
orchestra	орке́стр	0,15
order	поря́док	13
everything's ok, in order	всё в поря́дке	13
order, book, to	зака́зывать imp. (pf. заказа́ть)	11
organisation	организа́ция	0
Orthodox	правосла́вный	13
our	наш, на́ша, на́ше, на́ши	3

P

page	страни́ца	3
palace	дворе́ц	9
pale	бле́дный	15
palm (of hand)	ладо́нь *f.*	15
paracetamol	парацетамо́л	12
parade	пара́д	13
paradise	рай	15
pardon, I beg your	прошу́ проще́ния	13
parents	роди́тели *pl.*	3
park	парк	0, 2
parliament	парла́мент	5
partner	партнёр	2
party	вечери́нка	6
pass on, to	передава́ть *imp.*	
	(*pf.* переда́ть)	15
pass on (*phone message*)		
imperative	переда́йте	8
passport	па́спорт	0, 1
passport control	па́спортный контро́ль	2
past	ми́мо + *gen.*	12
pasta	макаро́ны *pl.*	14
pastry, cake	пиро́жное *n.*	12
patient	больно́й, пацие́нт	12
pavilion	павильо́н	14
pay, to	плати́ть *imp.*	
	(*pf.* заплати́ть)	15
peace	мир	0, 4
pelmeni (*ravioli*)	пельме́ни *m. pl.*	7
pen	ру́чка; перо́	1; 14
pencil	каранда́ш	0, 1
pensioner	пенсионе́р	3
people	лю́ди *pl.*	0, 3
people (nation)	наро́д	9
pepper	пе́рец	7
perestroika	перестро́йка	13
performer (female)	арти́стка	5
perhaps	мо́жет быть	4
person	челове́к	2
personally	ли́чно	15
petrol	бензи́н	9
philosopher	фило́соф	6
philosophy	филосо́фия	14
photo	фо́то	0
photocopy	ксе́рокс	0
photograph	фотогра́фия	1
phrase	фра́за	11
physics	фи́зика	14
pianist	пиани́ст	8
piano	пиани́но;	
	фортепья́но	5; 6
picnic	пикни́к	13
picture	карти́на	1
pie	пиро́г	7
pie (*small*)	пирожо́к, *pl.* пирожки́	7
piece	кусо́к	9
pink	ро́зовый	7
pity	жаль	4
what a pity!	как жаль!	4
pity, to	жале́ть *imp.*	
	(*pf.* пожале́ть)	15
place	ме́сто	2
plan	схе́ма; план	8; 11
planet	плане́та	4
plate	таре́лка	15

platform	платфо́рма	0, 3
play (*theatre*)	пье́са	12
play, to	игра́ть *imp.*	4
(play) ground	площа́дка	12
(CD) player	плее́р	15
pleasant, nice	прия́тный	10
please	пожа́луйста	1
pleased	рад, -а, -ы	12
pleased to meet you	о́чень прия́тно	1
pleasure	удово́льствие	6
plus	плюс	3
pocket	карма́н	6
poem	поэ́ма	12
poetry	стихи́ *m. pl.*	4
poison, to	отрави́ть *pf.*	15
police	поли́ция	14
police (*Soviet*)	мили́ция	6
political	полити́ческий	6
politician	поли́тик	3
politics	поли́тика	6
poor	бе́дный	13
pop music	по́п-му́зыка	7
popular	популя́рный	5
port	порт	GS
portrait	портре́т	9
(it is) possible	возмо́жно	11
is it possible, may I?	мо́жно?	7
post office	по́чта	0, 2
postage stamp	ма́рка	9
postcard	откры́тка	9
poster	плака́т	8
postman	почтальо́н	14
potato	карто́фель *m.*;	
	карто́шка *colloquial*	7
potato *adj.*	карто́фельный	7
precisely (*with time, e.g.*		
'at three o'clock precisely')	ро́вно	11
premiere	премье́ра	5
prepare, to	гото́вить *imp.*	
	(*pf.* пригото́вить)	7
prescription	реце́пт	12
present, gift	пода́рок	10
present, to	дари́ть *imp.*	
	(*pf.* подари́ть)	13
president	президе́нт	1
press conference	пре́сс-конфере́нция	13
prevent, to	меша́ть *imp.*	
	(*pf.* помеша́ть) + *dat.*	12
price	цена́	9
priest	свяще́нник	14
prime minister	премье́р-мини́стр	1
prince	принц	12
princess	принце́сса	3
principle	при́нцип	15
printer	при́нтер	8
prisoner	ареста́нт	8
probably	наве́рно, наве́рное	6
problem	пробле́ма	3
profession	профе́ссия	2
professor	профе́ссор	0, 14
programme	програ́мма	5
(TV) programme	переда́ча	13
project	прое́кт	14
prologue	проло́г	6
promise, to	обеща́ть *imp.*	
	(*pf.* пообеща́ть) + *dat.*	12

English	Russian	
proposal	предложе́ние	15
proverb	посло́вица	11
pub	паб	4
punishment	наказа́ние	14
puree	пюре́ *n. indecl.*	7
push into, to	вта́лкивать *imp.* (*pf.* втолкну́ть)	13
put on, to (*of clothes*)	надева́ть *imp.* (*pf.* наде́ть)	12
put, to	класть *imp.* (*pf.* положи́ть)	10
putsch	путч	15
pyramid	пирами́да	4

Q

English	Russian	
qualification	квалифика́ция	0
question	вопро́с	4
quickly	бы́стро	5
quiet	ти́хий	10
quietly, (it is) quiet	ти́хо	6
quiet *noun*	тишина́	14
quiet, to be	молча́ть *imp.* (*pf.* замолча́ть)	10
quite	дово́льно	5

R

English	Russian	
radiator	радиа́тор	15
radio	ра́дио *n. indecl.*	0, 2
rain	дождь *m.*	8
rare	ре́дкий	GS
rarely	ре́дко	6
rarer	ре́же	GS
reach, to (*on foot*)	дойти́ *pf.*	10
read, to	чита́ть *imp.* (*pf.* прочита́ть)	4
ready	гото́в, -а, -о, -ы	4
recall, to	вспомина́ть *imp.* (*pf.* вспо́мнить)	11
receive, to	получа́ть *imp.* (*pf.* получи́ть)	6
receiver	тру́бка	12
recently	неда́вно	14
reception (*party*)	приём	13
recipe	реце́пт	12
reckon, to	счита́ть	10
recognise, to	узнава́ть *imp.* (*pf.* узна́ть)	14
recommend, to	рекомендова́ть *imp., pf.*	6
red	кра́сный	0, 2
reform	рефо́рма	15
region	райо́н	0, 7
regional	региона́льный	5
regret, to	жале́ть *imp.* (*pf.* пожале́ть)	15
relate, to	расска́зывать *imp.* (*pf.* рассказа́ть)	14
religious	религио́зный	13
remain, to	остава́ться *imp.* (*pf.* оста́ться)	15
remaining, the rest	остально́й	14
remember, to	по́мнить *imp.*	8
rent, to	арендова́ть *imp.*	10
repairs	ремо́нт	13
repeat, to	повторя́ть *imp.* (*pf.* повтори́ть)	15

English	Russian	
reply, to	отвеча́ть *imp.* (*pf.* отве́тить)	6
report	докла́д; отчёт	4; 15
reporting	репорта́ж	5
request	про́сьба	10
responsibility	отве́тственность *f.*	14
rest	о́тдых	7
rest, to	отдыха́ть *imp.* (*pf.* отдохну́ть)	4
have a rest! *imperative*	отдохни́!	7
restaurant	рестора́н	0, 1
result	результа́т	14
result, to	получа́ться *imp.* (*pf.* получи́ться)	15
return, to	возвраща́ться *imp.* (*pf.* верну́ться)	14
revolution	револю́ция	4
rewrite, to	перепи́сывать *imp.* (*pf.* переписа́ть)	14
ribeye steak	риба́й стейк	7
rice	рис	7
rich	бога́тый	10
richer	бога́че	13
rich man	бога́ч	15
right *short form adj.*	прав, права́, пра́во, пра́вы	12
(to the) right	напра́во	2
(on the) right	спра́ва	10
ring	кольцо́	9
rissole, meat patty	котле́та	7
river	река́	0, 2
road	доро́га	12
rock music	рок-му́зыка	12
role	роль *f.*	10
roll, doughnut	бу́блик	15
room	ко́мната	1
room service	рум-се́рвис	11
rose	ро́за	0
rouble	рубль *m.*	0, 2
round	кру́глый	10
row	ряд	8
run, to	бежа́ть *imp.*	9
Rus'	Русь *f.*	13
Russia	Росси́я	2
Russian (*nationality*)	ру́сский	0, 1
(*with* говори́ть)	по-ру́сски	2
Russian (*state, not nationality*)	росси́йский	13
Russian doll	матрёшка	0, 4

S

English	Russian	
sad	гру́стный	9
(it is) sad	гру́стно	9
salad	сала́т	7
sale	распрода́жа	12
salt	соль *f.*	7
samovar	самова́р	12
sand	песо́к	15
sandwich	бутербро́д; сэ́ндвич	4; 11
satellite	спу́тник	0
Saturday	суббо́та	6
sauce	со́ус	7
sausage	колбаса́; соси́ска	7; 14
say, to	говори́ть *imp.* (*pf.* сказа́ть)	10
(I'm) scared	(мне) стра́шно	12
scarf	шарф	9

English	Russian	Ref
scenery (in theatre)	декора́ция	0
school	шко́ла	0, 2
school adj.	шко́льный	15
schoolboy	шко́льник	3
science	нау́ка	11
Scotland	Шотла́ндия	4
sea	мо́ре	2
second	второ́й	5
secondary school	гимна́зия	9
secret adj.	секре́тный	6
secretary	секрета́рь m.	0, 1
secretary (female)	секрета́рша	11
see, to	ви́деть imp.	
	(pf. уви́деть)	5
we'll see!	поживём-уви́дим	14
seem, to	каза́ться imp.	9
it seems to me	мне ка́жется	11
self, my/him/herself	сам, сама́	11
sell, to	продава́ть imp.	
	(pf. прода́ть)	8
seller	продаве́ц	9
seminar	семина́р	6
send, to	посыла́ть imp.	
	(pf. посла́ть)	12
September	сентя́брь m.	0, 8
serious	серьёзный	10
seriously?	серьёзно?	10
seven	семь	3
seven hundred	семьсо́т	9
seventeen	семна́дцать	3
seventeenth	семна́дцатый	13
seventh	седьмо́й	13
seventieth	семидеся́тый	13
seventy	се́мьдесят	9
several	не́сколько	11
she, it f.	она́	0, 1
shelf	по́лка	10
shine, to	свети́ть imp.	8
shirt	руба́шка	9
shock	шок	0
shoes	ту́фли f. pl.	9
shop	магази́н	0, 2
shore	бе́рег	GS
short	коро́ткий	14
shorter	коро́че	GS
shot glass	рю́мка	9
shout, to	крича́ть imp.	
	(pf. кри́кнуть)	13
show, spectacle	спекта́кль m.	5
show, to	пока́зывать imp.	
	(pf. показа́ть)	9
show imperative	покажи́те	9
shower	душ	10
shy	ро́бкий	11
Siberia	Сиби́рь f.	8
side	сторона́	13
side dish	гарни́р	7
sight of the city	достопримеча́тельность f.	4
signal	сигна́л	13
similar	похо́жий	14
simple	просто́й	7
sing, to	петь imp. (pf. спеть)	11
singer	певе́ц	3
sister	сестра́, pl. сёстры	0, 3
sister	сестри́ца (old-fashioned)	14
sit down, to	сади́ться imp.	
	(pf. сесть)	12
sit down! imperative	сади́тесь!	12
sit, to	сиде́ть imp.	5
sitting room	гости́ная	10
situated, to be	находи́ться	4
situation	ситуа́ция	0, 14
six	шесть	3
six hundred	шестьсо́т	9
sixteen	шестна́дцать	3
sixteenth	шестна́дцатый	13
sixth	шесто́й	4
sixtieth	шестидеся́тый	13
sixty	шестьдеся́т	9
ski, to	ката́ться на лы́жах imp.	8
sleep, to	спать imp.	6
slow	ме́дленный	8
slowly	ме́дленно	2
small	ма́ленький; небольшо́й	5; 8
smetana (sour cream)	смета́на	7
smile, to	улыба́ться imp.	12
smoke	дым	0
smoke, to	кури́ть imp.	5
sneeze, to	чиха́ть imp.	
	(pf. чихну́ть)	14
snow	снег	8
so	так	3
so many	сто́лько	15
so that	что́бы	15
sofa	дива́н	8
soldier	солда́т	14
solution (to problem)	реше́ние	15
solve (problem), to	реша́ть imp.	
	(pf. реши́ть)	15
some kind of	како́й-то	14
somehow	ка́к-то	13
someone	кто́-то	11
someone, anyone	кто́-нибудь	12
something	что́-то	13
something, anything	что́-нибудь	7
sometimes	иногда́	6
somewhere	где́-то	14
son	сын	0, 3
song	пе́сня	12
soon	ско́ро	8
as soon as possible	как мо́жно скоре́е	12
soup	суп	0, 7
south	юг	8
south-east	юго-восто́к	9
south-west	юго-за́пад	9
south-western	юго-за́падный	12
souvenir	сувени́р	8
Soviet	сове́тский	9
space	ко́смос	0, 4
Spain	Испа́ния	3
Spanish	испа́нский	3
Spanish man	испа́нец	3
Spanish woman	испа́нка	3
sparkling (of water)	с га́зом	7
speak, to	говори́ть imp.	
	(pf. поговори́ть)	1
special	осо́бенный	15
specialist	специали́ст	5
spoon	ло́жка	10
sport	спорт	4

sportswoman	спортсме́нка	14	surname	фами́лия	0, 2
spring	весна́	8	surprise	сюрпри́з	10
in spring	весно́й	8	surprise, to	удивля́ть *imp.*	
spy	шпио́н	0		(*pf.* удиви́ть)	11
square	пло́щадь *f.*	0, 2	surprised, to be	удивля́ться *imp.*	
squash (*sport*)	сквош	4		(*pf.* удиви́ться)	14
stadium	стадио́н	10	Swan Lake	Лебеди́ное о́зеро	8
stage (*theatre*)	сце́на	12	sweater	сви́тер	10
stairs	ле́стница	12	Sweden	Шве́ция	10
stall	прила́вок	9	sweet *adj.*	сла́дкий	12
stalls (*theatre*)	парте́р	13	sweets	конфе́ты *f. pl.*	9
stand up, to	встава́ть *imp.*		swim, to	пла́вать *imp.*	6
	(*pf.* встать)	6	swimming	пла́вание	13
stand, to	стоя́ть *imp.*	8	swimming-pool	бассе́йн	6
star (little)	звёздочка	15	switch off, to	выключа́ть *imp.*	
starters	заку́ски *f. pl.*	7		(*pf.* вы́ключить)	14
state	штат	9	symphony	симфо́ния	4
state *adj.*	госуда́рственный	6	system	систе́ма	8
station	вокза́л	0, 2			
statue	ста́туя; па́мятник	4; 14	**T**		
steak	стейк	7			
steam	пар	15	table	стол	1
still	ещё	0, 5	table (*small, e.g. in restaurant*)	сто́лик	7
still (*of water*)	без га́за	7	table *adj.*	столо́вый	7
stomach	желу́док	12	take, to	брать *imp.* (*pf.* взять)	6
stop (*on sign*)	стоп	0	take, to (*e.g. medicine*)	принима́ть *imp.*	
stop (*bus etc.*)	остано́вка	13		(*pf.* приня́ть)	12
stop, to (*i.e. oneself*)	остана́вливаться *imp.*		tale	расска́з	11
(*intransitive*)	(*pf.* останови́ться)	13	talk, to	говори́ть *imp.*	
stop, to (*sth*)	остана́вливать *imp.*			(*pf.* поговори́ть)	1
	(*pf.* останови́ть)	13	talk, chat, to	разгова́ривать *imp.*	5
story	исто́рия	13	tall	высо́кий	12
straight ahead	пря́мо	2	tank	танк	15
strange	стра́нный	8	task	зада́ние; зада́ча	2; 15
(it is) strange	стра́нно	3	taste	вкус	0
strategy	страте́гия	0	tasty	вку́сный	6
street	у́лица	0, 2	(it is) tasty	вку́сно	7
street-lamp	фона́рь *m.*	13	taxi	такси́	0, 6
strong	си́льный	8	taxi driver	такси́ст	13
strudel	штру́дель *m.*	7	tea	чай	0, 1
student	студе́нт *m.*,		teacher	учи́тель *m.*;	
	студе́нтка *f.*	0, 1		преподава́тель *m.*	1; 12
student hostel	общежи́тие	14	teacher (*female*)	учи́тельница	14
study to (*somewhere*)	учи́ться *imp.*	14	telegram	телегра́мма	0, 12
study, to (*something*)	изуча́ть *imp.* (*pf.*		telegraph	телегра́ф	0
	изучи́ть)	4	telephone	телефо́н	1
study, be involved in, to	занима́ться *imp.*		television	телеви́зор	0, 5
	(*pf.* заня́ться) + *inst.*	14	tell (me) *imperative*	скажи́те	2
stuffy	ду́шный	8	temperature	температу́ра	8
(it is) stuffy	ду́шно	8	ten	де́сять	3
stupid	глу́пый	11	tennis	те́ннис	5
substitute, to	заменя́ть *imp.*	12	tennis player *f.*	тенниси́стка	3
subtitles	субти́тры *m. pl.*	5	tenth	деся́тый	12
success	успе́х	14	term	семе́стр	10
such	тако́й	2	terrible	ужа́сный	13
suddenly	вдруг	4	Ivan the Terrible	Ива́н Гро́зный	3
sugar	са́хар	0, 7	text	текст	0, 7
suit	костю́м	0, 2	text message	СМС	11
suitcase	чемода́н	9	textbook	уче́бник	3
summer	ле́то	4	Thailand	Таила́нд	4
sun	со́лнце	8	than	чем	7
Sunday	воскресе́нье	6	thank you	спаси́бо	1
sunny	со́лнечный	8	that + *noun*	тот, та, то, те	0, 2
(it is) sunny	со́лнечно	8	that	что	1
supermarket	суперма́ркет;		theatre	теа́тр	0, 2
	универма́г	0, 6; 10	their	их; и́хний	
sure, certain	уве́рен, -а, -ы	14		(*old-fashioned*)	3; 14

theme	тéма	0, 5
then (*after that*)	потóм	2
then (*at that time*)	тогдá	6
then (*in second clause after éсли*)	то	15
then (*on the other hand*)	затó	13
theory	теóрия	14
there (*direction*)	тудá	7
from there	оттýда	10
there (*position*)	там	0, 2
there and then	тут же	15
there is	есть	4
there is not	нет; нéту (*colloquial*)	0, 1; 15
therefore	поэ́тому	8
they	они́	1
thing	дéло; вещь *f.*; штýка	1; 7; 9
how are things?	как делá?	1
think, to	дýмать *imp.* (*pf.* подýмать)	4
think again, change one's mind, to	передýмывать *imp.* (*pf.* передýмать)	14
third	трéтий	12
thirteen	тринáдцать	3
thirteenth	тринáдцатый	13
thirtieth	тридцáтый	13
thirty	три́дцать	5
this (is), it (is)	э́то	0, 1
this, these	э́тот, э́та, э́то, э́ти	2
thousand	ты́сяча	9
three	три	3
three hundred	три́ста	9
thriller (*book or film*)	детекти́в	5
throat	гóрло	12
throw, to	бросáть *imp.* (*pf.* брóсить)	13
thunder, to	гремéть *imp.*	15
Thursday	четвéрг	6
ticket	билéт	0, 1
ticket office	кáсса	0, 2
tidy the room, to	убирáть *imp.* (*pf.* убрáть) кóмнату	12
tiger	тигр	0
time	врéмя	2
on time	вóвремя	15
what is the time?	котóрый час; скóлько сейчáс врéмени?	5
at what time?	во скóлько?	5
time (= *occasion*)	раз	2
(it is) time	порá	5
time, to spend	проводи́ть *imp.* (*pf.* провести́) врéмя	11
timetable	расписáние	GS
tired	устáл, -a, -и	6
to	в, на + *acc.*	1
tobacco	табáк	0
today	сегóдня	3
together	вмéсте	4
toilet	туалéт	0, 1
token	жетóн	0
tomorrow	зáвтра	3
the day after tomorrow	послезáвтра	6
tongue	язы́к	4
tonic	тóник	14
too (+ *adj.*, *excessively*)	сли́шком	9
tooth	зуб	12

touch, to	трóгать *imp.* (*pf.* трóнуть)	14
tourist	тури́ст	0, 1
tourist *adj.*	туристи́ческий	9
towards	к + *dat.*	
tower	бáшня	4
town	гóрод	
out of town (*direction*)	зá город	8
out of town (*position*)	за гóродом	14
town *adj.*	городскóй	14
toy	игрýшка	9
track, to	следи́ть за + *inst.*	14
traditional	традициóнный	9
traffic	движéние	13
traffic jam	прóбка	15
train	пóезд	2
trainee	стажёр	14
tram	трамвáй	0, 2
Trans-Siberian	транссиби́рский	15
translate, to	переводи́ть *imp.* (*pf.* перевести́)	10
translator	перевóдчик	1
tree	дéрево, *pl.* дерéвья	9
trip	поéздка	7
trousers	брю́ки *pl.*	13
trumpeter	трубáч	15
truth	прáвда	0, 5
try (*to do sth*), attempt, taste, to	прóбовать *imp.* (*pf.* попрóбовать)	12
try (*to do sth*), to	старáться *imp.* (*pf.* постарáться)	14
tsar	царь *m.*	0, 3
tuba	тýба	0
Tuesday	втóрник	0, 6
Turkey	Тýрция	13
turn on, to	включáть *imp.* (*pf.* включи́ть)	15
turn round, to	повора́чиваться *imp.* (*pf.* поверну́ться)	14
turn *imperative*	поверни́те	4
it turned out	оказáлось	11
twelfth	двенáдцатый	13
twelve	двенáдцать	3
twentieth	двадцáтый	13
twenty	двáдцать	3
two	два	2
two hundred	двéсти	9
typical	типи́чный	5

U

umbrella	зонт	8
uncle	дя́дя	0, 3
uncultured	некульту́рный	11
under	под + *inst.*	13
underpass	перехóд	0, 8
understand, to	понимáть *imp.* (*pf.* поня́ть)	1
understood	поня́тно	2
unexpectedly	неожи́данно	13
unfamiliar	незнакóмый	14
unfortunately	к сожалéнию	5
uniform	фóрма	15
(it is) unimportant	невáжно	8
uninteresting	неинтерéсный	15
union	сою́з	13

unity	еди́нство	13
university	университе́т	0, 7
unpleasant	неприя́тный	15
unsweetened	несла́дкий	12
until	до + gen.	1
(it is) untrue, a lie	непра́вда	6
upstairs, up (direction)	наве́рх	13
urgently	сро́чно	12
use, to	испо́льзовать imp., pf.	13
useful	поле́зный	13
USSR	СССР	0, 15
usually	обы́чно	5
Uzbekistan	Узбекиста́н	13

V

valuable	це́нный	10
vase	ва́за	15
vegetables	о́вощи pl.	0, 7
vegetarian	вегетариа́нец, -а́нка	7
verb	глаго́л	15
version	вариа́нт	15
very	о́чень	1
victory	побе́да	13
video	ви́део	0
view	вид	15
village	дере́вня	13
violin	скри́пка	5
visa	ви́за	0, 1
visit sme, to (position)	быть в гостя́х у + gen.	13
visit sme, to (direction)	идти́ imp. (pf. пойти́) в го́сти к + dat.	12
vodka	во́дка	0, 6
voice	го́лос, pl. голоса́	9
volume (of book)	том	13

W

wait for, to	ждать imp. (pf. подожда́ть)	6
waiter	официа́нт m., -ка f.	6
Wales	Уэ́льс	13
walk	прогу́лка	13
walk up to, to	подходи́ть imp. (pf. подойти́) к + dat.	14
wall	стена́	6
wallet	бума́жник	13
want, to	хоте́ть imp. (pf. захоте́ть)	5
war	война́	4
ward	пала́та	3
warehouse	склад	15
warm	тёплый	8
(it is) warm	тепло́	8
wash the dishes, to	мыть imp. (pf. помы́ть) посу́ду	12
watch	часы́ pl.	9
watch, look, to	смотре́ть imp. (pf. посмотре́ть)	5
water	вода́	4
we	мы	0, 1
weather	пого́да	5
website	сайт; вебса́йт	10; 11
wedding	сва́дьба	12
Wednesday	среда́	6

week	неде́ля	5
weekend	выходны́е pl.	10
welcome	добро́ пожа́ловать	2
well	хорошо́	1
well done!	молоде́ц	10
well...	ну	4
west	за́пад	9
what	что	1
what is a ...	что тако́е	2
what's more	к тому́ же	14
when	когда́	4
where (direction)	куда́	7
from where	отку́да	6
where (position)	где	0, 2
which, what kind of	како́й	5
while, for the moment	пока́	12
whisper	шёпот	11
in a whisper	шёпотом	11
whisper, to	шепта́ть imp. (pf. шепну́ть)	11
white	бе́лый	4
who	кто	0, 1
who, which, that (relative pronoun)	кото́рый	5
whole	це́лый	GS
whose	чей, чьё, чья, чьи	2
why	почему́; отчего́	4; 12
wife	жена́	3
wide	широ́кий	GS
wider	ши́ре	GS
win, to	выи́грывать imp. (pf. вы́играть)	15
wind	ве́тер	8
window	окно́	1
windy	ве́треный	8
(it is) windy	ве́трено	8
wine	вино́	0, 2
winter	зима́	0, 8
winter adj.	зи́мний	8
with	с + inst.	7
without	без + gen.	7
woman	же́нщина	3
woman's	же́нский	13
(I) wonder	(мне) интере́сно	4
wonderful	прекра́сный; чуде́сный	6; 8
wood (forest)	лес	0
word	сло́во	2
work	рабо́та	0, 3
work, to	рабо́тать imp.	4
worker	рабо́тник	12
world	мир	0, 4
world adj.	мирово́й	13
(little) worm	червячо́к	15
worried, to be	волнова́ться imp. (pf. разволнова́ться)	12
worry	волне́ние	14
worry, alarm	трево́га	15
worse	ху́же	13
write down, to	запи́сывать imp. (pf. записа́ть)	14
write, to	писа́ть imp. (pf. написа́ть)	6
write it down imperative	напиши́те	2
writer	писа́тель m.	3

Y

yacht	я́хта	0
Yalta	Я́лта	0
year	год	6
yellow	жёлтый	9
yes	да	0, 1
yesterday	вчера́	4
the day before yesterday	позавчера́	6
yet	ещё	0, 5
yoghurt	йо́гурт	12
you *pl. or formal*	вы	0, 1
you *sing.*	ты	0, 1
young	молодо́й	2
younger	моло́же	13
your *pl.*	ваш, ва́ша, ва́ше, ва́ши	1
your *s.*	твой, твоя́, твоё, твой	3
youth	ю́ность *f.*; мо́лодость *f.*	11; 14
in (my) youth	в ю́ности	11

Z

zero	ноль *m.*	3
zone	зо́на	0

There are three indexes to this book. The first is an index of grammar topics. Main headings (e.g. 'nouns', 'adjectives') are listed alphabetically. Under the main headings subjects are generally listed in a grammatically logical order: for example, under the main heading 'verb', present tense is listed first, then future tense, then past tense.

The second index lists vocabulary and conversational topics in English alphabetical order.

The third index is a list of Russian words in alphabetical order. These are words that have some grammatical or lexical significance attached to them: for example, **откýда** is listed because it refers the reader to sections of the book dealing with how to say where someone comes from.

INDEX OF GRAMMAR TOPICS

PRONOUNS

VERBS

ALPHABETICAL INDEX OF VOCABULARY AND CONVERSATION TOPICS

ALPHABETICAL INDEX OF RUSSIAN WORDS